LOS TESTIGOS DE JEHOVÁ
A LA LUZ DE LA BIBLIA

LOS TESTIGOS DE JEHOVÁ A LA LUZ DE LA BIBLIA

Ron Rhodes

PUBLICACIONES
KERIGMA
Ἐν ἀρχῇ ἦν ὁ Λόγος

Los testigos de Jehová a la luz de la Biblia

Publicado originalmente en inglés bajo el título: *Reasoning from the Scriptures with the Jehovah's Witnesses,* por Harvest House Publishers.

Traducción: Carolina de Angulo
Edición: Publicaciones Kerigma
Diseño de Portada: Publicaciones Kerigma
Revisión y maquetación: Mario Salvatierra

© 2023 **Publicaciones Kerigma**
   Salem Oregón, Estados Unidos
   http://www.publicacioneskerigma.org

2023 Publicaciones Kerigma
Salem Oregón
All rights reserved.

Pedidos: 971 304-1735

www.publicacioneskerigma.org

ISBN: 978-1-962296-02-1

Impreso en los Estados Unidos
Printed in the United States

Con gran afecto y alegría,
este libro está dedicado a mis hijos,
David y Kylie

Una nota amistosa para los posibles lectores que son Testigos de Jehová

Si usted es testigo de Jehová, quiero asegurarle personalmente que yo, Ron Rhodes, *nunca* he sido testigo de Jehová. Digo esto debido a la postura de La Atalaya de que un testigo de Jehová que lee literatura escrita por antiguos testigos de Jehová es tan malo como leer pornografía y, por lo tanto, está prohibido. Usted puede hojear libremente las páginas de este libro con la plena convicción de que su autor es alguien que se preocupa por usted, y sólo se preocupa por comunicar con precisión la verdad de la santa Palabra de Dios. Oro por usted.

AGRADECIMIENTOS

Muchas personas merecen mi agradecimiento por su ayuda en este proyecto. En primer lugar, quiero destacar a Marian Bodine—ahora en casa con el Señor—por leer detenidamente partes clave del manuscrito antes de su publicación. Sus sugerencias fueron inestimables.

Estoy en deuda con muchas otras personas cuyos libros, artículos e interacciones personales han sido de gran ayuda en la investigación y redacción del presente volumen. Entre ellos figuran Robert M. Bowman, David Reed, Walter Martin y Duane Magnani. Estoy muy agradecido por el trabajo que estas personas han realizado en este campo y recomiendo encarecidamente sus libros.

Estoy especialmente agradecido con Bob Hawkins Jr., presidente de Harvest House Publishers, por su continua fe en este proyecto. Gracias también a todos mis amigos de Harvest House.

Mi esposa, Kerri, merece una mención especial, no sólo por su inagotable apoyo y aliento, sino también por leer el manuscrito, bastante largo, para facilitar su lectura antes de la publicación. Sus sugerencias se incorporaron gustosamente al libro.

Por último, quiero dar las gracias a mis hijos, David y Kylie, a quienes este libro está dedicado con alegría. El salmista dijo: «He aquí que los hijos son un *don* del Señor» (Sal. 127:3). ¡Cuánta verdad!

Contenidos

13

INTRODUCCIÓN

Busca la verdad— Escucha la verdad—
Enseña la verdad—Ama la verdad—
Permanece en la verdad—
Defiende la verdad—Hasta la muerte.
—John Huss (1370-1415 d.C.)[1]

En 1985, la Watchtower Society publicó un libro de 445 páginas titulado *Reasoning from the Scriptures* [*Razonamiento a partir de las Escrituras*] (primera edición: dos millones de ejemplares). Este libro, como la mayoría de los otros libros de Watchtower, fue diseñado para equipar a los testigos de Jehová para argumentar sus doctrinas peculiares a partir de las Escrituras. El libro se proponía demostrar cómo refutar la plena deidad de Cristo, demostrar que es un ser creado, que el Espíritu Santo no es ni una persona ni Dios, sino más bien la «fuerza activa» de Dios, que la doctrina de la Trinidad no es bíblica y tiene sus raíces en el paganismo, y mucho más.

Cuando uno se da cuenta de que los testigos de Jehová dedican actualmente más de 1.400 millones de horas-hombre al año a difundir estas doctrinas por todo el mundo,[2] resulta obvio que el cristiano debe equiparse para responder a estos sectarios en la puerta de su casa. De hecho, los cristianos deben entender a *los testigos de Jehová a la luz de la Biblia*.

---

[1] Draper's Book of Quotations for the Christian World (Wheaton: Tyndale House, 1992), p. 628.

[2] Anuario de los Testigos de Jehová 2008, sitio web oficial de los Testigos de Jehová, jw.org.

Los testigos de Jehová crecen a un ritmo geométrico en Estados Unidos. En 1940, había 58.009 testigos de Jehová activos y bautizados en Estados Unidos. Esta cifra aumentó a 108.144 en 1950; 205.900 en 1960; 416.789 en 1970; 565.309 en 1980; 850.120 en 1990; y actualmente supera con creces el millón. Las estadísticas del crecimiento de esta secta en todo el mundo son aún más alarmantes. En la actualidad hay unos siete millones de testigos de Jehová activos y bautizados en el mundo. (En comparación, en 1940 había menos de 96.000.)[3] Además, los estudios bíblicos de La Atalaya parecen más populares que nunca, con más de 6,3 millones realizados *cada mes*.[4]

La distribución de la *Traducción del Nuevo Mundo* de Watchtower también continúa expandiéndose por todo el mundo. En la actualidad, esta traducción de la Biblia está disponible total o parcialmente en 72 idiomas y se han impreso 143 millones de ejemplares en varias ediciones.[5] En vista de los hechos anteriores, está claro que los testigos de Jehová están creciendo geométricamente en todo el mundo.

Encuentros con testigos

Típicamente, en su testimonio puerta a puerta, los testigos de Jehová señalan pasajes aislados del Nuevo Testamento que «prueban más allá de toda duda» que Jesús es menor que el Padre y por lo tanto no es Dios Todopoderoso. Por ejemplo, señalan Juan 14:28, donde Jesús dice: «El Padre es mayor que yo». Citan las palabras de Jesús a María en Juan 20:17: «Subo a mi Padre y a vuestro Padre, a mi Dios y a vuestro Dios». Citan 1Corintios 11:3, que dice que «la cabeza de Cristo es Dios». Señalan 1Corintios 15:28, donde el apóstol Pablo dice que Jesús «también será sometido al que sometió a él todas las cosas, para que Dios sea todo en todos». Citan Juan 3:16, donde Jesús es llamado el «Hijo unigénito» de Dios. Citan Colosenses 1:15, que dice que Jesús es «el primogénito de toda la creación». Señalan Apocalipsis 3:14, que dice que Jesús es el *principio* de la creación de Dios.

---

[3] Anuario de los Testigos de Jehová de 2008
[4] Reporte de servicio anual de los Testigos de Jehová de 2006, sitio web oficial de los Testigos de Jehová, jw.org.
[5] ¡Despertad!, noviembre de 2007, p. 30.

Al cristiano promedio le resulta muy difícil responder a los testigos de Jehová que citan esos versículos. Creo que el difunto Dr. Walter Martin tenía razón cuando dijo que el testigo de Jehová promedio puede hacer un «pretzel doctrinal» del cristiano promedio en unos 30 segundos.

Todo esto me recuerda el testimonio de Don Nelson. Durante años Don fue un testigo de Jehová comprometido. Pero con el tiempo llegó a conocer al verdadero Cristo de las Escrituras.[6]

Durante sus primeros meses como testigo de Jehová, Don relata cómo la Watchtower Society lo entrenó para defender las peculiares doctrinas de la secta. «Todo lo que me decían los testigos de Jehová podía 'verificarse' en la Palabra de Dios, decían. Soltaban listas interminables de 'textos de prueba' sobre todos los temas imaginables. Por supuesto, cuando los testigos me enseñaron, estaban «escribiendo sobre una pizarra en blanco», por así decirlo. Yo no sabía nada de las Escrituras antes de conocerlos, y de repente, en unas pocas semanas, lo sabía todo sobre la Biblia (eso creía yo)».[7]

Lo que es especialmente preocupante es que muchos cristianos evangélicos eran incapaces de responder a los argumentos que Don presentaba de puerta en puerta, a pesar de que sólo había sido entrenado durante unas *pocas semanas* por los testigos de Jehová. El primer día que fui de puerta en puerta, «derroté» a dos bautistas, un luterano y tres presbiterianos en un combate dialéctico. Me quedé realmente sorprendido por el analfabetismo bíblico de la mayoría de los cristianos».[8]

Afortunadamente, sin embargo, con el tiempo Don empezó a ver las abrumadoras debilidades de la versión de la Biblia de los testigos de Jehová: la *Traducción del Nuevo Mundo*. En primer lugar, descubrió que ninguno de los traductores de esta versión sabía griego ni hebreo (las lenguas originales de la Biblia). «Estos 'eruditos' de Watchtower no sabían más griego que yo. Esto me inquietó un poco».[9]

Aunque la *Traducción del Nuevo Mundo* pretendía ser la traducción más fina, verdadera y erudita jamás realizada, Don descubrió que en realidad era tosca, débil e ilegible. «El hermoso Salmo 23 fue traducido en

---

[6] Don Nelson, «That Hideous Strength: The Watchtower Society», Christian Research Newsletter, marzo/abril de 1991, p. 1.

[7] Nelson, p. 1.

[8] Nelson, p. 1.

[9] Nelson, p. 1.

parte: 'Dispones ante mí una mesa frente a los que me muestran hostilidad. Con aceite has engrasado mi cabeza'. Ahora bien, aunque yo no sabía nada de la Biblia antes de conocer a los testigos, sí sabía algo de inglés y me estremecí ante la deformación de esta poesía hebrea».[10]

En consecuencia, Don comenzó a leer versiones estándar de la Biblia en lugar de la *Traducción del Nuevo Mundo* y el Señor «encendió la luz» en su vida. «Lo que encontré, o, mejor dicho, lo que me mostró el Espíritu Santo, fue que el Nuevo Testamento es un libro de Jesús. Me quedé atónito. Mirara donde mirara veía a Jesús».[11] Tal exaltación de Jesús no se encuentra en ninguna parte de la *Traducción del Nuevo Mundo*.

Uno de los propósitos de este libro es equiparle para ayudar al testigo de Jehová en su puerta a ver que el Nuevo Testamento es de hecho «un libro de Jesús». Para ello, sin embargo, debemos examinar los versículos bíblicos que constituyen el principal arsenal de la teología de Watchtower. Los versículos contenidos en este libro son los que surgen con más frecuencia en los encuentros de testificación con los testigos de Jehová. Al aprender el contenido de este libro, usted no sólo *no* se convertirá en un «pretzel doctrinal», sino que estará equipado para guiar a un testigo de Jehová perdido al verdadero Cristo de las Escrituras.

Por supuesto, esto presupone que usted *desea* compartir el Evangelio con los testigos de Jehová. El mero hecho de que esté leyendo este libro demuestra que tiene ese deseo. Sin embargo, es verdaderamente lamentable que muchos cristianos no sólo *no* compartan el Evangelio con los testigos de Jehová, sino que muestren una actitud hostil y despreocupada hacia ellos.

Esta actitud queda ilustrada en el testimonio de Chuck Love. Durante años, Chuck fue un dedicado testigo de Jehová que difundía las enseñanzas de Watchtower puerta a puerta con su esposa, pero finalmente, encontró la liberación en el verdadero evangelio de Cristo. Chuck recuerda cómo eran sus años de actividad como testigo:

> Mi esposa y yo probablemente hemos visitado miles de hogares entre los dos. Ni una sola vez encontramos a alguien que compartiera su testimonio o su fe en Cristo con nosotros. Mucha gente decía algo como: «Oh, ustedes son ese grupo que no cree en el

---

[10] Nelson, pp. 1-2.
[11] Nelson, p. 2.

infierno» o «Ustedes no creen en la Trinidad». La mayoría de la gente nos hablaba en términos negativos, diciéndonos que nuestras creencias eran erróneas, pero sin molestarse en decirnos lo que era correcto. Nunca nadie nos habló del amor de Jesucristo. Nadie intentó nunca darnos testimonio en la puerta.[12]

Es *imperativo* que los cristianos no tengan una actitud hostil cuando los testigos de Jehová se presentan en la puerta de casa. Al fin y al cabo, estamos llamados a compartir con ellos las buenas nuevas del Evangelio para que puedan salvarse de una destrucción segura (Jud. 3; 1Pe. 3:15-16; Mt. 28:19-20).

Mírelo de esta manera: Si usted se enterase de que unas pastillas de una tienda han sido mezcladas con cianuro, haría todo lo posible por advertir a la gente del peligro para que no se envenenase y muriese. Eso sería lo más amoroso que podrías hacer. Lo que debemos darnos cuenta es que también hay cianuro *espiritual* siendo diseminado a un nivel masivo por la *Watchtower Society*. Por lo tanto, lo más amoroso que podemos hacer cuando los testigos de Jehová aparecen en nuestra puerta es advertirles de este veneno y compartir la verdad con ellos. Ser hostiles y rechazarlos es negarles la única esperanza posible de llegar a la verdad y salvarse.

Conociendo a los testigos de Jehová

Aunque las creencias doctrinales específicas de los testigos de Jehová se tratarán en cada capítulo de este libro, puede ser útil centrarse desde el principio en algunas características fundamentales de los testigos de Jehová. Para empezar, es fundamental reconocer que a cada miembro se le adoctrina a fondo con la teología de Watchtower. Es triste pero cierto que los testigos de Jehová equipan a sus miembros para testificar mucho más a fondo que muchas iglesias evangélicas. El testigo de Jehová promedio es capaz de explicar *y* defender lo que cree, *y respaldarlo citando textos de prueba específicos.*

---

[12] «I Was an Elder with the Jehovah's Witnesses: The Personal Testimony of Chuck Love», entrevistado por Dan Kistler, Christian Research Newsletter, 2:3, p. 1.

Formados para responder a las objeciones más comunes

Durante su tiempo de formación, los testigos de Jehová aprenden a anticiparse a las preguntas y objeciones habituales a lo que dicen. No sólo se les enseña a responder a las cuestiones *doctrinales* con textos de prueba bíblicos, sino también a responder a las réplicas más comunes. Por ejemplo, en el libro de la Watchtower *Razonamiento a partir de las Escrituras*, a los testigos de Jehová se les enseña cómo responder a la gente si dicen: «No me interesa», «No me interesan los testigos de Jehová», «Tengo mi propia religión», «Aquí ya somos cristianos», «Estoy ocupado», «¿Por qué vienen ustedes tan a menudo?», «Ya conozco bien lo que hacen» o «No tenemos dinero».[13]

Por lo tanto, cuando alguien plantea una objeción doctrinal u ofrece una réplica común, esto desencadena automáticamente una respuesta al estilo de Watchtower en la mente del testigo de Jehová.[14] Tener esto en cuenta le ayudará a ser paciente con el testigo de Jehová cuando parezca que no llega a ninguna parte con él o ella.

También debe tener en cuenta que cuando usted señala un versículo en particular a un testigo de Jehová, él automáticamente lo «lee» a través del «lente» de la Watchtower.[15] Su mente condicionada y preprogramada sustituye lo que realmente *dice* el versículo por lo que la Sociedad Watchtower dice que *significa*.[16] Por supuesto, puede ser inmensamente frustrante tratar de llegar a un testigo de Jehová, pero recuerde que la persistencia y la paciencia realmente valen la pena. Conozco personalmente a cristianos devotos que antes eran testigos de Jehová comprometidos.

Una técnica útil para lidiar con las respuestas automáticas del testigo de Jehová es pedirle que lea un versículo en particular en voz alta, y luego preguntarle: «¿Qué se está diciendo aquí?».[17] Si suelta la típica interpretación de Watchtower, pídale que vuelva a leerlo en voz alta, despacio y con cuidado, y a continuación hágale otra pregunta. Si es persistente, ayudará al testigo de Jehová a ver por sí mismo que hay

---

[13] Reasoning from the Scriptures (Brooklyn: Watchtower Bible and Tract Society, 1989), pp. 15-24.

[14] David A. Reed, How to Rescue Your Loved One from the Watchtower (Grand Rapids: Baker Books, 1989), p. 44.

[15] Reed, How to Rescue Your Loved One from the Watchtower, p. 29.

[16] Reed, How to Rescue Your Loved One from the Watchtower, pp. 43-44.

[17] Reed, How to Rescue Your Loved One from the Watchtower, p. 37.

contradicciones y problemas con su punto de vista. (Más adelante hablaremos de la importancia de hacer preguntas estratégicas).

Advertencia sobre la influencia de amigos y familiares

La Sociedad Watchtower advierte a los nuevos adeptos que es muy posible que Satanás utilice a amigos y parientes para tratar de disuadirlos de permanecer con los testigos de Jehová.[18] Por lo tanto, como señala el antiguo testigo de Jehová David Reed, cuando un amigo o pariente intenta disuadir a un nuevo miembro de esta manera, hace que la Sociedad Watchtower parezca un verdadero profeta.[19] Esto, a su vez, anima al nuevo converso a ser *aún más* leal a la Sociedad Watchtower. Además, el amigo o pariente está tan identificado con Satanás que el nuevo converso apenas escuchará nada de lo que él o ella diga. Por lo tanto, la advertencia de Watchtower sirve como una forma eficaz de mantener a los nuevos conversos para que puedan ser adoctrinados a fondo en el culto.[20]

Advertencia contra la lectura de literatura «apóstata»

A veces, los cristianos que han leído libros de antiguos testigos de Jehová se ven tentados a sacar esos libros cuando los testigos de Jehová aparecen en la puerta de su casa. En su celo, quieren mostrar cómo un individuo fue liberado de la secta. Sin embargo, se advierte a los testigos de Jehová que se mantengan alejados de la literatura escrita por tales «apóstatas».

De hecho, a los testigos de Jehová se les enseña que leer literatura apóstata es tan malo como leer literatura pornográfica.[21] Si un testigo de Jehová sospecha siquiera que usted está usando tal material, él o ella puede asumir que usted está bajo la esclavitud del diablo, tal como lo están los apóstatas.[22] Entonces le evitarán.

En relación con esto, no crean si un testigo de Jehová les dice que yo (Ron Rhodes) fui testigo de Jehová. *Nunca* he sido testigo de Jehová. Esta afirmación deshonesta se ha difundido ampliamente en la comunidad de los

---

[18] You Can Live Forever in Paradise on Earth (Brooklyn: Watchtower Bible and Tract Society, 1982), pp. 22-23.
[19] Reed, How to Rescue Your Loved One from the Watchtower, pp. 23-24.
[20] Reed, How to Rescue Your Loved One from the Watchtower, p. 33.
[21] La Atalaya, 15 de marzo de 1986, p. 14.
[22] Reed, How to Rescue Your Loved One from the Watchtower, p. 46.

testigos de Jehová, al parecer con el fin de impedir que los testigos de Jehová interesados lean el libro que usted tiene en sus manos.

El miedo a la «expulsión»

Los testigos de Jehová tienen instrucciones de que se espera de ellos una obediencia incuestionable a las doctrinas de Watchtower. Si alguien cuestiona o rechaza una doctrina particular de Watchtower, puede ser «expulsado»—o echado de la organización.

La razón por la que se espera obediencia incuestionable es que la Sociedad Watchtower es considerada el profeta de Dios y la voz de la verdad para hoy. Cuestionar la autoridad de la Sociedad Watchtower equivale esencialmente a cuestionar la autoridad de Dios. Por lo tanto, desafiar a Watchtower se considera una ofensa intolerable.

El miedo al rechazo

A los testigos de Jehová también se les advierte de que si abandonan la organización Watchtower o son expulsados, serán rechazados por los familiares y amigos que permanezcan en la organización.[23] El miedo a este rechazo hace que sea muy difícil abandonar la secta, ya que el sacrificio es muy grande.

Anteriormente mencioné el testimonio de Chuck Love y su esposa, quienes encontraron la liberación en el verdadero Evangelio. Después de que se apartaron de la organización Watchtower y se convirtieron en cristianos, Chuck recuerda que hubo repercusiones negativas definitivas. «Mi familia me repudió. Mi esposa, que también se hizo cristiana, recibió un trato similar por parte de su familia. Sus padres ni siquiera le hablan. Nuestros hermanos y hermanas nos dejaron de lado. Y todos mis amigos íntimos—los que yo creía que eran amigos íntimos—nos apartaron de sus vidas. Cuando confiamos en Cristo, no se trataba sólo de cambiar de *iglesia*, sino de cambiar de *vida*».[24]

---

[23] La Atalaya, 15 de julio de 1963, pp. 443-44.
[24] «I Was an Elder with the Jehovah's Witnesses: The Personal Testimony of Chuck Love», p. 2.

Don Nelson, también mencionado anteriormente, tuvo una experiencia similar cuando se convirtió al cristianismo. «Es cierto que mi esposa y yo hemos perdido a familiares y a quienes creíamos que eran nuestros amigos. Pero decimos con el amado apóstol Pablo: 'Pero cuantas cosas eran para mí ganancia, las he estimado como pérdida por amor de Cristo' (Fil. 3:7)».[25]

Al testificar a un testigo de Jehová, hay que tener siempre presente que está fuertemente motivado para *seguir siéndolo* por la posibilidad de ser rechazado si decide abandonarlo. Esto apunta a la necesidad de orar ferviente y continuamente por aquellos de quienes se les predica (véase Hch. 16:14).

El encuentro testimonial

Testificar a los testigos de Jehová puede ser una experiencia difícil. Pero sus posibilidades de éxito en alcanzar a uno para Cristo pueden aumentar mucho si *decide de antemano* cómo va a manejar sus encuentros de testificación. A continuación, algunos consejos que he aprendido a lo largo de los años.

Fomentar una revisión de las creencias

Cuando un testigo de Jehová aparece en su puerta, una de las primeras cosas que debe hacer es animarle a que examine a fondo sus creencias. Después de todo, la propia literatura de Watchtower dice que uno debe examinar sus creencias religiosas para asegurarse de que esas creencias son correctas.

Un número de 1950 de la revista *La Atalaya* «invita a un examen cuidadoso y crítico de su contenido a la luz de las Escrituras».[26] En consonancia con esto, un número de 1973 de la revista *¡Despertad!* (otra publicación de Watchtower) dice que la gente debe examinar *todas* las pruebas, y que se llega a la verdad examinando *ambos lados* de un asunto.[27] Segunda de Corintios 13:5 en la *Traducción del Nuevo Mundo*

---

[25] Nelson, p. 2.
[26] La Atalaya, 15 de agosto de 1950, p. 263.
[27] ¡Despertad!, 22 de octubre 1973, p. 6.

dice: «Sigan examinándose para saber si están firmes en la fe. Sigan comprobando lo que ustedes mismos son».

Después de señalar lo anterior al testigo de Jehová, dígale que le gustaría examinar las Escrituras y poner a prueba las creencias religiosas de ambos con esas Escrituras. Esto sentará las bases para todo lo que sigue.

Encontrar puntos en común

Las Escrituras nos dicen que el apóstol Pablo se enfadó bastante cuando entró en Atenas y descubrió que la ciudad estaba llena de ídolos (Hch. 17:16). Si hubiera actuado de acuerdo con sus emociones, probablemente habría descargado su ira tratando a los atenienses de forma hostil. Pero no lo hizo. En lugar de eso, Pablo buscó un *terreno común* desde el que pudiera comunicar las buenas nuevas del Evangelio.[28]

Pablo comenzó su mensaje: «Entonces Pablo, puesto en pie en medio del Areópago, dijo: Varones atenienses, en todo observo que sois muy religiosos; porque pasando y mirando vuestros santuarios, hallé también un altar en el cual estaba esta inscripción: AL DIOS NO CONOCIDO. Al que vosotros adoráis, pues, sin conocerle, es a quien yo os anuncio». (Hch. 17:22-23)

Si aplicamos lo que aprendemos del encuentro de Pablo con los atenienses a los encuentros actuales con los testigos de Jehová, el enfoque *equivocado* sería descargar nuestra ira tratándolos de forma hostil. Lo *correcto* es hablarles con amabilidad y respeto (como hizo Pablo con los atenienses) y partir de la base común de su celoso compromiso con Dios (aunque, obviamente, su visión de Dios es herética).[29] Comenzando de esta manera, entonces usted puede discutir los detalles de la teología de Watchtower.

---

[28] David Reed, Jehovah's Witnesses: Answered Verse by Verse (Grand Rapids: Baker Books, 1992), p. 116; véase también Duane Magnani, The Watchtower Files: Dialogue with a Jehovah's Witness (Minneapolis: Bethany House, 1985), p. 10.

[29] Reed, Jehovah's Witnesses: Answered Verse by Verse, p. 116.

Tómese su tiempo

Cuando los testigos de Jehová aparecen en la puerta de casa, la tendencia de muchos cristianos es arremeter contra ellos por todas las herejías de su sistema de creencias. Es lo que yo llamo el enfoque lanzallamas del evangelismo de sectas. El problema es que este enfoque rara vez produce resultados positivos en términos de llevar a un sectario a Cristo.

Un enfoque mucho mejor es tomarse su tiempo y no forzar al testigo de Jehová a digerir más de lo que puede soportar en una sola sesión. Muchos expertos en sectas han señalado que es mejor centrarse en *uno o dos temas* durante cada reunión y tratarlos a fondo que «ponerlo todo sobre la mesa» en una sola sesión. (Recuerde, incluso Jesús dijo a los discípulos: «Aún tengo muchas cosas que deciros, pero ahora no las podéis sobrellevar» [Jn. 16:12]. Jesús era sensible a cuánto podían digerir sus oyentes en una sola sesión).[30]

Si en su primer encuentro con un testigo de Jehová usted aborda uno o dos temas con detenimiento y es *amable y respetuoso con* él, no sólo quedará impresionado por sus modales, sino que es probable que concierte otra cita para tratar otros asuntos. *Esto es lo que usted quiere que* ocurra.[31]

He aquí una advertencia: Los testigos de Jehová a menudo tratan de exponer lo que parece ser una cadena interminable de textos de prueba en apoyo de su teología. *Bájeles el ritmo.* Sugiérales: «En lugar de ir saltando de versículo en versículo, asegurémonos de discutir a fondo cada pasaje antes de pasar al siguiente».[32]

Hacer preguntas capciosas

Al hablar con un testigo de Jehová, usted no podrá forzar su opinión sobre lo que significa un versículo. Pero si puede ayudarle a descubrir *por sí mismo* los problemas de la teología de Watchtower, entonces habrá logrado realmente algo bueno.

Una buena manera de ayudar a un testigo de Jehová a descubrir problemas en la teología de Watchtower es hacer preguntas estratégicas

---

[30] Reed, Jehovah's Witnesses: Answered Verse by Verse, p. 114.

[31] Por supuesto, si la reunión inicial se prolonga y el Espíritu Santo parece bendecir su tiempo, no interrumpa la reunión antes de tiempo. Puede que se encuentre en una situación en la que el testigo de Jehová esté realmente maduro para la conversión.

[32] Peter Barnes, The Truth About Jesus and the Trinity (San Diego: Equippers, 1989), p. 2.

basadas en versículos claves, siempre con tacto y amabilidad. Recuerde que Jesús a menudo hacía preguntas para demostrar algo. David Reed señala que «en lugar de inundar a sus oyentes con información, [Jesús] utilizaba preguntas para sacarles respuestas. Una persona puede cerrar sus oídos a hechos que no quiere escuchar, pero si una pregunta punzante le hace formar la respuesta en su propia mente, no puede escapar a la conclusión— porque es una conclusión a la que él mismo llegó».[33] Debemos utilizar este mismo tipo de metodología con los testigos de Jehová.

La pregunta correcta, formulada de forma no defensiva, no desafiante y no emocional, puede hacer que el testigo de Jehová se encuentre cara a cara con una doctrina (como la deidad absoluta de Cristo) que es completamente contraria a lo que enseña la Sociedad Watchtower. Al considerar tal como una pregunta, el testigo de Jehová se ve obligado a llegar a una conclusión *por cuenta propia*.

Así, por ejemplo, puede empezar preguntándole al testigo de Jehová cuántos dioses verdaderos hay, según Juan 17:3. Permítale que abra su *Traducción del Nuevo Mundo* y pídale que lea en voz alta: «Esto significa vida eterna: que lleguen a conocerte a ti, *el único Dios verdadero*, y a quien tú enviaste, Jesucristo» (TNM, énfasis añadido). Basándose en este versículo, el testigo de Jehová dirá que Jehová (el Padre) es el único Dios verdadero.

A continuación, señale que, según Juan 1:1 en la *Traducción del Nuevo Mundo*, Jesús es «un dios». Pregúntele al testigo de Jehová si está de acuerdo con que Jesús es «un dios». La respuesta será afirmativa. Entonces pregúntele si Jesús es un Dios verdadero o un Dios falso. Esto causará un dilema al testigo de Jehová. Si él o ella dice que Jesús es un dios *falso*, está contradiciendo la *Traducción del Nuevo Mundo* de las Escrituras (ya que Juan 1:1 en esta versión dice que Jesús *es un dios*). Si dice que Jesús es un Dios verdadero, también contradice la interpretación que Watchtower hace de las Escrituras (Jn. 17:3 dice que sólo hay *un Dios verdadero: Jehová*).[34]

Examinaré este versículo—y las posibles «réplicas» de los testigos de Jehová—con más detalle más adelante en el libro. Pero creo que puede ver a qué me refiero cuando digo que una pregunta bien formulada puede ser mucho más eficaz que asaltar a un testigo de Jehová con pruebas de la

---

[33] Reed, Jehovah's Witnesses: Answered Verse by Verse, p. 115.
[34] Véase Robert M. Bowman, «Is Jesus a True or a False God?» Christian Research Journal, invierno/primavera de 1990, p. 7; véase también Magnani, pp. 125-26.

deidad de Cristo (o de cualquier otra doctrina). Si usted y el testigo de Jehová acuerdan mutuamente reunirse *cada semana o cada dos semanas* para discutir diferentes temas, puede estar seguro de que el efecto acumulativo de tales preguntas semanales erosionará lenta pero seguramente su sistema de creencias para que esté más abierto al verdadero Evangelio. (En cada capítulo de este libro, le sugeriré ejemplos de preguntas que podría hacer al testigo de Jehová).

La autoridad de la Sociedad Watchtower en tela de juicio

Como ya se ha señalado, los testigos de Jehová «leen» las Escrituras e interpretan las doctrinas a través de la «lente» de la Sociedad Watchtower. Por lo tanto, en cada encuentro que tenga con un testigo de Jehová, usted querrá socavar la autoridad de la Sociedad Watchtower demostrando que es un falso profeta. Al hacerlo, usted ayuda a quitar este «par de anteojos» distorsionados para que el testigo de Jehová pueda ver con mayor claridad.[35]

Si usted puede demostrar amorosamente que la Sociedad Watchtower se ha equivocado *una y otra vez* en términos de sus muchas predicciones—así como ha cambiado su posición en doctrinas claves una y otra vez a través de los años—esto servirá para poner en duda todo lo demás que la Sociedad enseña. A medida que usted continúe minando la confianza del testigo en la Sociedad Watchtower, encontrará más fácil hacer puntos doctrinales con él o ella (a través de las preguntas capciosas que mencioné anteriormente).

A lo largo de este libro se expondrán muchas de las falsas profecías de Watchtower. También encontrará temas proféticos tratados en detalle en el capítulo 13. Usted querrá familiarizarse a fondo con algunas de las principales falsas profecías para que estén a su alcance durante el encuentro de testificación.

Una cosa más: no se olvide de orar con constancia. Sólo Dios, con su inmenso poder, puede levantar el velo de oscuridad sectaria del corazón humano (Jn. 8:32; Hch. 16:14; 2Cor. 3:16-17; 4:4). Ore fervientemente por

---

[35] Reed, How to Rescue Your Loved One from the Watchtower, pp. 29, 53.

aquellos a quienes testifique y *ore con frecuencia* (Mt. 7:7-12; Lc. 18:1-8; Stg. 5:16).

Cómo utilizar este libro

Cuando lea detenidamente el índice de este libro, se dará cuenta de que cada uno de los capítulos trata de un tema doctrinal específico. También observará que hay más capítulos sobre Jesucristo que sobre cualquier otro tema. Esto se debe a que muchos de los pasajes bíblicos citados por los testigos de Jehová tratan de alguna manera de Cristo.

Cada capítulo de este libro comienza con un breve resumen de lo que creen los testigos de Jehová sobre un tema concreto. A continuación se analizan los principales pasajes que los testigos de Jehová citan en apoyo de su interpretación. Las citas de libros y revistas de Watchtower estarán generosamente distribuidas. También encontrará sugerencias de «preguntas guía» que podrá utilizar en sus encuentros con testigos. *Para su comodidad, estas preguntas están organizadas en viñetas.* Esto le facilitará encontrar rápidamente las preguntas que necesita para exponer su punto de vista.

El libro puede leerse de corrido, en cuyo caso usted tendrá un buen conocimiento de la teología de Watchtower y de cómo refutarla. O, puede consultar capítulos individuales según sea necesario—cada uno es independiente. Y puesto que cada capítulo trata de una enseñanza doctrinal distinta junto con los principales pasajes citados por los testigos de Jehová, descubrirá que se trata de una herramienta de referencia fácil de usar que puede utilizar para «ponerse al día» en cuestión de minutos sobre cómo refutar la doctrina de Watchtower.

Para mayor comodidad, al final del libro se incluye un índice temático y un índice bíblico.

1

LA SOCIEDAD WATCHTOWER (ATALAYA) ¿UNA ORGANIZACIÓN DE DIOS O UN CULTO TIRÁNICO?

La verdad consiste en tener la misma idea que Dios tiene sobre algo.
—Joseph Joubert (1754-1824)[1]

La verdad existe; sólo hay que inventar la falsedad.
—Georges Braque (1882-1963)[2]

Los testigos de Jehová se describen en la literatura de la Watchtower como la «sociedad cristiana mundial de personas que dan testimonio activo sobre Jehová Dios y sus propósitos para con la humanidad».[3] Se nos dice que ningún otro grupo de personas puede afirmar ser testigo de Jehová.

Los testigos de Jehová creen que Dios creó personalmente la Sociedad Watchtower como su representante visible en la Tierra. Según ellos, es a través de esta organización y de ninguna otra que Dios enseña la Biblia a la humanidad hoy en día. Sin la Sociedad y su vasta literatura, se dice que la gente es totalmente incapaz de determinar el verdadero significado de las

---

[1] Draper's Book of Quotations for the Christian World (Grand Rapids: Baker Books, 1992), p. 629.
[2] Draper's Book of Quotations for the Christian World, p. 629.
[3] Reasoning from the Scriptures (Brooklyn: Watchtower Bible and Tract Society, 1989), p. 199.

Escrituras. A los testigos de Jehová se les recuerda esto una y otra vez en las publicaciones de la Watchtower. Por ejemplo, en varios números anteriores de la revista *La Atalaya*, leemos lo siguiente:

- «La Watch Tower Bible and Tract Society es la corporación más grande del mundo, porque desde el momento de su organización hasta ahora el Señor la ha usado como su canal a través del cual dar a conocer las buenas nuevas».[4]
- «¿No es la Watch Tower Bible and Tract Society el único canal que el Señor ha usado para dispensar su verdad continuamente desde el comienzo del período de la cosecha?».[5]
- «La organización de Jehová tiene una parte visible en la tierra que representa al Señor y está bajo su supervisión directa».[6]
- «No debemos perder de vista que Dios dirige su organización».[7]
- «Sólo la organización de Jehová, en toda la tierra, está dirigida por el espíritu santo o fuerza activa de Dios».[8]

Por supuesto, si las afirmaciones anteriores son ciertas, entonces esto significa que todas las demás organizaciones cristianas *no* están dirigidas por Dios y por lo tanto son engañosas y son del diablo. Los testigos de Jehová son extremadamente exclusivos. Consideran que la Sociedad Watchtower es la única poseedora y propagadora de la verdad de Dios.

La autoridad de la Sociedad Watchtower

Los testigos de Jehová creen que la Sociedad Watchtower, como representante visible de Dios en la Tierra, ejerce autoridad sobre todos los verdaderos creyentes. Y se espera que los testigos de Jehová obedezcan a la Sociedad como la voz de Dios.[9]

Si hay un conflicto entre lo que dice la Sociedad y lo que dice el gobierno, los testigos de Jehová tienen instrucciones de obedecer sin cuestionar lo primero. Así, por ejemplo, si los Estados Unidos reinstauraran

---

[4] La Atalaya, 15 de enero de 1917, p. 6033.
[5] La Atalaya, 1 de abril de 1919, p. 6414.
[6] La Atalaya, 1 de mayo de 1938, p. 169.
[7] La Atalaya, 1 de junio de 1985, p. 19.
[8] La Atalaya, 1 de julio 1973, p. 402.
[9] La Atalaya, 15 de junio de 1957, p. 370.

el servicio militar obligatorio,[10] y si un joven testigo de Jehová fuera llamado a filas, debería obedecer a la Sociedad Watchtower y negarse a servir en el ejército.

Los testigos de Jehová creen que las enseñanzas de la Sociedad Watchtower lo abarcan todo y deberían afectar a todos los ámbitos de la vida. Un número de la revista *La Atalaya* se refiere a la Sociedad como «una organización para dirigir las mentes del pueblo de Dios».[11] Otro número dice que «la organización de Jehová... debe influir en todas nuestras decisiones».[12] De hecho, *La Atalaya* llega a decir que «debemos reconocer no sólo a Jehová Dios como nuestro Padre, sino a su organización como nuestra Madre».[13]

Incluso la lectura de la Biblia se considera insuficiente en sí misma para aprender las cosas de Dios. *La Atalaya* nos dice: «A menos que estemos en contacto con este canal de comunicación [la Sociedad Watchtower] que Dios está utilizando, no progresaremos en el camino de la vida, por mucha lectura bíblica que hagamos».[14] Como pronto veremos, los testigos de Jehová creen que versículos específicos de la Biblia señalan la necesidad de la Sociedad Watchtower para entender las cosas de Dios.

El «siervo fiel y prudente» de Dios

Los testigos de Jehová sostienen que los seguidores «ungidos» de Cristo— considerados como *un grupo* o una *organización*—son el cumplimiento de las palabras de Jesús sobre el «siervo fiel y prudente» en Mateo 24:45-47. En la *Traducción del Nuevo Mundo*, este pasaje dice: «¿Quién es en realidad el esclavo fiel y prudente a quien su amo puso a cargo de los sirvientes de la casa para darles su alimento al tiempo debido? ¡Feliz ese esclavo si su amo, cuando venga, lo encuentra haciendo eso! Les aseguro que lo pondrá a cargo de todos sus bienes».

---

[10] El servicio militar obligatorio implica el servicio obligatorio en las fuerzas armadas, basado en una selección aleatoria de las fechas de nacimiento de los ciudadanos varones de Estados Unidos.

[11] La Atalaya, 1 de marzo 1983, p. 25.

[12] La Atalaya, 15 de marzo 1969, p. 172.

[13] La Atalaya, 1 de mayo de 1957, p. 274.

[14] La Atalaya, 1 de diciembre de 1981, p. 27.

Discutiré el significado correcto de este versículo más adelante en este capítulo.

En primer lugar, echemos un breve vistazo a la historia de la Watchtower.

Charles Taze Russell

Un repaso a la historia de la Watchtower revela que el pastor Charles Taze Russell—el fundador de los testigos de Jehová—fue considerado una vez el «siervo fiel y prudente». Los testigos de Jehová de hoy lo niegan, pero la literatura de la Watchtower lo *demuestra*.[15] El libro de la Watchtower *El Arpa de Dios,* publicado a principios de 1920, afirma: «Sin duda alguna, el pastor Russell ocupó el cargo... y fue, por lo tanto, ese siervo sabio y fiel, que ministraba a la casa de la fe la carne a su debido tiempo».[16]

La revista *La Atalaya* (1920) igualmente afirmó, «Nadie en la verdad presente por un momento duda que el hermano Russell ocupó el cargo del 'Siervo Fiel y Sabio'».[17] De hecho, «la Sociedad por abrumadora mayoría de votos expresó su voluntad en sustancia así: El hermano Russell ocupó el cargo de 'ese Siervo'».[18]

La Sociedad Watchtower cambia su historia

En 1927, poco más de una década después de la muerte de Russell, la revista *La Atalaya* cantaba una melodía diferente. El pastor Russell ya no era considerado el siervo fiel y prudente. Después de su muerte en 1916, hubo una división en la organización que involucró al nuevo presidente, Joseph F. Rutherford. Rutherford tomó el control de la Sociedad Watchtower, mientras que los miembros leales a Russell se separaron. Aquellos que se separaron—los «ruselitas»—han continuado hasta el día

---

[15] Studies in the Scriptures, vol. 1: The Divine Plan of the Ages (Brooklyn: Watchtower Bible and Tract Society, 1927), p. 7.

[16] The Harp of God (Brooklyn: Watchtower Bible and Tract Society, 1921), p. 239.

[17] La Atalaya, 1 de abril de 1920, p. 100.

[18] La Atalaya, 1 de abril de 1920, p. 101.

de hoy viendo a Russell como el siervo especial de Dios.[19] Pero la organización Watchtower bajo Rutherford alegó que Russell nunca hizo esta afirmación por sí mismo. Más bien, dijo Rutherford, los seguidores ungidos de Cristo en la Sociedad—visto *como un grupo* o una *organización*—son instrumento colectivo elegido por Dios.[20]

En esta línea, el número del 15 de febrero de 1927 de la revista *La Atalaya* proclamó que la frase «siervo fiel y prudente» no se aplica a un solo individuo y ciertamente no al pastor Russell. De hecho, señala el artículo, Russell nunca afirmó ser el siervo fiel y prudente.[21]

Hoy en día, uno encontrará múltiples afirmaciones en la literatura de la Watchtower de que los seguidores ungidos de Cristo vistos *como un grupo* son el «siervo fiel y prudente» colectivo de Dios. Por ejemplo, el libro *Sea Dios hallado veraz* dice que Mateo 24:45-46 «muestra claramente que el Maestro usaría una *organización,* y no una multitud de sectas diversas y conflictivas, para distribuir su mensaje. El 'siervo fiel y prudente' es una *compañía* que sigue el ejemplo de su Líder».[22] Esta «compañía» de creyentes ungidos es dirigida por el cuerpo gobernante de la Sociedad Watchtower en Brooklyn, Nueva York, que puede ser considerada la cabeza administrativa del «siervo fiel y prudente».[23]

En consonancia con todo esto, un número de 1969 de la revista *La Atalaya* nos informa de que el siervo fiel y prudente de Dios es el único «canal de comunicación» de Dios con su pueblo.[24] Se nos dice que «todos necesitamos ayuda para entender la Biblia, y no podemos encontrar la guía bíblica que necesitamos fuera de la organización del «siervo fiel y prudente».[25]

En vista del cambio de postura de la Watchtower en cuanto a la identidad del «siervo fiel y prudente»...

---

[19] David Reed, Jehovah's Witnesses Answered Verse by Verse (Grand Rapids: Baker Books, 1992), p. 59.

[20] Reed, p. 59.

[21] God's Kingdom of a Thousand Years Has Approached (Brooklyn: Watchtower Bible and Tract Society, 1973), p. 346.

[22] Let God Be True (Brooklyn: Watchtower Bible and Tract Society, 1946), p. 200; Reasoning from the Scriptures, p. 206.

[23] Robert M. Bowman, Understanding Jehovah's Witnesses (Grand Rapids: Baker Books, 1991), p. 59.

[24] La Atalaya, 15 de enero de 1969, p. 51.

[25] La Atalaya, 15 de febrero de 1981, p. 19.

Pregunte...

* ¿Sabía usted que la Sociedad Watchtower afirmó originalmente que Charles Taze Russell era el «siervo fiel y prudente» de Dios?

* ¿Cómo se explica el cambio de postura de la Sociedad Watchtower sobre esta cuestión tan importante y fundamental?

Sumisión al siervo fiel y prudente

Los testigos de Jehová nos dicen que «es a través de las columnas de *La Atalaya* que Jehová proporciona dirección y consejo bíblico constante a su pueblo».[26] Además, «a través de las columnas de *La Atalaya* llega una mayor luz sobre la Palabra de Dios a medida que Jehová la da a conocer».[27]

La sumisión a este siervo fiel y prudente—incluidas todas las publicaciones de la Watchtower—se espera de todo testigo de Jehová. Esto se debe a que los creyentes ungidos de la Sociedad Watchtower representan el «único canal visible de Dios, a través del cual sólo debe llegar la instrucción espiritual».[28] Por lo tanto, los testigos de Jehová deben «reconocer y aceptar este nombramiento del 'siervo fiel y prudente' y someterse a él».[29]

Un número de la revista *La Atalaya* pregunta: «¿Cuál es su actitud hacia las directivas del 'siervo fiel y prudente'? La lealtad debe moverle a estar 'listo para obedecer'».[30]

No a las «interpretaciones privadas»

La literatura de la Watchtower está repleta de exhortaciones a la interpretación «dependiente» de la Biblia, es decir, *dependiente de la Sociedad Watchtower*. Los testigos de Jehová no deben pensar por sí mismos en términos de interpretación de la Biblia. Deben someter sus mentes a la Sociedad Watchtower. Por ejemplo, leemos:

---

[26] La Atalaya, 1 de mayo de 1964, p. 277.
[27] La Atalaya, 1 de agosto de 1972, p. 460.
[28] La Atalaya, 1 de octubre de 1967, p. 590.
[29] La Atalaya, 1 de octubre de 1967, p. 590.
[30] La Atalaya, 1 de diciembre de 1981, p. 14.

- «Dios no ha dispuesto que su Palabra hable independientemente o brille por sí misma verdades vivificantes. Es a través de su organización que Dios proporciona esta luz».[31]
- «Evite el pensamiento independiente... cuestionando el consejo que proporciona la organización visible de Dios».[32]
- «Luche contra el pensamiento independiente».[33]
- «Más bien debemos buscar el estudio bíblico dependiente, en lugar del estudio bíblico independiente».[34]
- «La Biblia no puede entenderse correctamente sin tener presente la organización visible de Jehová».[35]
- «Si tenemos amor por Jehová y por la organización de su pueblo no desconfiaremos, sino que, como dice la Biblia, «creeremos todas las cosas», todas las cosas que saque a relucir *La Atalaya*».[36]
- «Él no imparte su espíritu santo y una comprensión y apreciación de su Palabra sin su organización visible».[37]

Es evidente que la Sociedad Watchtower espera la obediencia incondicional de todos los testigos de Jehová. Como veremos en breve, la Sociedad intenta débilmente encontrar apoyo bíblico para tal dependencia en pasajes como Hechos 8:30-31 y 2Pedro 1:20-21.

Amenaza de expulsión

Si un testigo de Jehová desobedece las instrucciones de la Sociedad Watchtower—incluso en un asunto relativamente menor— se asume que este individuo es «apóstata», y el castigo es la «expulsión». Aquellos que están en buena relación con la Sociedad Watchtower tienen prohibido interactuar o hablar con alguien que ha sido expulsado. La única excepción es si la persona expulsada está en la familia inmediata de uno—como un esposo o esposa, en cuyo caso está permitido llevar a cabo «negocios

---

[31] La Atalaya, 1 de mayo de 1957, p. 274.
[32] La Atalaya, 1 de enero de 1983, p. 22.
[33] La Atalaya, 15 de enero de 1983, p. 27.
[34] La Atalaya, 15 de septiembre de 1911, p. 4885.
[35] La Atalaya, 1 de octubre de 1967, p. 587.
[36] Qualified to be Ministers (Brooklyn: Watchtower Bible and Tract Society, 1955), p. 156.
[37] La Atalaya, 1 julio de 1965, p. 391.

necesarios» con él o ella.[38] Este miedo a la expulsión es uno de los medios más eficaces de la Watchtower para mantener a los miembros obedientes a sus enseñanzas.

Examinemos ahora los pasajes que los testigos citan más a menudo en apoyo de su visión exaltada de la Sociedad Watchtower.

Razonando a la luz de la Biblia

Isaías 43:10: ¿«Testigos» de Jehová?

La enseñanza de la Watchtower. En la *Traducción del Nuevo Mundo* Isaías 43:10 de puede leer, «Ustedes son mis testigos—afirma Jehová—sí, mi siervo, a quien he elegido». Apropiándose de este versículo para sí mismos, los testigos de Jehová creen que de todos los grupos religiosos del planeta tierra, *sólo ellos* son elegidos por Dios y han sido considerados sus «testigos».[39]

La enseñanza bíblica. En el contexto, Isaías 43:10 se refiere *estrictamente a Israel* como testigo colectivo de la majestad, autoridad, fidelidad y verdad de Dios. Esto está en marcado contraste con los paganos que no pueden dar testimonio de tales atributos en sus falsos dioses. Israel como testigo debía testificar que Yahvé es el único Dios verdadero.

Este es el punto a destacar: Tomar un versículo que se refiere a Israel como testigo de Dios a las naciones paganas en tiempos del Antiguo Testamento (más de siete siglos *antes* del tiempo de Cristo) y pretender su cumplimiento en un grupo religioso moderno unos diecinueve siglos *después* del tiempo de Cristo, es un salto salvaje. Este es un ejemplo clásico de lo que James W. Sire llama «tergiversación de las Escrituras».[40]

Para ayudar a un testigo de Jehová a comprender la insensatez de la interpretación que hace la Watchtower de Isaías 43:10:

---

[38] Reed, p. 121.

[39] Man's Salvation Out of World Distress At Hand! (Brooklyn: Watchtower Bible and Tract Society, 1975), p. 329; véase también «Let Your Name Be Sanctified» (Brooklyn: Watchtower Bible and Tract Society, 1961), pp. 245, 361; «Let God Be True», p. 200.

[40] James W. Sire, Scripture Twisting: 20 Ways the Cults Misread the Bible (Downers Grove: InterVarsity, 1980).

Pregunte...

- Si los testigos de Jehová son los únicos testigos verdaderos de Dios, y si los testigos de Jehová como organización surgieron a finales del siglo XIX (lo cual es un hecho histórico), ¿significa esto que Dios estuvo sin testigo durante más de dieciocho siglos de historia de la Iglesia?

Ayude al testigo de Jehová a comprender las implicaciones de esa pregunta. Si no hubo un testigo de Dios durante más de dieciocho siglos, esto implica que Dios *no se preocupó* de que la gente llegara a conocerlo durante esos muchos siglos.[41]

Después de dejar claro este punto, cambie de marcha y dirija al testigo al Nuevo Testamento, donde el enfoque claro no es ser testigos de *Jehová*, sino ser testigos de *Jesucristo*.[42] De hecho, antes de ascender al cielo, Jesús dijo a los discípulos: «recibiréis poder, cuando haya venido sobre vosotros el Espíritu Santo, y *me seréis testigos* en Jerusalén, en toda Judea, en Samaria y hasta lo último de la tierra» (Hch. 1:8, énfasis añadido).[43]

Al examinar el resto del Nuevo Testamento, queda claro que los discípulos se convirtieron en testigos de *Cristo* (no de *Jehová*). Y la característica central de su testimonio era la resurrección *física y corporal* de Cristo de entre los muertos. Esta doctrina es el corazón del evangelio (1Cor. 15:1-4) y el apóstol Pablo la considera un asunto de salvación (Rom. 10:9-10). Sin embargo, los testigos de Jehová niegan esta doctrina, creyendo en cambio en una resurrección «espiritual».

Señale los siguientes versículos al testigo de Jehová, mostrando que los discípulos eran testigos de Cristo y de su resurrección física, no de Jehová:

- «A este Jesús resucitó Dios, de lo cual *todos nosotros somos testigos*» (Hch. 2:32, cursiva añadida).

---

[41] Bowman, p. 61.

[42] Reed, p. 45.

[43] Algunos testigos de Jehová recientes han sugerido débilmente que los testigos de Jehová son testigos de Jesucristo, especialmente en lo que respecta a las buenas nuevas de su reino. Sin embargo, incluso una breve lectura de la literatura de la Watchtower revela que Jehová es la figura omnipresente predominante, con Jesús relegado al estatus de una criatura (el Arcángel Miguel) que era un «dios menor». La literatura de la Watchtower deja bien claro que los testigos de Jehová son testigos de Jehová.

- Jesús fue «a quien Dios resucitó de entre los muertos, *de lo cual nosotros somos testigos*» (Hch. 3:15, énfasis añadido).

- «Y con gran poder los apóstoles *daban testimonio* [*o eran testigos*] de la resurrección del Señor Jesús, y abundante gracia era sobre ellos» (Hch. 4:33, énfasis añadido, inserción añadida basada en el griego original).

- «Más Dios le levantó de los muertos. Y él se apareció durante muchos días a los que habían subido juntamente con él de Galilea a Jerusalén, *los cuales ahora son sus testigos* ante el pueblo» (Hch. 13:30-31, cursiva añadida).

Tal vez quieras pedirle al testigo de Jehová que lea en voz alta los pasajes anteriores y luego:

Pregunte...
- Según estos pasajes, ¿eran los primeros cristianos testigos de Jehová o de Jesucristo?

Mateo 24:45-47: El «siervo fiel y prudente» de Dios

La enseñanza de la Watchtower. Como se señaló anteriormente, los testigos de Jehová argumentan que las palabras de Cristo sobre el «siervo fiel y prudente» no se refieren al cristiano en general, sino a los seguidores ungidos de Cristo vistos como un grupo o como una organización (formada por 144.000 individuos), encabezados por el órgano de gobierno de la Sociedad Watchtower en Brooklyn, Nueva York. *Sólo* esta organización ha sido designada por Dios para velar por sus asuntos en la tierra. Se alega que nadie puede entender la Biblia sin las ideas de las personas en esta organización como se establece en diversas publicaciones de la Watchtower.

En contraste con el «siervo fiel y prudente» (Mt. 24:45-47), se dice que el «siervo malo» mencionado en los versículos 48-51 se refiere a la cristiandad apóstata, es decir, a todas las denominaciones cristianas excepto los testigos de Jehová. Pero, ¿es esto lo que realmente enseñan las Escrituras?

La enseñanza bíblica. Al responder al testigo de Jehová sobre este pasaje, usted querrá hacer las mismas preguntas esenciales que se enumeran en la discusión de Isaías 43:10:

Pregunte...

- Puesto que se afirma que los creyentes ungidos, *como organización*, son el «siervo fiel y prudente» colectivo de Dios, el *único* que guía a las personas en su comprensión de las Escrituras, *y* puesto que esta organización no llegó a existir hasta finales del siglo XIX, ¿significa esto que Dios *no* tuvo *verdaderos representantes* en la tierra durante muchísimos siglos?
- ¿Qué sugiere esto sobre Dios? ¿Significa que no le importó que la gente entendiera la Biblia durante todos esos siglos?

Después de hacer estas preguntas, haga hincapié en que la idea de que Dios no haya tenido verdaderos representantes en la tierra durante tantos siglos va claramente en contra de lo que aprendemos en otras partes de las Escrituras con respecto a la continua supervivencia, crecimiento y salud de la iglesia a lo largo de la historia. Por ejemplo, en Mateo 28:20 Jesús dijo a sus seguidores: «He aquí yo estoy *con* vosotros *todos los días*, hasta el fin del mundo» (énfasis añadido). Esto implica que siempre habría seguidores de Jesús en la tierra. (¿De qué otra manera podría Jesús estar «con» ellos «todos los días» si no estuvieran allí?) No hay ninguna insinuación en este pasaje de que habría un período de dieciocho siglos durante el cual Cristo no tendría verdaderos representantes en la tierra (véase Ef. 4:11-16).

Una vez expuesto este punto, debemos abordar la pregunta: ¿Qué significa realmente la parábola de Mateo 24:45-47? En esta parábola, Jesús compara a un seguidor o discípulo con un siervo que ha sido puesto a cargo de la casa de su amo. En la parábola, Jesús contrasta dos posibles maneras en que cada discípulo profeso podría llevar a cabo la tarea: *fielmente* o *infielmente*. Cada siervo tiene la posibilidad de ser fiel o infiel a sus obligaciones.

El siervo que elige ser fiel cumple a conciencia sus responsabilidades y obligaciones mientras su señor está ausente. Honra la mayordomía que se le ha confiado. Presta cuidadosa atención a los detalles de la tarea que le ha sido asignada, y procura evitar vivir con descuido y ser negligente en el servicio. Gobierna su vida de modo que esté preparado para cuando su señor regrese.

Por el contrario, el siervo que decide ser infiel calcula que su amo estará ausente durante mucho tiempo y, por tanto, decide maltratar a sus compañeros y «darse la gran vida». Vive de forma descuidada, insensible y autoindulgente, y no cumple con sus responsabilidades para con su señor. Está claro que este siervo es un siervo *sólo de nombre*, un hipócrita. No es un siervo *verdadero*.

Por lo tanto, esta parábola indica que aquellos que profesan servir a Cristo deben hacer una elección fundamental: ser siervos fieles, haciendo la voluntad del Señor en todo momento, o ser siervos infieles, descuidando la voluntad de Dios y viviendo autoindulgentemente. Los que son fieles serán recompensados a la vuelta del Señor, entrando en su reino; los que son infieles serán castigados a la vuelta del Señor, siendo excluidos de su reino.

Para resumir, entonces, este pasaje no se refiere a una organización (la Sociedad Watchtower) que es permanentemente distinta de un grupo separado (la cristiandad apóstata). Más bien se está refiriendo en general a todos los que profesan seguir a Cristo y les está exhortando a ser fieles en contraposición a los infieles siervos de Cristo.

Hechos 8:30-31: La necesidad de la Sociedad Watchtower

La enseñanza de la Watchtower. Según Hechos 8:30-31, Felipe encontró a un hombre leyendo el libro de Isaías y le preguntó: «¿De veras entiendes lo que estás leyendo?» (TNM). El hombre respondió: «¿Y cómo voy a entenderlo sin alguien que me enseñe?». Felipe se sentó entonces con el hombre para instruirle.

Los testigos de Jehová citan este versículo para apoyar su opinión de que la Sociedad Watchtower es la organización de Dios que interpreta la Biblia en la Tierra. Dicen que la humanidad *necesita* a la Sociedad Watchtower para entender las Escrituras, igual que el hombre que leía a Isaías necesitaba a Felipe. De hecho, el libro de la Watchtower *Hágase tu voluntad en la tierra* dice que «con el fin de entender la Palabra de Dios y discernir su voluntad que... necesitamos la ayuda de su gente dedicada, organizada [creyentes ungidos en la Sociedad Watchtower]. El lector etíope de la Biblia reconoció ese hecho».[44]

La enseñanza bíblica. Los testigos de Jehová están leyendo algo en este pasaje que simplemente no existe. Sí, este pasaje indica que a veces se necesita orientación para ayudar a la gente a entender las Escrituras. El significado de ciertos pasajes de las Escrituras no siempre es evidente, incluso para aquellos que son buscadores serios. (Pedro incluso reconoció que algunos de los escritos del apóstol Pablo eran difíciles de entender— 2Pe. 3:16.) Esta es una de las razones por las que Dios da maestros a la Iglesia (Ef. 4:11). Asimismo, esta es la razón del ministerio iluminador del Espíritu Santo (Jn. 16:12-15; 1Co. 2:9-12).

Pero *no,* no hay evidencia en este pasaje de una organización cuyos puntos de vista infalibles deban ser aceptados por todos los verdaderos seguidores de Dios. En nuestro texto, *un hombre* (Felipe) enseñó a un etíope *directamente de las Escrituras* (no de literatura diseñada por una organización), después de lo cual el etíope confesó su fe en Cristo y se bautizó (Hch. 8:34-38).[45]

Significativamente, la Biblia nos dice que «cuando salieron del agua, el Espíritu del Señor se llevó de repente a Felipe, y *el eunuco no volvió a verle,* sino que siguió su camino gozoso» (Hch. 8:39, énfasis añadido). El eunuco no tuvo que unirse ni someterse a ninguna organización ni a nadie.[46] De hecho, ¡el eunuco no volvió a ver a Felipe! Tampoco se sintió perdido cuando su maestro se marchó, sino que siguió su camino regocijándose en el Salvador.

Para llevar estos puntos a casa a un testigo de Jehová:

Pregunta...

- ¿En qué parte del texto bíblico ve usted algún apoyo a la idea de que la gente deba unirse a una organización y someterse a las interpretaciones de dicha organización? (En el texto sólo se menciona a un hombre, Felipe. Y después de este único encuentro, el eunuco no volvió a verlo).

---

[44] Your Will Be Done on Earth (Brooklyn: Watchtower Bible and Tract Society, 1958), p. 362, insertos añadidos.
[45] Bowman, p. 62.
[46] Bowman, p. 62.

- ¿Utilizó Felipe *sólo las Escrituras* al hablar con el eunuco, o tuvo que recurrir a literatura adicional?

- Si *sólo la Escritura* fue suficiente para Felipe y el eunuco, ¿no lo es también para nosotros?

2 Timoteo 3:16-17: ¿Es la Biblia suficiente?

La enseñanza de la Watchtower. En la *Traducción del Nuevo Mundo* 2Timoteo 3:16-17 dice: «Toda la Escritura está inspirada por Dios y es útil para enseñar, para censurar, para rectificar las cosas y para educar de acuerdo con lo que está bien, a fin de que el hombre de Dios esté perfectamente capacitado y completamente preparado para realizar todo tipo de buenas obras».

Aunque los testigos de Jehová dicen de la boca para afuera que creen en este versículo,[47] lo niegan con sus acciones. Dicen que una persona no puede equiparse sólo leyendo la Biblia, sino que debe leer la literatura de la Watchtower. Sin esta literatura, se alega que una persona no puede entender verdaderamente la Biblia. Un ex testigo de Jehová dijo que, para obtener la vida eterna, se le dijo que ciertas cosas eran necesarias: «[Me dijeron] que debía estudiar la Biblia diligentemente, y sólo a través de las publicaciones de la Watchtower».[48]

Vemos esta misma mentalidad ilustrada en la publicación de la Watchtower *Estudios de las Escrituras:*

No sólo vemos que la gente no puede ver el plan divino al estudiar la Biblia por sí misma, sino que también vemos que, si alguien deja a un lado los *Estudios de las Escrituras*, aun después de haberlos usado, después de haberse familiarizado con ellos, después de haberlos leído durante diez años, si entonces los deja a un lado y los ignora y va sólo a la Biblia, aunque haya entendido su Biblia durante diez años, nuestra experiencia muestra que en dos años entra en tinieblas. Por otro lado, si simplemente hubiera leído los *Estudios de las Escrituras* con sus referencias, y no hubiera leído una página de

---

[47] Let God Be True, p. 43.
[48] Edmond Gruss, We Left Jehovah's Witnesses (Nutley: Presbyterian and Reformed, 1974), p. 41.

la Biblia como tal, estaría en la luz al final de los dos años, porque tendría la luz de las Escrituras.[49]

La enseñanza bíblica. Hay dos preguntas claves que deben plantearse los testigos de Jehová en relación con este asunto. (Estas preguntas son similares a algunas de las formuladas anteriormente, pero son de importancia crítica).

Pregunte...
* ¿Cómo entendía la gente la Biblia durante los dieciocho siglos anteriores a la existencia de la Sociedad Watchtower? (Si uno no puede entender la Biblia sin la literatura de la Watchtower, como se afirma, entonces aparentemente la gente no pudo entender la Biblia durante dieciocho siglos).
* ¿Qué clase de Dios daría a su pueblo una Biblia sin medios para comprenderla?

Después de ayudar al testigo de Jehová a comprender las implicaciones de estas preguntas, puede dirigir su atención a 2Timoteo 3:16-17. Para sentar las bases de estos dos versículos, primero señale al testigo de Jehová el versículo 15, donde Pablo le dice a Timoteo que «desde la niñez has sabido las Sagradas Escrituras, *las cuales te pueden hacer sabio para la salvación* por medio de la fe en Cristo Jesús» (énfasis añadido).

En la época de Timoteo, los niños judíos empezaban a estudiar formalmente las Escrituras del Antiguo Testamento a los cinco años de edad. A Timoteo le habían enseñado las Escrituras su madre y su abuela desde la infancia. Claramente, el versículo 15 indica que *sólo las Escrituras* eran suficientes para proporcionar a Timoteo la sabiduría necesaria que conduce a la salvación mediante la fe en Cristo. Y para nosotros hoy, *sólo las Escrituras* siguen siendo la única fuente de conocimiento espiritual.

Pregunte...
* Según 2Timoteo 3:15, ¿fueron suficientes las *Escrituras* para proporcionar a Timoteo lo que necesitaba saber para ser salvo?

---

[49] Studies in the Scriptures, citado por Leonard y Marjorie Chretien, Witnesses of Jehovah (Eugene: Harvest House, 1988), p. 33.

- Si las Escrituras fueron suficientes para Timoteo, ¿no lo son para nosotros?

Luego, los versículos 16 y 17 nos dicen que toda la Escritura es «útil para enseñar, para redargüir, para corregir y para instruir en justicia, a fin de que el hombre de Dios sea perfecto, enteramente preparado para toda buena obra». Este versículo no dice que la Escritura vista a través del lente de la Sociedad Watchtower es «útil para enseñar, para reprender», y así sucesivamente. Es sólo la Escritura la que hace estas cosas. Y la razón por la que la Escritura puede hacer estas cosas es que «toda la Escritura es inspirada por Dios» (versículo 16). La Escritura es suficiente porque encuentra su fuente en Dios. La literatura de la Watchtower, por el contrario, encuentra su fuente en la humanidad pecadora.

Es de notar que la palabra competente (en la frase «para que el hombre de Dios sea perfecto») significa «completo, capaz, totalmente provisto, competente en el sentido de ser capaz de satisfacer todas las demandas».[50] Sólo la Escritura hace a una persona completa, capaz y competente. La Escritura provee todo lo que uno debe saber para ser salvo y crecer en la gracia.

2Pedro 1:20-21: Sin «interpretaciones privadas»

La enseñanza de la Watchtower. Segunda de Pedro 1:20 dice: «Pues, ante todo, ustedes saben que ninguna profecía de la Escritura procede de una interpretación personal». (TNM). Los testigos de Jehová a veces citan este versículo para apoyar su argumento de que la gente no debe llegar a sus propias interpretaciones privadas de las Escrituras, sino más bien deben prestar atención a lo que se establece por la Sociedad Watchtower.[51] Pero, ¿es ese el verdadero significado de este pasaje?

---

[50] The Bible Knowledge Commentary, New Testament, eds. John F. Walvoord y Roy B. Zuck (Wheaton: Victor Books, 1983), p. 757.
[51] Bowman, p. 62; F.W. Thomas, Masters of Deception (Grand Rapids: Baker Books, 1983), p. 146.

La enseñanza bíblica. La palabra «interpretación» en 2Pedro 1:20 significa literalmente «desatar» en el griego original.[52] El versículo podría parafrasearse: «Ninguna profecía de la Escritura se *desata* por uno mismo». En otras palabras, las profecías no provenían simplemente de los propios profetas o de imaginaciones humanas, sino que en última instancia procedían *de Dios* (como sigue afirmando enfáticamente el versículo 21). Dicho de otro modo, ninguna profecía de la Escritura procede (o se origina) de la interpretación personal de un ser humano, es decir, de su comprensión personal de los acontecimientos que le rodean, sino que procede de Dios. Por lo tanto, este pasaje no trata de cómo interpretar la Escritura, sino de cómo *llegó a escribirse.*[53]

Con esto en mente, consideremos juntos los versículos 20 y 21: «entendiendo primero esto, que ninguna profecía de la Escritura es de interpretación privada, porque nunca la profecía fue traída por voluntad humana, sino que los santos hombres de Dios hablaron siendo inspirados por el Espíritu Santo». (RV, énfasis añadido). La palabra «porque», al principio del versículo 21, tiene una función *explicativa*: indica que el versículo 21 explica el versículo 20 reafirmando su contenido y señalando a Dios como autor de las Escrituras. Por tanto, el contexto del versículo 21 indica que el enfoque colectivo de los versículos 20 y 21 es el *origen* de la Escritura, no su *interpretación*.

De acuerdo con esto, debemos enfatizar que la palabra *movido* (en la frase «hombres movidos por el Espíritu Santo hablaron de parte de Dios») significa literalmente «llevado junto» o «arrastrado». Lucas utiliza esta misma palabra en el libro de Hechos para referirse a un barco que es arrastrado por el viento (Hch. 27:15,17). Los marineros experimentados del barco no podían navegarlo porque el viento era muy fuerte. El barco estaba siendo impulsado, dirigido y arrastrado por el viento.

Esto es similar a cuando el Espíritu impulsó, dirigió y llevó a los autores humanos de la Biblia mientras escribían (2Pe. 1:20-21). La palabra «traída» es muy fuerte e indica la completa superintendencia del Espíritu sobre los autores humanos. Por supuesto, al igual que los marineros están individualmente activos y conscientemente involucrados mientras están en

---

[52] Vine's Expository Dictionary of Biblical Words, eds. W.E. Vine, Merrill F. Unger, y William White (Nashville: Thomas Nelson, 1985), p. 330.

[53] Michael Green, The Second Epistle of Peter and the Epistle of Jude (Grand Rapids: Eerdmans, 1979), p. 91.

un barco, de la misma manera, los autores de la Palabra de Dios estaban individualmente activos y conscientemente involucrados al escribir las Escrituras. Pero fue el Espíritu quien, en última instancia, los dirigió o los condujo.

En vista de los hechos anteriores, 2Pedro 1:20-21 no se puede utilizar para apoyar la opinión de la Sociedad Watchtower de que la gente no debe llegar a sus propias interpretaciones privadas de lo que significa la Escritura. Como hemos visto, el pasaje tiene que ver con el *origen* de la Escritura, no con su *interpretación*.

Además, contrario a la posición de la Watchtower, el apóstol Pablo dijo que los cristianos deben probar todo, ya sea la enseñanza de un individuo o de una organización (1Ts. 5:21). Los cristianos de Berea fueron elogiados por poner a prueba las enseñanzas de Pablo para asegurarse de que lo que decía estaba de acuerdo con las Escrituras (Hch. 17:11). Dios nos llama a poner a prueba nuestras creencias. En vez de tragar sin cuestionar las interpretaciones de una organización como la Sociedad Watchtower, debemos medir tales interpretaciones contra lo que enseña toda la Escritura.

En apoyo de eso, usted querrá señalar al testigo de Jehová a 2Corintios 13:5 en la *Traducción del Nuevo Mundo*: «Sigan examinándose para saber si están firmes en la fe. Sigan comprobando lo que ustedes mismos son...» En esta misma línea, la revista *La Atalaya* «invita a un examen cuidadoso y crítico de su contenido a la luz de las Escrituras».[54]

Una vez expuestos los puntos anteriores:

Pregunte...

- ¿Hacían bien los de Berea al poner a prueba las enseñanzas del apóstol Pablo por medio de las Escrituras (Hch. 17:11)? (Tendrá que decir que sí).

- ¿Cree usted que los seguidores de Dios deben obedecer la instrucción de 1Tesalonicenses 5:21 de probar todas las cosas? (Tendrá que decir que sí.)

- ¿Cree que los seguidores de Dios deben obedecer 2Corintios 13:5 y comprobar si están «firmes en la fe»? (Tendrá que decir que sí.)

---

[54] La Atalaya, 15 de agosto de 1950, p. 263.

- Puesto que Dios nos ordena probar todas las cosas por las Escrituras—y puesto que la propia revista *La Atalaya* invita a un examen crítico de su contenido a la luz de las Escrituras—¿está usted dispuesto a examinar las enseñanzas de la Sociedad Watchtower a la luz de las Escrituras solamente?

- Si descubre que ciertas enseñanzas de la Sociedad Watchtower van en contra de lo que dicen las Escrituras, ¿qué hará?

Estas preguntas pueden ayudarle a señalar que el enfoque de su discusión debe ser sólo las Escrituras, y no lo que la Sociedad Watchtower dice que esas Escrituras significan.

1Corintios 1:10: ¿Unidad absoluta de pensamiento?

La enseñanza de la Watchtower. Leemos 1Corintios 1:10 en la *Traducción del Nuevo Mundo* de la siguiente manera: «Ahora, hermanos, les suplico mediante el nombre de nuestro Señor Jesucristo que todos estén de acuerdo en lo que dicen y que no haya divisiones entre ustedes, sino que estén completamente unidos en la misma mente y en la misma forma de pensar».

La Sociedad Watchtower ve dos aplicaciones para 1Corintios 1:10.

En primer lugar, el versículo se utiliza para imponer conformidad en las creencias doctrinales de los testigos de Jehová.[55] El libro de la Watchtower *Razonando a partir de las Escrituras* nos dice que «tal unidad nunca se lograría si los individuos no se reunieran juntos, no se beneficiaran del mismo programa de alimentación espiritual y no respetaran a la agencia [la Sociedad Watchtower] a través de la cual se proporciona tal instrucción».[56] También leemos que Dios «quiere a sus siervos terrenales unidos, y por eso ha hecho que la comprensión de la Biblia hoy en día dependa de la asociación con su organización [la Sociedad Watchtower]».[57]

Segundo, la Sociedad Watchtower dice que este versículo prueba que los testigos de Jehová son los únicos cristianos verdaderos porque están «todos» en «acuerdo» con la Sociedad Watchtower y están «unidos en la

---

[55] Reed, pp. 92-93.
[56] Reasoning from the Scriptures, p. 327.
[57] La Atalaya, 1 de noviembre de 1961, p. 668.

misma mente y en la misma forma de pensar». La Sociedad se jacta de que los testigos de todo el mundo tienen «un solo corazón y una sola alma».[58] Tal unidad, se dice, no existe entre las denominaciones de la cristiandad.[59]

La enseñanza bíblica. En sus conversaciones con los testigos de Jehová, debe disipar el mito de que la unidad absoluta en un grupo es una prueba de que ellos son los únicos cristianos verdaderos y que los que no tienen unidad son falsos creyentes. Señale que la razón misma por la que el apóstol Pablo escribió este versículo a los corintios fue porque *ya estaban faltos de unidad* (véase 1Co. 6:13; 8:10; 10:25; 11:2-16; 14-15). Algunos de ellos decían: «Yo sigo a Pablo» y «yo sigo a Apolos» y «yo sigo a Cefas» y «yo sigo a Cristo» (1Co. 1:12).

Pregunte...
- ¿Significa la división de los corintios que no eran cristianos? (Pablo creía claramente que eran cristianos—1Co. 1:2.)

Después de exponer este sencillo punto, debe explicar con gentilmente pero con firmeza que 1Corintios 1:10 no enseña que debamos alcanzar la unidad sometiéndonos a una organización o agencia a través de la cual se difunda la enseñanza doctrinal. El apóstol Pablo nunca (ni aquí ni en ninguna otra parte) sugiere ni remotamente que los cristianos deban rendir obediencia incondicional a ningún grupo de ese tipo. De hecho, como se señaló anteriormente, Pablo dijo que debemos probar todo y no aceptar sin cuestionar lo que dice un maestro en particular (1Ts. 5:21). Los cristianos de Berea fueron elogiados por poner a prueba todo lo que Pablo decía para asegurarse de que lo que decía estaba de acuerdo con las Escrituras (Hch. 17:11). Nosotros debemos hacer lo mismo. Para enfatizar su punto:

Pregunte...
- ¿En qué parte de 1Corintios 1:10 se hace *alguna* referencia o alusión a una organización?
- ¿En qué parte de 1Corintios 1:10 se dice que la unidad debe lograrse mediante la *sumisión* a una organización de este tipo?

---

[58] La Atalaya, 1 de agosto de 1960, p. 474.
[59] Reasoning from the Scriptures, p. 283.

Otro punto que usted querrá señalar aquí, es que al argumentar *desde la Biblia* lo necesario de la Sociedad Watchtower (desde versículos como 1Co. 1:10), los testigos de Jehová son culpables de cometer una falacia lógica conocida como argumento circular. ¿Cómo es eso? Bueno, considere la «circularidad» de la siguiente lógica: La *Sociedad Watchtower dice* que la gente necesita entender la Escritura porque *la Escritura misma dice* que la gente necesita entender la Escritura—y sabemos que *la Escritura dice* que la gente necesita entender la Escritura porque la *Sociedad Watchtower dice* que *la Escritura dice* esto.[60] Tal razonamiento circular obviamente no presta apoyo genuino a la posición de la Watchtower.

La Sociedad Watchtower también es contradictoria. Como señala el apologista Robert Bowman, la invitación, «Lee estos versículos en la Biblia y verás que necesitas la organización de Dios para entender la Biblia», implica *tanto, «Puedes* entender la Biblia» como, «*No puedes* entender la Biblia».[61] Ambas afirmaciones no pueden ser ciertas al mismo tiempo. Son contradictorias.

Después de señalar los hechos anteriores, usted querrá volver a 1Corintios 1:10 y centrarse plenamente en la situación histórica con la que Pablo estaba tratando en Corinto. Comience explicándole al testigo de Jehová que la iglesia de Corinto estaba dividida en cuatro facciones básicas, cada una con su propio líder y énfasis particular: Pablo (el padre de los corintios en Cristo), Apolos (que tenía grandes habilidades retóricas como predicador), Cefas (que caminó personalmente con Cristo y era líder de los doce) y Cristo mismo (1Co. 1:12). Al parecer, cada facción respectiva actuaba de forma antagónica hacia las otras tres.

Para acabar con esa división, el apóstol Pablo hizo hincapié en que todos somos uno en Cristo. Enseñó esa idea fundamental preguntando: «¿Está Cristo dividido?» (o, más literalmente, «¿Está Cristo *repartido* entre vosotros?» [1Co. 1:13]).

El deseo de Pablo para los cristianos de Corinto era que «todos... estuvieran de acuerdo» (1Co. 1:10). En griego neotestamentario, esta frase conlleva la idea de «hablar lo mismo». Es una expresión adaptada de la vida política griega que podría parafrasearse: «Suelta gritos de partido».[62]

---

[60] Bowman, p. 55.
[61] Bowman, p. 56.
[62] The International Bible Commentary, ed. F.F. Bruce (Grand Rapids: Zondervan, 1986), p. 1351.

Pablo quería que los cristianos de Corinto estuvieran «unidos en una misma mente y un mismo juicio» (1Co. 1:10). La palabra «unidos» proviene de una palabra griega que se refiere a la colocación de los huesos por un médico y la reparación de las redes rotas por un pescador.[63] La idea es que Pablo quería que la Iglesia no tuviera divisiones ni luchas dolorosas, el tipo de lucha que hace que los creyentes se separen unos de otros.

Es importante señalar que Pablo no estaba pidiendo a los cristianos de Corinto que acabaran con toda diversidad e individualidad. Esto queda claro en 1Corintios 3:6-9, donde no se opone a la diversidad a la hora de realizar la obra del ministerio. Quizás el mejor ejemplo de diversidad aceptable entre hermanos cristianos se encuentra en el libro de Romanos,[64] donde Pablo escribe:

Porque uno cree que se ha de comer de todo; otro, que es débil, come legumbres. El que come, no menosprecie al que no come, y el que no come, no juzgue al que come; porque Dios le ha recibido. ¿Tú quién eres, que juzgas al criado ajeno? Para su propio señor está en pie, o cae; pero estará firme, porque poderoso es el Señor para hacerle estar firme. Uno hace diferencia entre día y día; otro juzga iguales todos los días. Cada uno esté plenamente convencido en su propia mente. (Rom. 14:2-5)

Puede pedirle al testigo de Jehová que lea en voz alta Romanos 14:2-5 y luego:

Pregunte...
- ¿No indica este pasaje que es aceptable que los cristianos difieran en ciertas cuestiones religiosas?

En resumen, en 1Corintios 1:10 Pablo no pedía a los cristianos que acabaran con toda diversidad, sino que se deshicieran de su actitud poco fraternal y divisoria. Pablo deseaba una unidad de las partes, como una colcha hecha de retazos de muchos colores y diseños.

---

[63] The Wycliffe Bible Commentary, eds. Charles F. Pfeiffer y Everett F. Harrison (Chicago: Moody, 1974), p. 1231.
[64] Reed, p. 93.

Juan 17:3: «Llegar al conocimiento»

La enseñanza de la Watchtower. En la *Traducción del Nuevo Mundo* Juan 17:3 se lee de la siguiente manera: «Esto significa vida eterna: que lleguen a conocerte a ti, el único Dios verdadero, y a quien tú enviaste, Jesucristo».

Este versículo supuestamente apunta a la necesidad del estudio de la Biblia de la Sociedad Watchtower—algo que ellos dicen que ayuda a la gente a «asimilar» el conocimiento de Dios.[65] Y puesto que esta obtención del conocimiento conduce a la vida eterna, el estudio de la Biblia de la Watchtower es sumamente importante. Un número de la revista *La Atalaya* invita audazmente a la gente: «Venga a la organización de Jehová para la salvación».[66]

La enseñanza bíblica. En primer lugar, debe señalar al testigo de Jehová que la *Traducción del Nuevo Mundo* traduce mal este versículo. En efecto, el versículo se traduce más literalmente del texto griego: «Ahora bien, esta es la vida eterna: que *te conozcan*» (énfasis añadido). Así pues, Jesús se refiere al conocimiento *personal* de Dios, no al conocimiento *general* de la Biblia.[67] La palabra griega para «conocer» en este contexto indica específicamente una gran intimidad con *otra persona*.[68]

Esto está en armonía con lo que aprendemos en otras partes de las Escrituras. Por ejemplo, Jesús indica que el conocimiento general de la Biblia es insuficiente en sí mismo para salvar a alguien. Jesús dijo a un grupo de judíos «Escudriñad las Escrituras; porque a vosotros os parece que en ellas tenéis la vida eterna; y ellas son las que dan testimonio de mí; y no queréis venir a mí para que tengáis vida». (Jn. 5:39-40). Estos judíos perdidos «conocían» la *cáscara* de la Biblia, pero descuidaban el *núcleo* que contiene: Jesucristo. Tal conocimiento no les sirvió de nada.

Después de leer en voz alta Juan 5:39-40:

---

[65] Reed, p. 81.
[66] La Atalaya, 15 de noviembre de 1981, p. 21.
[67] Bowman, p. 81.
[68] The Bible Knowledge Commentary, p. 331.

Pregunte...

- Según Juan 5:39-40, ¿es suficiente el conocimiento de las Escrituras para la salvación? (La respuesta será no.)
- ¿Qué se requiere para la salvación, según este pasaje?

En consonancia con lo anterior, el apóstol Pablo se refirió a los que «siempre están aprendiendo y nunca pueden llegar al conocimiento de la verdad» (2Ti. 3:7). Como dice el ex testigo de Jehová David Reed: «Los 'hechos' que siguen llenando la cabeza de los testigos nunca compensan la falta de *conocer* realmente *a* Jesús, la verdad viviente».[69]

Las Escrituras enfatizan constantemente que la salvación se basa en una relación personal con Jesucristo, y sólo con Él. Jesús dijo: «Yo soy el camino, la verdad y la vida. Nadie viene al Padre si no es por mí» (Jn. 14:6). Pedro dijo de Jesús: «En ningún otro hay salvación, porque no hay bajo el cielo otro nombre dado a los hombres en que podamos ser salvos» (Hch. 4:12). Las Escrituras dejan claro que la misión divina de Cristo era ser Salvador del mundo (Jn. 3:16; 4:42; 6:33; 1Jn. 4:14; 5:20).

La salvación, entonces, se encuentra en conocer a Cristo personalmente. No se encuentra en la obtención del conocimiento de Dios de la literatura de la Watchtower.

Hechos 20:20: Testificar de casa en casa

La enseñanza de la Watchtower. En Hechos 20:20, el apóstol Pablo es citado diciendo: «Aun así, no dudé en decirles cualquier cosa que fuera de provecho para ustedes ni en enseñarles públicamente y de casa en casa» (TNM). Los testigos de Jehová utilizan este versículo como texto de prueba para testificar de casa en casa.

El libro de la Watchtower *Sea Dios hallado veraz* afirma que Jesús y sus apóstoles «predicaron públicamente y de casa en casa (Hch. 20:20). A todo verdadero ministro cristiano del evangelio se le ordena seguir sus pasos y debe hacer lo que ellos hicieron (1Pe. 2:21; Lc. 24:48; Hch. 1:8; 10:39-40). Puesto que los testigos de Jehová llevan el mensaje a la gente, su predicación se distingue de la del clero religioso, que exige que la gente

---

[69] Reed, p. 81.

acuda a ellos y se siente a sus pies para que les prediquen».[70] En otras palabras, como otros grupos llamados cristianos *no* van predicando de puerta en puerta, los testigos de Jehová son claramente el único pueblo *verdadero* de Dios.

La enseñanza bíblica. En primer lugar, debemos señalar que hay buenas razones para creer que la frase «de casa en casa» de Hechos 20:20 se refiere con toda probabilidad a las iglesias en las casas.[71] En los primeros días del cristianismo, no había un edificio centralizado donde los creyentes pudieran congregarse. Más bien, había muchas pequeñas iglesias dosmésticas esparcidas por toda la ciudad.

Cuando examinamos el Nuevo Testamento, vemos a los primeros cristianos «partiendo el pan de casa en casa» (Hch. 2:46; véase también 5:42) y reuniéndose para orar en casa de María, la madre de Marcos (Hch. 12:12). En su libro *The Church in God's Program* [*La iglesia en el programa de Dios*], el teólogo Robert L. Saucy señala que «la práctica de reunirse en los hogares se convirtió evidentemente en la pauta establecida, pues oímos hablar de la iglesia en una casa (Col. 4:15; Rom. 16:5; 1Co. 16:19; Fil. 2). El uso de edificios eclesiásticos específicos no apareció antes de finales del siglo II».[72]

A la luz de lo anterior, parece probable que el ministerio del apóstol Pablo fuera en realidad de iglesia-doméstica en iglesia-doméstica. Esta interpretación parece especialmente probable en vista del hecho de que cuando Pablo dijo: «No he rehuido *anunciaros* nada que fuese provechoso, y *enseñaros* en público y por las casas» (Hch. 20:20, énfasis añadido), no estaba hablando a la gente en general sino a los «ancianos de la iglesia» (véase el v.17). Si esta interpretación es correcta, entonces Hechos 20:20 no apoya la afirmación de la Watchtower de que los testigos de Jehová son los únicos verdaderos creyentes porque son los únicos seguidores de Jehová que van de casa en casa.

Incluso si una casa y no una iglesia doméstica es lo que se refiere en Hechos 20:20, todavía no apoyaría la interpretación de la Watchtower. Que algo ocurriera en el siglo I de la historia de la iglesia no es motivo para

---

[70] Let God Be True, p. 222.
[71] The Bible Knowledge Commentary, p. 413.
[72] Robert L. Saucy, The Church in God's Program (Chicago: Moody, 1972), p. 175.

decir que lo mismo debe hacerse a lo largo de todos los siglos de la historia de la iglesia.

Por ejemplo, en lo que respecta a los miembros individuales de la Iglesia primitiva, «nadie decía que algo suyo era suyo, sino que todo lo tenían en común» (Hch. 4:32).

Pregunte...

- ¿El hecho de que históricamente se produjera una redistribución de la riqueza en la Iglesia primitiva significa que usted debe renunciar a todos sus bienes personales para que se distribuyan equitativamente entre los testigos de Jehová más pobres en el Salón del Reino?

Hágaselo entender al testigo de Jehová. Luego, reafirme su punto principal: Que algo ocurriera en el siglo I de la historia de la iglesia no es motivo para decir que lo mismo debe hacerse en todos los siglos de la historia de la iglesia.

Un patrón coherente

Hemos visto en este capítulo que la Sociedad Watchtower *no* es el representante visible de Dios en la tierra hoy en día; *no* es el canal de la verdad de Dios para los creyentes de hoy; *no* es el único intérprete autorizado de la Biblia; *no* es el «siervo fiel y prudente» de Dios; y *no puede* justificar su existencia desde las páginas de las Escrituras (como pretende ser capaz de hacerlo).

En cambio, hemos visto que la Sociedad Watchtower tuerce constantemente el verdadero significado de las Escrituras para satisfacer sus propios fines. Veremos este patrón repetido en cada capítulo de este libro a medida que tratamos temas doctrinales específicos.

2

LOS TESTIGOS DE JEHOVÁ Y EL NOMBRE DIVINO

«Muchos me dirán en aquel día: Señor, Señor, ¿no profetizamos en tu nombre, y en tu nombre echamos fuera demonios, y en tu nombre hicimos muchos milagros? Y entonces les declararé: Nunca os conocí; apartaos de mí, hacedores de maldad» *(Mateo 7:22-23).*

—Jesucristo

En las publicaciones de la Watchtower se dice a los testigos de Jehová que el verdadero nombre de Dios es Jehová. Se les enseña que los escribas judíos supersticiosos eliminaron hace mucho tiempo este nombre sagrado de la Biblia. Pero no hay necesidad de preocuparse, dice la Sociedad Watchtower. La *Traducción del Nuevo Mundo* de las Sagradas Escrituras de la Sociedad ha restaurado «fielmente» el nombre divino en el Antiguo Testamento donde las consonantes hebreas *YHWH* aparecen.[1]

Además, el nombre «Jehová» ha sido insertado en el Nuevo Testamento por el Comité de Traducción de la Biblia del Nuevo Mundo de la Watchtower en versículos donde se cree que el texto se refiere al Padre.[2] Se han tomado la libertad de hacer esto a *pesar de* que va en contra de los

---

[1] Marian Bodine, Christian Research Newsletter, columna «Bible Answer Man», mayo/junio 1992, p. 3.

[2] Bodine, p. 3.

miles de manuscritos griegos del Nuevo Testamento que tenemos, algunos de los cuales datan del siglo II. (El Nuevo Testamento *siempre* usa las palabras «Señor» [griego: *kurios*] y «Dios» [griego: *theos*], *nunca* «Jehová» —incluso en citas del Antiguo Testamento).[3]

Cuando un testigo de Jehová se presenta en la puerta de su casa, suele insistir en la importancia de usar el nombre correcto de Dios, Jehová. Normalmente abrirá la *Traducción del Nuevo Mundo* y citará pasajes como Romanos 10:13: «Porque 'todo el que invoque el nombre de Jehová se salvará'», y Ezequiel 39:6: «y tendrán que saber que yo soy Jehová». Al citar tales pasajes, el testigo a menudo convence a la persona incauta y bíblicamente analfabeta de que el uso apropiado del nombre «correcto» de Dios (Jehová) es absolutamente esencial para la salvación de uno. Más de unos pocos conversos han sido ganados a la Sociedad Watchtower utilizando tal enfoque.

Los testigos de Jehová creen que el hecho de ser el único grupo que se refiere sistemáticamente a Dios por su «verdadero» nombre, Jehová, es uno de los indicadores de que ellos son los únicos verdaderos seguidores de Dios. (Otros indicadores incluyen sus creencias doctrinales únicas, el testimonio puerta a puerta y la sumisión a la Sociedad Watchtower). Todas las otras llamadas denominaciones cristianas son parte de una falsa cristiandad inspirada satánicamente.

El origen del «nombre divino»

Cuando enseño sobre las sectas, a veces me preguntan de dónde procede el nombre de Jehová. Muchos estudiantes de la Biblia se dan cuenta de que este nombre no se encuentra en los manuscritos hebreos y griegos de los que se derivan las traducciones de la Biblia.[4] (El Antiguo Testamento contiene el nombre «Yahvé» o, más literalmente, YHWH [el hebreo original sólo tenía consonantes]). Siendo así, ¿de dónde procede el nombre de Jehová?

---

[3] Robert M. Bowman, Understanding Jehovah's Witnesses (Grand Rapids: Baker Books, 1991), p. 114.

[4] Esto no niega que los testigos de Jehová señalen algunos manuscritos que contienen el nombre «Jehová» (unas pocas copias de la Septuaginta—la traducción griega del Antiguo Testamento hebreo—utilizan «Jehová»). Pero tales manuscritos no se consideran fiables. La mayoría de los manuscritos no contienen este nombre.

Para responder a esta pregunta, debemos reconocer que los antiguos judíos tenían un temor supersticioso a pronunciar el nombre YHWH. Sentían que si pronunciaban este nombre, podrían violar el Tercer Mandamiento, que trata de tomar el nombre de Dios en vano (Éx. 20:7). Así que, para evitar la posibilidad de quebrantar este mandamiento, los judíos sustituyeron durante siglos el nombre *Adonai* (Señor) u otro nombre en su lugar cada vez que lo encontraban en las lecturas públicas de las Escrituras.

Finalmente, los temerosos escribas hebreos decidieron insertar las vocales de *Adonai* (a-o-a) dentro de las consonantes YHWH.[5] El resultado fue Yahowah, o Jehová. Por lo tanto, la palabra Jehová se deriva de una combinación consonante-vocal de las palabras YHWH y *Adonai*. La literatura de la Watchtower reconoce este hecho.[6] El punto simple que quiero hacer aquí es que el término Jehová, estrictamente hablando, no es en realidad un término bíblico. Es un término creado por el hombre que se utiliza para traducir el término hebreo YHWH.

¿Qué pasa con «Jehová» en las traducciones legítimas?

Hay otras traducciones de la Biblia además de la *Traducción del Nuevo Mundo* (es decir, traducciones *legítimas*) que han utilizado el nombre Jehová, ya sea de forma sistemática, o en casos aislados. La versión Reina Valera de 1960 lo utiliza ampliamente a lo largo del Antiguo Testamento. Los testigos de Jehová suelen impresionar a la gente señalando estos versículos en los que se utiliza el nombre de Jehová en estas traducciones. Da la impresión de que los testigos de Jehová tienen razón al decir que el único nombre verdadero de Dios es Jehová.

Antes de proseguir, debo hacer una pausa para señalar un punto importante. Aunque no hay justificación bíblica para el término Jehová, es importante reconocer que los eruditos no tienen muy claro cuál es la forma correcta de pronunciar la palabra hebrea YHWH.[7] Aunque la mayoría de los eruditos modernos creen que *Yahvé* es la traducción correcta (como yo),

---

[5] Bowman, p. 110.
[6] Reasoning from the Scriptures (Brooklyn: Watchtower Bible and Tract Society, 1989), p. 195.
[7] Bowman, p. 110.

realmente no podemos criticar a los testigos de Jehová por usar el término Jehová donde aparecen las consonantes hebreas YHWH en el Antiguo Testamento (aunque se les puede criticar y demostrar que están equivocados en cuanto a la inserción de este nombre en el Nuevo Testamento). Después de todo, algunos cristianos evangélicos y algunas traducciones legítimas de la Biblia (en el Antiguo Testamento) utilizan también el término Jehová.

Dado que muchas personas han aceptado el término Jehová como la forma convencional de referirse a Dios, nuestro principal punto de discordia con los testigos de Jehová no debe ser el término en sí, sino más bien en cómo utilizan este término en su interpretación bíblica y teología.

¿Es Jesús Jehová?

Una característica central de la teología de la Watchtower es que Jesús *no es* Jehová. Dicen que Jesús fue un ángel creado—el arcángel Miguel, para ser más específicos. La revista *La Atalaya* sugiere: «Hay evidencia bíblica para concluir que Miguel era el nombre de Jesucristo antes de dejar el cielo y después de su regreso».[8] De hecho, «'Miguel el gran príncipe no es otro que Jesucristo mismo».[9]

Los testigos de Jehová admiten que Jesús es un «dios poderoso», pero niegan que sea *Dios Todopoderoso* como lo es Jehová.[10] La revista *La Atalaya* pregunta: «Si Jesús del 'Nuevo Testamento' es Jehová del 'Antiguo Testamento', como muchos afirman, ¿no debería haber al menos una referencia bíblica que diga que Jesús es Jehová? Sin embargo, no hay ninguna».[11]

Los testigos de Jehová a menudo citan las propias palabras de Jesús en Lucas 4:8, tal como se encuentran en la *Traducción del Nuevo Mundo*: «Adora a Jehová tu Dios y sírvele solo a él» (nótese la inserción injustificada de *Jehová* en este versículo del Nuevo Testamento). Versículos como este, dicen los testigos de Jehová, demuestran que Jesús no es Jehová. Sólo el Padre es Jehová, dicen.

---

[8] La Atalaya, 15 de mayo de 1969, p. 307.
[9] La Atalaya, 15 de diciembre de 1984, p. 29.
[10] Reasoning from the Scriptures, p. 150.
[11] La Atalaya, 15 de marzo de 1975, p. 174.

Razonando a la luz de la Biblia

Dos de los pasajes más citados por los testigos de Jehová para apoyar su punto de vista sobre el nombre divino son Éxodo 3:15 y Mateo 6:9. Pero hay muchos otros pasajes de menor importancia que pueden traer a colación cuando están en su puerta. Al examinar estos dos pasajes en detalle a continuación, tenga en cuenta que son representativos de un grupo más amplio. Los argumentos bíblicos que sugeriré para refutar la interpretación de la Watchtower de estos pasajes pueden ser adaptados para su uso con los otros pasajes también.

Éxodo 3:15: Jehová—¿El nombre de Dios para siempre?

La enseñanza de la Watchtower. Éxodo 3:15 nos dice que después de que Moisés le preguntó a Dios cuál era Su nombre, Dios dijo: «Esto es lo que debes decir a los israelitas: 'Jehová, el Dios de sus antepasados, el Dios de Abrahán, el Dios de Isaac y el Dios de Jacob, me ha enviado a ustedes'. Este es mi nombre para siempre, y así es como me recordarán de generación tras generación» (TNM).

Los testigos de Jehová enseñan que este versículo constituye un mandato para referirse a Dios como Jehová *por los siglos de los siglos.* Una publicación de la Watchtower nos dice:

> Para esta misma generación del siglo XX, para nuestra propia generación desde 1914 d.C., el nombre del Dios eterno es JEHOVÁ. Por toda la eternidad este es su santo nombre, y, como su memorial, es el nombre por el cual debemos recordarlo por toda la eternidad. Es su nombre inmutable. Desde el principio de la existencia del hombre hasta el día de Moisés no había cambiado; y desde Moisés allá en 1514 a.C. hasta hoy ese nombre no ha cambiado. Así que después de todos estos miles de años de tiempo es apropiado para nosotros usar ese nombre de una manera digna.[12]

---

[12] Let Your Name Be Sanctified (Brooklyn: Watchtower Bible and Tract Society, 1961), p. 88.

La enseñanza bíblica. Al responder a la interpretación de la Watchtower de Éxodo 3:15, uno debe cuestionar la afirmación de que sólo el nombre Jehová se aplica únicamente al verdadero Dios de las Escrituras. Dios se identifica de otras maneras en las Escrituras, además del nombre Jehová. Un ejemplo de ello es la expresión «el Dios de Abraham, el Dios de Isaac y el Dios de Jacob», que aparece muchas veces en las Escrituras.[13] Esto demuestra que, aunque a Dios se le conoce por el nombre de Jehová (o, más propiamente, Yahvé), no se le conoce *sólo* por el nombre de Jehová (o Yahvé). También se le conoce por otros nombres. Por lo tanto, Éxodo 3:15 no puede interpretarse en el sentido de que Jehová es el *único* nombre por el que se puede dirigir a Dios.

Pregunte...

- Puesto que a menudo se identifica a Dios como «el Dios de Abraham, el Dios de Isaac y el Dios de Jacob»—sin ninguna mención del nombre Jehová—¿no significa esto que el nombre Jehová no es la única forma en que se puede dirigir a Dios?

De acuerdo con esto, cabe destacar que en tiempos del Nuevo Testamento, Jesús nunca se dirigió al Padre como Jehová.[14] Si los testigos de Jehová están en lo cierto al afirmar que siempre hay que llamar a Dios por el nombre de Jehová, entonces Jesús se pasó de la raya. (Nótese que la *Traducción del Nuevo Mundo* a veces pone «Jehová» en boca de Jesús en el Nuevo Testamento, pero los traductores lo hacen en violación directa de los miles de manuscritos griegos que tenemos).

Consideremos el Padre Nuestro. Jesús no comenzó esta oración con las palabras: «*Jehová Dios,* que estás en los cielos». Más bien dijo: «*Padre nuestro* que estás en los cielos» (Mt. 6:9, énfasis añadido).[15] Jesús también comenzó así otras oraciones (Mt. 11:25; 26:39-42; Mc. 14:36; Lc. 10:21; 22:42; 23:34).[16] No es de extrañar que Jesús enseñara a sus seguidores a orar de este modo. En efecto, ya que somos hijos de Dios, tenemos el privilegio único de presentarnos ante el Padre y clamarle: «¡Abba! Padre!» (Rom. 8:15; Gál. 4:6). El hecho de que podamos dirigirnos a Dios como

---

[13] Bowman, p. 113.
[14] Reed, pp. 28-29.
[15] Bowman, p. 117.
[16] Reed, p. 29.

Padre demuestra que no debemos interpretar a la ligera Éxodo 3:15 en el sentido de que Jehová es la única expresión con la que podemos dirigirnos a Dios.[17] En vista de ello:

Pregunte...

- Puesto que Jesús nunca se dirigió al Padre como Jehová, y puesto que enseñó que podemos dirigirnos a Dios como Padre, ¿no significa esto que el nombre *Jehová* no es la única expresión con la que se puede dirigir a Dios?

En esta misma línea, debemos reiterar que, según los manuscritos griegos del Nuevo Testamento, la palabra Jehová no aparece ni una sola vez en el Nuevo Testamento. Esto es muy significativo, porque si Jehová fuera el único nombre de Dios en todas las generaciones, entonces la palabra ciertamente aparecería en el Nuevo Testamento. Pero no aparece allí en ninguna parte, a pesar del hecho de que la *Traducción del Nuevo Mundo* de la Watchtower inserta engañosamente el término en todo el Nuevo Testamento en versículos que se cree que se refieren exclusivamente al Padre.

Dicho todo esto, veamos brevemente Éxodo 3:15 para averiguar qué significa realmente este versículo. El nombre Yahvé (recuerde, Jehová no es realmente la forma correcta aquí) está conectado con el verbo hebreo «ser». Conocemos este nombre en Éxodo 3, donde Moisés preguntó a Dios cómo debía llamarse. Dios le respondió: «YO SOY EL QUE SOY.... Di esto al pueblo de Israel: YO SOY me ha enviado a vosotros» (v. 14).

La frase «YO SOY» no es la palabra Yahvé. Sin embargo, «YO SOY» (en el v. 14) y Yahvé (en el v. 15) son ambos derivados del *mismo* verbo, «ser». El nombre «YO SOY EL QUE SOY» que Dios reveló a Moisés en el versículo 14, pretende ser una expresión completa de su naturaleza eterna, y luego se acorta a Yahvé en el v. 15. Los nombres tienen el mismo significado de raíz y pueden considerarse esencialmente intercambiables.

Antes de seguir adelante, es fundamental tener en cuenta que en el mundo antiguo un nombre no era una mera etiqueta como lo es hoy. Un nombre se consideraba equivalente a quien o a lo que lo llevaba. Conocer el nombre de una persona equivalía a conocer su esencia y su ser.

---

[17] Reed, p. 52.

Los Testigos de Jehová a la luz de la Biblia

Un estudio de las Escrituras muestra que el nombre y el ser de Dios aparecen a menudo juntos en forma de paralelismo (una forma literaria que indica una estrecha relación paralela). Los Salmos nos lo ilustran (énfasis añadido por el autor): «Por tanto yo te confesaré entre las naciones, oh Jehová, y cantaré a tu nombre». (Sal. 18:49); «Cantad a Dios, cantad salmos a su nombre; exaltad al que cabalga sobre los cielos. Jehová es su nombre; alegraos delante de él». (Sal. 68:4); «Acuérdate de esto: que el enemigo ha afrentado a Jehová, y pueblo insensato ha blasfemado tu nombre». (Sal. 74:18); «Te alabaré, oh Jehová Dios mío, con todo mi corazón, y glorificaré tu nombre para siempre». (Sal. 86:12). Claramente, la Escritura describe a Dios y a su nombre como inseparables. Conocer a uno es conocer al otro.

La mayoría de los eruditos coinciden hoy en que el nombre Yahvé transmite la idea de autoexistencia eterna. Como señalo en mi libro *Christ Before the Manger: The Life and Times of the Preincarnate Christ* [*Cristo antes del pesebre: La vida y los tiempos del Cristo preencarnado*], Yahvé nunca llegó a existir en un momento dado, pues siempre ha existido. Nunca nació. Nunca morirá. No envejece, porque está más allá del tiempo. Conocer a Yahvé es conocer al Eterno.[18] Los eruditos también han señalado que el nombre comunica que Dios es absolutamente supremo y tiene el control de todo. De ahí que el nombre Yahvé revele a Dios como Señor eterno y gobernante supremo del universo.

Así, cuando Dios le dijo a Moisés que «Este es mi nombre para siempre; con él se me recordará por todos los siglos». (Éx. 3:15), le estaba diciendo a Moisés no sólo su nombre, sino que se manifestaría, a través de todas las generaciones, en *la naturaleza expresada* por ese nombre (es decir, su autoexistencia eterna y señorío soberano). Y lo haría para que todas las generaciones lo conocieran y lo veneraran como realmente es.

Por tanto, el enfoque en Éxodo 3:15 no se limita a un mero nombre externo de Dios, sino—lo que es más importante—al hecho de que las personas de todas las generaciones llegarían a comprender quién es Dios en su verdadera naturaleza y ser. Dios testificaría a todas las generaciones que en su naturaleza Él es eternamente auto-existente y el soberano Señor del universo. Esto contrasta con los falsos dioses que no son autoexistentes (en realidad no existen en absoluto) y no son soberanos sobre nada (1Re.

---

[18] Ron Rhodes, Christ Before the Manger: The Life and Times of the Preincarnate Christ (Grand Rapids: Baker Books, 1992).

68

18:36). Dios es completamente único como el gobernante autoexistente y soberano del universo, y esta unicidad debía darse a conocer a todas las generaciones con el término Yahvé.

Recapitulemos: 1) Dios *es* conocido por el nombre Jehová (Yahvé), pero no es conocido *sólo* por el nombre Jehová (Yahvé); 2) Dios es identificado de otras maneras en las Escrituras *además* del nombre Jehová; 3) Jesús nunca se refirió a Dios como Jehová, sino que lo llamó «Padre»; 4) los creyentes tienen el privilegio único de llamar a Dios «Padre»; 5) la palabra Jehová nunca aparece en el Nuevo Testamento (según *todos* los manuscritos griegos fiables); y 6) en Éxodo 3:15 el enfoque no se limita a un mero nombre de Dios, sino—lo que es más importante—al hecho de que las personas de todas las generaciones llegarían a comprender quién es Dios en su verdadera naturaleza y ser.

En virtud de lo anterior, la afirmación de que siempre hay que referirse a Dios por el nombre de Jehová (o Yahvé) no coincide con la evidencia bíblica. Aunque sin duda es correcto llamar a Dios «Yahvé», también es correcto dirigirse a Él de otras formas, como atestiguan tanto el Antiguo como el Nuevo Testamento.

Mateo 6:9: «Santificar el nombre de Dios»

La enseñanza de la Watchtower. En Mateo 6:9 se nos dice: «Ustedes deben orar de esta manera: 'Padre nuestro que estás en los cielos, que tu nombre sea santificado». (TNM). La única manera de santificar el nombre de Dios, nos dicen los testigos de Jehová, es llamándolo por su *verdadero* nombre, «Jehová», y tratando ese nombre como santo.[19] De hecho, para que nuestras oraciones sean escuchadas, debemos dirigirnos a Dios por este nombre. Llamar a Dios por cualquier otro nombre es deshonrarlo.[20]

Anteriormente señalamos la afirmación de la Watchtower de que los escribas judíos supersticiosos eliminaron el nombre sagrado Jehová de la Biblia. De acuerdo con esto, los testigos de Jehová también nos dicen que la mayoría de las traducciones de la Biblia hoy en día engañan a la gente porque omiten a Jehová como el nombre de Dios. En 1961, la Sociedad Bíblica y de Tratados Watchtower publicó un libro titulado por Mateo

---

[19] Let God Be True» (Brooklyn: Watchtower Bible and Tract Society, 1946), p. 28.
[20] Let Your Name Be Sanctified, pp. 374ss.

6:9—*Let Your Name Be Sanctified* [*Que tu nombre sea santificado*]—en el cual leemos lo siguiente:

La traducción del Libro [la Biblia] a más idiomas o dialectos continúa, para que el Libro pueda llegar a más y más personas cuya vida eterna está en peligro. Pero de muchas de estas traducciones no podemos aprender el nombre de nuestro creador, porque se ha usado otra palabra o un título en lugar de su nombre. Mediante tales traducciones, el nombre no ha sido respetado, honrado ni considerado sagrado; de hecho, se ha ocultado a los lectores que necesitan conocerlo para su propia salvación.[21]

¿Cómo podemos llegar a conocer este «nombre» que nos proporcionará la salvación? Este mismo libro de la Watchtower nos da este consejo:

Si tenemos nuestros propios intereses eternos en el corazón, estaremos ansiosos por familiarizarnos con Dios, para conocerlo como es y no como la cristiandad lo ha tergiversado. Este conocimiento podemos lograrlo leyendo y estudiando el Libro de su nombre, la Santa Biblia, y asociándonos íntimamente con su organización visible aprobada, el «pueblo para su nombre», el remanente de sus testigos ungidos, la clase de los «siervos fieles y prudentes».[22]

La enseñanza bíblica. ¿Es cierto, como afirma la Sociedad Watchtower, que los escribas judíos supersticiosos eliminaron el nombre sagrado de Jehová de la Biblia? Esto es absurdo. No hay ni una sola prueba que apoye esta afirmación. (Incluso se podría pedir a los testigos de Jehová que presentaran pruebas fehacientes de esta afirmación).

De hecho, la afirmación es especialmente absurda en vista del hecho de que la Sociedad Watchtower en otros lugares argumenta a favor de la profunda exactitud de los manuscritos tanto del Antiguo como del Nuevo Testamento.[23] Por ejemplo, en el libro de la Watchtower *Razonando a partir de las Escrituras,* el libro de Sir Frederic Kenyon *The Chester Beatty*

---

[21] Let Your Name Be Sanctified, p. 12.
[22] Let Your Name Be Sanctified, pp. 374-75.
[23] Bowman, p. 118.

Biblical Papyri [*El papiro bíblico de Chester Beatty*] se cita con aprobación. Este libro muestra la fiabilidad textual tanto del Antiguo como del Nuevo Testamento.[24]

Seamos claros en esto: La posición de la Watchtower de que el nombre divino fue despojado de la Biblia por escribas supersticiosos es una fabricación—¡una mentira descarada! No sólo no hay una pizca de evidencia para apoyar esta afirmación, pero también hay un gran volumen de pruebas de lo contrario. De hecho, cuantos más manuscritos examinamos, más claro queda que los antiguos escribas transmitían el texto bíblico con una precisión asombrosa.

Pregunte...

- ¿Cómo puede la Sociedad Watchtower defender la profunda exactitud de los manuscritos del Antiguo y Nuevo Testamento y al mismo tiempo decir que el nombre *Jehová* fue eliminado de estos manuscritos por escribas judíos supersticiosos?

Una de mis antiguas colegas apologetas—Marian Bodine, una experta en teología de la Watchtower que ahora duerme con el Señor—dijo una vez que la inserción por parte de la Watchtower del nombre Jehová en el Nuevo Testamento (en contra de toda evidencia manuscrita) «es sólo otro intento por parte de los testigos de Jehová de nublar la verdad, es decir, que el nombre que el Nuevo Testamento eleva consistentemente es Jesús, no Jehová».[25] Marian sugirió que hay una serie de preguntas que se pueden hacer a un testigo interesado para demostrar que el Nuevo Testamento ensalza sistemáticamente a Jesús, no a Jehová (asegúrese de buscar los versículos correspondientes cuando hable con el testigo de Jehová):

Pregunte...

- ¿En nombre de quién debemos reunirnos (Mt. 18:20; 1Co. 5:4)?
- ¿A qué nombre están sujetos los demonios (Lc. 10:17; Hch. 16:18)?
- ¿El arrepentimiento y el perdón deben predicarse en nombre de quién (Lc. 24:47)?

---

[24] Reasoning from the Scriptures, p. 64.
[25] Bodine, p. 3.

- ¿En nombre de quién ha usted de creer y recibir el perdón de los pecados (Jn. 1:12; 3:16; Hch. 10:43; 1Jn. 3:23; 5:13)?

- ¿Por el nombre de quién, y no por otro, tenemos la salvación (Hch. 4:12)?

- ¿El nombre de quién debemos invocar cuando presentamos nuestras peticiones a Dios en la oración (Jn. 14:13-14; 15:16; 16:23-24)?

- ¿En nombre de quién es enviado el Espíritu Santo (Jn. 14:26)?

- ¿A qué nombre y autoridad invocaban los discípulos para sanar a los enfermos y cojos (Hch. 3:16; 4:7-10:30)?

- ¿A quién nos dijo Pablo que invocáramos (1Co. 1:2)?

- ¿De quién es el nombre que está por encima de todo nombre (Ef. 1:21; Fil. 2:9-11)?[26]

La respuesta a cada una de las preguntas anteriores es, obviamente, *Jesucristo,* y debería servir para llamar la atención del testigo de Jehová imparcial. Las referencias bíblicas anteriores deberían ser más que suficientes para demostrar el nombre por el que deben identificarse los verdaderos seguidores de Dios.

También podría señalar que la referencia anterior a Filipenses 2:9-11— donde se nos dice que a Cristo se le dio un nombre sobre todo nombre: «que en el nombre de Jesús se doble toda rodilla de los que están en los cielos, y en la tierra, y debajo de la tierra; y toda lengua confiese que Jesucristo es el Señor, para gloria de Dios Padre»— está tomada de un pasaje del Antiguo Testamento sobre Yahvé. En efecto, Pablo—un estudioso del Antiguo Testamento por excelencia—está aludiendo a Isaías 45:22-24: «yo soy Dios, y no hay más. Por mí mismo hice juramento, de mi boca salió palabra en justicia, y no será revocada: Que a mí se doblará toda rodilla, y jurará toda lengua». Pablo se basaba en su vasto conocimiento del Antiguo Testamento para afirmar que lo que es cierto de Yahvé también lo es de Cristo, el Señor de toda la humanidad.

Una vez expuestos los puntos anteriores, usted está preparado para añadir el «remate» doctrinal. En Hechos 1:8, Jesús afirmó a los discípulos: «Recibiréis poder, cuando haya venido sobre vosotros el Espíritu Santo, y *me seréis testigos* en Jerusalén, en toda Judea, en Samaria y hasta lo último

---

[26] Bodine, p. 3.

de la tierra» (énfasis añadido). Estamos llamados a ser testigos de *Jesucristo,* no de Jehová.[27]

Pregunte...

* Según Hechos 1:8 ¿de quién hemos de ser testigos?
* Con su énfasis casi exclusivo en Jehová, ¿puede decir sinceramente que obedece a Hechos 1:8?

Si Jesús es el nombre con el que deben identificarse los verdaderos seguidores de Dios (como hemos argumentado), entonces ¿qué quiere decir Mateo 6:9, donde Jesús dijo: «Ustedes deben orar de esta manera: «'Padre nuestro que estás en los cielos, *que tu nombre sea santificado*» (TNM, énfasis añadido)? En primer lugar, observe que Jesús nunca llama a Dios «Jehová» en este versículo (ni en ninguna otra parte). Él llama a Dios «Padre». Esto en sí mismo refuta la posición de la Watchtower.

Mateo 6:9 se traduce mejor «Oren, pues, así: Padre nuestro que estás en los cielos, santificado sea tu nombre». «Hay que tener en cuenta lo que se ha dicho antes sobre cómo veían los antiguos el nombre de una persona. Entre los antiguos, un nombre se consideraba equivalente a quien o a lo que lo llevaba. Conocer el nombre de una persona equivalía a conocer su esencia y su ser. Así, el nombre de Dios se refiere a Dios tal y como se ha revelado a la humanidad. El nombre de Dios es un reflejo de *quién es Él.* De ahí que Mateo 6:9 implique no sólo honrar el nombre de Dios, sino especialmente honrar a la *Persona* que el nombre representa.

En este contexto, es significativo que la palabra «santificado» en el texto griego signifique «tener reverencia», «tratar como santo», «estimar, valorar, honrar y adorar». Por supuesto, Dios ya es santo. Esta no es una oración para que Dios o Su nombre *se conviertan en* santos, sino más bien para que Él y su nombre sean *tratados* como santos y reverenciados por su pueblo (véase Éx. 20:8; Lev. 19:2,32; Ez. 36:23; 1Pe. 1:15). Santificamos el nombre de Dios no llamándole externamente «Jehová» (una palabra que no aparece en ninguna parte del contexto), sino ordenando nuestros

---

[27] Algunos apologistas recientes de la Watchtower han afirmado que los testigos de Jehová son testigos de Jesucristo porque tratan de imitarle y proclamar su mensaje. La falsedad de tal afirmación es más que evidente en 1) Su nombre (son «testigos de Jehová»); 2) Su organización (la Watchtower es la «voz de Jehová»); 3) Su visión de la Biblia (es el «Libro de su nombre [de Jehová]»); 4) Su literatura (que exalta perpetuamente a Jehová); y 5) Sus enseñanzas (que reducen perpetuamente a Jesús a ser una criatura y un «dios menor»).

pensamientos y conducta de modo que no le deshonremos de ninguna manera.

El contraste con «santificar» es «profanar», que significa «tratar con indiferencia», «descuidar», «tratar con ligereza». Esta es la forma en que muchos paganos han tratado a Dios a lo largo de la historia. A diferencia de tales paganos, los hijos de Dios—por sus pensamientos y conducta—deben tratarlo con gran reverencia.

Jesús es Yahvé

Como se dijo anteriormente, los testigos de Jehová argumentan que, si Jesús realmente fuera Jehová o Yahvé, entonces habría al menos una referencia bíblica que dijera que Él es Yahvé. Yo argumentaré que Jesús definitivamente es Yahvé, pero primero necesito hacer un punto.

Recordemos que el nombre Yahvé no aparece en el Nuevo Testamento (en la mayoría de las Biblias). Por lo tanto, parece bastante obvio que no puede haber ningún versículo en el Nuevo Testamento que venga directamente y declare: «Jesús es Yahvé».[28] Por otra parte, como señala el experto de la Watchtower Robert M. Bowman, «La Biblia tampoco dice nunca con tantas palabras que el Padre es Jehová».[29] En otras palabras, al Padre nunca se le llama *explícitamente* «Jehová» o «Yahvé».

Sin embargo, las Escrituras nos dicen que Yahvé es el único Dios verdadero (Gén. 2:4; Dt. 6:4; Is. 45:5,21). Por lo tanto, como también sabemos que el Padre es el único Dios verdadero (Jn. 6:27; 17:3), lógicamente inferimos que el Padre es Yahvé. Del mismo modo, sabemos por pasajes específicos de las Escrituras que Jesús es verdaderamente Dios (Jn. 1:1; 8:58; 20:28; Tit. 2:13; Hebreos 1:8). Por lo tanto, *Él también es Yahvé.*[30] Además, como argumentaré más adelante en el libro, Jesús indicó claramente su identidad como Yahvé en Juan 8:58 cuando dijo a unos judíos: «Antes de que Abraham fuera, YO SOY» (compárese con Éx. 3:14).

Una comparación entre el Antiguo y el Nuevo Testamento ofrece un poderoso testimonio de la identidad de Jesús como Yahvé. Por ejemplo,

---

[28] Bowman, p. 119.
[29] Bowman, p. 119.
[30] Bowman, p. 119.

Isaías 40:3 dice: «Voz que clama en el desierto: Preparad el camino del Señor [*Yahvé*]; enderezad calzada en la soledad a nuestro Dios [*Elohim*]». El evangelio de Marcos nos dice que las palabras de Isaías se cumplieron en el ministerio de Juan el Bautista preparando el camino a Jesucristo (Mc. 1:2-4).

Otra ilustración es Isaías 6:1-5, donde el profeta relata su visión de Yahvé «sentado en un trono alto y sublime» (v. 1). Cuenta que los ángeles serafines decían: «Santo, santo, santo es el Señor [*Yahvé*] de los ejércitos; toda la tierra está llena de su gloria» (v. 3). Isaías también cita a Yahvé diciendo: «Yo soy el Señor; ese es mi nombre; no doy mi gloria a ningún otro» (42:8). Más tarde, el apóstol Juan—bajo la inspiración del Espíritu Santo—escribió que Isaías «vio su gloria [la *de Jesús*] y habló de él» (Jn. 12:41). La gloria de Yahvé y la gloria de Jesús se equiparan.

La deidad de Cristo se nos confirma además en que muchas de las acciones de Yahvé en el Antiguo Testamento son realizadas por Cristo en el Nuevo Testamento. Por ejemplo, en el Salmo 119 se nos dice una docena de veces que es Yahvé quien da y conserva la vida. Pero en el Nuevo Testamento, Jesús reclama para sí este poder: «Porque como el Padre resucita a los muertos y les da vida, así también el Hijo da vida a quien quiere» (Jn. 5:21). Más adelante en el Evangelio de Juan, al hablar con Marta, la hermana de Lázaro, Jesús dijo: «Yo soy la resurrección y la vida. El que cree en mí, aunque esté muerto, vivirá; y todo el que vive y cree en mí no morirá jamás» (Jn. 11:25-26).

En el Antiguo Testamento se decía que la voz de Yahvé era «como el estruendo de muchas aguas» (Ez. 43:2). Del mismo modo, leemos de Jesús glorificado en el cielo: «Su voz era como el estruendo de muchas aguas» (Ap. 1:15). Lo que es cierto de Yahvé es igualmente cierto de Jesús.

También es significativo que en el Antiguo Testamento se describa a Yahvé como una «luz eterna», que haría obsoletos al sol, la luna y las estrellas: «El sol nunca más te servirá de luz para el día, ni el resplandor de la luna te alumbrará, sino que Jehová te será por luz perpetua, y el Dios tuyo por tu gloria. No se pondrá jamás tu sol, ni menguará tu luna; porque Jehová te será por luz perpetua, y los días de tu luto serán acabados». (Is. 60:19-20). Jesús también será una luz eterna para la futura ciudad eterna en la que los santos habitarán para siempre: «La ciudad no tiene necesidad de sol ni de luna que brillen en ella; porque la gloria de Dios la ilumina, y el Cordero es su lumbrera». (Ap. 21:23).

David F. Wells, en su libro *The Person of Christ* [*La Persona de Cristo*], nos señala aún más paralelismos entre Cristo y Yahvé:

Si Yahvé es nuestro santificador (Éx. 31:13), es omnipresente (Sal. 139:7-10), es nuestra paz (Jue. 6:24), es nuestra justicia (Jer. 23:6), es nuestra victoria (Éx. 17:8-16) y es nuestro sanador (Éx. 15:26), entonces Cristo también es todas estas cosas (1Co. 1:30; Col. 1:27; Ef. 2:14). Si el Evangelio es de Dios (1Ts. 2:2,6-9; Gál. 3:8), entonces ese mismo Evangelio también es de Cristo (1Ts. 3:2; Gál. 1:7). Si la iglesia es de Dios (Gál. 1:13; 1Co. 15:9), entonces esa misma iglesia también es de Cristo (Rom. 16:16). El Reino de Dios (1Ts. 2:12) es de Cristo (Ef. 5:5); el amor de Dios (Ef. 1:3-5) es de Cristo (Rom. 8:35); la Palabra de Dios (Col. 1:25; 1Ts. 2:13) es de Cristo (1Ts. 1:8; 4:15); el Espíritu de Dios (1Ts. 4:8) es de Cristo (Fil. 1:19); la paz de Dios (Gál. 5:22; Fil. 4:9) es de Cristo (Col. 3:15; véase Col. 1:2; Fil. 1:2; 4:7); el «Día» del juicio de Dios (Is. 13:6) es el «Día» del juicio de Cristo (Fil. 1:6,10; 2:16; 1Co. 1:8); la gracia de Dios (Ef. 2:8,9; Col. 1:6; Gál. 1:15) es la gracia de Cristo (1Ts. 5:28; Gál. 1:6; 6:18); la salvación de Dios (Col. 1:13) es la salvación de Cristo (1Ts. 1:10); y la voluntad de Dios (Ef. 1:11; 1Ts. 4:3; Gál. 1:4) es la voluntad de Cristo (Ef. 5:17; véase 1Ts. 5:18). Así que no es sorprendente oír a Pablo decir que él es a la vez esclavo de Dios (Rom. 1:9) y de Cristo (Rom. 1:1; Gál. 1:10), que vive para esa gloria que es a la vez de Dios (Rom. 5:2; Gál. 1:24) y de Cristo (2Co. 8:19,23; véase 2Co. 4:6), que su fe está en Dios (1Ts. 1:8-9; Rom. 4:1-5) y en Cristo Jesús (Gál. 3:22), y que conocer a Dios, que es la salvación (Gál. 4:8; 1Ts. 4:5), es conocer a Cristo (2Co. 4:6).[31]

Así pues, Jesús es Yahvé (o Jehová) y es eternamente autoexistente, igual y coeterno con Dios Padre y Dios Espíritu Santo (Mt. 28:19). Antes de que comenzara el tiempo, Cristo era «YO SOY» (Jn. 8:58). Era antes que todas las cosas (Col. 1:17). Al igual que el Padre y el Espíritu Santo, Él es eternamente el que vive.

---

[31] David F. Wells, The Person of Christ (Westchester: Crossway, 1984), pp. 64-65.

Después de señalar las pruebas anteriores de la identidad de Jesús como Yahvé:

Pregunte...

- En vista de que numerosos pasajes del Antiguo Testamento sobre Yahvé se aplican directamente a Jesús en el Nuevo Testamento, ¿qué le dice esto sobre la verdadera identidad de Jesús?

También puede utilizar la información del siguiente cuadro cuando hable con un testigo de Jehová. Este cuadro enumera los nombres, títulos y atributos de Yahvé y Jesús, mostrando su identidad común. Lo que es cierto de Yahvé también lo es de Jesús. Este es el punto más importante que puede plantear al testigo de Jehová en relación con el tema del nombre divino.

Comparación entre Yahvé y Jesús

Descripción	Referencia a Jehová	Referencia a Jesús
Yahvé ("YO SOY")	Éxodo 3:14 Deuteronomio 32:39 Isaías 43:10	Juan 8:24 Juan 8:58 Juan 18:4-6
Dios	Génesis 1:1 Deuteronomio 6:4 Salmos 45:6-7	Isaías 7:14; 9:6 Juan 1:1,14 Juan 20:28 Tito 2:13 Hebreos 1:8 2Pedro 1:1
Alfa y Omega (Primero y último)	Isaías 41:4 Isaías 48:12 Revelación 1:8	Apocalipsis 1:17-18 Apocalipsis 2:8 Apocalipsis 22:12-16
Señor	Isaías 45:23	Mateo 12:8 Hechos 7:59-60 Hechos 10:36 Romanos 10:12 1Corintios 2:8 1Corintios 12:3 Filipenses 2:10-11

Salvador	Isaías 43:3 Isaías 43:11 Isaías 63:8 Lucas 1:47 1Timoteo 4:10	Mateo 1:21 Lucas 2:11 Juan 1:29 Juan 4:42 Tito 2:13 Hebreos 5:9
Rey	Salmos 95:3 Isaías 43:15 1Timoteo 6:14-16	Apocalipsis 17:14 Apocalipsis 19:16
Juez	Génesis 18:25 Salmos 50:4,6 Salmos 96:13 Romanos 14:10	Juan 5:22 2Corintios 5:10 2Timoteo 4:1
Luz	2Samuel 22:29 Salmos 27:1 Isaías 42:6	Juan 1:4,9 Juan 3:19 Juan 8:12 Juan 9:5
Roca	Deuteronomio 32:3-4 2Samuel 22:32 Salmos 89:26	Romanos 9:33 1Corintios 10:3-4 1Pedro 2:4-8
Redentor	Salmos 130:7-8 Isaías 48:17 Isaías 54:5 Isaías 63:9	Hechos 20:28 Efesios 1:7 Hebreos 9:12
Omnisciente	1Reyes 8:39 Jeremías 17:9-10,16	Mateo 11:27 Lucas 5:4-6 Juan 2:25 Juan 16:30 Juan 21:17 Hechos 1:24
Omnipotente	Isaías 40:10-31 Isaías 45:5-13	Mateo 28:18 Marcos 1:29-34 Juan 10:18 Judas 24

Preexistente	Génesis 1:1	Juan 1:15,30 Juan 3:13,31-32 Juan 6:62 Juan 16:28 Juan 17:5
Eterno	Salmos 102:26-27 Habacuc 3:6	Isaías 9:6 Miqueas 5:2 Juan 8:58
Inmutable	Isaías 46:9,16 Malaquías 3:6 Santiago 1:17	Hebreos 13:8
Recibidor de adoración	Mateo 4:10 Juan 4:24 Apocalipsis 5:14 Apocalipsis 7:11 Apocalipsis 11:16	Mateo 14:33 Mateo 28:9 Juan 9:38 Filipenses 2:10-11 Hebreos 1:6
Quien habla con autoridad divina	"Así ha dicho el Señor…," usado cientos de veces.	Mateo 23:34-37 Juan 7:46 "De cierto, de cierto, te (les) digo…"[32]

---

[32] Este gráfico está adaptado de Josh McDowell y Bart Larson, Jesus: A Biblical Defense of His Deity (San Bernardino: Here's Life, 1983), pp. 62-64.

3
EL CRISTO DE LA TRADUCCIÓN DEL NUEVO MUNDO

*La Traducción del Nuevo Mundo
una espantosa mala traducción...
errónea... perniciosa... censurable».*
—Bruce M. Metzger[1]

La Sociedad Watchtower enseña que Jesucristo es un ángel—el primer ser que Dios creó en el universo. Como dice la revista *La Atalaya*, «hay evidencia bíblica para concluir que Miguel era el nombre de Jesucristo antes de dejar el cielo y después de su regreso».[2] De hecho, «'Miguel el gran príncipe' no es otro que Jesucristo mismo».[3]

La Sociedad Watchtower dice que fue a través de este ángel creado que Dios trajo todas las otras cosas a la existencia. Miguel el arcángel fue creado primero, y luego fue usado por Dios para crear todas las otras cosas en el universo (véase Col. 1:16). El libro de la Watchtower *Ayuda para entender la Biblia* explica: «La primera creación de Jehová fue su 'Hijo unigénito' (Jn. 3:16), 'el principio de la creación por Dios' (Ap. 3:14).

---

[1] Bruce M. Metzger, citado por Erich y Jean Grieshaber, Redi-Answers on Jehovah's Witnesses Doctrine (Tyler: n.p., 1979), p. 30.

[2] La Atalaya, 15 de mayo de 1969, p. 307.

[3] La Atalaya, 15 de diciembre de 1984, p. 29.

Este, 'el primogénito de toda la creación', fue utilizada por Jehová en la creación de todas las demás cosas, las que están en los cielos y las que están sobre la tierra, 'las cosas visibles y las cosas invisibles' (Col. 1:15-17)».[4]

Los testigos de Jehová admiten que Jesús es un «dios poderoso», pero niegan que sea Dios Todopoderoso como lo es Jehová.[5] La revista *La Atalaya* pregunta: «Si Jesús del 'Nuevo Testamento' es Jehová del 'Antiguo Testamento', como muchos afirman, ¿no debería haber al menos una referencia bíblica que diga que Jesús es Jehová? Sin embargo, no hay ninguna».[6]

Los testigos de Jehová creen tener pruebas bíblicas de que Jesús es menor que el Padre (Jehová). Por ejemplo, Jesús mismo dijo «el Padre es mayor que yo» (Jn. 14:28). Jesús se refirió al Padre como «mi Dios» (Jn. 20:17). Primera de Corintios 11:3 nos dice que «la cabeza de Cristo es Dios», y 1Corintios 15:28 nos dice que Jesús «será sometido al que sometió a él todas las cosas, para que Dios sea todo en todos». A Jesús se le llama «hijo unigénito» de Dios en Juan 3:16, y «el primogénito de toda la creación» en Colosenses 1:15. También se dice que es «el primogénito de toda la creación». También se dice que es el «principio» de la creación de Dios en Apocalipsis 3:14. Claramente, dicen los testigos de Jehová, Jesús no es Dios en el mismo sentido en que lo es Jehová.

De acuerdo con esto, la Sociedad Watchtower enseña que Jesús no fue adorado en el mismo sentido que el Padre (Jehová). La revista *La Atalaya* dice que «no es bíblico que los adoradores del Dios vivo y verdadero rindan culto al Hijo de Dios, Jesucristo».[7] Aunque la misma palabra griega usada para adorar a Jehová (*proskuneo*) se usa de Jesucristo, la Sociedad Watchtower dice que la palabra debe traducirse «obediencia» y no «adoración» cuando se usa de Cristo. Así, por ejemplo, la *Traducción del Nuevo Mundo* (1971) traduce Hebreos 1:6, «Y, al traer de nuevo a su Primogénito a la tierra habitada, dice: 'Y que todos los ángeles de Dios le rindan homenaje'».

---

[4] Aid to Bible Understanding (Brooklyn: Watchtower Bible and Tract Society, 1971), p. 391.

[5] Reasoning from the Scriptures (Brooklyn: Watchtower Bible and Tract Society, 1989), p. 150.

[6] La Atalaya, 15 de marzo de 1975, p. 174.

[7] La Atalaya, 1 de noviembre de 1964, p. 671.

Además de negar la deidad de Cristo y que fuera adorado como deidad, la Sociedad Watchtower también adopta una postura controvertida sobre la crucifixión de Cristo. Los testigos de Jehová enseñan que Jesús no fue crucificado en una cruz, sino en una estaca. La revista ¡*Despertad!* afirma que «ninguna prueba bíblica insinúa siquiera que Jesús muriera en una cruz».[8] La cruz, afirman los testigos, es un símbolo religioso pagano que la iglesia adoptó cuando Satanás tomó el control de la autoridad eclesiástica en los primeros siglos del cristianismo. La revista *La Atalaya* nos dice que «lo más probable es que Jesús fuera ejecutado en una estaca vertical sin ningún travesaño. Nadie hoy puede saber con certeza ni siquiera cuántos clavos se usaron en el caso de Jesús».[9]

Cuando Jesús murió, se volvió inexistente y resucitó (o, más exactamente, fue *recreado*) tres días después como una criatura espiritual, es decir, como el arcángel Miguel. No ocurrió una resurrección *física*. En *Estudios de las Escrituras,* encontramos esta declaración: «Negamos que Él haya sido resucitado en la carne, y desafiamos cualquier declaración en ese sentido como no bíblica».[10]

Una de las razones por las que Jesús no resucitó de entre los muertos en un cuerpo de carne humana está relacionada con su obra de expiación, según enseña la Sociedad Watchtower. La publicación de la Watchtower *You Can Live Forever in Paradise on Earth* [*Usted puede vivir para siempre en el paraíso en la tierra*] dice que «habiendo entregado su carne por la vida del mundo, Cristo nunca pudo tomarla de nuevo y convertirse en hombre una vez más».[11] Cristo sacrificó *para siempre* su carne humana en la cruz. Por lo tanto, en la «resurrección» no se convirtió en un ser humano glorificado, sino que fue recreado como el arcángel Miguel.

De acuerdo con esto, la Sociedad Watchtower enseña que Jesús no se apareció a sus discípulos en el mismo cuerpo en el que murió. En la publicación de la Watchtower *The Kingdom Is at Hand* [*El Reino está cerca*], leemos: «Por lo tanto, los cuerpos en los que Jesús se manifestó a sus discípulos después de su regreso a la vida, no eran el cuerpo en el que

---

[8] ¡Despertad!, 8 de noviembre de 1972, p. 28.

[9] La Atalaya, 15 de agosto de 1987, p. 29.

[10] Studies in the Scriptures, vol. 7 (Brooklyn: Watchtower Bible and Tract Society, 1917), p. 57.

[11] You Can Live Forever in Paradise on Earth (Brooklyn: Watchtower Bible and Tract Society, 1982), p. 143.

fue clavado en el madero».[12] Para convencer a Tomás de quién era Él, «usó un cuerpo con agujeros de heridas».[13]

¿Qué sucedió, entonces, con el cuerpo humano de Jesús que fue depositado en la tumba? La revista *La Atalaya* informa que su cuerpo «fue eliminado por Jehová Dios, disuelto en sus elementos constitutivos o átomos».[14] De hecho, la publicación de la Watchtower *Things in Which It Is Impossible for God to Lie* [*Cosas en las que es imposible que Dios mienta*] nos dice que «el cuerpo humano de carne, que Jesucristo puso para siempre como sacrificio de rescate, fue eliminado por el poder de Dios».[15]

Consistente con la supuesta resurrección espiritual de Jesús es la enseñanza de que una «segunda venida» espiritual de Cristo ocurrió en 1914. Las palabras normalmente traducidas «venida» en el Nuevo Testamento (en referencias a la segunda venida) son traducidas por los testigos de Jehová como «presencia». Por lo tanto, la «segunda venida» se refiere a la presencia espiritual de Cristo con el hombre desde el año 1914. Desde que Cristo regresó espiritualmente, ha estado gobernando como Rey en la tierra a través de la Sociedad Watchtower. Para apoyar sus enseñanzas desviadas, la Sociedad Watchtower ha publicado una traducción teológicamente sesgada de la Biblia conocida como la *Traducción del Nuevo Mundo*. Mi propósito en el presente capítulo es examinar cómo la *Traducción del Nuevo Mundo* traduce erróneamente versículos clave que tradicionalmente se ha entendido que apoyan firmemente la deidad de Cristo. Ya que los testigos de Jehová que aparezcan en su puerta probablemente citarán algunos de estos versículos cuando «testifiquen» ante usted, es fundamental que conozca las distorsiones de su traducción de la Biblia.

---

[12] The Kingdom Is at Hand (Brooklyn: Watchtower Bible and Tract Society, 1944), p. 259.

[13] You Can Live Forever in Paradise on Earth, p. 145.

[14] La Atalaya, 1 de septiembre de 1953, p. 518.

[15] Things in Which It Is Impossible for God to Lie (Brooklyn: Watchtower Bible and Tract Society, 1965), p. 354.

Razonando a la luz de la Biblia

Colosenses 1:16-17: ¿Cristo es el creador creado?

La enseñanza de la Watchtower. En la *Traducción del Nuevo Mundo* Colosenses 1:16-17 dice, «porque por medio de él *todo lo demás* fue creado en los cielos y en la tierra, las cosas visibles y las cosas invisibles, ya sean tronos, dominios, gobiernos o autoridades. *Todo lo demás* ha sido creado mediante él y para él. Además, él existe desde antes que *todo lo demás*, y por medio de él se hizo que existiera *todo lo demás*» (énfasis añadido).

Nótese la inserción de la expresión «lo demás» cuatro veces en este pasaje. El motivo de los testigos de Jehová para hacer esto es claro. No quieren que parezca que Cristo es no creado y que existía antes que todas las cosas. La *Traducción del Nuevo Mundo* hace parecer que Jesús fue creado primero, y luego fue usado por Jehová para crear todas las demás cosas en el universo. La publicación de la Watchtower *Sea Dios hallado veraz* comenta, «Él no es el autor de la creación de Dios; pero, después de que Dios lo había creado como su Hijo primogénito, entonces Dios lo usó como su Socio trabajador en la creación de todo el resto de la creación».[16] También se sugiere que este Hijo primogénito creado era el «socio cercano» a quien Jehová se dirigía en Génesis 1:26: «Hagamos al hombre a *nuestra* imagen, conforme a *nuestra* semejanza» (énfasis añadido).[17]

En apoyo de su posición, la Sociedad Watchtower señala a 1Corintios 8:6, que indica que Dios creó el mundo «a través de» (griego: *dia*) Jesucristo. La preposición griega en este versículo (*dia*) señala el papel secundario, menor de Cristo en la creación del universo.

La publicación de la Watchtower *Ayuda para entender la Biblia* sugiere que Jesús existió durante mucho tiempo antes de la creación del hombre. Citando pruebas científicas relativas a la edad estimada del universo, se sugiere que la existencia de Jesús como criatura espiritual (es decir, como el arcángel Miguel) comenzó miles de millones de años antes de la creación del primer ser humano. Después de este largo tiempo, Jehová utilizó a Jesús para crear «todas las demás» cosas del universo.[18]

---

[16] Let God Be True (Brooklyn: Watchtower Bible and Tract Society, 1952), p. 33.

[17] Aid to Bible Understanding, p. 1669.

[18] Aid to Bible Understanding, p. 918.

La Sociedad Watchtower trata de justificar su inserción de «otros» en Colosenses 1:16-17 señalando que la palabra griega para «todos» (*panta*) puede ser traducida en algunos contextos del Nuevo Testamento como «todos lo demás» con el fin de hacer la interpretación más suave. Como ejemplo, señalan las palabras de Jesús en Lucas 13:2: «¿Pensáis que estos galileos eran más pecadores que todos los *demás* [*panta*] galileos, porque sufrieron esto?». (énfasis añadido). Puesto que tal traducción es aceptable en Lucas 13:2, también lo es en Colosenses 1:16-17.[19]

La enseñanza bíblica. Al responder a los testigos de Jehová sobre esta cuestión, es importante señalar en primer lugar que la expresión «lo demás» es un añadido en la traducción de Colosenses 1:16-17 de la *Traducción del Nuevo Mundo*. Según el Prólogo de la *Traducción del Nuevo Mundo*, «los corchetes encierran palabras insertadas para completar el sentido en el texto».[20] Afirman que la palabra entre corchetes contribuye a una lectura más fluida *sin cambiar el sentido del texto.*

Como ya se ha señalado, los testigos de Jehová apelan a menudo a pasajes como Lucas 13:2, donde se añade la expresión «los demás». Y, en efecto, en Lucas 13:2 la adición de la palabra «demás» no cambia el sentido del texto y *sí* ayuda a que el texto se lea con más fluidez. Sin embargo, la inserción de «lo demás» cuatro veces en Colosenses 1:16-17 *no* contribuye a una lectura más fluida, sino que *cambia por completo el sentido del texto.*[21] La intención de la Sociedad Watchtower es clara: imponer la idea de que Jesucristo es un ser creado y que, por lo tanto, no es Dios Todopoderoso.

El erudito y teólogo griego Robert Reymond concluye que «la pura perversidad teológica lleva a los testigos de Jehová en su *Traducción del Nuevo Mundo* a insertar 'lo demás' ('todas [las demás] cosas') en todo el pasaje para justificar su visión arriana del hijo como parte propiamente del orden creado».[22] (Arrio fue un hereje de los primeros siglos del cristianismo cuya visión de Cristo es precursora de la postura de la Watchtower).

---

[19] Reasoning from the Scriptures, pp. 408-9.

[20] New World Translation (Brooklyn: Watchtower Bible and Tract Society, 1981), p. 6.

[21] Robert M. Bowman, Understanding Jehovah's Witnesses (Grand Rapids: Baker Books, 1991), p. 66.

[22] Robert L. Reymond, Jesus, Divine Messiah: The New Testament Witness (Phillipsburg: Presbyterian and Reformed, 1990), p. 248.

Es altamente revelador de la deshonestidad de la Sociedad Watchtower que la versión reciente de la *Traducción del Nuevo Mundo* no pusiera corchetes alrededor de las cuatro inserciones de «lo demás» en el texto de Colosenses 1:16-17.[23] Esto hace parecer que la palabra fue realmente traducida del texto griego original. La Sociedad Watchtower fue presionada a poner corchetes alrededor de estas palabras en todas las ediciones de la *Traducción del Nuevo Mundo* desde 1961 como resultado de que eruditos evangélicos expusieran abiertamente esta perversión del texto de las Escrituras.[24] Parece que no lo hacen en todas sus traducciones.

Uno de esos eruditos es Bruce M. Metzger, quien, en un artículo titulado «The Jehovah's Witnesses and Jesus Christ», [«Los testigos de Jehová y Jesucristo»], afirma que la palabra «otro» «no está presente en el griego original y obviamente se insertó para que el pasaje se refiriera a Jesús como si estuviera al mismo nivel que otras cosas creadas».[25] Metzger señala que Pablo escribió originalmente Colosenses en parte para combatir una noción de Cristo similar en algunos aspectos a la sostenida por los testigos de Jehová: «Algunos colosenses defendían la noción gnóstica de que Jesús era el primero de muchos otros intermediarios creados entre Dios y los hombres».[26]

Cuando hable con un testigo de Jehová sobre Colosenses 1:16-17, tal vez quiera señalar que la propia versión interlineal griega de la Biblia de la Watchtower muestra que la palabra griega *panta* significa «todas» las cosas y no «todas las demás» cosas. A pesar de esto, la Sociedad Watchtower continúa hoy engañando a la gente insertando «lo demás» en el texto de Colosenses 1:16-17 en la *Traducción del Nuevo Mundo*.

¿Qué hay de la afirmación de la Watchtower de que Cristo jugó un papel de «socio menor» en la creación, ya que el Nuevo Testamento dice que Dios hizo el mundo *a través de* (griego: *dia*) Cristo? Tal punto de vista hace suposiciones injustificadas. Más concretamente, supone que el hecho de que el Padre sea la *fuente* de la creación y el Hijo el *agente* de la creación (1Co. 8:6) implica que el Hijo es *inferior* al Padre. El punto de vista correcto (bíblico) es que, aunque el Padre, el Hijo y el Espíritu Santo

---

[23] Jerry y Marian Bodine, Witnessing to the Witnesses (Irvine: n.p., n.d.), pp. 39-40.
[24] Bodine, p. 40.
[25] Bruce M. Metzger, «The Jehovah's Witnesses and Jesus Christ», Theology Today, 10 (abril 1953), p. 70.
[26] Metzger, p. 70.

son iguales en su naturaleza divina y, por tanto, son personas coiguales y coeternas en la única Trinidad, desempeñan funciones diferentes. El papel de Jesús en la creación fue el de ser el *agente* a través del cual todo se hizo realidad. Como dice el erudito del Daniel Wallace: «El Logos [Jesús] es representado como el Creador de una manera *'práctica'*».[27] El erudito James White añade,

> La creación es obra de Yahvé, y el Nuevo Testamento nos revela con gloriosa claridad los distintos papeles que desempeñan el Padre, el Hijo y el Espíritu en esa gran exhibición del poder divino. El Padre decreta, el Hijo ejecuta, el Espíritu conforma. Al igual que los tres comparten el mismo nombre divino, también comparten la misma descripción divina de «Creador», aun manteniendo la distinción de funciones que existe entre ellos.[28]

Así pues, el Padre *como Yahvé* es la fuente de la creación, del mismo modo que Jesús *como Yahvé* es el agente de la creación. Que quede claro que no hay contradicción alguna en afirmar que cada una de las tres personas es Yahvé, y que al mismo tiempo cada una de ellas desempeña también funciones diferentes.

Podría exponer su punto de vista de esta manera:

Pregunte...

- ¿Está usted de acuerdo en que, aunque marido y mujer son *iguales por naturaleza* (ambos son humanos), desempeñan *funciones diferentes?*

- ¿Ha considerado alguna vez la posibilidad de que el Padre, el Hijo y el Espíritu Santo sean *iguales en naturaleza* (como Dios), aunque desempeñen *funciones diferentes?* (Tal vez quiera dedicar un poco de tiempo a 1Corintios 11:3 a este respecto. Véase mi discusión en el capítulo 5).

Es importante señalar a los testigos de Jehová la enseñanza bíblica de que *sólo Dios* es el Creador. Dios dice en Isaías 44:24: «Yo Jehová, que lo hago

---

[27] Daniel Wallace, Greek Grammar Beyond the Basics (Grand Rapids: Zondervan, 1996), p. 434.

[28] James White, The Forgotten Trinity (Minneapolis: Bethany House, 1998), p. 117.

todo, que extiendo solo los cielos, que extiendo la tierra por mí mismo».
Claramente, este versículo hace imposible argumentar que Cristo fue
creado primero por Jehová y luego Jehová creó todas las demás cosas por
medio de Cristo. El hecho de que Jehová sea el «hacedor de todas las
cosas» que extendió los cielos «por mí mismo» y extendió la tierra «todo él
solo» (Is. 44:24)—y el hecho concomitante de que Cristo mismo es el
Creador de «todas las cosas» (Jn. 1:3)—demuestra que Cristo es Dios
Todopoderoso, tal como lo es el Padre.

Pregunte...

* Jehová dice en Isaías 44:24: «Yo Jehová, que lo *hago todo*, que
  extiendo solo los cielos, que extiendo la tierra por *mí mismo*».
  ¿Cómo armoniza usted esto con la enseñanza de la Watchtower de
  que Jehová creó primero a Cristo y luego Cristo creó todo lo
  demás?

Debo hacer una pausa para señalar que algunos apologistas actuales de los
testigos de Jehová afirman ahora que la referencia a Jesús como «el
primogénito de toda la creación» en Colosenses 1:15 implica un genitivo
partitivo, indicando así que el «primogénito» (Jesús) debe clasificarse
como *parte de* la creación. El contexto, sin embargo, hace imposible tal
opinión, pues el versículo 16 nos dice que Cristo mismo *creó* la creación
(véase también Jn. 1:3; Heb. 1:2), y el versículo 17 nos dice que Cristo
sustenta la creación (véase también Heb. 1:3). Además, la creación entera
se representa como la *herencia* o el *patrimonio* del que el Hijo eterno es el
heredero primario («todas las cosas fueron creadas... *para él*»—Col. 1:16).

Una vez expuestos estos puntos, veamos brevemente lo que el apóstol
Pablo enseña realmente en Colosenses 1:16-17. En este pasaje, Pablo
afirma que por Cristo «fueron creadas todas las cosas, en el cielo y en la
tierra, visibles e invisibles; sean tronos, sean dominios, sean principados,
sean potestades; todo fue creado por medio de él y para él. Y él es antes
que todas las cosas, y en él todas las cosas subsisten».

La pequeña frase «todas las cosas» significa que Cristo creó *todo el
universo de las cosas*. Observe que en el espacio de cinco versículos (vv.
16-20), el apóstol Pablo menciona «toda la creación», «todas las cosas» y
«todo», indicando así que Cristo es supremo sobre todo. «Toda forma de
materia y de vida debe su origen al Hijo de Dios, no importa en qué esfera

se encuentre o con qué cualidades se invierta... La obra creadora de Cristo no fue una operación local o limitada; no estuvo circunscrita a este pequeño orbe [la Tierra]».[29] Todo—simple o complejo, visible o invisible, celestial o terrenal, inmanente o trascendente—es producto de Cristo.

Pablo también afirma de Cristo que «todas las cosas fueron creadas... *para* él» (énfasis añadido). La creación es «para» Cristo en el sentido de que Él es el fin para el que existen todas las cosas. Están destinadas a hacer su voluntad y a contribuir a su gloria.[30] Cristo es verdaderamente preeminente.

Otros pasajes que hablan de Cristo como creador son Juan 1:3, Hebreos 1:2,10 y Apocalipsis 3:14. El papel del Hijo como creador está en el centro mismo de la revelación neotestamentaria. Y el significado de la obra de la creación atribuida a Cristo es que revela su naturaleza divina: «No hay duda de que el Antiguo Testamento presenta sólo a Dios como Creador del universo (Gén. 1, Is. 40, Sal. 8). Y cuando los discípulos de Cristo declaran que Jesús es aquel por quien fueron creadas todas las cosas, es inevitable la conclusión de que con ello le estaban atribuyendo deidad».[31]

Además de ser el creador del universo, se nos dice en el versículo 17 que Cristo es el preservador del universo: «Él es antes de todas las cosas, y *en Él todas las cosas subsisten*» (énfasis añadido)». Los versículos 16 y 17, tomados en conjunto, muestran claramente que el creador mismo sostiene lo que Él soberanamente trajo a la existencia.

En la frase «antes de todas las cosas», la palabra «antes» indica que Cristo existió antes que todas las cosas en punto de tiempo. «La prioridad de la existencia pertenece a la gran PRIMERA Causa. Aquel que *hizo* todo, necesariamente existía *antes* de todo. Antes de su obra creadora, Él había llenado los períodos sin medida de una eternidad sin principio. La materia no es eterna... Él la preexistió y la llamó a la existencia».[32]

Algunos eruditos encuentran significado en el hecho de que se use un tiempo presente en la frase «él *es* antes de todas las cosas». Si Cristo fuera meramente preexistente, se podría decir que Cristo «*era* antes de todas las cosas». El tiempo presente parece indicar una existencia eterna, sin fin. El

---

[29] John Eadie, A Commentary on the Greek Text of the Epistle of Paul to the Colossians (Grand Rapids: Baker Books, 1979), p. 51.

[30] Curtis Vaughan, «Colossians», en The Expositor's Bible Commentary, vol. 11, ed. Frank E. Gaebelein (Grand Rapids: Zondervan, 1978), p. 182.

[31] Norman Geisler, Christian Apologetics (Grand Rapids: Baker Books, 1976), p. 338.

[32] Eadie, p. 56.

sentido de la frase es que «él existía eternamente antes de todas las cosas».[33]

A continuación, Pablo hace una afirmación asombrosa: «Todas las cosas son reunidas en él». Atanasio, padre de la Iglesia primitiva y paladín de la ortodoxia (296-373 d.C.), explicó la esencia de este versículo con esta sugerencia:

> [Cristo] extiende su poder sobre todas las cosas en todas partes, iluminando lo que se ve y lo que no se ve, sosteniéndolo y uniéndolo todo en sí mismo. Nada queda vacío de su presencia, sino que para todas las cosas y a través de todas, individual y colectivamente, Él es el dador y sustentador de la vida... Él mantiene el universo en sintonía. Él es quien, uniendo todo con todo, y ordenando todas las cosas por su voluntad y placer, produce la perfecta unidad de la naturaleza y el armonioso reino de la ley.[34]

En verdad, el poderoso brazo de Cristo sostiene el universo en toda su grandeza. Si Él retirara su poder sustentador, aunque sólo fuera por un momento, todas las cosas se derrumbarían en el caos. Sin negar la validez y el uso de «causas secundarias» (como la ley de la gravedad,[35] que Él mismo ordenó), es Cristo quien mantiene el universo en continua estabilidad. «Su gran imperio depende de Él en todas sus provincias-vida, mente, sensación y materia; átomos debajo de nosotros a los que la geología no ha descendido, y estrellas más allá de nosotros a las que la astronomía nunca ha penetrado».[36] De hecho, «los lazos inmateriales que mantienen unidos tanto al átomo como a los cielos estrellados se trazan en este pasaje hasta el poder y la actividad del Hijo de Dios».[37]

Colosenses 2:9: La plenitud de la deidad en Cristo

La enseñanza de la Watchtower. En la *Traducción del Nuevo Mundo* Colosenses 2:9 dice, «En él habita corporalmente toda la *plenitud de la*

---

[33] Rhodes, p. 71.

[34] Citado por Marvin R. Vincent, Word Studies in the New Testament, vol. 3 (Grand Rapids: Eerdmans, 1975), p. 471.

[35] John F. Walvoord, Jesus Christ Our Lord (Chicago: Moody, 1980), p. 50.

[36] Eadie, p. 57.

[37] Walvoord, p. 50.

naturaleza divina» (énfasis añadido). Esto contrasta, por ejemplo, con la versión más popular (Reina Valera) de este versículo: «Porque en él habita corporalmente toda la plenitud *de la divinidad*» (énfasis añadido).

Los testigos de Jehová no quieren que parezca que «toda la plenitud de la deidad» habita en Jesús. Después de todo, esto significaría que Jesús es Dios Todopoderoso. Por lo tanto, traducen a propósito este versículo de tal manera que sólo la «plenitud de la naturaleza divina» mora en Jesús. Están dispuestos a admitir que Jesús tiene *cualidades* divinas, pero hasta ahí llegan. Esto concuerda con su opinión de que Jesús es «*un* dios» (Jn. 1:1, énfasis añadido).

De acuerdo con esto, los testigos de Jehová niegan rotundamente que Jesús sea coigual con el Padre. El libro de la Watchtower *Razonamiento a partir de las Escrituras* argumenta: «Ser verdaderamente 'divinidad', o de 'naturaleza divina', no hace a Jesús como Hijo de Dios coigual y coeterno con el Padre, como tampoco el hecho de que todos los humanos compartan la 'humanidad' o la 'naturaleza humana' los hace coiguales o todos de la misma edad».[38]

La enseñanza bíblica. Colosenses 2:9 no está diciendo que Jesús tenga meras cualidades divinas. Más bien dice que «toda la plenitud de la divinidad» habita en Cristo en forma corporal. El apoyo de los eruditos a este punto de vista es impresionante:

- El estudioso del Nuevo Testamento Joseph B. Lightfoot dice que la frase «plenitud de la deidad» significa «la totalidad de los poderes y atributos divinos».[39]

- El erudito griego Karl Grimm dice que la palabra griega en Colosenses 2:9 se refiere a «deidad, es decir, el estado de ser Dios, Divinidad».[40]

- El erudito griego Richard C. Trench dice que «Pablo está declarando que en el Hijo habita toda la plenitud de la Divinidad absoluta... Él era, y es, Dios absoluto y perfecto».[41]

---

[38] Reasoning from the Scriptures, p. 421.

[39] J.B. Lightfoot, St. Paul's Epistles to the Colossians and to Philemon (Grand Rapids: Zondervan, 1979), p. 181.

[40] Karl Grimm, en J.H. Thayer, A Greek-English Lexicon of the New Testament (Grand Rapids: Zondervan, 1963), p. 288.

- El erudito griego John A. Bengel afirma que la palabra griega se refiere «no sólo a los *atributos divinos,* sino a la propia *naturaleza divina».* [42]
- El erudito bíblico H.C.G. Moule afirma que la palabra griega «es lo más fuerte posible; *Deidad,* no sólo *Divinidad».* [43]
- El teólogo Robert Reymond dice que la palabra griega se refiere al «ser de la esencia misma de la deidad».[44]
- De acuerdo con todo esto, el teólogo Benjamin B. Warfield concluye que «la misma deidad de Dios, aquello que hace que Dios sea Dios, en toda su plenitud, tiene su morada permanente en nuestro Señor, y eso de una 'manera corporal', es decir, está en Él revestido de un cuerpo».[45]

Después de señalar lo anterior a un testigo de Jehová:

Pregunte...

- Un conjunto impresionante de eruditos griegos nos aseguran que Colosenses 2:9 apunta a la deidad absoluta de Jesucristo. ¿Puede usted nombrar un *solo* erudito griego de renombre que esté de acuerdo con la interpretación de la Watchtower de este versículo?

Colosenses 2:9 revela que Cristo encarnado era tan divino como el Padre, y en ningún sentido era menos que Dios por haber asumido una naturaleza humana. De hecho, Pablo está declarando que en el Hijo habita toda la plenitud (literalmente, «medida completa», «totalidad», «suma total») de la divinidad absoluta: «No eran meros rayos de gloria divina que lo cubrían, iluminando su Persona por un tiempo y con un esplendor que no era el suyo; sino que era y es Dios absoluto y perfecto».[46]

---

[41] R.C. Trench, citado en The New Treasury of Scripture Knowledge (Nashville: Thomas Nelson, 1992), p. 1401.
[42] John A. Bengel, citado en The New Treasury of Scripture Knowledge, p. 1401.
[43] H.C.G. Moule, Studies in Colossians and Philemon (Grand Rapids: Kregel, 1977), p. 102.
[44] Reymond, p. 250.
[45] Benjamin B. Warfield, The Person and Work of Christ (Filadelfia: Presbyterian and Reformed, 1950), p. 46.
[46] R.C. Trench, citado en Kenneth S. Wuest, «Ephesians and Colossians in the Greek New Testament», Wuest's Word Studies (Grand Rapids: Eerdmans, 1953), p. 203.

Comparta la definición anterior de «plenitud» con el testigo de Jehová y, a continuación:

Pregunte...

* ¿Qué cree que dice acerca de la naturaleza de Cristo cuando se declara que la «medida plena», la «plenitud», la «totalidad» y la «suma total» de la deidad habita en Él?

Es altamente revelador que incluso alguna literatura de la Watchtower apoya este punto de vista correcto. La *Bible in Living English* [*Biblia en Inglés Viviente*], traducida por Steven T. Byington, fue publicada por la Sociedad Watchtower en 1972, y se interpreta este versículo, «En él toda la plenitud de la deidad reside en forma corporal».[47] Uno debe preguntarse ¡cómo se les escapó esto a los editores de la Watchtower!

Zacarías 12:10: «Aquel a quien traspasaron»

La enseñanza de la Watchtower. En la *Traducción del Nuevo Mundo* Zacarías 12:10 es traducido, «Derramaré sobre la casa de David y sobre los habitantes de Jerusalén el espíritu de aprobación y de súplica, *y mirarán al que traspasaron*, y se lamentarán por él como se lamentarían por un hijo único, y llorarán por él amargamente como llorarían por un primogénito». (énfasis añadido). Por el contrario, la Reina Valera interpreta la parte crítica de este versículo, «*Mirarán a mí*, a quien traspasaron» (énfasis añadido).

Aquí está el punto crítico: En la Nueva Biblia de las Américas, es Yahvé (o Jehová) quien habla en este versículo, y por lo tanto es Jehová quien dice: «Mirarán a mí, a quien traspasaron».

Obviamente, esto significa que Jesús es Jehová. Pero esto va en contra de la teología de la Watchtower. Por lo tanto, aparentemente para evitar que Jesús parezca ser Jehová o Dios Todopoderoso, la Sociedad Watchtower lo traduce, «Ciertamente mirarán al que traspasaron».[48] En la *Traducción del Nuevo Mundo*, no es Jehová el traspasado, sino «el que» o

---

[47] David Reed, Jehovah's Witnesses Answered Verse by Verse (Grand Rapids: Baker Books, 1992), p. 98.

[48] Esto no quiere decir que no haya algunas otras traducciones que optan por la interpretación «única», como la Good News Bible y la Modern Language Bible. Pero estas no tienen el historial de parcialidad teológica que tiene la Traducción del Nuevo Mundo.

«aquel», que es Jesús, el traspasado. En esta traducción, no hay conexión entre Jehová y Jesús.

La enseñanza bíblica. Es cierto que existe cierto debate sobre cómo debe traducirse este versículo. A continuación se exponen las ideas que considero más importantes:

En primer lugar, desde el punto de vista fundamental, está muy claro que Yahvé o Jehová es quien habla en este versículo. De hecho, los versículos 2 al 12 son un solo discurso ligado al «Así dice el Señor [Yahvé]» en el v. 1.

En segundo lugar, como señala Robert Reymond, la traducción «Me mirarán a mí» en Zacarías 12:10 cuenta con el apoyo de «la gran mayoría de manuscritos hebreos fiables, la LXX [Septuaginta], la [versión] latina antigua, la Peshitta siríaca, los Targum arameos y las versiones griegas de Aquila, Símaco y Teodoción».[49] Son muchos manuscritos.

En tercer lugar, suponiendo que la traducción correcta diga que Jehová «*mirarán a mí*, a quien traspasaron», el Nuevo Testamento presenta este versículo como cumplido en la persona de Jesucristo (véase Ap. 1:7, donde Jesús es el «traspasado»), apoyando así la idea de que Jesús es Jehová (o Yahvé). Sin embargo, surge un problema con una referencia cruzada, Juan 19:37, que dice: «Mirarán *al* que traspasaron», lo que parece apoyar la interpretación «*sobre él*» de Zacarías 12:10, que eliminaría la conexión Jehová-Jesús. Parece un problema complicado de resolver.

Mi opinión académica es que la traducción castellana aclara las cosas bastante bien. Más concretamente, la RV interpreta la parte pertinente del versículo, «y *me* mirarán a *mí*, a quien traspasaron» (énfasis añadido). Esto no es muy diferente de la interpretación de la Biblia LPH: «Dirigirán sus miradas *hacia mí*» (énfasis añadido). Del mismo modo, la Nueva Versión Internacional lo traduce: «Me mirarán *a mí, a quien* traspasaron» (énfasis añadido). Puesto que Jehová es el que habla, queda claro en estas traducciones que Jehová mismo es el que es traspasado, estableciendo así la conexión entre Jehová y Jesús.

Puedo hacer otra observación. Los estudiosos del Nuevo Testamento llevan mucho tiempo subrayando que las citas del Antiguo Testamento en el Nuevo Testamento (como en Jn. 19:37) suelen ser citas *sueltas*, con poco

---

[49] Reymond, p. 80.

95

o ningún intento de ser exactas. Un cambio de pronombre (de «yo» a «él»)
no es gran cosa en la mentalidad hebrea. Para ilustrarlo, consideremos
Salmos 68:18, donde leemos: «Cuando *subiste* a lo alto, *llevaste* cautivos
en *tu* séquito…» (énfasis añadido). En Efesios 4:8, el apóstol Pablo cita
este versículo, pero lo traduce con pronombres diferentes: «Cuando *subió* a
lo alto, *llevó* cautivos en *su* séquito…» (énfasis añadido). Pablo se sintió
libre de cambiar los pronombres sin temor a cometer una injusticia contra
la Palabra de Dios. Sugiero que lo mismo ocurre en Juan 19:37.

Después de repasar detenidamente los puntos anteriores con un testigo
de Jehová...

Pregunte...

- ¿Cree usted que Juan 19:37 y Apocalipsis 1:7 demuestran que el
  «traspasado» es Jesucristo? (La respuesta será afirmativa).
- Si es cierto que la gran mayoría de los manuscritos hebreos fiables
  presentan a Jehová diciendo «mirarán *a mí*, al que traspasaron»,
  ¿qué dice eso sobre la identidad de Jesucristo? *¿Es Jehová?*

Hechos 20:28: Comprado por la sangre de Dios

La enseñanza de la Watchtower. Hechos 20:28 en la *Traducción del
Nuevo Mundo* dice: «Cuídense ustedes mismos y cuiden del rebaño, del
cual el espíritu santo los nombró superintendentes para pastorear la
congregación de Dios, que él compró con la sangre de su propio Hijo»
(énfasis añadido). Esto contrasta, por ejemplo, con la versión Reina Valera:
«Por tanto, mirad por vosotros, y por todo el rebaño en que el Espíritu
Santo os ha puesto por obispos, para apacentar la iglesia del Señor, la cual
él ganó por su propia sangre» (énfasis añadido).

La *Traducción del Nuevo Mundo* indica que la iglesia fue comprada no
por *la* sangre *de Dios* sino por la sangre de Jesús. La Sociedad Watchtower
busca justificación para esta traducción de 1Juan 1:7, que dice que «la
sangre de Jesús su Hijo nos limpia de todo pecado». También se cita a
veces Juan 3:16. *Razonamiento a partir de las Escrituras* comenta: «Como
se dice en Juan 3:16, ¿envió Dios a su Hijo unigénito, o vino él mismo en

forma de hombre, para que tuviéramos vida? Fue la sangre, no de Dios, sino de su Hijo que fue derramada».[50]

La enseñanza bíblica. La *Traducción del Nuevo Mundo* de este versículo va en contra de muchas traducciones de las Escrituras muy respetadas y fiables. Por ejemplo, como se señaló anteriormente, la Reina Valera se refiere a «la iglesia de Dios, la cual él ganó por su propia sangre». La Nueva Biblia de las Américas se refiere a «la iglesia de Dios, la cual Él compró con Su propia sangre». La Nueva Versión Internacional se refiere a «la iglesia de Dios, que él adquirió con su propia sangre».

Para ser justos, sin embargo, debemos admitir que es gramaticalmente *posible* traducir esto como «la iglesia de Dios que obtuvo con la sangre de su propio Hijo». Los gramáticos griegos nos dicen que la construcción genitiva de este versículo puede tomarse de dos maneras. Si es un *genitivo atributivo,* entonces comunicaría «su propia sangre» (es decir, la sangre de Dios). Si se trata de un genitivo *posesivo,* entonces comunicaría «con *su propia* sangre», en cuyo caso el referente de «los suyos» (tal vez un término cariñoso) sería el *propio Hijo* de Dios. La mayoría de las traducciones evangélicas lo toman como un genitivo atributivo, retratando a Dios comprando la iglesia con su propia sangre. En mi opinión académica, esto es lo que dice Hechos 20:28.

El renombrado erudito griego A.T. Robertson señala que Pablo es quien habla en este versículo, y la idea de que Dios (Jesús) compró la iglesia con su propia sangre sería coherente con el énfasis que Pablo pone en otras partes respecto a la deidad absoluta de Jesucristo. Él dice que la iglesia fue comprada «por medio de (*dia*) su propia sangre. ¿La sangre de quién?... Jesús es llamado aquí 'Dios', quien derramó su propia sangre por el rebaño. No vale decir que Pablo no llamó Dios a Jesús, porque tenemos Romanos 9:5; Colosenses 2:9; y Tito 2:13 donde hace eso mismo, además de Colosenses 1:15-20 y Filipenses 2:5-11».[51]

Cuando hable de Hechos 20:28 con un testigo de Jehová, es fundamental señalar que en la encarnación Jesús era *plenamente Dios* y *plenamente hombre.* Como Dios, tenía todos los atributos de la deidad. Como hombre, tenía todos los atributos de la humanidad. Aunque Cristo

---

[50] Reasoning from the Scriptures, p. 418.
[51] A.T. Robertson, Word Pictures in the New Testament, vol. 3 (Nashville: Broadman, 1930), p. 353.

tenía *dos naturalezas*—una humana y otra divina—siempre fue *una sola persona*. En la encarnación, la persona de Cristo es partícipe de los atributos de ambas naturalezas, de modo que todo lo que puede afirmarse de una u otra naturaleza—humana o divina—puede afirmarse de *una sola persona*.

En su naturaleza humana, Cristo conoció el hambre (Lc. 4:2), el cansancio (Jn. 4:6) y la necesidad de dormir (Lc. 8:23). En su naturaleza divina, Cristo era omnisciente (Jn. 2:24), omnipresente (Jn. 1:48) y omnipotente (Jn. 11). Todos estos atributos, tanto los de su naturaleza humana como los de su naturaleza divina, fueron experimentados por la única persona de Cristo.

Teniendo esto en cuenta, es significativo observar que a la persona de Cristo se le pueden atribuir características y hechos tanto humanos como divinos bajo *cualquiera de sus nombres*, ya sean títulos divinos o humanos.[52] De hecho, «independientemente de la designación que emplee la Escritura, la *persona* del Hijo, y no una de sus naturalezas, es siempre el sujeto de la declaración».[53] Así lo explica el teólogo Robert Gromacki:

> Es correcto decir que Jesús fue el redentor, aunque ningún humano podría salvar a otro. También es correcto afirmar que el Hijo de Dios tuvo sed, aunque Dios no tiene que beber para sostenerse. *Se le atribuyeron atributos humanos bajo un título divino:* Emanuel, el Hijo de Dios, nació (Mt. 1:23; Lc. 1:35) y el Señor de la gloria fue crucificado (1Co. 2:8). En el lado opuesto, se le atribuyeron atributos *divinos bajo un título humano:* el Hijo del hombre ascendió al cielo donde antes estaba (Jn. 6:62) y el cordero inmolado fue digno de recibir poder, riquezas, sabiduría, fortaleza, honor, gloria y bendición (Ap. 5:12).[54]

Este es el punto importante: Obviamente, Dios *como Dios* no sangra. No tiene sangre en su naturaleza divina que derramar. Sin embargo, Cristo en la encarnación es el Dios-hombre. Es desde el punto de vista de su naturaleza humana que Cristo pudo derramar su sangre. Sin embargo, como

---

[52] Warfield, p. 63.
[53] Warfield, p. 80.
[54] Robert G. Gromacki, The Virgin Birth: Doctrine of Deity (Grand Rapids: Baker Books, 1984), p. 113.

se señaló anteriormente, los atributos humanos pueden ser atribuidos a Cristo bajo un título divino. Este es el caso de Hechos 20:28. Encontramos una referencia a Dios, que compró la iglesia «con su propia sangre». Se hace referencia a Cristo con un nombre divino («Dios»), pero la acción que se le atribuye está arraigada en su humanidad (derramó su «sangre»). Claramente, entonces, el pensamiento de Hechos 20:28 es que «fue a costa de la vida de la Segunda Persona *encarnada* de la Divinidad que el pueblo elegido de Dios fue redimido».[55] Cristo el Dios-hombre derramó su sangre.

Después de revisar todo esto muy cuidadosamente con el testigo de Jehová:

Pregunte...

- Puesto que Cristo es *plenamente Dios* y *plenamente hombre*—y puesto que pueden atribuirse a la persona de Cristo características y hechos tanto humanos como divinos bajo *cualquiera de sus nombres* (ya sean títulos divinos o humanos)—¿puede usted ver cómo puede decirse que Cristo *como Dios* derramó su sangre para comprar la iglesia?

Si su respuesta es negativa, repase de nuevo con atención los hechos anteriores, buscando y leyendo en voz alta cada referencia bíblica citada.
Tito 2:13—*Nuestro gran Dios y salvador*

La enseñanza de Watchtower. En la *Traducción del Nuevo Mundo* Tito 2:13 es leído, «mientras esperamos la feliz esperanza y la gloriosa manifestación *del gran Dios y de nuestro Salvador, Jesucristo*» (énfasis añadido). Esto contrasta, por ejemplo, con la versión Reina Valera, que traduce este versículo como «aguardando la esperanza bienaventurada y *la manifestación gloriosa de nuestro gran Dios y Salvador Jesucristo*» (énfasis añadido).

Fíjese en las diferencias entre las dos traducciones. La traducción de los testigos de Jehová hace parecer que se trata de *dos personas diferentes*: Dios Todopoderoso y Cristo el salvador. La Reina Valera (y muchas otras traducciones confiables) tienen *una sola persona a la vista* en este versículo—nuestro gran Dios y salvador, Jesucristo.

---

[55] Spiros Zodhiates, The Complete Word Study Dictionary (Chattanooga: AMG, 1992), p. 94.

Los testigos de Jehová intentan justificar esta traducción preguntándose qué interpretación concuerda con Tito 1:4, que se refiere a «Dios Padre *y* Cristo Jesús, nuestro Salvador» (énfasis añadido). Aunque reconocen que Dios mismo es llamado a veces «Salvador», Tito 1:4 distingue claramente a Dios Todopoderoso de Aquel por medio de quien salva al mundo (Jesucristo).[56] Por tanto, razonan que esta misma distinción debe trasladarse a Tito 2:13.

La enseñanza bíblica. Un estudio del Antiguo Testamento indica que *sólo Dios* salva. En Isaías 43:11, Dios afirma: «Yo, yo soy el Señor [Yahvé], y *fuera de mí no hay quien salve*» (énfasis añadido). Este es un versículo sumamente importante, pues indica que 1) la afirmación de ser el Salvador es, en sí misma, una afirmación de deidad; y 2) sólo hay *un* Salvador: Dios.

Puesto que el Nuevo Testamento se refiere claramente a Jesucristo como el Salvador, la única conclusión que tiene sentido es que Cristo es realmente Dios. Poco después de su nacimiento, un ángel se apareció a un grupo de pastores cercanos y les dijo: «Os ha nacido hoy, en la ciudad de David, un Salvador, que es Cristo el Señor» (Lc. 2:11). El evangelio de Juan registra la conclusión a la que llegaron los samaritanos: Jesús «es verdaderamente el salvador del mundo» (Jn. 4:42).

Pregunte...

- Si *sólo Dios* puede salvar—y si *no hay más Salvador* que Dios (Is. 43:11)—¿no significa esto que las referencias del Nuevo Testamento a Jesús *como Salvador* apuntan a su deidad?

- Si no es así, ¿cómo armoniza usted el papel de Jesús como Salvador con Isaías 43:11?

Algunos apologistas de los testigos de Jehová refutan que Dios a veces envió «salvadores» humanos para librar a su pueblo del peligro temporal (por ejemplo, Neh. 9:27). Del mismo modo, se sugiere que Jehová—el Salvador supremo—envió a Jesús como un «salvador» menor para librar a la gente del mayor enemigo, la muerte. La insensatez de tal argumentación es más que evidente en los múltiples paralelismos entre Jesús y Yahvé (o Jehová) a lo largo de la Biblia. Por ejemplo: Jesús es llamado *Elohim* (Is.

---

[56] Reasoning from the Scriptures, p. 421.

9:6) al igual que Yahvé (Dt. 6:4); Jesús es el *Alfa y la Omega* (Ap. 1:17-18; 2:8; 22:12-16) al igual que Yahvé (Is. 41:4; 48:12); Jesús es el *Señor* (Fil. 2:5-11) al igual que Yahvé (Is. 45:23); Jesús es el *Rey soberano* (Ap. 17:14; 19:16) al igual que Yahvé (Sal. 95:3; Is. 43:15). Hay muchos otros paralelismos, pero el punto es que Jesús es el *Salvador divino* (Tit. 2:13) al igual que Yahvé (Is. 43:11).

En Tito 2:13 Pablo anima a Tito a aguardar la bendita esperanza, «la manifestación de la gloria de nuestro gran Dios y Salvador Jesucristo». Un examen de Tito 2:10-13, 3:4 y 3:6 revela que las frases *Dios nuestro Salvador* y *Jesucristo nuestro Salvador* se utilizan indistintamente cuatro veces. Las verdades paralelas de que sólo Dios es el Salvador (Is. 43:11) y de que Jesús mismo es el Salvador, constituyen una poderosa evidencia de la deidad de Cristo.

Hay que tener en cuenta que el apóstol Pablo (que escribió Tito) se había formado en la forma más estricta del judaísmo (su principal principio era *el monoteísmo*, la creencia de que sólo hay un Dios verdadero). En este contexto, Pablo afirma sin reparos que Jesús es «nuestro gran Dios y salvador».

Es crucial reconocer que los gramáticos griegos han tomado una posición sólida contra el punto de vista de la Watchtower de que hay *dos* personas—Jehová *y* el Salvador Jesús—en Tito 2:13. De hecho, estos eruditos son enfáticos en que sólo *una* persona—«nuestro gran Dios y Salvador, Jesucristo»—se encuentra en este versículo. El erudito griego Bruce Metzger escribe,

En apoyo de esta traducción [«nuestro gran Dios y salvador»] pueden citarse gramáticos tan eminentes del Nuevo Testamento griego como P.W. Schmiedel, J.H. Moulton, A.T. Robertson y Blass-Debrunner. Todos estos eruditos concuerdan en el juicio de que sólo una persona es referida en Tito 2:13 y que por lo tanto, debe ser traducido, «nuestro gran Dios y salvador, Jesucristo».[57]

Asimismo, la obra autoritativa de Dana y Mantey *Manual Grammar of the Greek New Testament* [*Manual de gramática del griego del Nuevo*

---

[57] Bruce Metzger, citado por John Ankerberg y John Weldon, The Facts on Jehovah's Witnesses (Eugene: Harvest House, 1988), p. 24.

Testamento] afirma positivamente que Tito 2:13 «afirma que Jesús es el gran Dios y salvador».[58]

Estos eruditos griegos esgrimen sus argumentos basándose en un estudio detallado de una serie de construcciones de oraciones idénticas en el Nuevo Testamento griego. Los eruditos griegos han llegado así a un principio rector o regla para interpretar tales construcciones:

Cuando hay dos sustantivos en el mismo caso, que describen a una persona, *que no son nombres propios* (como Pablo o Timoteo), y los dos sustantivos están conectados por la palabra griega para «y» (*kai*), y el primer sustantivo está precedido por el artículo «el» y el segundo sustantivo no está precedido por el artículo, entonces el segundo sustantivo se refiere a la misma persona o cosa a la que se refiere el primer sustantivo, y es una descripción más lejana de ella.[59]

En Tito 2:13, dos sustantivos—«Dios» y «Salvador»—se unen con la palabra griega «y», y se coloca un artículo definido («el») sólo delante del primer sustantivo («Dios»).[60] La frase dice literalmente: «*el* gran Dios *y* salvador de nosotros». En esta construcción de oración concreta del Nuevo Testamento griego, los *dos sustantivos* en cuestión—«Dios» y «salvador»—se refieren a la *misma* persona, Jesucristo.[61] Como explica el erudito Robert Reymond: «Los dos sustantivos ['Dios' y 'Salvador'] están ambos bajo el régimen del artículo definido único que precede a 'Dios', lo que indica... que deben interpretarse en conjunto, no por separado, o que tienen un único referente».[62] De hecho, «la presencia de un solo artículo definido tiene el efecto de unir los dos títulos ['Dios' y 'Salvador']».[63] (Para

---

[58] H.E. Dana y Julius R. Mantey, citado en Ankerberg y Weldon, p. 24.
[59] Esta definición proviene de información basada en Wuest, vol. 3, p. 31 y Daniel Wallace, Greek Grammar Beyond the Basics (Grand Rapids: Zondervan, 1996), pp. 270-90.
[60] Robert M. Bowman, Why You Should Believe in the Trinity (Grand Rapids: Baker Books, 1989), p. 105.
[61] Bowman, Why You Should Believe in the Trinity, p. 105.
[62] Reymond, p. 276.
[63] The International Bible Commentary, ed. F.F. Bruce (Grand Rapids: Zondervan, 1979), p. 1495.

los interesados en un estudio detallado de este tipo de construcción de oración en griego, existe excelente material disponible).[64]

Después de discutirlo detenidamente con el testigo de Jehová:

Pregunte...

- A la vista de lo que dicen los principales eruditos griegos sobre Tito 2:13, ¿está dispuesto a considerar la posibilidad de que en este versículo sólo se hable de una persona y no de dos?

- Si en Tito 2:13 sólo se habla de una persona, ¿qué nos dice esto sobre la verdadera identidad de Jesús?

Algunos testigos de Jehová han intentado sacar partido de la idea de que esta regla griega se limita únicamente a los sustantivos que *no son* nombres propios (como Pablo o Daniel). Estos testigos de Jehová intentan argumentar que los términos «gran Dios» y «salvador Jesucristo» *funcionan como equivalentes* a nombres propios. Sin embargo, el profesor de griego Daniel Wallace señala que un nombre propio difiere de un sustantivo personal no propio en que un nombre propio *no puede* pluralizarse, mientras que otros sustantivos personales *sí pueden* pluralizarse. Tanto «Dios» como «salvador» pueden pluralizarse, por lo que estas palabras no pueden considerarse nombres propios. Por lo tanto, *sí* aplica la regla griega. Además, en los ejemplos bíblicos que citan los testigos de Jehová para apoyar su afirmación (por ejemplo, Dan. 2:45), el término «grande» se utiliza simplemente de forma descriptiva para señalar la asombrosa grandeza de Dios. En tales versículos, «gran Dios» no funciona como el equivalente de un nombre propio. Por último, puesto que toda la Escritura apoya el hecho de que Jesús es tanto un *gran Dios* (por ejemplo, Is. 9:6; Jn. 1:1; 8:58; 10:30; 20:28; Fil. 2:6; Col. 2:9; Heb. 18) y un *salvador* (por ejemplo, Lc. 2:11; Jn. 4:42; Fil. 3:20; 1Tim. 4:10; 2Tim. 1:10; 1Jn. 4:14), encontramos que Tito 2:13 está en perfecta armonía con el resto de la Biblia.

Un indicio clave de que sólo una persona (Jesucristo) está presente en Tito 2:13 («gran Dios y salvador») es el hecho de que la palabra griega para «aparición» («aguardando nuestra esperanza bienaventurada, la

---

[64] Véase, por ejemplo, Bruce M. Metzger, «The Jehovah's Witnesses and Jesus Christ», Theology Today, 10 (abril de 1953).

manifestación de la gloria de nuestro gran Dios y salvador Jesucristo») es utilizada por el apóstol Pablo exclusivamente de Jesucristo en el Nuevo Testamento (véase 2Ts. 2:8; 1Tim. 6:14; 2Tim. 1:10; 4:1,8; Tit. 2:13).[65] Robert Reymond señala que «en la medida en que 'aparición' nunca se refiere al Padre, sino que se emplea sistemáticamente para referirse al regreso de Cristo en gloria, la conclusión en principio es que la 'aparición de la gloria de nuestro gran Dios' se refiere a la aparición de Cristo y no a la aparición del Padre».[66]

En esta misma línea, el *New Treasury of Scripture Knowledge* señala que quienes niegan lo anterior «se enfrentan al problema de que, si se trata de dos personas, entonces Pablo está prediciendo el advenimiento glorioso simultáneo tanto del Padre como del Hijo en la segunda venida de Cristo».[67] Tal idea es completamente ajena a toda la Escritura.

Hay otro punto que vale la pena mencionar. Obsérvese que, en el Nuevo Testamento, Jesús se colocó en pie de igualdad con el Padre como objeto propio de la confianza de los hombres. Jesús el Salvador dijo a los discípulos: «No se turbe vuestro corazón. Creed en Dios; *creed también en mí*» (Jn. 14:1, énfasis añadido). Un erudito ha señalado que «si Jesús no fuera de hecho divino, tal dicho constituiría una blasfemia de primer orden».[68] Verdaderamente, ¡Jesús es tanto Dios como salvador!

Pregunte...

- Si Jesús se colocó al mismo nivel que el Padre como objeto apropiado de la confianza de los hombres (como hizo en Jn. 14:1), ¿no habría sido esto una blasfemia a menos que Jesús mismo fuera verdaderamente Dios y Salvador?

Hebreos 1:8: «*Tu trono, oh Dios...*»

La enseñanza de la Watchtower. Hebreos 1:8 en la *Traducción del Nuevo Mundo* dice, «Pero del Hijo dice: '*Dios es tu trono para siempre jamás*, y el cetro de tu Reino es el cetro de rectitud'». (énfasis añadido). Esto contrasta,

---

[65] Bowman, Why You Should Believe in the Trinity, p. 105.
[66] Reymond, p. 276.
[67] The New Treasury of Scripture Knowledge, p. 1440.
[68] Reymond, p. 121.

por ejemplo, con la versión Reina Valera, que dice: «Mas del Hijo dice: *Tu trono, oh Dios*, por el siglo del siglo; Cetro de equidad es el cetro de tu reino». (énfasis añadido).

La traducción de la Watchtower parece hecha a medida para evitar que Jesús sea llamado «Dios». Se hace parecer que el poder y la autoridad de Jesús tienen su fuente en Jehová Dios («Dios es tu trono para siempre»).[69] El significado es totalmente cambiado de uno que *exalta* a Jesús a uno que *disminuye* a Jesús.

La Sociedad Watchtower argumenta que Hebreos 1:8 es una cita del Salmo 45:6, que en su contexto no estaba dirigido a Dios sino a un rey humano de Israel. Obviamente, el escritor de este versículo no pensaba que este rey israelita fuera Dios Todopoderoso.[70] Más bien, se describe a Jehová Dios como la fuente de la autoridad de este rey. Lo mismo ocurre, pues, con Jesús en Hebreos 1:8.

La enseñanza bíblica. La *Traducción del Nuevo Mundo* va en contra de muchas de las traducciones más fiables de la actualidad. Similar a la Reina Valera, Nueva Biblia de las Américas dice: «Tu trono, oh Dios, es por los siglos de los siglos». La Nueva Versión Internacional dice: «Tu trono, oh Dios, permanece por siempre y para siempre».

La honestidad intelectual me obliga a admitir que la traducción de la Watchtower «Dios es tu trono» es gramaticalmente *posible* a partir del texto griego.[71] Los eruditos señalan, sin embargo, que tal traducción sería totalmente ajena al contexto. El lector debe tener en cuenta que uno de los principales propósitos de Hebreos, especialmente en el capítulo 1, es demostrar la superioridad de Jesucristo: su superioridad sobre los profetas (1:1-4), sobre los ángeles (1:5-2:18) y sobre Moisés (3:1-6). ¿Cómo se demuestra esta superioridad? Se demuestra que Cristo es la revelación definitiva de Dios (v. 1); que es el creador y sustentador del universo (vv. 2-3); y que tiene la naturaleza misma de Dios (v. 3). Nada de esto podría decirse de los profetas, los ángeles o Moisés.

En Hebreos 1:5-2:18 leemos específicamente sobre la superioridad de Cristo sobre los ángeles. En el versículo 6, por ejemplo, se nos dice que Cristo es adorado por los ángeles. En vista de esto, aquí está el problema

---

[69] Aid to Bible Understanding, p. 1597.
[70] Reasoning from the Scriptures, p. 422.
[71] Bowman, Why You Should Believe in the Trinity, p. 107.

con el versículo 8: Si el punto de Hebreos 1:8 era simplemente mostrar que Jesús deriva su autoridad de Jehová Dios, como argumenta la Sociedad Watchtower, entonces la superioridad de Jesús no se demuestra en lo más mínimo. Después de todo, los ángeles (y los profetas y Moisés) también derivaron su autoridad de Jehová Dios.[72] La interpretación de la Watchtower es completamente ajena al contexto del pasaje, que se centra en la superioridad de Cristo.

Pregunte...

- Si el propósito de Hebreos 1:5-2:18 es demostrar la superioridad de Jesús sobre los ángeles, como indica claramente el contexto, entonces ¿cómo demuestra dicha superioridad la interpretación de la Watchtower de Hebreos 1:8?

En cambio, la traducción «Tu trono, oh Dios, por los siglos de los siglos» se ajusta perfectamente al contexto. Muestra que, a diferencia de los ángeles, el trono de Cristo—su gobierno soberano—durará para siempre. Esto concuerda con lo que se dice en otras partes de la Escritura sobre la realeza de Cristo.

Por ejemplo, Génesis 49:10 profetizó que el Mesías provendría de la tribu de Judá y reinaría como rey. El pacto davídico de 2Samuel 7:16 prometía un Mesías que tendría una dinastía, un pueblo sobre el que reinaría y un trono *eterno*. En el Salmo 2:6 se representa a Dios Padre anunciando la instalación de Dios Hijo como Rey en Jerusalén. El Salmo 110 afirma que el Mesías subyugará a sus enemigos y reinará sobre ellos. Daniel 7:13-14 nos dice que el Mesías-Rey tendrá un dominio *eterno*. Estos y muchos otros pasajes del Antiguo Testamento señalan el papel de Cristo como Rey soberano.

Cuando llegamos al Nuevo Testamento, encontramos que antes de que naciera Jesús se le apareció un ángel a María y le dijo: «Concebirás en tu vientre y darás a luz un hijo... El Señor Dios le dará *el trono* de David, su padre» (Lc. 1:31-33, énfasis añadido).

Después de que Jesús naciera en Belén, unos magos de Oriente llegaron a Jerusalén y preguntaron: «¿Dónde está el que ha nacido rey de los judíos? Porque vimos su estrella cuando salió y hemos venido a adorarle» (Mt.

---

[72] Bowman, Why You Should Believe in the Trinity, p. 107.

2:2). Cuando encontraron a Jesús, se postraron y le adoraron, a pesar de que era sólo un niño (v. 11).

Durante su ministerio de tres años, Jesús proclamó la buena nueva del reino a miles de personas (Mt. 9:35). También contó muchas parábolas para ayudarles a comprender mejor la naturaleza del reino (véase, por ejemplo, Mt. 13). Ciertamente, el reino era el núcleo de sus enseñanzas.

El libro de Apocalipsis nos dice que cuando Cristo regrese a la tierra en forma física, corporal, vendrá como «Rey de reyes y Señor de señores» (Ap. 19:16). En ese día, no habrá disputa en cuanto al derecho de Cristo a gobernar en el trono de Dios.

El punto de todo esto es simplemente ilustrar que la realeza eterna de Cristo y su derecho a gobernar en el trono es un énfasis común y consistente en las Escrituras. Por lo tanto, la frase «Tu trono, oh Dios, es por los siglos de los siglos» no sólo encaja perfectamente en el contexto del libro de Hebreos, sino que también encaja en el contexto de toda la Escritura.

El testigo de Jehová puede tratar de argumentar que sólo Jehová-Dios puede reinar en el trono de Dios. Si esto sucede, señale que Jesús mismo dijo que «todo lo que tiene el Padre es mío» (Jn. 16:15). Además, Apocalipsis 22:1 hace referencia explícita al «trono de Dios *y del Cordero*» (énfasis añadido), lo que indica que Cristo se sienta legítimamente en el trono de Dios, ejerciendo la misma autoridad que el Padre.

Hay otra consideración. Hebreos 1:8, como se ha señalado anteriormente, es en realidad una cita del Salmo 45:6. Es importante señalar que en el Salmo 45 (v. 5 *y* 6) encontramos un claro ejemplo de paralelismo hebreo. Esto significa que la estructura literaria de un versículo es idéntica a la de otro. El teólogo Millard Erickson señala que «Dios es tu trono» es «una interpretación muy improbable, porque el versículo precedente en la traducción de la Septuaginta del salmo que se está citando comienza, tus armas, *oh Poderoso,* están afiladas', y la naturaleza del paralelismo hebreo es tal que requiere la traducción, 'Tu trono, *oh Dios'*».[73] En otras palabras, el versículo 5 dice: «Tus armas, oh Poderoso». Y como este versículo tiene una estructura literaria paralela al versículo 6, la única traducción que hace justicia al versículo 6 es: «Tu trono, oh Dios». Por lo tanto, la interpretación de la Watchtower de Hebreos 1:8 es insostenible.

---

[73] Millard J. Erickson, The Word Became Flesh: A Contemporary Incarnational Christology (Grand Rapids: Baker Books, 1991), p. 459.

Después de compartir esto con los testigos de Jehová:

Pregunte...

- En vista de la naturaleza del paralelismo hebreo, ¿puede ver cómo la traducción de la Watchtower de Hebreos 1:8— «Dios es tu trono»—es insostenible?

La verdad sobre la Traducción del Nuevo Mundo

De la lectura de todo lo anterior, parece totalmente claro que un objetivo primordial del comité de la *Traducción del Nuevo Mundo* era eliminar de la Biblia cualquier vestigio de la identificación de Jesucristo con Yahvé.[74] El hecho es que la *Traducción del Nuevo Mundo* es una traducción increíblemente tendenciosa.

El Dr. Robert Countess, que escribió una tesis doctoral sobre el texto de la *Traducción del Nuevo Mundo*, concluyó que la traducción «ha fracasado rotundamente a la hora de evitar que las consideraciones doctrinales influyan en la traducción real... Debe considerarse una obra radicalmente sesgada. En algunos puntos es realmente deshonesta. En otros, no es ni moderna ni erudita».[75] No es de extrañar que el erudito británico H.H. Rowley afirmara: «De principio a fin, este volumen es un brillante ejemplo de cómo no debe traducirse la Biblia».[76] De hecho, dijo Rowley, esta traducción es «un insulto a la Palabra de Dios».[77]

¿Están solos los doctores Countess y Rowley en su valoración de la *Traducción del Nuevo Mundo*? En absoluto. El Dr. Julius Mantey, autor de *A Manual Grammar of the Greek New Testament,* califica la *Traducción del Nuevo Mundo* de «un escandaloso error de traducción».[78] El Dr. Bruce M. Metzger, profesor de Nuevo Testamento en la Universidad de Princeton, llama a la *Traducción del Nuevo Mundo* «una traducción mala y espantosa», «errónea», «perniciosa», y «represible».[79] El Dr. William

---

[74] Ruth Tucker, Another Gospel (Grand Rapids: Zondervan, 1989), p. 142.

[75] Countess, p. 91.

[76] Countess, p. 91.

[77] Countess, p. 91.

[78] Julius R. Mantey, citado en Grieshaber, Redi-Answers on Jehovah's Witnesses Doctrine, p. 30.

[79] Bruce Metzger, citado en Grieshaber, Redi-Answers on Jehovah's Witnesses Doctrine, p. 30.

Barclay concluyó que «la distorsión deliberada de la verdad por parte de esta secta se ve en su traducción del Nuevo Testamento... Está más que claro que una secta que puede traducir así el Nuevo Testamento es intelectualmente deshonesta».[80]

En vista de esta desaprobación generalizada por parte de eruditos bíblicos dignos de confianza, es muy revelador que la Sociedad Watchtower siempre se haya resistido a los esfuerzos por identificar a los miembros del comité de la *Traducción del Nuevo Mundo*. El argumento era que preferían permanecer anónimos y humildes, dando a Dios el crédito y la gloria por esta traducción. Sin embargo, como señala el antiguo testigo de Jehová David Reed, «un observador imparcial se dará cuenta rápidamente de que tal anonimato también protege a los traductores de cualquier culpa por errores o distorsiones en sus traducciones. E impide que los eruditos comprueben sus credenciales».[81]

La Sociedad Watchtower debe haberse sentido totalmente avergonzada cuando los nombres de los traductores de la *Traducción del Nuevo Mundo* se dieron a conocer al público.[82] La razón de ello es que el comité de traducción no estaba en absoluto calificado para la tarea. Cuatro de los cinco hombres del comité no tenían formación alguna en hebreo o griego (sólo tenían educación secundaria). El quinto, Fred W. Franz, afirmaba saber hebreo y griego, pero al ser examinado bajo juramento en un tribunal de Edimburgo (Escocia), no superó una sencilla prueba de hebreo.

Obsérvese el siguiente interrogatorio, que tuvo lugar el 24 de noviembre de 1954 en este tribunal:

«¿Se has familiarizado también con el hebreo?»

«Sí».

«¿Así que usted tiene un comando sustancial del aparato lingüístico?»

---

[80] William Barclay, citado en Grieshaber, Redi-Answers on Jehovah's Witnesses Doctrine, p. 31.

[81] Reed, p. 71.

[82] Véase Raymond Franz, Crisis of Conscience (Atlanta: Commentary Press, 2002).

«Sí, para usarlo en mi trabajo bíblico».
«Creo que usted es capaz de leer y seguir la Biblia en hebreo,
griego, latín, español, portugués, alemán y francés».

«Sí».[83]

Al día siguiente, Franz subió de nuevo al estrado y tuvo lugar el
siguiente interrogatorio:

«Usted lee y habla hebreo, ¿verdad?»

«No hablo hebreo».

«¿No?»

«No».

«¿Puede usted traducir eso al hebreo?»

«¿Cuál?»

«¿Ese cuarto versículo del segundo capítulo de Génesis?»

«¿Quiere decir aquí?»

«Sí».

«No, no intentaré hacer eso».[84]

Aunque los testigos de Jehová no quieran oírlo, la verdad es que Franz, al
igual que los demás miembros del comité de la *Traducción del Nuevo
Mundo*, no sabía traducir el hebreo ni el griego con verdadera destreza. De
hecho, Franz abandonó la Universidad de Cincinnati después de su

---

[83] Erich y Jean Grieshaber, Exposé of Jehovah's Witnesses (Tyler: Jean Books, 1982), p. 100.
[84] Grieshaber, Exposé of Jehovah's Witnesses, p. 100.

segundo año, e incluso mientras estuvo allí, no había estudiado nada relacionado con cuestiones teológicas.

Si el testigo de Jehová medio conociera la verdadera historia de la traducción que tanto aprecia...

4

LOS TESTIGOS DE JEHOVÁ Y EL EVANGELIO DE JUAN

Puedo asegurarles que la traducción
que los testigos de Jehová hacen de Juan 1:1
no es sostenida por ningún
erudito del griego de renombre.
—Charles L. Feinberg[1]

Sin duda, el evangelio de Juan es el libro más rico del Nuevo Testamento en lo que respecta a las diversas pruebas de la deidad de Cristo. A diferencia de los evangelistas sinópticos[2] (Mateo, Marcos y Lucas), Juan comienza su Evangelio en la eternidad: «*En el principio* era el Verbo, y el Verbo era con Dios, y el Verbo era Dios» (Jn. 1:1, énfasis añadido). Desde esta perspectiva eterna, Juan entiende el verdadero significado de la obra de Cristo.

En el evangelio de Juan, Jesús afirma ser Dios (Jn. 8:58), es reconocido por otros como Dios (20:28), y es descrito como preexistente y eterno (1:15,30; 5:26), omnipresente (1:47-49) y omnisciente (2:25; 16:30; 21:17), dador de vida (1:4; 5:26), omnisciente (2:25; 16:30; 21:17), omnipotente

---

[1] Charles L. Feinberg, citado por Erich y Jean Grieshaber, Redi-Answers on Jehovah's Witnesses Doctrine (Tyler: n.p., 1979), p. 31.
[2] Mateo, Marcos y Lucas se denominan «Evangelios sinópticos» porque comparten un punto de vista común.

(1:3; 2:19; 11:1-44) y soberano (5:21-22,27-29; 10:18). También se reconoce a Cristo como el creador del universo (1:3), y afirma ser el tema de todo el Antiguo Testamento (5:39-40). Estas y otras muchas evidencias del evangelio de Juan apuntan a la plena deidad de Jesucristo.

En consecuencia, la Sociedad Watchtower debe hacer algo para «quitar el viento de las velas» del evangelio de Juan. Lo hacen traduciendo erróneamente versículos claves. En este capítulo, mi objetivo será considerar cómo los testigos de Jehová distorsionan Juan 1:1 y 8:58, dos versículos cruciales sobre la deidad de Cristo. Al hacerlo, desenterraré aún más pruebas sobre la absoluta falta de confiabilidad de la *Traducción del Nuevo Mundo*.

Razonando a la luz de la Biblia[3]

Juan 1:1: Jesucristo: ¿«un dios» o «Dios»?

La *Traducción del Nuevo Mundo* nos da la siguiente versión de Juan 1:1, «En el principio la Palabra existía, la Palabra estaba con *Dios,* y la Palabra era *un dios*» (énfasis añadido). Note las dos referencias a Dios en este versículo (la palabra griega para «Dios» en ambos casos es *theos*). La Sociedad Watchtower enseña que hay justificación para traducir la primera ocurrencia de *theos* como «Dios» pero la última ocurrencia como «un dios». Esto contrasta con las traducciones estándar de la Biblia—Reina Valera, Nueva Biblia de las Américas, la Nueva Versión Internacional, por mencionar algunas—que traducen ambas apariciones de *theos* como «Dios».

¿Cómo argumenta su posición la Sociedad Watchtower? Primero, la Sociedad nota que en el texto griego hay un artículo definido «el» (griego: *ho*) antes de la primera ocurrencia de «Dios» (*ho theos*—literalmente, «el Dios»). Sin embargo, *no* hay artículo definido («el») antes de la segunda aparición de «Dios» en el texto griego (simplemente se lee *theos*—literalmente, «Dios»).[4]

---

[3] Nota del traductor: Dependiendo la versión referida, se lee «Palabra» o «Verbo» que son sinónimos y por ello se usan ambos términos de manera intercambiable.

[4] Aid to Bible Understanding (Brooklyn: Watchtower Bible and Tract Society, 1971), p. 919.

Ahora, no quiero ponerme muy técnico—pero necesito tratar de explicar el punto de vista de la Watchtower, y francamente, es un poco complejo. Por favor, trate de permanecer conmigo en lo que sigue.

La Sociedad Watchtower argumenta que, en el texto griego, un sustantivo (como «Dios») unido a un artículo definido («el») señala una *identidad* o una *personalidad*. Así, la primera aparición de «Dios» (*theos*) en Juan 1:1—ya que va precedida del artículo definido «el» (*ho*)—apunta a la persona de Jehová—Dios. Aunque se considera que *ho theos* se refiere a la persona de Jehová-Dios en este versículo, la revista *La Atalaya* señala por contraste que la misma frase (*ho theos*) nunca se usa de Jesucristo en el Nuevo Testamento.[5]

Con respecto a la segunda aparición de «Dios» (*theos*) en Juan 1:1, la Sociedad Watchtower señala que en el texto griego, cuando un sustantivo predicado singular (como la segunda aparición de «Dios» en Juan 1:1) no tiene artículo definido («el») y ocurre *antes* del verbo (como es el caso en el texto griego de Jn. 1:1), entonces esto apunta a una *cualidad* acerca de alguien.

Como dice la publicación de la Watchtower *Razonando a partir de la Biblia*, el texto griego de Juan 1:1 «no está diciendo que el Verbo (Jesús) era lo mismo que el Dios *con quien* estaba sino, más bien, que el Verbo era semejante a Dios, divino, un dios».[6] Así pues, la Sociedad Watchtower enseña que el Verbo (Jesús) tiene una *cualidad divina* pero no es Dios Todopoderoso.[7] Por lo tanto, los testigos de Jehová dicen que Jesús es «un dios».

¿Qué otra justificación hay para llamar a Jesús «un dios»? Para empezar, dice la Sociedad Watchtower, Jesús es verdaderamente un «poderoso» y está por encima de todas las demás criaturas. También, Él tiene una alta capacidad oficial. Además, porque Él es el *Hijo* de Dios— porque Él es el «primogénito» de Dios—porque Jehová creó todas las otras cosas en el universo a través de Él—y porque Él es el «portavoz» de Dios[8] —Él es llamado correctamente «un dios». Pero aun así, *Él no es Dios*

---

[5] La Atalaya, 1 de julio de 1986, p. 31.

[6] Reasoning from the Scriptures (Brooklyn: Watchtower Bible and Tract Society, 1989), p. 212.

[7] Reasoning from the Scriptures, pp. 416-17.

[8] Aid to Bible Understanding, p. 919.

Todopoderoso como lo es Jehová.[9] De hecho, solo hay un Dios Todopoderoso, y ese es Jehová.[10]

Según las autoridades de la Watchtower, una prueba clave de que Jesús no es Dios Todopoderoso es el hecho de que se dijo que el Verbo estaba «con Dios». Si Él estaba *con* Dios Todopoderoso, entonces, por supuesto, Él no podía *ser* ese Dios Todopoderoso.[11] En otras palabras, uno no puede al mismo tiempo estar *con* una persona y ser lo *mismo que* esa persona.

La interpretación de Juan 1:1 por parte de la Watchtower se ve justificada por una serie de autoridades bíblicas:

- Dr. Julius R. Mantey—un erudito griego que es el coautor del texto autoritativo *A Manual Grammar of the Greek New Testament*—es citado como apoyando la traducción de la Watchtower, «la Palabra era un dios».[12]

- El artículo académico del Dr. Philip B. Harner titulado «Qualitative Anarthrous Predicate Nouns» [«Sustantivos de predicado cualitativo anartros] en el *Journal of Biblical Literature* se cita como apoyo a la traducción de la Watchtower.[13]

- El *Dictionary of the Bible* de Dr. John L. McKenzie se cita como apoyo a la traducción de la Watchtower.[14]

- La traducción del Nuevo Testamento de Johannes Greber (1937) fue citada durante muchos años como apoyo a la traducción de la Watchtower.[15]

Los testigos de Jehová razonan que el apoyo de tales autoridades bíblicas significa que la traducción de la Watchtower de Juan 1:1 debe ser correcta. Es imposible que tantos eruditos estén equivocados.

---

[9] Let God Be True (Brooklyn: Watchtower Bible and Tract Society, 1952), p. 33.
[10] Aid to Bible Understanding, p. 919.
[11] Aid to Bible Understanding, p. 919.
[12] Walter Martin, «The New World Translation», Christian Research Newsletter, 3:3, p. 5.
[13] Reasoning from the Scriptures, pp. 416-17.
[14] Reasoning from the Scriptures, p. 417.
[15] Aid to Bible Understanding, pp. 1134, 1669; La Atalaya, 15 de septiembre de 1962, p. 554; La Atalaya, 15 de octubre de 1975, p. 640; La Atalaya, 15 de abril de 1976, p. 231.

La visión bíblica de Juan 1:1

Antes de examinar el texto de Juan 1:1, es fundamental que investiguemos las autoridades bíblicas citadas anteriormente. Nuestro propósito será descubrir si la traducción de la Watchtower de Juan 1:1 realmente goza del amplio apoyo erudito que se afirma.

Citar a Johannes Greber como autoridad

Es cierto que Johannes Greber tradujo la última parte de Juan 1:1 como «el Verbo era un dios» (*The New Testament,* 1937).[16] Sin embargo, ¿es Greber realmente un erudito bíblico?

En absoluto. De hecho, Johannes Greber fue un espiritista autor de un libro titulado *Communication with the Spirit World of God* [*Comunicación con el mundo espiritual de Dios*]. En este libro, Greber afirma que los espíritus le ayudaron en su traducción del Nuevo Testamento.[17] Greber también informó haber visto la traducción en «grandes letras iluminadas y palabras que pasaban ante sus ojos».[18]

Según la edición del 1 de abril de 1983 de la revista *La Atalaya,* la Sociedad Watchtower afirma que no descubrió que Greber era espiritista hasta que se publicó la edición de 1980 de su Nuevo Testamento.[19] La Sociedad dice que cuando descubrió este hecho atroz, inmediatamente dejó de citar a Greber como autoridad.

Esto es una flagrante fabricación y tergiversación de los hechos. En realidad, la Watchtower ya sabía en 1956 que Johannes Greber era espiritista.[20] El número del 15 de febrero de 1956 de la revista La *Atalaya* contiene casi una página entera sobre Greber y su espiritismo.[21] Sin embargo, a pesar de saber que Greber era espiritista, la Sociedad siguió

---

[16] David Reed, Jehovah's Witnesses Answered Verse by Verse (Grand Rapids: Baker Books, 1992), p. 72.

[17] La Atalaya, 15 de febrero de 1956, p. 111.

[18] Lorri MacGregor, Coping with the Cults (Eugene: Harvest House, 1992), p. 21.

[19] La Atalaya, 1 de abril de 1983, p. 31; véase también Reed, p. 72.

[20] Lorri MacGregor, What You Need to Know About Jehovah's Witnesses (Eugene: Harvest House, 1992), p. 63.

[21] La Atalaya, 15 de febrero de 1956, pp. 110-11; véase también Reed, p. 73.

citándolo como autoridad en apoyo de su traducción de Juan 1:1 (véase la edición de 1961 de la *Traducción del Nuevo Mundo*).

Pregunte...

- ¿Qué piensa de la Sociedad Watchtower cuando se sabe que, durante más de veinte años, citó a sabiendas a un espiritista ocultista —Johannes Greber—en apoyo de su interpretación de Juan 1:1?

- ¿Le parece esto un verdadero profeta de Dios?

Citando erróneamente a Julius R. Mantey

¿Apoyó realmente Julius R. Mantey, autor de *A Manual Grammar of the Greek New Testament,* la traducción de la Watchtower de Juan 1:1? Por el contrario, ¡la repudió totalmente!

El Dr. Mantey fue entrevistado personalmente por mi antiguo colega, el difunto Dr. Walter Martin, entonces presidente del *Christian Research Institute*. En la entrevista, Martin preguntó a Mantey sobre la traducción de la Watchtower de Juan 1:1: «La Palabra era *un dios*». Mantey respondió: «Los testigos de Jehová han olvidado por completo lo que indica el orden de la frase: que el 'Logos' [o Verbo] tiene la misma sustancia, naturaleza o esencia que el Padre. Para indicar que Jesús era sólo 'un dios', los testigos de Jehová tendrían que usar una construcción completamente diferente en el griego».[22]

El Dr. Martin respondió entonces: «Una vez tuviste una pequeña diferencia de opinión con la Watchtower sobre esto y les escribiste una carta. ¿Cuál fue su respuesta a su carta?».[23]

El Dr. Mantey dijo: «Bueno... me molestó porque me habían citado mal en apoyo de su traducción. Les llamé la atención sobre el hecho de que todo el Nuevo Testamento estaba en contra de su punto de vista. A lo largo de todo el Nuevo Testamento, Jesús es glorificado y magnificado; sin

---

[22] Julius Mantey, citado por Walter Martin, «The New World Translation», Christian Research Newsletter, 3:3, p. 5.

[23] Mantey, citado en Martin, p. 5.

embargo, aquí estaban denigrándolo y convirtiéndolo en un pequeño dios de un concepto pagano».[24]

Observando que los testigos de Jehová tienen fama de citar a eruditos bíblicos en apoyo de su teología, el Dr. Martin preguntó al Dr. Mantey: «¿Citan a estas personas en su contexto?».[25]

El Dr. Mantey respondió: «No. Utilizan este recurso para engañar a la gente y hacerles creer que los eruditos están de acuerdo con los testigos de Jehová. De todos los profesores de griego, gramáticos y comentaristas que han citado, sólo uno (un unitario) estaba de acuerdo en que 'la palabra era un dios'».[26]

A continuación, el Dr. Mantey habló de la naturaleza engañosa de la *Traducción del Nuevo Mundo*: «Creo que es terrible que una persona sea engañada y vaya a la eternidad perdida, *¡perdida para siempre* porque alguien la engañó deliberadamente distorsionando las Escrituras!... El 99% de los eruditos del mundo que saben griego y que han ayudado a traducir la Biblia están en desacuerdo con los testigos de Jehová. Las personas que buscan la verdad deberían saber lo que realmente cree la *mayoría* de los eruditos. No deberían dejarse engañar por los testigos de Jehová y acabar en el infierno».[27]

Citando erróneamente a Philip B. Harner

El Dr. Philip B. Harner es otro erudito que ha sido citado de forma equivocada a favor de la interpretación de Juan 1:1 de la *Traducción del Nuevo Mundo*. El artículo de Harner en el *Journal of Biblical Literature* no sólo no apoya la interpretación de la Watchtower de Juan 1:1, ¡sino que enfáticamente argumenta en su contra![28]

Sin entrar en todos los detalles técnicos del artículo de Harner, afirma claramente que si la frase griega de Juan 1:1 se hubiera construido de una forma particular (*ho logos en theos*), entonces *podría* traducirse como «el Verbo era un dios». Pero Juan no utilizó esa construcción. Más bien,

---

[24] Mantey, citado en Martin, p. 5.
[25] Mantey, citado en Martin, p. 5.
[26] Mantey, citado en Martin, p. 5.
[27] Mantey, citado en Martin, p. 5.
[28] Robert M. Bowman, Jehovah's Witnesses, Jesus Christ, and the Gospel of John (Grand Rapids: Baker Books, 1989), pp. 70-73.

escribió la frase de tal manera (*theos en ho logos*) que *sólo* puede significar que el Verbo es tan plenamente Dios como la otra persona llamada «Dios» (el Padre), con quien existía «en el principio»—«el Verbo estaba *con Dios, y el Verbo era Dios*» (énfasis añadido).[29] Debido al orden de las palabras utilizado por Juan, el versículo sólo puede interpretarse en el sentido de que el Verbo (Jesús) era Dios en el mismo sentido que el Padre.[30]

Citando erróneamente a John L. McKenzie

Otro erudito citado fuera de contexto por los traductores de la *Traducción del Nuevo Mundo* es el Dr. John L. McKenzie. Al citar a McKenzie fuera de contexto y citando sólo una porción de su artículo, se le hace *parecer* que enseña que el Verbo (Jesús) es menos que Jehová porque dijo que «el Verbo era un ser divino».[31] El razonamiento de la Watchtower parece ser que ya que Jesús era sólo un «ser divino», Él es menos que Jehová.[32] Sin embargo, como señala correctamente el apologista Robert M. Bowman, «En la misma página McKenzie llama a *Yahvé* (Jehová) 'un ser personal divino'; McKenzie también afirma que Jesús es llamado 'Dios' tanto en Juan 20:28 como en Tito 2:13 y que Juan 1:1-18 expresa 'una identidad entre Dios y Jesucristo'».[33] Así que las palabras de McKenzie en realidad argumentan *en contra* de la posición de la Watchtower.

Después de compartir lo anterior con un testigo de Jehová:

Pregunte...

- ¿Qué conclusión se puede sacar de la Sociedad Watchtower cuando se sabe que cita sistemáticamente a eruditos *fuera de contexto* para apoyar sus puntos de vista distorsionados?
- ¿Le parece esto un verdadero profeta de Dios?

---

[29] Robert M. Bowman, Why You Should Believe in the Trinity (Grand Rapids: Baker Books, 1989), p. 95.

[30] Bowman, Why You Should Believe in the Trinity, p. 95.

[31] Bowman, Jehovah's Witnesses, Jesus Christ, and the Gospel of John, pp. 80-81.

[32] Bowman, Jehovah's Witnesses, Jesus Christ, and the Gospel of John, pp. 80-81.

[33] Bowman, Why You Should Believe in the Trinity, p. 95.

Un solo Dios verdadero

Habiendo mostrado que la Sociedad Watchtower consistentemente tergiversa lo que varios eruditos han dicho acerca de Juan 1:1, usted debe entonces enfatizar que la enseñanza politeísta de que hay tanto un «Dios Todopoderoso» como un «dios poderoso» menor va en contra de la clara enseñanza de las Escrituras de que sólo hay un Dios verdadero. Observe, por ejemplo, los siguientes pasajes clave del Antiguo Testamento (afirmaciones de Dios mismo):

- «Mirad ahora que yo, yo soy, y *no hay dios fuera de mí*» (Dt. 32:39, énfasis añadido).
- «Antes de mí no fue formado ningún dios, *ni lo será después de mí*» (Is. 43:10, énfasis añadido).
- «¿Hay Dios fuera de mí? No hay Roca; *no conozco ninguna*» (Is. 44:8, énfasis añadido).
- «Yo soy el Señor, y no hay otro, *fuera de mí no hay Dios*» (Is. 45:5, énfasis añadido).

A la vista de tales pasajes, es patentemente obvio que la interpretación de Juan 1:1 que defiende tanto un «Dios Todopoderoso» como un «dios» menor no puede reconciliarse con el resto de las Escrituras.

Pregunte...
- ¿Cómo armoniza usted la declaración de Jehová-Dios en Deuteronomio 32:39 de que «*no hay dios* fuera de mí»—así como su declaración en Isaías 45:5 de que «fuera de mí *no hay Dios*»— con la enseñanza de la Watchtower de que existe *tanto* un «Dios Todopoderoso» *como* un «dios poderoso»?
- ¿A quién va a creer usted: a la Sociedad Watchtower o a las propias afirmaciones de Dios recogidas en las Sagradas Escrituras?

La verdad sobre los artículos definidos

La Sociedad Watchtower argumenta que como la segunda aparición de *theos* («Dios») en Juan 1:1 no tiene artículo definido («el»), se refiere a una deidad menor que simplemente tiene cualidades divinas. Pero, ¿debe *theos* (*«Dios»*) sin *ho* (*«el»*) referirse a alguien menor que Jehová?

¡De ninguna manera! Debe enfatizarle al testigo de Jehová que la palabra griega *theos* («Dios») sin el artículo definido *ho* («el») se usa de Jehová-Dios en el Nuevo Testamento—con exactamente la misma construcción griega usada de Jesús en Juan 1:1. De hecho, el *Greek-English Lexicon of the New Testament and Other Early Christian Literature* [*Léxico griego-inglés del Nuevo Testamento y otra literatura cristiana primitiva*] de William F. Arndt y F. Wilbur Gingrich (un léxico usado en la mayoría de los seminarios) dice que la palabra *theos* se usa «bastante predominantemente del Dios verdadero, a veces con, a veces sin el artículo».[34] Un ejemplo de ello es Lucas 20:38, donde leemos de Jehová: «Él es *un Dios,* no de los muertos, sino de los vivos» (TNM, énfasis añadido).[35]

Walter Martin señala así con razón que en el texto griego la falta de un artículo con *theos* no significa que se esté pensando en un dios distinto del Dios verdadero de la Escritura. «Examinemos estos pasajes en los que no se usa el artículo con *theos* y veamos si la traducción 'un dios' tiene sentido (Mt. 5:9; 6:24; Lc. 1:35,78; 2:40; Jn. 1:6,12-13,18; 3:2,21; 9:16,33; Rom. 1:7,17-18; 1Co. 1:30; 15:10; Fil. 2:11,13; Tito 1:1)».[36] El punto de Martin es que «los escritores del Nuevo Testamento frecuentemente no usan el artículo con *theos* y, sin embargo, el significado está perfectamente claro en el contexto, es decir, que se refiere al único Dios verdadero» (énfasis añadido).[37] Está claro, pues, que un testigo de Jehová no puede decir que Jesús no es Dios Todopoderoso basándose en que el segundo *theos* de Juan 1:1 carece de artículo definido.

Pregunte...

- Si la palabra griega para Dios (*theos*) puede usarse para Jehová sin un artículo definido en versículos del Nuevo Testamento como Lucas 20:38, ¿no socava esto el argumento de la Watchtower de

---

[34] William F. Arndt y F. Wilbur Gingrich, A Greek-English Lexicon of the New Testament and Other Early Christian Literature (Chicago: University of Chicago, 1957), p. 357.

[35] Bowman, Why You Should Believe in the Trinity, p. 93.

[36] Walter Martin y Norman Klann, Jehovah of the Watchtower (Minneapolis: Bethany House, 1974), p. 49.

[37] Martin y Klann, p. 50.

que Jesús es un dios *menor* porque el artículo definido no se usa con *theos* en Juan 1:1?

Cristo no era meramente «semejante a Dios»

Hay una serie de factores que militan en contra de la comprensión de la Watchtower de Juan 1:1. Primero y principal, los eruditos han notado continuamente la «Cristología exaltada» del evangelio de Juan. Este es simplemente un término elegante que se refiere al hecho de que el evangelio de Juan está cargado de evidencias de la deidad absoluta de Jesucristo (véase, por ejemplo, Jn. 5:23; 8:58; 10:30; 20:28). Por lo tanto, sería bastante sorprendente que Juan sugiriera que Jesús era sólo «un dios» en Juan 1:1 cuando el resto de su evangelio exalta tan magníficamente a Jesús a la deidad absoluta.

En segundo lugar, podemos observar que la Sociedad Watchtower es increíblemente inconsistente en cómo traduce las ocurrencias de *theos* (Dios) sin el artículo. El erudito Robert Countess ha notado que hay 282 apariciones de este tipo en el Nuevo Testamento. «En dieciséis lugares la TNM tiene [similar a su traducción de Juan 1:1] o *un dios, dios* o *dioses*. Dieciséis de 282 significa que los traductores fueron fieles a su principio de traducción sólo el seis por ciento de las veces».[38] En otras palabras, en la gran mayoría de las apariciones de *theos* sin el artículo en el Nuevo Testamento, la Watchtower *no* lo tradujo como «un dios». Su elección de traducir Juan 1:1 de esta manera muestra su extrema parcialidad teológica contra la deidad absoluta de Cristo.

James Sire está de acuerdo con Countess, al señalar en su libro *Scripture Twisting* [*Tergiversación de las Escrituras*] que «la *Traducción del Nuevo Mundo* no es coherente en la aplicación de su regla por la que pretenden traducir 'un dios'».[39] Sire observa que si traducimos otros pasajes del Nuevo Testamento de la forma en que los testigos de Jehová traducen Juan 1:1, obtenemos unos versículos de lectura realmente extraña. Mateo 5:9 es un ejemplo: «Bienaventurados los pacificadores, porque ellos serán

---

[38] Robert Countess, citado en Daniel Wallace, Greek Grammar Beyond the Basics (Grand Rapids: Zondervan, 1996), p. 267.
[39] James W. Sire, Scripture Twisting: 20 Ways the Cults Misread the Bible (Downers Grove: InterVarsity, 1980), p. 163.

llamados hijos *de un dios*» (en lugar de «hijos de Dios»). Asimismo, la regla de la coherencia nos obligaría a traducir Juan 1:18: «Nadie ha visto jamás *a un dios*» (en lugar de «ha visto a Dios»).

En tercer lugar, más ampliamente, el profesor de griego Daniel Wallace señala que si siguiéramos sistemáticamente el principio de la Watchtower de traducir los sustantivos sin artículo como indefinidos, entonces «En el principio era el Verbo» sería «En *un* principio era el Verbo» (Jn. 1:1— énfasis añadido); «Había un hombre enviado de Dios» sería «Había un hombre enviado de un Dios» (Jn. 1:6a); y la frase «cuyo nombre era Juan» sería «cuyo nombre era un Juan» (Jn. 1:6b).[40] ¡Esto es una locura de traducción!

En cuarto lugar, aunque los eruditos cristianos evangélicos coinciden en que es muy probable que *theos* en Juan 1:1 en referencia a Cristo sea cualitativo, es importante entender con precisión lo que esto significa. Robert Bowman señala que «se dice que un sustantivo es 'cualitativo' si su función en la oración es principalmente indicar las cualidades, características, naturaleza o atributos esenciales de algo».[41] Además, «el uso cualitativo de un sustantivo no altera su significado básico, sino que simplemente le da un matiz particular que enfatiza las características o cualidades del sujeto como tal».[42] Por lo tanto, aunque *theos* en Juan 1:1 en referencia a Cristo es cualitativo, eso no cambia el significado básico de *theos,* que es «Dios».

Al referirnos al uso cualitativo de *theos* en Juan 1:1, estamos afirmando que Juan está aquí «describiendo la naturaleza del Verbo, diciendo que el Verbo es deidad».[43] O, como dijo el renombrado erudito F.F. Bruce, Juan estaba diciendo que Jesús el Verbo «compartía la naturaleza y el ser de Dios», y Juan 1:1 lleva la idea, «lo que Dios era, el Verbo era».[44]

En vista de ello, categorizar *theos* de Juan 1:1 como cualitativo no resta ni un ápice a la deidad absoluta de Jesús. El profesor Daniel Wallace lo expresa así:

---

[40] Wallace, p. 267.

[41] Bowman, Jehovah's Witnesses, Jesus Christ, and the Gospel of John, p. 32.

[42] Bowman, Jehovah's Witnesses, Jesus Christ, and the Gospel of John, p. 42.

[43] James White, The Forgotten Trinity (Minneapolis: Bethany House, 1998), p. 55.

[44] F.F. Bruce, The Gospel of John (Grand Rapids: Eerdmans, 1983), p. 31.

Tal opción no impugna en absoluto la deidad de Cristo. Más bien subraya que, aunque la persona de Cristo no es la persona del Padre, su *esencia* es idéntica. Las traducciones posibles son las siguientes: «Lo que Dios era, el Verbo era» (NET), o «el Verbo era divino»... En esta segunda traducción, «divino» sólo es aceptable si se trata de un término que *sólo* puede aplicarse a la verdadera deidad... La *idea* de un *theos* cualitativo aquí es que el Verbo tenía todos los atributos y cualidades que «el Dios»... tenía. En otras palabras, compartía la *esencia* del Padre, aunque diferían en la persona. *La construcción que eligió el evangelista para expresar esta idea era la forma más concisa en que podía haber afirmado que el Verbo era Dios y, sin embargo, era distinto del Padre.*[45]

El experto en griego James White también subraya que Juan redactó las cosas como lo hizo para (1) enfatizar la deidad absoluta de Jesucristo y (2) mantener las distinciones trinas en la Divinidad:

Si Juan hubiera colocado el artículo antes de *theos* [en referencia a Cristo], habría estado haciendo que «Dios» y el «Verbo» fueran términos iguales e intercambiables.... Juan es muy cuidadoso al diferenciar entre estos términos aquí, ya que es cuidadoso al diferenciar entre el Padre y el Hijo a lo largo de todo el evangelio de Juan.... Si tanto *theos* como *logos* [«Verbo»] hubieran sido precedidos por el artículo, el significado habría sido que el Verbo era completamente idéntico a Dios, lo cual es imposible si el Verbo era también «con Dios».[46]

Entonces, ¿cómo debemos traducir Juan 1:1 para que se mantenga la deidad absoluta de Cristo? Daniel Wallace señala que, en la actualidad, muchas personas tienden a malinterpretar el término *divino,* y algunos podrían interpretarlo erróneamente como algo inferior a la deidad absoluta. Concluye que, aunque *theos* en Juan 1:1 en referencia a Cristo es de naturaleza cualitativa, la forma más exacta de traducirlo *para que no se malinterprete* es «El Verbo era Dios».

---

[45] Wallace, p. 269.
[46] White, pp. 54-55.

El erudito del griego Kenneth Wuest es un poco más contundente en su traducción: «Y el Verbo era en cuanto a su esencia *deidad absoluta*».[47] Luego comenta Juan 1:1: «Aquí la palabra 'Dios' está sin el artículo en el original. Cuando se usa así, se refiere a la esencia divina. Se hace hincapié en la cualidad o el carácter. Así, Juan nos enseña aquí que nuestro Señor es esencialmente Deidad. Posee la misma esencia que Dios Padre, es uno con Él en naturaleza y atributos».[48]

Lo que todo esto significa, entonces, es que la Sociedad Watchtower ha tergiversado completamente lo que Juan está diciendo en Juan 1:1. Traducido correctamente, este versículo representa una de las pruebas más contundentes de la deidad de Cristo en la Biblia.

Pregunte...

- ¿Por qué supone usted que de las 282 veces que la palabra griega para Dios (*theos*) aparece en el Nuevo Testamento sin el artículo, la Watchtower la traduce correctamente la mayoría de las veces (sin insertar un artículo indefinido), pero *sí* inserta un artículo indefinido en Juan 1:1 («*un* dios»)? ¿Por qué la Sociedad Watchtower no es consistente en la traducción? ¿Está la Sociedad Watchtower predispuesta en contra de la deidad absoluta de Jesucristo?
- ¿Sabía usted que si la Watchtower fuera consistente al traducir otros versículos como lo hizo con Juan 1:1, tendríamos versículos que sonarían muy extraños? Por ejemplo:
  - «Bienaventurados los pacificadores, porque ellos serán llamados hijos *de un dios*» (Mt. 5:9).
  - «Vino un hombre enviado de *un dios* que se llamaba *Juan*» (Jn. 1:6).
- ¿Qué le dice a usted que la Watchtower traduce los versículos anteriores correctamente, pero luego pega un artículo indefinido en Juan 1:1 en referencia a Cristo: «*un* dios»? ¿Está seguro de que quiere confiar en la *Traducción del Nuevo Mundo*?
- ¿Sabía usted que la abrumadora mayoría de los eruditos griegos en el mundo dicen que la Sociedad Watchtower está absolutamente equivocada—de hecho, engañosa—en su traducción de Juan 1:1?

---

[47] Kenneth Wuest, Word Studies in the Greek New Testament (Grand Rapids: Eerdmans, 1980), vol. 3., «Golden Nuggets», p. 52.
[48] Wuest, Word Studies in the Greek New Testament, vol. 4, p. 209.

Cristo es definitivamente Dios

Como si todo esto no fuera suficiente para demostrar que Juan 1:1 está diciendo que Cristo es Dios, también es fundamental señalar que— contrariamente a la afirmación de la Sociedad Watchtower—*theos* («Dios») con el artículo definido *ho* («el») sí se utiliza de Jesucristo en el Nuevo Testamento. Un ejemplo de esto es Juan 20:28, donde Tomás le dice a Jesús: «¡Señor mío y Dios mío!».

El versículo se lee literalmente del griego: «El Señor de mí y el Dios [*ho theos*] de mí». Claramente, Cristo es tan Dios como el Padre. Otros ejemplos en los que *ho theos* («el Dios») se utiliza para referirse a Cristo son Mateo 1:23 y Hebreos 1:8. Vemos de nuevo, entonces, que las mismas palabras usadas para la deidad del Padre se usan en referencia a la deidad de Jesús.

Pregunte...

- Si *theos* («Dios») con el artículo definido *ho* («el») se usa en el Nuevo Testamento de Jesucristo igual que se *usa de Jehová-Dios,* ¿no significa esto que Jesús es tan Dios como lo es el Padre?
- Puesto que la Sociedad Watchtower afirma que la frase *ho theos* («el Dios») no se utiliza de Jesucristo en el Nuevo Testamento, mientras que de hecho Juan 20:28, Mateo 1:23, y Hebreos 1:8 *sí* utilizan esta frase de Jesucristo, ¿significa esto que la Sociedad Watchtower es un falso profeta?

En el principio

Debemos hacer algunas puntualizaciones más sobre Juan 1:1. En primer lugar, las palabras «en el principio» en Juan 1:1 se traducen de las palabras griegas *en arche.* Es muy significativo que estas sean las mismas palabras con las que comienza el libro de Génesis en la Septuaginta (la traducción griega del Antiguo Testamento hebreo anterior a la época de Cristo). La conclusión obvia que debemos sacar es que el «principio» de Juan es idéntico al «principio» de Génesis. (Otros paralelismos entre los dos relatos se encuentran en el hecho de que ambos se refieren a Dios, la creación, la luz y las tinieblas).[49]

Para interpretar correctamente la frase «en el principio», debemos abordar brevemente la pregunta: ¿Cuándo comenzó el tiempo? La Escritura no es clara en cuanto a la conexión entre el tiempo y la eternidad. Algunos prefieren pensar en la eternidad como tiempo—una sucesión de momentos—sin principio ni fin. Sin embargo, hay indicios en las Escrituras de que el tiempo mismo puede ser una realidad creada, una realidad que comenzó cuando Dios creó el universo.

El libro de Hebreos contiene algunas pistas sobre la relación entre el tiempo y la eternidad. Hebreos 1:2 nos dice que el Padre «nos ha hablado por el Hijo, a quien constituyó heredero de todo, *y por quien también creó el mundo*» (énfasis añadido). La última parte de este versículo se traduce más literalmente del texto griego, «por quien hizo *las edades*». Asimismo, Hebreos 11:3 nos dice que «por la fe entendemos que *el universo fue creado* por la palabra de Dios» (énfasis añadido). El texto griego se lee más literalmente: «Por la fe entendemos que *las edades* fueron formadas por orden de Dios».

Los eruditos han lidiado con lo que puede significar aquí el término «edades». El comentarista luterano R.C.H. Lenski dice que el término significa «no sólo vastos períodos de tiempo como mero tiempo, sino 'eones' con todo lo que existe, así como todo lo que en ellos transcurre».[50] El estudioso del Nuevo Testamento F.F. Bruce dice que «se refiere a todo el universo creado de espacio y tiempo».[51]

El padre de la Iglesia y filósofo Agustín (334-430 d.C.) sostenía que el universo no fue creado en el tiempo, sino que el tiempo mismo fue creado junto con el universo.[52] El teólogo reformado Louis Berkhof está de acuerdo y concluye: «No sería correcto suponer que el tiempo ya existía cuando Dios creó el mundo, y que Él, en algún momento de ese tiempo existente, llamado 'el principio', hizo surgir el universo. El mundo fue

---

[49] Leon Morris, The Gospel According to John (Grand Rapids: Eerdmans, 1971), p. 73; Bruce, p. 33; véase también Bowman, Jehovah's Witnesses, Jesus Christ, and the Gospel of John, pp. 21-22.

[50] R.C.H. Lenski, Hebrews (Minneapolis: Augsburg, 1961), p. 36.

[51] F.F. Bruce, The Epistle to the Hebrews (Grand Rapids: Eerdmans, 1979), p. 4.

[52] Harold B. Kuhn, «Creation», en Basic Christian Doctrines, ed. Carl F. Henry (Grand Rapids: Baker Books, 1983), p. 61.

creado con el tiempo y no en el tiempo. Detrás del principio mencionado en Génesis 1:1 hay una eternidad sin principio».[53]

En vista de lo anterior, podemos concluir que cuando el apóstol Juan dijo: «En el principio era el Verbo, y el Verbo era con Dios, y el Verbo era Dios» (Jn. 1:1), la frase «en el principio» tiene referencia específica al principio de los tiempos, cuando se creó el universo. Cuando el universo espacio-temporal comenzó a existir, Cristo, el Verbo divino, *ya existía*.

Es importante comprender esto, porque Juan nos dice que «en el principio [cuando comenzó el tiempo] *era* el Verbo» (énfasis añadido). El verbo «era» en este versículo es un tiempo imperfecto en el texto griego, lo que indica una existencia continuada. Cuando el universo espacio-temporal comenzó a existir, Cristo, el Verbo divino, *ya existía* en una relación amorosa e íntima con el Padre y el Espíritu Santo. El tiempo imperfecto «se remonta indefinidamente más allá del instante del principio».[54] Leon Morris señala que «el verbo 'era' se entiende más naturalmente de la existencia eterna del Verbo: 'el Verbo continuamente era'».[55] Así pues, el *Logos* (o *Verbo*) no llegó a existir en un punto concreto de la eternidad pasada, sino que en ese punto en el que todo lo demás comenzó a ser, Él ya era. No importa lo lejos que retrocedamos en la eternidad pasada, nunca llegaremos a un punto en el que podamos decir de Cristo, como Arrio hizo una vez, que «hubo un tiempo en que no era».

Compañerismo inquebrantable e íntimo

Cuando el cielo y la tierra surgieron en la creación, ya existía Cristo, en estrecha asociación con el Padre. Esta estrecha asociación se afirma en el evangelio de Juan: «el Verbo era con Dios» (1:1, énfasis añadido). Benjamin Warfield nos dice que «no se afirma simplemente la coexistencia con Dios, como dos seres que están uno al lado del otro... Lo que se sugiere es una relación activa de trato».[56] La preposición griega para «con» es *pros*, y conlleva la idea de compañerismo y comunión íntimos e ininterrumpidos.

[53] Louis Berkhof, Manual of Christian Doctrine (Grand Rapids: Eerdmans, 1983), p. 96.
[54] R.C.H. Lenski, The Interpretation of St. John's Gospel (Minneapolis: Augsburg, 1961), p. 27.
[55] Morris, p. 73.
[56] Benjamin B. Warfield, The Person and Work of Christ (Filadelfia: Presbyterian and Reformed, 1950), p. 53.

Cristo el Verbo pasó la eternidad pasada en compañía y en comunión íntima e ininterrumpida con el Padre en una relación eterna y amorosa. «Tanto el Verbo como su relación con el Eterno [el Padre] son eternos. Nunca hubo parte de su preexistencia que lo encontrara separado en ningún sentido de la Divinidad».[57]

Es importante reconocer que en Juan 1:1-2, se dice que Cristo el Verbo es *distinto* y al mismo tiempo *igual a* Dios. Estaba *con* Dios (la preposición griega *pros* implica dos personas distintas), y al mismo tiempo se dice que *es* Dios. Por tanto, el Padre y el Verbo «no son lo mismo, sino que están unidos». El hecho de que se pueda decir que uno está «con» el otro los diferencia claramente. Sin embargo, aunque son distintos, no hay desarmonía. La expresión de Juan nos señala la unidad perfecta en la que están unidos».[58]

Vemos, pues, que Juan 1:1-2 sugiere distinciones trinitarias: «Ahora todo está claro; ahora vemos cómo este Verbo que es Dios 'era en el principio', y cómo este Verbo que es Dios estaba en eterna relación recíproca con Dios... El [Verbo] es una de las tres personas divinas de la Divinidad eterna».[59]

Razonando a la luz de la Biblia

Juan 8:58: ¿Preexistencia limitada o eterna?

Según la *Traducción del Nuevo Mundo* Juan 8:58 dice, «Jesús les dijo: «De verdad les aseguro que, antes de que Abrahán naciera, *yo ya existía*» (énfasis añadido). Por el contrario, Reina Valera traduce este versículo: «Jesús les dijo: De cierto, de cierto os digo: Antes que Abraham existiera, *yo soy*» (énfasis añadido).

Los testigos de Jehová están dispuestos a admitir que Jesús fue *preexistente* («Yo he sido»), pero no que fuera *eternamente preexistente* («Yo soy»). En la mayoría de las traducciones, se considera que la afirmación «Yo soy» de Jesús en Juan 8:58 está relacionada con el nombre

---

[57] David J. Ellis, «John», en The International Bible Commentary, ed. F.F. Bruce (Grand Rapids: Zondervan, 1986), p. 1232.

[58] Morris, p. 79.

[59] Lenski, The Interpretation of St. John's Gospel, p. 33.

de Dios en Éxodo 3:14: «YO SOY EL QUE SOY», un nombre que indica existencia eterna. Pero la *Traducción del Nuevo Mundo* traduce las palabras de Jesús en Juan 8:58 como «Yo he sido», no «Yo soy». Este es uno de los ejemplos más claros de cómo los testigos de Jehová traducen erróneamente la Biblia para apoyar un sesgo doctrinal.

Los testigos intentan argumentar su postura preguntando: «¿Qué interpretación concuerda con el contexto?». Luego sugieren que la pregunta de los judíos en el verso 57 —«Aún no tienes cincuenta años, ¿y has visto a Abraham?»—era una pregunta sobre la edad, no sobre la identidad. Afirman que cuando Jesús respondió a la pregunta, no estaba hablando de su identidad (como el «YO SOY» de Éx. 3:14), sino de su edad, o tiempo de existencia.[60] Jesús dijo «Yo he sido» como una forma de indicar su preexistencia a los judíos.

En la publicación de la Watchtower *El hombre más grande de todos los tiempos,* leemos sobre la preexistencia de Jesús: «Fue una persona muy especial porque fue creado por Dios antes que todas las demás cosas. Durante incontables miles de millones de años, antes incluso de que se creara el universo físico, Jesús vivió como una persona espiritual en el cielo y disfrutó de una íntima comunión con su Padre, Jehová Dios, el Gran Creador».[61]

Además de traducir mal Juan 8:58, los testigos de Jehová también traducen mal Éxodo 3:14: «Así que Dios le contestó a Moisés: «YO SERÉ LO QUE YO DECIDA SER». Y añadió: «Esto es lo que tienes que decirles a los israelitas: 'YO SERÉ me ha enviado a ustedes'».

En la *Traducción del Nuevo Mundo*, pues, la conexión entre Juan 8:58 y Éxodo 3:14 está completamente encubierta, por ambas partes. Los testigos de Jehová dicen que en Éxodo 3:14 Dios se llamó a sí mismo «YO SERÉ LO QUE YO DECIDA SER», mientras que en Juan 8:58 Jesús dijo: «Antes que Abraham fuese, yo ya existía». El objetivo obvio de la Sociedad Watchtower es evitar que Jesús sea identificado como Dios Todopoderoso. Nadie que lea la *Traducción del Nuevo Mundo* vería la relación entre Éxodo 3:14 y Juan 8:58.

---

[60] Reasoning from the Scriptures, pp. 417-18.
[61] The Greatest Man Who Ever Lived (Brooklyn: Watchtower Bible and Tract Society, 1991), prefacio.

El trasfondo de Éxodo

Ya he señalado en este libro que los nombres tienen un significado en la Biblia. Aprendemos mucho sobre Dios por los nombres que se utilizan para Él tanto en el Antiguo como en el Nuevo Testamento. Lo mismo ocurre en Éxodo 3:14: aprendemos algo sobre Dios por la forma en que se identifica a sí mismo en este pasaje.

El nombre Yahvé, que aparece unas 5.300 veces en el Antiguo Testamento, está relacionado con el verbo hebreo «ser». La primera vez que conocemos este nombre es en Éxodo 3:14, donde Moisés preguntó a Dios por qué nombre debía ser llamado. Dios respondió: «Y respondió Dios a Moisés: YO SOY EL QUE SOY. Y dijo: Así dirás a los hijos de Israel: YO SOY me envió a vosotros.

Recuerde que la frase «YO SOY» no es la palabra Yahvé. Sin embargo, YO SOY (en el v. 14) y Yahvé (en el v. 15) son ambos derivados del mismo verbo, «ser». El nombre YO SOY EL QUE SOY en el versículo 14 tiene la intención de ser una expresión completa de la naturaleza eterna de Dios, y luego se acorta a Yahvé en el v. 15. Los nombres tienen el mismo significado de raíz y pueden considerarse intercambiables.

«YO SOY» puede parecer un nombre extraño al oído moderno. Pero creo que Moisés entendió lo que Dios le estaba diciendo. El nombre transmite la idea de autoexistencia eterna. Yahvé nunca llegó a existir en un momento determinado, pues siempre ha existido. Nunca nació; nunca morirá. No envejece, porque está más allá del tiempo. Conocer a Yahvé es conocer al eterno.[62]

En vista de todo esto, es interesante que el expositor bíblico James Hoffmeier sugiera que en Éxodo 3, «Moisés no exige conocer el nombre de Dios en sí, sino el carácter que hay detrás de ese nombre. La respuesta de Dios apoya esto, porque [primero] no dice 'Yahvé' (v. 14), sino que [primero] interpreta el nombre 'YO SOY EL QUE SOY', lo cual puede apelar a su existencia infinita: 'el Señor Dios Todopoderoso, que era, y es, y

---

[62] Ron Rhodes, Christ Before the Manger: The Life and Times of the Preincarnate Christ (Grand Rapids: Baker Books, 1992), pp. 160-65.

ha de venir' (Ap. 4:8b)».[63] El nombre comunica la idea: «Yo soy el que soy».[64]

Los estudiosos de la Biblia también se cuidan de señalar que «YO SOY EL QUE SOY» no expresa sólo una existencia abstracta, sino que apunta a la manifestación activa de la existencia de Dios. La existencia de Dios no es estática (inactiva), sino dinámica (activa). Dios está involucrado con su pueblo. Es el Dios del pacto de Israel que libera a su pueblo.[65] En esta línea, los eruditos del Antiguo Testamento Carl F. Keil y Franz Delitzsch dicen que el nombre «YO SOY» expresaba al pueblo de Dios «la naturaleza y las operaciones de Dios y que Dios *manifestaría en hechos* la naturaleza expresada en el nombre».[66] De hecho, todo lo que está implícito en el nombre «YO SOY» será «manifestado a través de las edades venideras».[67]

Una cadena doctrinal: *Éxodo> Isaías> Juan*

En Juan 8:58 encontramos una poderosa evidencia de la absoluta deidad de Jesucristo. Sin embargo, esto ha sido enmascarado en la *Traducción del Nuevo Mundo* de la Watchtower. El contexto apropiado para entender el significado de Juan 8:58 comienza en Éxodo 3:14, también complementado por pasajes selectos en el libro de Isaías. Permítame guiarle a través del proceso de razonamiento:

En Éxodo 3:14 leemos: «Dios dijo a Moisés: YO SOY EL QUE SOY. Y dijo: Dirás esto al pueblo de Israel: YO SOY me ha enviado a vosotros». Dios aquí se revela como «YO SOY EL QUE SOY», que luego se acorta a «YO SOY».

Con esta referencia fundamental en mente, considere las siguientes declaraciones de Dios en estos versículos del libro de Isaías:

---

[63] Evangelical Commentary on the Bible, ed. Walter A. Elwell (Grand Rapids: Baker Books, 1989), p. 43.

[64] John J. Davis, Moses and Gods of Egypt (Grand Rapids: Baker Books, 1986), p. 72.

[65] Cambridge Bible, citado en The Wycliffe Bible Commentary, eds. Charles F. Pfeiffer y Everett F. Harrison (Chicago: Moody, 1974), p. 55.

[66] Carl F. Keil y Franz Delitzsch, citado en The Wycliffe Bible Commentary, p. 55.

[67] The Wycliffe Bible Commentary, p. 55.

- «Yo, el Señor, el primero, y con los últimos; *yo soy*» (Is. 41:4).

- «'Vosotros sois mis testigos', declara el Señor, 'y mi siervo a quien yo escogí, para que me conozcáis y me creáis y entendáis que *yo mismo soy*. Antes de mí no fue formado ningún dios, ni lo será después de mí'» (Is. 43:10).

- «Hasta tu vejez *yo soy*» (Is. 46:4).

En cada uno de estos versículos, «Yo soy» procede de la frase hebrea *ani hu*. James White observa que «el uso de *ani hu* por Isaías es un eufemismo para el propio nombre de Dios. Algunos ven una conexión entre *ani hu* y Yahvé, ya que ambos se refieren al ser».[68] Visto así, estos versículos remiten al nombre de Dios en Éxodo 3:14, «YO SOY».

Lo que es interesante observar es que, aunque estos versículos del Antiguo Testamento fueron escritos en hebreo, la Septuaginta—la traducción griega del Antiguo Testamento hebreo anterior a la época de Cristo—traduce las palabras hebreas *ani hu* por las palabras griegas *ego eimi*. Es aquí donde empezamos a ver una conexión entre este Antiguo Testamento griego y el propio uso de Jesús de la frase *ego eimi*. Por ejemplo, en Isaías 43:10, Yahvé quiere que su siervo le conozca y le crea y «entendáis que *yo mismo soy*» (énfasis añadido). Nótese la similitud con las palabras de Jesús en Juan 13:19: «Os digo esto ahora, antes de que suceda, para que cuando suceda creáis que *yo soy*» (énfasis añadido). Muchos eruditos bíblicos han señalado la relación entre el evangelio de Juan y el libro de Isaías: el paralelismo clave es «creer... que yo soy» (Is. 43:10) y «creer que yo soy» (Jn. 13:19). F.F. Bruce dice que la afirmación de Jesús de ser «*ego eimi* se hace eco de 'Yo soy' (*ani hu*), utilizado repetidamente como afirmación divina en Isaías 40-55 y traducido *ego eimi* en la [Septuaginta] (por ejemplo Is. 41:4; 43:10,13,25; 46:4; 48:12)».[69]

Leon Morris señala asimismo que «*ego eimi* en [la Septuaginta] traduce el hebreo *ani hu*... El hebreo puede llevar una referencia al significado del nombre divino Yahvé (cf. Éx. 3:14). Debemos seguramente entender que el uso que hace Juan del término refleja el de la Septuaginta».[70] En vista de ello, James White concluye que «si Jesús es identificado como *ego eimi* en

---

[68] White, p. 99.
[69] Bruce, The Gospel of John, 1983, p. 193.
[70] Morris, p. 473.

el sentido del *ani hu* del Antiguo Testamento, entonces uno se queda con dos personas que comparten la única naturaleza que es Dios»[71]—un hecho que da un sólido apoyo, no sólo a la deidad absoluta de Jesucristo, sino también a la doctrina de la Trinidad.

Ahora empezamos a ver el verdadero significado de Juan 8:58, donde Jesús afirma: «Antes de que Abraham existiera, *yo soy*» (*ego eimi*). El apologista cristiano Robert Bowman observa que «Juan 8:58 se hace eco deliberadamente de las declaraciones 'Yo soy' de Yahvé en Isaías 40-55... El hebreo en cada caso dice simplemente ANI HU (literalmente, 'Yo [soy] él'), que la LXX [Septuaginta] traduce como *ego eimi* (Is. 41:4; 43:10; 46:4; 52:6)».[72] No es de extrañar que los judíos levantaran piedras para ejecutar a Jesús cuando afirmó ser *ego eimi* (Jn. 8:59). Comprendieron que Jesús estaba estableciendo una conexión entre Él mismo y Yahvé, a través de las afirmaciones *ani hu* de Isaías, con las que estaban muy familiarizados.

Claramente, entonces, el uso de Jesús de *ego eimi* en Juan 8:58—«antes que Abraham fuera, *yo soy*»—era una referencia no a su edad (como enseña la Sociedad Watchtower) sino a su identidad, el «Yo soy Él» del tiempo de Isaías. De hecho, el tema clave a lo largo de todo el octavo capítulo del evangelio de Juan es la identidad de Cristo (véanse los versículos 12, 19, 24-25, 28 y 53).[73] Puesto que «Yo soy» se hace eco de las palabras de Dios en el libro de Isaías, que a su vez remiten a Éxodo 3:14, Jesús estaba revelando su identidad como Aquel que es eternamente autoexistente. El uso de *ego eimi* por parte de Jesús constituía una afirmación de ser eterno—de existir sin haber experimentado nunca un principio—en contraste con Abraham, que tuvo un principio.

Tal conclusión añade un tremendo significado al encuentro de Jesús con los judíos. Sabiendo cuánto veneraban a Abraham, Jesús en Juan 8:58 contrastó deliberadamente el origen creado de Abraham con su propia naturaleza eterna e increada. Como señala un erudito: «No se trataba simplemente de que Él fuera mayor que Abraham, aunque su declaración también dice eso, sino de que su existencia es de un tipo diferente a la de Abraham: que la existencia de Abraham fue creada y finita, comenzando en un punto en el tiempo, mientras que la existencia de Cristo nunca comenzó,

---

[71] White, p. 100.
[72] Bowman, *Jehovah's Witnesses, Jesus Christ, and the Gospel of John*, p. 120.
[73] Bowman, *Why You Should Believe in the Trinity*, p. 100.

es increada e infinita, y por lo tanto eterna».[74] En Jesús, por tanto, «vemos al Dios intemporal, que era el Dios de Abrahán y de Isaac y de Jacob, que era antes del tiempo y que será después del tiempo, que siempre es».[75] *Esa* es la verdadera identidad de Jesús.

La afirmación de Jesús se hace aún más definitiva cuando uno se da cuenta de que comenzó su afirmación de deidad con las palabras: «De cierto, de cierto os digo…» (énfasis añadido). Jesús utilizó tal lenguaje sólo cuando estaba haciendo una declaración importante y enfática. Sus palabras representan el juramento y la afirmación más fuertes posibles.[76] Podríamos parafrasearlo: «Les aseguro, muy solemnemente se lo digo». Jesús no quería que nadie se confundiera sobre el hecho de que Él estaba afirmando ser Dios eterno. Estaba diciendo en los términos más fuertes posibles que Él tenía una existencia independiente y continua desde antes del tiempo.

El relato bíblico revela que, cuando Jesús hizo esta afirmación, los judíos tomaron inmediatamente piedras para matarle, pues reconocieron que se estaba identificando implícitamente como Yahvé, el «YO SOY EL QUE SOY» del Antiguo Testamento (Éx. 3:14). Estaban actuando según la pena prescrita para la blasfemia en la ley del Antiguo Testamento: muerte por lapidación (Lev. 24:16). No cabe duda de que los judíos interpretaron las palabras de Jesús como una afirmación de ser Yahvé.

Después de demostrar a los testigos de Jehová la absoluta falta de fiabilidad de la *Traducción del Nuevo Mundo* (basada en los capítulos 3 y 4 de este libro)...

Pregunte...

- En vista de lo que ha aprendido, ¿de verdad quiere seguir confiando en la *Traducción del Nuevo Mundo* para que le guíe a usted y a su familia en su destino eterno?

---

[74] Bowman, Jehovah's Witnesses, Jesus Christ, and the Gospel of John, p. 99.
[75] William Barclay, The Gospel of John, vol. 2 (Filadelfia: Westminster, 1956), pp. 42-43.
[76] Erickson, p. 434.

5
¿ES CRISTO INFERIOR AL PADRE?-PARTE 1

Cristo es «igual al Padre con respecto a su divinidad
e inferior al Padre con respecto a su humanidad».
—El Credo Atanasiano (Fecha desconocida)

Para apoyar la afirmación de que Jesús era una deidad menor que el Padre, los testigos de Jehová señalan a menudo pasajes del Nuevo Testamento que parecen indicar que Jesús es inferior en algún sentido. Por ejemplo, Jesús dijo: «El Padre es mayor que yo» (Jn. 14:28), y se refirió al Padre como «mi Dios» (Jn. 20:17). Primera Corintios 11:3 nos dice que «la cabeza de Cristo es Dios», y 1Corintios 15:28 dice que Jesús «será sometido al que sometió a él todas las cosas, para que Dios sea todo en todos». Jesús es llamado el «Hijo unigénito» de Dios (Jn. 3:16), el «primogénito de toda creación» (Col. 1:15), y el «principio de la creación de Dios» (Ap. 3:14). Claramente, dicen los testigos, Jesús no es Dios en el mismo sentido en que lo es Jehová.

Al responder a los testigos de Jehová sobre tales pasajes, es fundamental examinar cada pasaje en su contexto apropiado. Cada palabra de la Biblia es parte de una frase; cada frase es parte de un párrafo; cada párrafo es parte de un libro; y cada libro es parte de la totalidad de las Escrituras. Por tanto, existe un contexto inmediato y otro más amplio para cada versículo.

El contexto inmediato de una afirmación es el párrafo (o párrafos) del libro bíblico en cuestión. Ningún texto de la Escritura es independiente de las afirmaciones que lo rodean. Interpretar un texto al margen de su contexto inmediato es como tratar de dar sentido a un cuadro de Rembrandt mirando sólo un centímetro cuadrado del cuadro, o como tratar de analizar el «Mesías» de Haendel escuchando unas breves notas. El contexto inmediato es absolutamente crítico para una comprensión adecuada de los textos individuales de las Escrituras.

El contexto más amplio de cualquier texto es el conjunto de la Escritura. Debemos tener siempre presente que, en cualquier cuestión, la interpretación de un pasaje concreto no debe contradecir la enseñanza total de la Escritura. Los textos individuales no existen como fragmentos aislados, sino como partes de un todo. Por tanto, la exposición de estos textos debe implicar analizarlos en relación correcta tanto con el conjunto como entre sí. Este principio se basa en el hecho de que cada uno de los escritores bíblicos escribió en el contexto más amplio de la enseñanza bíblica anterior. Y todos ellos asumieron que toda la Escritura—aunque comunicada a través de muchos instrumentos humanos—tenía un autor (Dios) que no se contradecía (2Pe. 1:21).

En este capítulo, veremos que muchas de las interpretaciones de la Watchtower de las Escrituras tienden a ignorar completamente los contextos inmediatos y más amplios del versículo en cuestión. También veremos que muchos de los argumentos de la Watchtower se basan en un malentendido de la naturaleza de la encarnación, ese evento en el que Jesús (Dios eterno) asumió una naturaleza humana. En la encarnación, Jesús era plenamente Dios y plenamente hombre. Y, como veremos, muchos de los pasajes citados por los testigos de Jehová para «probar» la inferioridad de Jesús se refieren a Cristo desde el punto de vista de su humanidad. Examinemos ahora algunos de estos pasajes.

Razonando a la luz de la Biblia

Apocalipsis 3:14: Jesús ¿el «principio» de la creación de Dios?

La enseñanza de la Watchtower. En la *Traducción del Nuevo Mundo* Apocalipsis 3:14 dice, «Escríbele al ángel de la congregación de

Laodicea: Esto es lo que dice el Amén, el testigo fiel y verdadero, *el principio de la creación de Dios*» (énfasis añadido). Los testigos de Jehová citan este versículo para demostrar que Jesús es un ser creado. De hecho, Jesús fue «la primera de las creaciones de Jehová-Dios».[1] Los testigos relacionan este versículo con pasajes como Juan 1:14, donde se nos dice que Jesús es el «unigénito» del Padre.[2]

En apoyo de esta interpretación, la publicación de la Watchtower ¿Debería usted creer en la Trinidad? afirma: «'Principio' [griego: *arche*] no puede interpretarse correctamente en el sentido de que Jesús fue el 'principiante' de la creación de Dios. En sus escritos bíblicos, Juan usa varias formas de la palabra griega *arche* más de 20 veces, y estas siempre tienen el significado común de 'principio'. Sí, Jesús fue creado por Dios como el principio de las creaciones invisibles de Dios».[3]

La enseñanza bíblica. En respuesta a la interpretación de la Watchtower de Apocalipsis 3:14, es fundamental señalar que existe una amplia gama de significados para la palabra griega *arche*, que se traduce «principio» en la *Traducción del Nuevo Mundo*. Aunque *arche* puede significar «comienzo», la palabra es realmente única y también conlleva el importante significado activo de «el que comienza», «origen», «fuente», «creador» o «primera causa». Los eruditos evangélicos coinciden en que este es el significado que se pretende dar a la palabra en Apocalipsis 3:14.[4]

El influyente *Greek-English Lexicon of the New Testament and Other Early Christian Literature* de William Arndt y F. Wilbur Gingrich dice que el significado de *arche* en Apocalipsis 3:14 es «primera causa».[5] De hecho, en Apocalipsis 3:14, *arche* se usa para referirse al «principio activo de la creación, Aquel que causó la creación, refiriéndose a Jesucristo no como un ser creado, sino como Aquel que creó todas las cosas (Jn. 1:3)».[6] Una breve ojeada a algunas de las traducciones actuales refleja este significado de la palabra:

---

[1] Let God Be True (Brooklyn: Watchtower Bible and Tract Society, 1946), p. 200.
[2] Let God Be True, p. 107.
[3] Should You Believe in the Trinity? (Brooklyn: Watchtower Bible and Tract Society, 1989), p. 14.
[4] Spiros Zodhiates, The Complete Word Study Dictionary (Chattanooga: AMG, 1992), p. 260.
[5] William F. Arndty F. Wilbur Gingrich, A Greek-English Lexicon of the New Testament and Other Early Christian Literature (Chicago: University of Chicago, 1957), p. 112.
[6] Zodhiates, p. 261.

- La Nueva Biblia de las Américas traduce *arche* en Apocalipsis 3:14 como «el principio» de la creación de Dios. Lo mismo ocurre con la Reina Valera 1960 y la Biblia del Jubileo.
- La Nueva Biblia Viva, la Dios Habla Hoy y la Reina Valera Actualizada traducen *arche* como «el origen» de toda la creación de Dios.
- La Biblia La Palabra traduce *arche* como «el que está en el origen» de la obra creadora de Dios.
- La Nueva Versión Internacional traduce *arche* como «el soberano» de la creación de Dios.
- La Biblia Palabra de Dios para todos traduce *arche* como «el que está en el origen» de la obra creadora.

Cabe señalar que la palabra arquitecto viene de *arche*. Podríamos decir que Jesús es el arquitecto de toda la creación (Jn. 1:3; Col. 1:16; Heb. 1:2). Comentando este versículo, el exégeta del griego Henry Alford afirma que en Cristo «se inicia y condiciona toda la creación de Dios; Él es su fuente y manantial primario».[7]

También es digno de mención que las únicas otras veces que se usa *arche* en el libro de Apocalipsis, se usa de Dios como «el principio y el fin» (Ap. 1:8; 21:6; 22:13).[8]8 Ciertamente el uso de *arche* con Dios Todopoderoso no significa que Él tuvo un principio creado. En cambio, estos versículos comunican que Dios es tanto el principio como la consumación de la creación. Él es la primera causa de la creación; Él es su meta final.[9] La palabra griega *arche* se utiliza en el mismo sentido en Apocalipsis 3:14: Cristo es el principio de la creación de Dios (compárese con Jn. 1:3; Col. 1:16; Heb. 1:2).

Puesto que el uso de *arche* con Dios Todopoderoso no significa que Él tuviera un principio creado (Ap. 1:8; 21:6; 22:13), ¿por qué ir en contra del uso de Juan en Apocalipsis e insistir en que cuando se usa de Cristo la palabra *arche* debe indicar un principio creado?

Otro posible significado de *arche* es «gobernante» o «magistrado». En apoyo de esta interpretación está el hecho de que cuando *arche* se usa de

---

[7] Citado en John F. Walvoord, The Revelation of Jesus Christ (Chicago: Moody, 1980), p. 90.

[8] Robert M. Bowman, Why You Should Believe in the Trinity (Grand Rapids: Baker Books, 1989), p. 65.

[9] Bowman, p. 66.

una persona en las Escrituras, casi siempre se usa de un gobernante (véase, por ejemplo, 1Co. 15:24; Ef. 1:21; Col. 2:10).[10] La forma plural de esta palabra se traduce típicamente «principados» (o algo similar) en el Nuevo Testamento (véase Rom. 8:38; Ef. 3:10; Col. 2:15).[11] David Reed señala que la Biblia de la Watchtower traduce el plural de esta palabra como «funcionarios del gobierno» en Lucas 12:11.[12] En otras partes del Nuevo Testamento, la palabra conlleva la idea de «gobierno» o «dominio» (Lc. 20:20; Jud. 6).[13]

La palabra *arzobispo* está relacionada con este sentido de la palabra griega *arche*. Un arzobispo es alguien que tiene autoridad sobre otros obispos. Gobierna sobre otros obispos.

Si «gobernante» es el significado correcto de *arche* en Apocalipsis 3:14, entonces significa que Cristo tiene autoridad sobre toda la creación. Este significado se refleja en la Nueva Versión Internacional, donde leemos que Cristo es el «soberano de la creación de Dios» (Ap. 3:14). En la Versión del Nuevo Siglo leemos que Cristo es «el soberano de todo lo que Dios ha hecho». En la Traducción Literal de Young leemos que Cristo es el «jefe de la creación de Dios».

Aunque creo que *arche* en Apocalipsis 3:14 tiene el significado primario de «principiante», «primera causa» u «originador» de la creación de Dios, un significado secundario plausible es que Cristo es el «gobernante» sobre la creación de Dios. De hecho, es posible que, en el caso de Cristo, se busquen ambos sentidos, ya que en otras partes de las Escrituras se describe a Cristo como creador (Heb. 1:2) y gobernante (Ap. 19:16) de todas las cosas.

La interpretación de que Cristo es el «principiante» de la creación de Dios armoniza bien con otros pasajes del Nuevo Testamento sobre Cristo como Creador, mientras que la interpretación de la Watchtower va en contra de toda la Escritura. Por ejemplo:

- «porque por medio de él [Cristo] todo lo demás fue creado en los cielos y en la tierra, las cosas visibles y las cosas

---

[10] Bowman, p. 65.

[11] Bowman, p. 66.

[12] David Reed, *Jehovah's Witnesses Answered Verse by Verse* (Grand Rapids: Baker Books, 1992), p. 104.

[13] Bowman, p. 66.

invisibles, ya sean tronos, dominios, gobiernos o autoridades. Todo lo demás ha sido creado mediante él y para él. Además, él existe desde antes que todo lo demás, y por medio de él se hizo que existiera todo lo demás». (Col. 1:16-17)

- «Ahora, al final de estos días, [Dios] nos ha hablado por medio de un Hijo, a quien nombró heredero de todas las cosas y mediante quien hizo los sistemas». (Heb. 1:2, inserción añadida).

- «Todas las cosas llegaron a existir por medio de él [Cristo], y sin él no llegó a existir ni siquiera una sola cosa» (Jn. 1:3).[14]14

Pregunte…

- ¿Sabía usted que el mismo Juan que escribió Apocalipsis 3:14 escribió Juan 1:3 «Todas las cosas llegaron a existir por medio de él [Jesús], y sin él no llegó a existir ni siquiera una sola cosa»?

El testimonio constante de las Escrituras es que Cristo no es un ser creado, sino el creador de todas las cosas. En este punto, sería apropiado recordar a los testigos de Jehová la enseñanza bíblica de que sólo Dios es el creador. Dios dice en Isaías 44:24: «Yo Jehová [Yahvé], que lo hago *todo*, que extiendo solo los cielos, que extiendo la tierra *por mí mismo*» (énfasis añadido). Claramente, este versículo hace imposible argumentar que Cristo fue creado primero por Jehová y luego Jehová creó todas las demás cosas por medio de Cristo. El hecho de que Jehová es el que «hizo *todo*» y extendió los cielos «por mí mismo» y extendió la tierra «solo» (Is. 44:24)—y el hecho concomitante de que Cristo es el Creador de «todas las cosas» (Jn. 1:3; Col. 1:16; Heb. 1:2)—demuestra que Cristo es Dios Todopoderoso, tal como lo es el Padre.[15]

---

[14] Algunos apologistas de los Testigos de Jehová refutan que estos versículos solo muestran lo que Jehová hizo por medio de Jesús, es decir, que creó el mundo a través de Jesús. Tales Testigos de Jehová pasan por alto el punto más amplio de que, debido a que solo Yahvé (Jehová) es el Creador de todas las cosas («por mí mismo»—Is. 44:24), y debido a que Jesús mismo es el agente real de la creación que creó todas las cosas (Jn. 1:3; Col. 1:16), la identidad de Jesús como Yahvé es patentemente obvia (compárese Sal. 102:25 con Heb. 1:10-12).

[15] Las Escrituras en definitiva revelan que todas las tres personas de la Trinidad estuvieron involucradas en la obra divina de la creación: el Padre (Gén. 1:1; 1Co. 8:6), el Hijo (Col. 1:16; Heb. 1:2; Jn. 1:3), y el Espíritu Santo (Job 26:13; 33:4; Sal. 104:30; Is. 40:12-13).

Pregunte...
- Jehová dice en Isaías 44:24: «Yo Jehová, que lo hago *todo*, que extiendo *solo* los cielos, que extiendo la tierra *por mí mismo*». ¿Cómo armoniza usted esto con la enseñanza de la Watchtower de que Jehová creó primero a Cristo y luego Cristo creó todo lo demás?

Proverbios 8:22-23: ¿Es Jesús el logro más temprano de Jehová?

La enseñanza de la Watchtower. Según la *Traducción del Nuevo Mundo* Proverbios 8:22-23 dice, «Jehová me produjo como el principio de su actividad, *el primero de sus logros de hace mucho tiempo*. Fui fundada en la antigüedad, al comienzo, antes de que existiera la tierra» (énfasis añadido). Los testigos de Jehová dicen que este versículo es una referencia directa a la creación de Jesucristo. Aunque Proverbios 8 trata en realidad del tema de la sabiduría, los testigos de Jehová dicen que «la mayoría de los eruditos coinciden en que en realidad es una forma de hablar de Jesús como criatura espiritual anterior a su existencia humana».[16]

En el libro de la Watchtower *Ayuda para entender la Biblia*, leemos, «Muchos escritores cristianos profesos de los primeros siglos de la Era Común entendieron esta sección [en Prov. 8] para referirse simbólicamente al Hijo de Dios en su estado prehumano... No se puede negar que el Hijo fue 'producido' por Jehová 'al principio de su camino, la más temprana de sus realizaciones de antaño', ni que el Hijo estuvo 'junto a [Jehová] como un obrero maestro' durante la creación de la Tierra».[17]

La enseñanza bíblica. La interpretación de la Watchtower de Proverbios 8 no sólo viola el contexto del libro de Proverbios, también viola toda la Escritura. Al responder a la interpretación de la Watchtower, primero querrá enfatizar que los primeros nueve capítulos de Proverbios tratan de la sabiduría personificada. Una personificación es una figura retórica en la cual objetos inanimados o conceptos abstractos son dotados con cualidades

---

[16] Should You Believe in the Trinity?, p. 14.
[17] Aid to Bible Understanding (Brooklyn: Watchtower Bible and Tract Society, 1971), p. 918.

humanas o son representados como poseyendo forma humana.[18] En los capítulos 1-9 de Proverbios, la sabiduría es figurativamente dotada con cualidades humanas.[19]

Con esto en mente, querrá hacer la siguiente observación importante: No hay ninguna indicación en el texto de que Proverbios 8 deba tomarse de forma diferente a los capítulos 1 a 7 y 9. Siendo así, el apologista Robert Bowman señala que «si tomamos 8:22 para hablar literalmente de Cristo, ¡también debemos asumir que Cristo es una mujer que grita en las calles (1:20-21), y que vive con alguien llamado 'Prudencia' (8:12) en una casa con siete pilares (9:1)!».[20] Proverbios 1-9 no tiene sentido si uno trata de leer a Cristo en el texto.

Pregunte...

- Si la «sabiduría» en Proverbios 8 se refiere a Cristo, y si la «sabiduría» en Proverbios 8 es la misma «sabiduría» como en los primeros nueve capítulos de Proverbios (como el contexto claramente indica), entonces, ¿quién es la «prudencia» con la que Jesús vive (Prov. 8:12)?
- ¿Usted cree que Cristo es una mujer que grita por las calles (Prov. 1:20-21)?

Debe también traer a colación el importante asunto en cuanto a si Dios ha poseído sabiduría siempre. Por definición, la sabiduría debe ser tan antigua como lo es Dios.[21] (El testigo de Jehová no estará dispuesto a admitir que hubo un tiempo en el cual Dios no tenía sabiduría)

Pregunte...

- Si la «sabiduría» en Proverbios 8 tuvo un inicio, ¿no significa esto entonces que Dios no tuvo sabiduría hasta cierto punto cuando la adquirió? ¿Qué tipo de «Dios» es ese?

---

[18] The American Heritage Dictionary (Boston: Houghton Mifflin, 1978).
[19] The Bible Knowledge Commentary, Old Testament, eds. John F. Walvoord y Roy B. Zuck (Wheaton: Victor, 1985), p. 922.
[20] Bowman, p. 60.
[21] Bowman, pp. 60-61.

Lo que se quiere decir aquí, por supuesto, es que la sabiduría de Dios es tan eterna como Dios mismo. Nunca hubo un tiempo en el que Dios careciera de sabiduría. De hecho, en Proverbios 8:23 leemos: «Eternamente tuve [la sabiduría] el principado, desde el principio, antes de la tierra». Esta es una forma poética de declarar la naturaleza eterna de la sabiduría de Dios.[22] Es muy revelador que la misma frase—«eternamente»—se use en el Salmo 90:2 para describir la eternidad de Dios mismo.[23]

Resumiendo, Proverbios 8:22-23 habla metafóricamente de la sabiduría eterna de Dios y de cómo fue «engendrada» (v. 24) para participar en la creación del universo. Proverbios 8 no dice que la sabiduría surgiera en un momento dado. Y ciertamente no está diciendo que Jesús sea un ser creado, ya que el pasaje no trata de Jesús, sino de la sabiduría personificada.

Colosenses 1:15: Jesús el «primogénito» de toda la creación

La enseñanza de la Watchtower. De acuerdo a la *Traducción del Nuevo Mundo* Colosenses 1:15 dice, «Él es la imagen del Dios invisible, *el primogénito de toda la creación*» (énfasis añadido). Los testigos de Jehová citan este versículo para apoyar su opinión de que Jesús llegó a existir en un momento dado como un ángel creado. Ignorando toda prueba bíblica que lo contradiga, sostienen que la palabra «primogénito» en este versículo significa «creado primero».[24]

En el libro *Razonamiento a partir de las Escrituras*, la Sociedad Watchtower argumenta que la palabra «primogénito» indica que «Jesús es el mayor de la familia de hijos de Jehová».[25] De hecho, dice el libro, el término «primogénito» aparece más de 30 veces en la Biblia, y en todos los casos en que se aplica a criaturas vivientes, el primogénito es parte de un grupo mayor. Del mismo modo que el «primogénito» del faraón se refiere al primero que le nació, Jesús es el primero que «nació» o fue creado por Jehová. De hecho, Jesús está «clasificado con la creación de Dios, siendo el primero entre ellos y también el más amado y el más favorecido entre

---

[22] Bowman, p. 61.
[23] Bowman, p. 61.
[24] Aid to Bible Understanding, p. 918.
[25] Reasoning from the Scriptures (Brooklyn: Watchtower Bible and Tract Society, 1989), p. 408.

ellos».[26] Como leemos en el libro de la Watchtower *El hombre más grande de todos los tiempos*, Jesús fue «una persona muy especial porque fue creado por Dios antes que todas las demás cosas».[27]

La enseñanza bíblica. Los testigos de Jehová han entendido erróneamente Colosenses 1:15 en el sentido de que hubo un tiempo en que Cristo no existía, y que llegó a existir en un momento dado. «Primogénito» no significa «creado primero». Más bien, como coinciden los eruditos griegos, la palabra (griego: *prototokos*) significa «primero en rango, preeminente, heredero».[28] La palabra conlleva la idea de preeminencia y supremacía posicional. Cristo es el primogénito en el sentido de que es posicionalmente preeminente sobre la creación y supremo sobre todas las cosas. También es el heredero de toda la creación en el sentido de que todo lo que pertenece al Padre es también del Hijo.

Señale al testigo de Jehová que el argumento de la Watchtower respecto a Colosenses 1:15 es ilógico. Como se señaló anteriormente, la Sociedad Watchtower argumenta que, así como el «primogénito» del faraón se refiere al primero nacido a faraón, así Cristo como el «primogénito» es el primero creado por Jehová. Nótese, sin embargo, que Colosenses llama a Cristo «el primogénito de toda creación» (no el primogénito de Jehová). Si vamos a establecer un paralelismo directo entre el primogénito del faraón y el primogénito de toda la creación, entonces debemos concluir que la creación «engendró» a Jesús. Sin embargo, esto es lo contrario de lo que sucedió, ya que en el siguiente versículo de Colosenses se nos dice que Cristo «engendró» la creación, es decir, Él creó todas las cosas del universo (Col. 1:16). Cristo no fue producido por la creación; más bien, Cristo produjo la creación.[29] Como dijo el profesor de griego Daniel Wallace, «Pablo deja claro a lo largo de esta epístola que Jesucristo es el creador supremo».[30]

---

[26] Let God Be True, p. 33.

[27] The Greatest Man Who Ever Lived (Brooklyn: Watchtower Bible and Tract Society, 1991), Introducción.

[28] Véase Robert L. Reymond, Jesus, Divine Messiah: The New Testament Witness (Phillipsburg: Presbyterian and Reformed, 1990), p. 247.

[29] Bowman, p. 63.

[30] Daniel Wallace, Greek Grammar Beyond the Basics (Grand Rapids: Zondervan, 1997), p. 125.

Cuando tratamos de entender la Biblia, es fundamental que interpretemos las palabras según el significado que quiso darles el que las pronunció o escribió. No podemos ni debemos imponer a las palabras significados ajenos a la intención del autor.

Permítame poner un ejemplo. Supongamos que una persona inculta de un país extranjero aprende inglés y viene a Estados Unidos. Mientras está en Estados Unidos, oye a alguien referirse a Wall Street. Por lo que sabe, debe referirse a una calle literalmente pavimentada. Pero ese no es el significado que pretendía el que pronunció esas palabras. En realidad, se refería a la Bolsa de Nueva York.

Lo que quiero decir es que debemos comprender lo que el orador o escritor original quiso decir con las palabras que utilizó. Sin esta comprensión, malinterpretaremos lo que dice.

Teniendo esto en cuenta, observemos que entre los antiguos hebreos, la palabra «primogénito» se refería al hijo de la familia que ocupaba la posición preeminente, independientemente de si era o no literalmente el primer hijo nacido de los padres. Este hijo primogénito no sólo sería el preeminente, sino que también sería el heredero de una doble porción de la herencia familiar.

Este significado de primogénito se ilustra en la vida de David. Era el hijo menor (el último en nacer) de Isaí. Sin embargo, Salmos 89:27 dice de él: «**Yo** también le pondré por primogénito, el más excelso de los reyes de la tierra». Aunque David fue el último en nacer en la familia de Isaí, se le llama primogénito por la posición preeminente en la que Dios lo colocó.[31]

Encontramos otro ejemplo de este significado de «primogénito» al comparar Génesis 41:50-51 con Jeremías 31:9. Manasés fue en realidad el primer hijo nacido de José, y Efraín nació algún tiempo después. Sin embargo, Efraín es llamado «primogénito» en Jeremías 31:9 debido a su posición preeminente.[32] No nació primero, pero era el primogénito debido a su preeminencia.

Asimismo, como señala el expositor Ray Stedman, «Ismael era trece años mayor que Isaac, pero Isaac es el primogénito. Aunque Esaú nació primero, Jacob se convierte en el primogénito».[33] Es evidente, pues, que el

---

[31] Reed, p. 97.

[32] Paul G. Weathers, «Answering the Arguments of Jehovah's Witnesses Against the Trinity», Contend for the Faith, ed. Eric Pement (Chicago: EMNR, 1992), p. 138.

[33] Ray Stedman, Hebrews (Downers Grove: InterVarsity, 1992), p. 29.

término «primogénito» no se refiere al primero en nacer, sino al preeminente en la familia.

Pregunte...

- En vista que David era el hijo de Isaí que nació de último, ¿qué cree usted que quiere decir la Escritura cuando le llama el primogénito (Sal. 89:27)? David era el hijo *preeminente*.
- En vista que Efraín le nació a José después de Manasés, ¿a qué cree que se refiere la Escritura cuando llama a Efraín el primogénito (Jer. 31:9)? Efraín era el hijo *preeminente*.

El erudito F.F. Bruce comenta lo que el término «primogénito» llegó a significar para los que vivían en tiempos bíblicos: «Hacía tiempo que la palabra primogénito había dejado de usarse exclusivamente en su sentido literal, igual que *prime* (de la palabra latina *primus*—'primero') con nosotros. El Primer Ministro no es el primer ministro que hemos tenido; es el más preeminente... Del mismo modo, primogénito pasó a denotar [entre los antiguos] no prioridad en el tiempo, sino preeminencia en el rango».[34]

Bruce dice que para que Colosenses 1:15 significara lo que los testigos de Jehová quieren que signifique (la primera creación de Dios), Pablo no habría llamado a Cristo el «primogénito» (*prototokos*), sino el «primer creado» (*protoktisis*), un término que nunca se utiliza para referirse a Cristo en el Nuevo Testamento.[35] De hecho, como señala el exégeta del griego J.B. Lightfoot, «Los padres del siglo IV llamaron la atención con razón sobre el hecho de que el apóstol no escribe *protoktisis* ['creado de primero'], sino *protokokos* ['primogénito']».[36]

En vista de esta distinción entre «primogénito» y «creado primero»:

Pregunte...

- ¿Por qué no usó el apóstol Pablo el término «creado de primero» (*protoktisis*) en Colosenses 1:15 si quería comunicar que Cristo fue creado por Jehová?[37]

---

[34] F.F. Bruce, en Inerrancy, ed. Norman L. Geisler (Grand Rapids: Zondervan, 1979).
[35] Bruce, en Geisler.
[36] J.B. Lightfoot, Paul's Epistles to the Colossians and to Philemon (Grand Rapids: Zondervan, 1979), p. 147.
[37] Jerry y Marian Bodine, Witnessing to the Witnesses (Irvine: n.p., n.d.), p. 40.

Puesto que un aspecto clave de la palabra «primogénito» tiene que ver con ser heredero, debemos preguntarnos: ¿En qué sentido es Jesús heredero? Robert Bowman señala que «Cristo, como Hijo de Dios, es 'heredero' del Padre porque todo lo que es del Padre es también del Hijo». Por supuesto, se trata de una forma de hablar, y no debe interpretarse demasiado literalmente (¡Dios Padre nunca morirá y «dejará su herencia» al Hijo!). Se trata simplemente de que, al igual que decimos que el hijo primogénito de un hombre suele ser el heredero de todos sus bienes, Colosenses 1:15 llama a Cristo el 'primogénito [heredero] de toda la creación'» (énfasis añadido).[38] El «patrimonio» heredado por el «heredero» (Cristo) es «toda la creación». Que Cristo sea el heredero de todo tiene sentido, porque Cristo es también el Hacedor de todo (Col. 1:16). Por derecho divino, toda la creación le pertenece.

Juan 3:16: Jesús, el Hijo «unigénito»

La enseñanza de la Watchtower. En la *Traducción del Nuevo Mundo* se lee Juan 3:16, «Porque Dios amó tanto al mundo que entregó a su *Hijo unigénito* para que nadie que demuestre tener fe en él sea destruido, sino que tenga vida eterna» (énfasis añadido).

¿En qué sentido es Jesús el Hijo «unigénito» de Dios? *Ayuda para entender la Biblia* nos dice que «en virtud de ser la única creación directa de su Padre, el Hijo primogénito era único, diferente de todos los demás hijos de Dios, todos los cuales fueron creados o engendrados por Jehová por medio de ese Hijo primogénito».[39]

El folleto de la Watchtower *¿Debería usted creer en la Trinidad?* señala que Isaac es llamado el hijo «unigénito» de Abraham en Hebreos 11:17. El folleto dice que «no puede haber duda de que en el caso de Isaac fue unigénito en el sentido normal».[40] Este es el mismo sentido en que la palabra se usa de Jesucristo: «Dios Todopoderoso puede ser llamado con razón su [de Jesús] Engendrador, o Padre, en el mismo sentido en que un padre terrenal, como Abraham, engendra a un hijo».[41]

---

[38] Bowman, p. 62.
[39] Aid to Bible Understanding, p. 918.
[40] Should You Believe in the Trinity?, p. 16.
[41] Should You Believe in the Trinity?, p. 16.

La Sociedad Watchtower concluye de este versículo que «la frase 'Hijo de Dios' se refiere a Jesús como un ser creado separado, no como parte de una Trinidad. Como Hijo de Dios, no podía ser Dios mismo».[42] De hecho, «Dios es el mayor. Jesús es el menor—en tiempo, posición, poder y conocimiento».[43]

La enseñanza bíblica. Abordemos primero este último argumento de la Watchtower. Para empezar, es importante señalar que Isaac no fue el hijo «unigénito» de Abraham en el sentido de que Isaac fue el único hijo que Abraham engendró. Abraham tuvo varios hijos, incluyendo a Ismael, cuyo nacimiento precedió al de Isaac. Del contexto bíblico completo se desprende claramente que Isaac era el hijo «unigénito» de Abraham en el sentido de que era un hijo *único* para Abraham.[44]

Pregunte...

- Puesto que hubo otros hijos nacidos (o «engendrados») de Abraham—demostrando así que Isaac no era literalmente el hijo «unigénito» de Abraham—¿qué cree usted que quieren decir las Escrituras cuando llaman a Isaac el hijo «unigénito» de Abraham?

- ¿No queda claro por el contexto que, puesto que los propósitos del pacto de Dios debían llevarse a cabo a través de Isaac y su línea familiar, Isaac fue llamado «unigénito» en el sentido de su unicidad?

En cuanto al argumento de la Watchtower de que Jehová engendró a Jesús en el mismo sentido en que Abraham engendró a Isaac, Robert Bowman hace una observación interesante: «Si esta línea de razonamiento fuera sólida... sugeriría una conclusión bastante embarazosa para los testigos de Jehová. Porque si Dios es el Padre de Jesús 'en el mismo sentido en que un padre terrenal... engendra a un hijo', entonces parecería que Jesús debe haber tenido una madre celestial, así como un Padre celestial».[45]

De nuevo, el punto crítico que usted debe hacer a los testigos de Jehová es este: Las palabras «unigénito» no significan que Cristo fue creado (como

---

[42] Should You Believe in the Trinity?, p. 16.
[43] Should You Believe in the Trinity?, p. 16.
[44] Bowman, p. 82.
[45] Bowman, p. 82.

enseñó el hereje Arrio). Más bien significan que Él era «único», «especialmente bendecido» o «favorecido». El teólogo John F. Walvoord, en su libro clásico *Jesus Christ Our Lord* [*Jesucristo Nuestro Señor*], señala que «el pensamiento es claramente que Cristo es el Engendrado de Dios en el sentido en que ningún otro lo es».[46] El erudito reformado Benjamin Warfield también comenta: «El adjetivo 'unigénito' transmite la idea, no de derivación y subordinación, sino de unicidad y consustancialidad: Jesús es todo lo que Dios es, y sólo Él es esto».[47]

Jesús: El Hijo Eterno de Dios. La idea de que el título Hijo de Dios indica inferioridad respecto al Padre, se basa en una concepción errónea de lo que significaba la frase «hijo de...» entre los antiguos. Aunque el término *puede* referirse a «descendiente de» en algunos contextos, también conlleva el importante significado de «del orden de».[48] La frase se usa así a menudo en el Antiguo Testamento. Por ejemplo, «hijos de los profetas» significaba «del orden de los profetas» (1Re. 20:35). «Hijos de los cantores» significaba «del orden de los cantores» (Neh. 12:28). Del mismo modo, la frase «Hijo de Dios» significa «del orden de Dios», y representa una afirmación de deidad no disminuida.

Los antiguos semitas y orientales utilizaban la frase «hijo de...» para indicar semejanza o similitud de naturaleza e igualdad de ser.[49] Por lo tanto, cuando Jesús afirmó ser el Hijo de Dios, sus contemporáneos judíos comprendieron plenamente que estaba afirmando ser Dios en un sentido no calificado. Warfield afirma que, desde los primeros días del cristianismo, se entendía que la frase «Hijo de Dios» equivalía plenamente a Dios.[50] Por eso, cuando Jesús afirmó ser el Hijo de Dios, los judíos insistieron: «Tenemos una ley, y según esa ley debe morir porque se ha hecho Hijo de Dios» (Jn. 19:7). Al reconocer que Jesús se identificaba como Dios, los judíos querían condenarle a muerte por cometer blasfemia (véase Lev. 24:16).

---

[46] John F. Walvoord, Jesus Christ Our Lord (Chicago: Moody, 1980), p. 44.
[47] Benjamin B. Warfield, The Person and Work of Christ (Filadelfia: Presbyterian and Reformed, 1950), p. 56.
[48] James Oliver Buswell, A Systematic Theology of the Christian Religion (Grand Rapids: Zondervan, 1979), 1:105.
[49] Charles Ryrie, Basic Theology (Wheaton: Victor, 1986), p. 248.
[50] Warfield, p. 77.

Pregunte…

- Si la frase «hijo de…» significaba *igualdad de naturaleza* e *igualdad de ser* entre los antiguos, como claramente lo demuestran los records históricos, entonces ¿qué nos dice esto sobre el significado de la frase escritural «Hijo de Dios»?

Las Escrituras indican que la filiación de Cristo es una filiación eterna.[51] Una cosa es decir que Jesús se convirtió en el Hijo de Dios y otra muy distinta es decir que siempre fue el Hijo de Dios. Debemos reconocer que, si hubo un tiempo en que el Hijo no era el Hijo, entonces, para ser coherentes, también hubo un tiempo en que el Padre no era el Padre. Si la designación de la primera persona como «Padre» es un título eterno, entonces la designación de la segunda persona como «Hijo» debe considerarse así. Visto así, la identidad de Cristo como Hijo de Dios no implica inferioridad alguna.

La filiación antes de la encarnación. Una clara evidencia de la filiación eterna de Cristo se encuentra en el hecho de que se le representa como el Hijo de Dios antes de su nacimiento humano en Belén. Recordemos, por ejemplo, la conversación de Jesús con Nicodemo en Juan 3, cuando dijo: «Porque de tal manera amó Dios al mundo, que ha *dado* a su Hijo unigénito, para que todo aquel que en él cree, no se pierda, mas tenga vida eterna. Porque Dios no *envió* a su Hijo *al* mundo para condenar al mundo, sino para que el mundo fuera salvo por él» (Jn. 3:16-17, énfasis añadido). Que Cristo, como Hijo de Dios, fuera enviado al mundo implica que ya era Hijo de Dios *antes* de la encarnación.

Esto también se ve en Juan 11, donde encontramos a Jesús consolando a Marta y María por la muerte de su hermano Lázaro. Antes de resucitar a Lázaro, Jesús dijo a Marta: «Yo soy la resurrección y la vida. El que cree en mí, aunque esté muerto, vivirá; y todo el que vive y cree en mí no morirá jamás. ¿Crees en esto?» (Jn. 11:25-26). Marta respondió: «Sí, Señor; creo que tú eres el Cristo, el Hijo de Dios, que viene al mundo» (v. 27). Para que no se malinterpreten las palabras de Marta, debemos subrayar que su afirmación refleja la sensación de que el Cristo, el Hijo de Dios, ha

---

[51] Walvoord, Jesus Christ Our Lord, pp. 22-25.

pasado del reino del cielo y *de* la eternidad *al* reino de la tierra y del tiempo.

El Hijo de Dios en Proverbios. El capítulo 30 de Proverbios fue escrito por un hombre piadoso llamado Agur. En los cuatro primeros versículos, reflexiona sobre la incapacidad del hombre para comprender al Dios infinito. En consecuencia, se rinde y reconoce humildemente su ignorancia. Comunica con eficacia la idea de que la reverencia a Dios es el principio de la verdadera sabiduría.

Las reflexiones de Agur se presentan en una serie de preguntas. Él dice,

> ¿Quién subió al cielo, y descendió? ¿Quién encerró los vientos en sus puños? ¿Quién ató las aguas en un paño? ¿Quién afirmó todos los términos de la tierra? *¿Cuál es su nombre, y el nombre de su hijo*, si sabes? (v. 4, énfasis añadido)

Muchos eruditos—incluidos los renombrados estudiosos del Antiguo Testamento C.F. Keil y F. Delitzsch— admiten la probabilidad de que se trate de una referencia del Antiguo Testamento a la primera y segunda personas de la Trinidad, el Padre eterno y el Hijo eterno de Dios.[52][51] Y es muy significativo que esta porción de la Escritura no sea una profecía predictiva que hable de un futuro Hijo de Dios. Más bien, habla de Dios Padre y Dios Hijo en términos de tiempo presente durante los tiempos del Antiguo Testamento.

Esto significa que la respuesta a cada una de las cuatro preguntas de Proverbios 30:4 debe ser Dios. Y el mismo hecho de que Agur preguntara por el nombre del Hijo de Dios parece implicar el reconocimiento, por inspiración divina, de la pluralidad dentro de la Divinidad.[53]

Otra prueba de la filiación eterna de Cristo se encuentra en Hebreos 1:2, donde se dice que Dios creó el universo por medio de su Hijo, lo que implica que Cristo era el Hijo de Dios antes de la creación. Además, se dice explícitamente que Cristo como Hijo existía «antes de todas las cosas»

---

[52] C.F. Keil y F. Delitzsch, Commentary on the Old Testament, vol. 6 (Grand Rapids: Eerdmans, 1986), pp. 273-78; Robert Jamieson, A.R. Fausset, y David Brown, A Commentary— Critical, Experimental, and Practical—on the Old and New Testaments (Grand Rapids: Eerdmans, 1973), p. 508.

[53] R. Laird Harris, «Proverbs», en The Wycliffe Bible Commentary, eds. Charles F. Pfeiffer y Everett F. Harrison (Chicago: Moody, 1974), p. 581.

(Col. 1:17; compárese con los versículos 13-14). Y Jesús, hablando como Hijo de Dios (Jn. 8:54-56), afirma su preexistencia eterna antes de Abraham (v. 58).[54]

Claramente, entonces, a la luz de todo lo anterior, el punto de vista bíblico es que Jesús es eternamente el Hijo de Dios. Cualquier intento de relegar a Cristo a una posición inferior a la de Dios simplemente por su título de Hijo de Dios es malinterpretar lamentablemente lo que el término significaba realmente entre los antiguos.

Miqueas 5:2: El «origen» de Jesús

La enseñanza de la Watchtower. En la *Traducción del Nuevo Mundo* Miqueas 5:2 dice, «Y de ti, Belén Efrata, la que es demasiado pequeña para estar entre los clanes de Judá, de ti saldrá para mí el que será gobernante en Israel; *su origen se remonta a tiempos antiguos, a los días de mucho tiempo atrás*» (énfasis añadido).

Los testigos de Jehová citan a menudo este versículo para demostrar que Jesús surgió en un momento dado y que, por tanto, no puede ser Dios Todopoderoso como lo es el Padre. Según su traducción, el origen de Jesús es «de tiempos antiguos, a los días de mucho tiempo atrás». Los testigos concluyen de este versículo que, aunque Jesús es un ser creado, lo fue hace mucho tiempo. De hecho, «si las estimaciones de los científicos actuales sobre la edad del universo físico son correctas, la existencia de Jesús como criatura espiritual comenzó miles de millones de años antes de la creación del primer ser humano».[55]

La enseñanza bíblica. La Reina Valera traduce Miqueas 5:2, «Pero tú, Belén Efrata, pequeña entre los clanes de Judá, de ti saldrá el que gobernará a Israel; *sus orígenes son de un pasado distante, desde tiempos antiguos*» (énfasis añadido). Se trata claramente de una profecía sobre Cristo y su próximo nacimiento en Belén. Sin embargo, más importante

[54] Debo estas evidencias a Robert Bowman.
[55] Aid to Bible Understanding, p. 918.

que el lugar de su nacimiento es la afirmación de Miqueas de la naturaleza eterna de Cristo.[56]

Usted querrá señalar al testigo de Jehová que la frase hebrea traducida «de un pasado distante» es exactamente la misma que usó el profeta Habacuc para referirse a la naturaleza eterna de Jehová-Dios (Hab. 1:12). Ciertamente, esto no significa que Jehová sea un ser creado. Podemos concluir, entonces, que el uso que hace Miqueas de la frase apunta a la naturaleza eterna *de Cristo*, así como el término apunta a la naturaleza eterna de Jehová en el libro de Habacuc. Además, la frase «desde el principio» es literalmente «días de tiempo *inconmensurable*» (énfasis añadido).[57] En conjunto, los dos términos transmiten «la afirmación más contundente de duración infinita de la que es capaz la lengua hebrea».[58] Por lo tanto, estos términos sitúan a Cristo más allá del tiempo por completo. Él es, junto con el Padre y el Espíritu Santo, el eterno, y su reinado se remonta a la eternidad.

Pregunte...

- Ya que la frase «de un pasado distante» es usada por el profeta Habacuc para referirse a la naturaleza eterna de *Jehová-Dios* (Hab. 1:12), entonces, para ser consistentes, ¿no deberíamos concluir que la frase idéntica en Miqueas 5:2 se refiere a la naturaleza eterna de Cristo?

Es fundamental comprender lo que significa el término hebreo «orígenes» en la frase «sus orígenes son de un pasado distante, desde tiempos antiguos» (Miq. 5:2). No significa que Cristo tuviera un origen en el sentido de que tuviera un principio. Más bien, el término hebreo significa literalmente «salidas». La última parte de Miqueas 5:2 podría traducirse así: «y sus salidas son desde el principio, desde los días de la eternidad». De hecho, la Septuaginta—la traducción griega del Antiguo Testamento hebreo anterior a la época de Cristo—traduce la frase de esta manera.[59]

---

[56] E.W. Hengstenberg, Christology of the Old Testament (Grand Rapids: Kregel, 1970), pp. 586-95.

[57] The Bible Knowledge Commentary, p. 1486.

[58] Jamieson, Fausset, y Brown, p. 600.

[59] Robert L. Reymond, Jesus, Divine Messiah: The Old Testament Witness (Escocia, Gran Bretaña: Christian Focus Publications, 1990), pp. 60-61.

El estudioso del Antiguo Testamento John A. Martin sugiere que estas «salidas» probablemente se refieran a las «victorias de Cristo en la creación, teofanías [apariciones previas a la encarnación] y tratos providenciales» en el universo.[60] Robert Reymond relaciona igualmente las «salidas» de Cristo con la creación y el sustento del universo.[61] Charles C. Ryrie dice que la frase «se refiere principalmente a las apariciones previas a la encarnación de Cristo como el Ángel del Señor, afirmando así la existencia de Cristo antes de su nacimiento en Belén».[62] Claramente, Miqueas 5:2 constituye una poderosa evidencia de la deidad eterna de Cristo. Los testigos de Jehová abusan de este verso diciendo que «prueba» que Jesús es un ser creado.

1Corintios 11:3: ¿Dios, la cabeza de Cristo?

La enseñanza de la Watchtower. En la *Traducción del Nuevo Mundo* 1Corintios 11:3 dice, «Pero quiero que sepan que la cabeza de todo hombre es el Cristo, que la cabeza de la mujer es el hombre y *que la cabeza del Cristo es Dios*» (énfasis añadido). Los testigos de Jehová dicen que, porque se dice que Jehová es la cabeza de Cristo, entonces Cristo no puede ser Dios. Si Cristo fuera Dios, entonces Él sería la cabeza.

El libro *Razonamiento a partir de las Escrituras* sostiene que 1Corintios 11:3 muestra que Jehová es superior en rango a Jesús, demostrando así que Jesús no es Dios Todopoderoso. El libro también argumenta que como 1Corintios fue escrito alrededor del año 55 d.C. (22 años después de que Jesús hubiera ascendido al cielo), entonces este rango superior de Jehová sobre Jesús se aplica a la relación actual entre ambos en el cielo. Si Jesús fuera verdaderamente Dios Todopoderoso, entonces no habría nadie en un rango superior a Él. En consonancia con esto, el folleto *¿Debe usted creer en la Trinidad?* comenta: «No sólo es Dios Todopoderoso, Jehová, una personalidad separada de Jesús, sino que es en todo momento su superior. Jesús siempre es presentado como separado y menor, un humilde siervo de Dios».[63]

---

[60] The Bible Knowledge Commentary, p. 1486.
[61] Reymond, Jesus, Divine Messiah: The Old Testament Witness, p. 61.
[62] Charles Ryrie, The Ryrie Study Bible (Chicago: Moody, 1986), p. 1247.
[63] Should You Believe in the Trinity?, p. 20.

La enseñanza bíblica. Un examen detenido de 1Corintios 11:3 muestra que no tiene nada que ver con la inferioridad o superioridad de una persona sobre otra; más bien, tiene que ver con patrones de autoridad. Observe que Pablo dice que el hombre es la cabeza de la mujer, aunque hombres y mujeres son completamente iguales en su ser esencial. La Biblia enseña claramente que hombres y mujeres son iguales en términos de naturaleza. Ambos son humanos y creados a imagen de Dios (Gén. 1:26-28). También se dice que son uno en Cristo (Gál. 3:28). Estos versículos, tomados con 1Corintios 11:3, nos muestran que la igualdad del ser y la jerarquía social no se excluyen mutuamente. Aunque los hombres y las mujeres son completamente iguales en cuanto a su naturaleza, existe sin embargo una jerarquía funcional entre ellos.

Del mismo modo, Cristo y el Padre son completamente iguales en su ser divino (Jesús dijo: «Yo y el Padre somos uno» [Jn. 10:30]), aunque Jesús está funcionalmente bajo la jefatura del Padre. No hay contradicción en afirmar tanto una igualdad de ser como una subordinación funcional entre las Personas de la Divinidad. Cristo en su naturaleza divina es plenamente igual al Padre, aunque relacionalmente (o funcionalmente) esté subordinado o sumiso al Padre, especialmente desde que se hizo hombre. Por tanto, 1Corintios 11:3 no implica en modo alguno que Jesús sea menos que Dios.

Pregunte…

- ¿Son las mujeres inferiores en naturaleza a los hombres porque los hombres ejercen autoridad sobre ellas?
- Si la autoridad del hombre sobre la mujer no significa que las mujeres son inferiores en naturaleza, entonces, ¿por qué la Watchtower insiste en que la jefatura del Padre sobre el hijo significa que Cristo es inferior en naturaleza (es decir, que es un «dios menor»)?

1Corintios 15:28: ¿Está Cristo «sometido» al Padre?

La enseñanza de la Watchtower. Primera de Corintios 15:28 en la *Traducción del Nuevo Mundo* dice: «Y, cuando todas las cosas hayan sido sometidas a él, entonces *el Hijo mismo también se someterá* a aquel que sometió todas las cosas a él, para que Dios sea todas las cosas para todos» (énfasis añadido). *Razonando a partir de las Escrituras* cita este pasaje como una prueba más allá de toda duda de que Jesús no es igual al Padre y no es Dios Todopoderoso.[64] El libro de la Watchtower *Sea Dios hallado veraz* nos dice igualmente que todas las personas—Jesús incluido—están en completa sujeción a Jehová-Dios.[65] Si Cristo fuera Dios Todopoderoso, se argumenta, no estaría en sujeción a nadie.

La enseñanza bíblica. Al responder a los testigos de Jehová sobre este versículo, debe enfatizar que la palabra «someter» en 1Corintios 15:28 no tiene nada que ver con la naturaleza o el ser esencial de Cristo. Más bien, la palabra apunta a la sujeción funcional de Cristo a Dios Padre como Dios-hombre y mediador en la realización del plan de salvación. «Como hombre perfecto, Cristo tenía que ser obediente a Dios y cumplir así el plan divino de redimir a la humanidad. Jesús se sometió voluntariamente a ese plan, a Dios Padre, para salvar a la humanidad de la separación eterna de Dios».[66]

Los testigos de Jehová intentan dar mucha importancia al hecho de que incluso ahora, en el estado glorificado, Cristo está sometido al Padre. Así, dan a entender que Jesús no es Dios en el mismo sentido en que lo es el Padre. Esta posición asume, sin embargo, que Jesús no retuvo su naturaleza humana. Los testigos de Jehová intentan argumentar que Jesús no resucitó en un cuerpo humano, sino que fue resucitado (o recreado) como una criatura espiritual. Si a un testigo se le puede demostrar que Jesús aún retiene su naturaleza humana, entonces su posición se evapora en gran medida—porque Cristo como hombre (hoy y siempre) siempre estará en sujeción al Padre.

Es crítico, entonces, que usted establezca su caso para la existencia continua de Cristo como el Dios-hombre glorificado, todavía en la retención completa de su naturaleza humana. Señale que Cristo resucitó inmortal en el mismo cuerpo humano en el que murió (Lc. 24:37-39; Hch. 2:31; 1Jn. 4:2; 2Jn. 7). Jesús mismo dijo que «un espíritu no tiene carne ni huesos, como veis que yo tengo» (Lc. 24:39). Cuando Cristo ascendió al cielo, lo hizo en el mismo cuerpo humano físico, como atestiguaron varios

---

[64] Reasoning from the Scriptures, p. 410.
[65] Let God Be True, p. 104.
[66] Josh McDowell y Bart Larson, Jesus: A Biblical Defense of His Deity (San Bernardino: Here's Life, 1975), p. 90.

de sus discípulos (Hch. 1:11). Como mediador entre Dios y el hombre, se dice específicamente que Cristo posee actualmente una naturaleza humana (1Ti. 2:5). Cuando Cristo regrese, lo hará como el «Hijo del Hombre», un título mesiánico que apunta claramente a su humanidad (Mt. 26:64).

Dado que Cristo aún posee su naturaleza humana, *sigue estando sometido* al Padre.[67]66 Pero esto no hace que Jesús sea inferior al Padre en cuanto a su naturaleza divina. Cristo es el hombre-Dios. Desde el punto de vista humano, Jesús es menor que el Padre. Pero en el lado divino, Jesús es siempre igual al Padre. Usted debe hacer entender este punto a los testigos de Jehová.

Otro punto es que, incluso aparte de su humanidad, Jesús siempre ha estado y siempre estará en sujeción al Padre, porque *esta es la naturaleza de la relación de las Personas en la Trinidad*. La sujeción de Jesús al Padre trasciende su corta vida en la tierra como Dios encarnado.

Una vez más, esto no significa que Jesús sea menos Dios que el Padre; simplemente refleja la relación jerárquica en la Trinidad. Como ya se ha dicho, no hay contradicción en afirmar tanto la igualdad de ser como la subordinación funcional entre las Personas de la Divinidad. Cristo en su naturaleza divina es completamente igual al Padre, aunque relacionalmente (o funcionalmente) está subordinado o sujeto.

Así sucede con el hombre y la mujer. Aunque son completamente iguales en su naturaleza (Gén. 1:26-28; Gál. 3:28), existe una relación jerárquica entre ellos (1Co. 11:3). *The New Treasury of Scripture Knowledge* comenta: «La subordinación... del Hijo al Padre es una relación voluntaria, aunque evidentemente permanente que no resta ni niega la igual deidad del Hijo, como tampoco el orden divino de la sumisión de la mujer al marido (1Co. 11:3) en la relación marido/mujer resta su igualdad y humanidad esenciales, ni implica su inferioridad».[68]

Pregunte...

- ¿Piensa usted que una *igualdad en ser* y una *subordinación funcional* son incompatibles entre sí?

---

[67] Bowman, p. 80.
[68] The New Treasury of Scripture Knowledge, ed. Jerome H. Smith (Nashville: Thomas Nelson Publishers, 1992), p. 1347.

- ¿Piensa usted que una *igualdad en ser* y una *subordinación funcional* son ilustradas en la relación que existe entre los hombres y las mujeres (1Co. 11:3)? (Quizá quiera leer este verso en voz alta)
- Si la jefatura del hombre sobre la mujer no significa que la mujer tiene una naturaleza inferior, entonces, ¿por qué la Watchtower insiste en que la jefatura del Padre sobre Cristo significa que Cristo tiene una naturaleza inferior?

Por último, debe explicar al testigo de Jehová lo que enseña realmente 1Corintios 15:28. En el plan eterno de salvación, el papel del Hijo eterno era convertirse en el mediador (el «intermediario») entre el hombre y Dios Padre. Pero este papel de mediador no es eterno en su alcance. En ese tiempo futuro, cuando la tarea de la redención del hombre esté completa, el mediador (Cristo) entregará voluntariamente el reino a Aquel que le envió al mundo para llevar a cabo la redención, Dios Padre.

En ese momento, la función mediadora del Hijo se habrá completado. «Cuando entregue la administración del reino terrenal al Padre, entonces el Dios trino reinará como Dios y ya no a través del Hijo encarnado».[69] De hecho, «a lo largo de las interminables edades de la eternidad, el Dios trino Jehová impregnará el universo con su amor y gloria celestiales. Dios será entonces inmediatamente conocido por todos. Qué glorioso destino aguarda a los redimidos del Señor».[70]

ɔɕ

En este capítulo hemos examinado un número de «textos de prueba» usado por la Sociedad Watchtower para argumentar la supuesta inferioridad de Cristo. Examinaremos más textos de prueba de la Watchtower en el capítulo 6.

---

[69] The Wycliffe Bible Commentary, p. 1257.
[70] F.W. Thomas, Masters of Deception (Grand Rapids: Baker Books, 1983), p. 21.

6

¿ES CRISTO INFERIOR AL PADRE?-PARTE 2

En el capítulo anterior vimos que la Sociedad Watchtower constantemente tuerce y distorsiona pasajes de las Escrituras para hacer parecer que Cristo es inferior al Padre. En el presente capítulo, continuaremos nuestra revisión, comenzando con un «texto de prueba» estándar de la Watchtower—Juan 14:28, donde Jesús declara: «El Padre es mayor que yo» (TNM).

Razonando a la luz de la Biblia

Juan 14:28: «El Padre es mayor que yo»

La enseñanza de la Watchtower. Leemos Juan 14:28 en la *Traducción del Nuevo Mundo* de la siguiente manera, «Oyeron que les dije: 'Me voy y volveré a ustedes'. Si me aman, les alegrará que vaya al Padre, *porque el Padre es mayor que yo*» (énfasis añadido). El libro *Sea Dios hallado veraz* nos dice que Jehová es mayor que Jesús no solo en cuanto a su *cargo*, sino también en cuanto a su *persona*.[1] Jehová es *intrínsecamente* más grande que Jesús.

---

[1] «Let God Be True» (Brooklyn: Watchtower Bible and Tract Society, 1946), p. 110.

La Sociedad Watchtower concluye de esto, que como Jehová es el «mayor» de los dos, Jesús no puede ser Dios Todopoderoso. El hecho de que Jesús sea *menor* que Jehová prueba que no puede ser Dios *en el mismo sentido* que Jehová.[2] De hecho, «en numerosas ocasiones Jesús expresó su inferioridad y subordinación a su Padre... Incluso después de la ascensión de Jesús a los cielos, sus apóstoles siguieron presentando la misma imagen».[3]

La enseñanza bíblica. Es fundamental reconocer que en Juan 14:28, Jesús no está hablando de su naturaleza o de su ser esencial (Cristo había dicho anteriormente: «Yo y el Padre somos uno» a este respecto [Jn. 10:30]), sino más bien de su posición humilde en la encarnación.[4] El Credo Atanasiano afirma que Cristo es «igual al Padre en cuanto a su divinidad e inferior al Padre en cuanto a su humanidad».[5]

En su comentario *Exposition of the Gospel of John*, Arthur W. Pink relaciona la afirmación de Cristo de que el Padre era «mayor» que Él con la gran humillación que Cristo sufrió al hacerse hombre:

Al encarnarse y habitar entre los hombres, [Cristo] se había humillado grandemente, al elegir descender a la vergüenza y al sufrimiento en sus formas más agudas... En vista de ello, Cristo contrastaba ahora su situación con la del Padre en el santuario celestial. El Padre estaba sentado en el trono de la más alta majestad; el resplandor de su gloria era inmaculado; estaba rodeado de huestes de seres santos, que le adoraban con alabanzas ininterrumpidas. Muy diferente era la situación de su Hijo encarnado: despreciado y rechazado por los hombres, rodeado de enemigos implacables, pronto a ser clavado en la cruz de un criminal.[6]

---

[2] Reasoning from the Scriptures (Brooklyn: Watchtower Bible and Tract Society, 1989), p. 410.

[3] Aid to Bible Understanding (Brooklyn: Watchtower Bible and Tract Society, 1971), p. 919.

[4] Leon Morris, The Gospel According to John (Grand Rapids: Eerdmans, 1971), p. 658.

[5] Robert M. Bowman, Why You Should Believe in the Trinity (Grand Rapids: Baker Books, 1989), pp. 14-15.

[6] Arthur W. Pink, Exposition of the Gospel of John, vol. 3 (Swengel: Bible Truth Depot, 1945), pp. 281-82.

El regreso de Jesús al Padre rectificaría total y completamente esta situación, algo que debería haber causado el regocijo de sus discípulos, pero no fue así. El apologista cristiano James White explica:

¿Por qué se refiere al Padre como más grande que Él? Lo hace porque está reprochando a los discípulos su egoísmo. Les había dicho que volvía a la presencia del Padre. Si le amaran de verdad... este anuncio les habría causado alegría. ¿Por qué? Porque el Padre es más grande que el Hijo.

Ahora podemos ver inmediatamente lo que significa el término «mayor». Si significara «mejor» como en «un tipo de ser superior», estas palabras no tendrían significado. ¿Por qué se regocijarían los discípulos porque Jesús iba a ver a un ser que es mayor que Él? ¿Por qué se alegrarían? Pero el término no se refiere a «mejor» sino a «mayor» como *posicionalmente* mayor. El Hijo estaba regresando al lugar que tenía con el Padre antes de que el mundo fuera (Jn. 17:5). Ya no caminaría por los polvorientos caminos de Galilea, rodeado de pecado, enfermedad y miseria. Ya no sería objeto de ataques y burlas por parte de legiones de escribas y fariseos. Por el contrario, estaría a la derecha del Padre, en el mismo cielo. Así que vemos que el término «mayor» habla de la posición del Padre en el cielo frente a la posición del Hijo en la tierra... Pronto dejaría esta posición humilde y volvería a su posición de gloria. Si los discípulos hubieran pensado en las ramificaciones de las palabras de Jesús, se habrían alegrado de que Él fuera a ese lugar. En cambio, estaban centrados en sí mismos y en sus propias necesidades, no en la glorificación de su Señor.[7]

Después de explicar todo esto al testigo de Jehová…

Pregunte…
- ¿Puede usted ver que la palabra «mayor» en Juan 14:28 debe interpretarse en el contexto de Jesús diciendo que regresaba al Padre en el cielo? Visto así, ¿no comunica la palabra la grandeza

---

[7] James White, The Forgotten Trinity (Minneapolis: Bethany House, 1998), p. 90.

posicional del Padre mientras Jesús estaba todavía en un estado de humillación y doblegamiento en la tierra?

La posición inferior de Cristo: Filipenses 2:6-9. Al discutir cómo el Padre es «mayor» que Cristo, querrá centrar parte de su atención en Filipenses 2:6-9. El apóstol Pablo, hablando de la encarnación, dijo que Cristo, «siendo en forma de Dios, no estimó el ser igual a Dios como cosa a que aferrarse, sino que se despojó a sí mismo, tomando forma de siervo, hecho semejante a los hombres» (vv. 6-7).

La afirmación de Pablo de que Cristo era «en forma de Dios» es sumamente significativa. Cristo en su ser esencial *es* y *siempre* ha sido Dios eterno, tanto como el Padre y el Espíritu Santo. El teólogo Charles Ryrie señala que la palabra forma en griego connota «lo que es intrínseco y esencial a la cosa. Por tanto, aquí significa que nuestro Señor en su estado preencarnado poseía la deidad esencial».[8] El teólogo reformado Benjamin Warfield comenta que la palabra forma es un término «que expresa la suma de aquellas cualidades que caracterizan y que hacen de una cosa la cosa precisa que es».[9] Usada para referirse a Dios, la palabra se refiere a «la suma de las características que hacen del ser que llamamos 'Dios', específicamente Dios, en lugar de algún otro ser—un ángel, por ejemplo, o un hombre».[10]

Es significativo que la existencia de Cristo «en la forma de Dios» se comunique mediante un participio de tiempo presente en Filipenses 2:6, que conlleva la idea de una existencia continuada como Dios.[11] Aquí el pensamiento es que «Cristo siempre ha estado en la forma de Dios con la implicación de que todavía lo está».[12] Robert Reymond señala que «cuando tenemos en cuenta la fuerza del participio presente, que transmite la idea de 'subsistir continuamente [de antemano]' (lo que a su vez excluye cualquier insinuación de que este modo de subsistencia llegó a su fin cuando asumió la forma de siervo), tenemos aquí una afirmación tan audaz y sin reservas tanto de la preexistencia como de la deidad plena e íntegra de Jesucristo

---

[8] Charles Ryrie, Basic Theology (Wheaton: Victor, 1986), p. 261.

[9] Benjamin B. Warfield, The Person and Work of Christ (Filadelfia: Presbyterian and Reformed, 1950), p. 39.

[10] Warfield, p. 39.

[11] John F. Walvoord, Jesus Christ Our Lord (Chicago: Moody, 1980), p. 138.

[12] Walvoord, Jesus Christ Our Lord, pp. 138-39.

como se podría esperar encontrar en las páginas del Nuevo Testamento».[13] Así, Filipenses 2:6-9 indica que Jesucristo, en la eternidad pasada, existió continuamente y para siempre en la forma de Dios, manifestando exteriormente sus atributos divinos. *Este* es Aquel que nació del vientre de María como un ser humano, conservando al mismo tiempo su plena deidad.

Dicho todo esto sobre la deidad esencial de Cristo, queda una pregunta clave: ¿De qué manera Cristo se vació de sí mismo cuando se encarnó (Fil. 2:7)? En primer lugar, podemos estar seguros de que Jesús nunca renunció a su deidad cuando se encarnó. De hecho, esto es imposible, ya que Dios no puede dejar de ser Dios. La afirmación de Pablo de que Cristo se vació de sí mismo encarnación implica tres cuestiones básicas: el velo de su gloria preencarnada, la no utilización voluntaria (en algunas ocasiones) de algunos de sus atributos divinos, y la condescendencia implicada al asumir la semejanza de los hombres.

En cuanto al velo de la gloria preencarnada de Cristo, la Escritura indica que fue necesario que renunciara a la apariencia externa de Dios para tomar sobre sí la forma de hombre. Por supuesto, Cristo nunca renunció realmente a su gloria divina. Recordemos que en el Monte de la Transfiguración (antes de su crucifixión), Jesús permitió que su gloria intrínseca brillara por un breve tiempo, iluminando toda la ladera de la montaña (Mt. 17). Sin embargo, fue necesario que Jesús velara su gloria preencarnada para habitar entre los seres humanos mortales.

Si Cristo no hubiera velado su gloria preencarnada, la humanidad no habría podido contemplarlo. Habría sucedido lo mismo que cuando el apóstol Juan, más de cincuenta años después de la resurrección de Cristo, contempló a Cristo en su gloria y dijo: «Caí a sus pies como muerto» (Ap. 1:17); o, como cuando Isaías contempló la gloria de Cristo en su visión en el templo y dijo: «¡Ay de mí!». (Is. 6:5; compárese con Jn. 12:41).

En segundo lugar, cuando Cristo se despojó a sí mismo en la encarnación, se sometió a la no utilización voluntaria de algunos de sus atributos divinos (en algunas ocasiones) para cumplir sus objetivos. Cristo nunca podría haber renunciado realmente a ninguno de sus atributos, pues entonces habría dejado de ser Dios.[14] Pero pudo (y así lo hizo) dejar de usar

---

[13] Véase Robert L. Reymond, *Jesus, Divine Messiah: The New Testament Witness* (Phillipsburg: Presbyterian and Reformed, 1990), p. 258.

[14] Véase Millard J. Erickson, *The Word Became Flesh: A Contemporary Incarnational Christology* (Grand Rapids: Baker Books, 1991), p. 734.

voluntariamente algunos de ellos (en ocasiones) durante su estancia en la tierra (aproximadamente entre el 4 a.C. y el 29 d.C.) para vivir entre los seres humanos y sus limitaciones.

Aunque a veces Cristo decidió no usar sus atributos divinos, en otras ocasiones sí los usó. Por ejemplo, en diferentes oportunidades durante su ministerio de tres años, Jesús ejerció los atributos divinos de omnisciencia (es decir, saberlo todo—Jn. 2:24; 16:30), omnipresencia (estar presente en todas partes—Jn 1:48) y omnipotencia (ser todopoderoso, como lo demuestran sus muchos milagros—Jn 11). Por lo tanto, sean cuales sean las limitaciones que Cristo pudo haber sufrido cuando «se despojó a sí mismo» (Fil. 2:7), no restó ni un solo atributo divino ni se hizo en ningún sentido menos que Dios.

La pregunta que surge en este punto es: ¿Por qué Jesús decidió en ocasiones *no* utilizar algunos de sus atributos divinos? Parece que lo hizo para ser coherente con su propósito de vivir entre los seres humanos y sus limitaciones. No parece haber usado sus atributos divinos en su propio beneficio, aunque ciertamente fueron gloriosamente desplegados en los muchos milagros que realizó para otros.

Para ser más específicos, el testimonio bíblico indica que Cristo nunca utilizó su omnisciencia para hacer más fácil su propia vida como ser humano. «Sufrió todos los inconvenientes de su época a pesar de que en su omnisciencia divina tenía pleno conocimiento de todos los dispositivos humanos jamás concebidos para la comodidad humana».[15]

Cristo tampoco utilizó su omnipotencia u omnipresencia para hacer más fácil su vida en la tierra. Aunque podría, en su omnipotencia, haber querido ir instantáneamente de Betania a Jerusalén, en lugar de ello viajó a pie— como cualquier otro ser humano—y experimentó fatiga en el proceso. Por supuesto, como Dios, Cristo en su naturaleza divina (con su atributo de omnipresencia) estaba tanto en Betania como en Jerusalén al mismo tiempo. Pero durante su ministerio de tres años Él voluntariamente escogió no usar este atributo en aquellas ocasiones que habrían hecho su vida más fácil. «En una palabra, Él restringió los beneficios de sus atributos en lo que se refería a su andar en la tierra y voluntariamente eligió no usar sus

---

[15] Walvoord, Jesus Christ Our Lord, p. 144.

poderes para elevarse por encima de las limitaciones humanas ordinarias».[16]

En tercer lugar, cuando Cristo «se despojó a sí mismo» en la encarnación, se humilló a sí mismo tomando la «semejanza» (literalmente «forma» o «apariencia») de los hombres, y asumiendo la forma («esencia» o «naturaleza») de un siervo.[17] Cristo fue así verdaderamente humano. Esta humanidad estaba sujeta a la tentación, la angustia, la debilidad, el dolor, la pena y la limitación.[18] Pero al mismo tiempo, hay que señalar que la palabra «semejanza» sugiere similitud, pero diferencia. Como explica el teólogo Robert Lightner, «aunque su humanidad era genuina, se diferenciaba de todos los demás seres humanos en que era impecable».[19] No obstante, el hecho de que Cristo asumiera la semejanza de los hombres representó una gran entrega por parte de la segunda Persona de la Trinidad.

Los teólogos se han cuidado de señalar que la encarnación supuso una ganancia de atributos humanos y no una renuncia a los atributos divinos. El apóstol Pablo lo dejó claro cuando afirmó que en la encarnación Cristo «tomó forma de siervo», «nació en semejanza de hombre» y «fue hallado en forma humana» (Fil. 2:7-8). Como dijo J.I. Packer, «No era *menos* Dios entonces [en la encarnación] que antes; pero había empezado a ser hombre. No era ahora Dios *menos* algunos elementos de su deidad, sino Dios *más* todo lo que había hecho suyo al tomar para sí la condición de hombre. El que hizo al hombre aprendía ahora lo que se siente al *ser* hombre.[20] En otras palabras, la encarnación no supuso la *sustracción* de la deidad, sino la *adición* de la humanidad.

Así pues, para habitar entre los seres humanos, Cristo se hizo a sí mismo nada en el sentido de que veló su gloria preencarnada, se sometió a una no utilización voluntaria (sin renuncia) de algunos de sus atributos divinos y se dignó a asumir una naturaleza humana. Todo esto añade un gran significado a la afirmación de Jesús de que «el Padre es mayor que yo» (Jn. 14:28). Es evidente que Jesús hacía esta afirmación desde la perspectiva de la encarnación.

---

[16] Walvoord, Jesus Christ Our Lord, p. 144.

[17] Robert P. Lightner, «Philippians», en The Bible Knowledge Commentary, New Testament, eds. John F. Walvoord y Roy B. Zuck (Wheaton: Victor, 1983), p. 654.

[18] Walvoord, Jesus Christ Our Lord, p. 143.

[19] Lightner, p. 654.

[20] J.I. Packer, Knowing God (Downers Grove: InterVarsity, 1979), p. 50.

Juan 20:17: «Mi Dios y tu Dios»

La enseñanza de la Watchtower. Juan 20:17 en la *Traducción del Nuevo Mundo* dice: «Jesús le dijo: «Deja de agarrarte de mí, porque todavía no he subido al Padre. Vete adonde están mis hermanos y diles: 'Voy a subir a mi Padre y Padre de ustedes, a mi Dios y Dios de ustedes'» (énfasis añadido).

Como Jesús se refirió a «mi Padre» y «mi Dios», argumentan los testigos de Jehová, no es posible que Jesús sea el mismísimo Dios Todopoderoso. En efecto, como dice *Razonando a partir de las Escrituras*, «para Jesús resucitado, el Padre era Dios, igual que el Padre era Dios para María Magdalena».[21] Por el contrario, «nunca en la Biblia se dice que el Padre se refiera al Hijo como 'mi Dios'».[22]

La enseñanza bíblica. ¿Por qué llamó Jesús al Padre «mi Dios»? ¿Implica esto que Jesús mismo no es Dios? En absoluto. Antes de la encarnación, Cristo, la segunda Persona de la Trinidad, sólo tenía naturaleza divina. Pero en la encarnación Cristo asumió una naturaleza humana. Es así que en su humanidad Cristo reconoció al Padre como «mi Dios». Jesús, en su naturaleza divina, nunca pudo referirse al Padre como «mi Dios», pues Jesús era plenamente igual al Padre en todos los sentidos.

El erudito bíblico Paul G. Weathers proporciona una perspectiva aguda en este aspecto

Puesto que Cristo vino como hombre, y puesto que uno de los deberes propios del hombre es rendir culto, orar y adorar [a Dios], era perfectamente apropiado que Jesús llamara al Padre «mi Dios» y se dirigiera a él en oración. Posicionalmente hablando, como hombre, como judío y como nuestro sumo sacerdote («hecho semejante a sus hermanos en todo», Heb. 2:17), Jesús podía dirigirse al Padre como «Dios». Sin embargo, Jesús no se relacionó con el Padre de este modo hasta que «se despojó de sí mismo» y se hizo hombre, como se dice en Fil. 2:6-8.[23]

---

[21] Reasoning from the Scriptures, p. 212.
[22] Reasoning from the Scriptures, p. 411.
[23] Paul G. Weathers, «Answering the Arguments of Jehovah's Witnesses Against the Trinity», Contend for the Faith, ed. Eric Pement (Chicago: EMNR, 1992), p. 141.

Hay otro punto que debemos señalar en relación con la afirmación de Jesús de que ascendía «a mi Dios y a vuestro Dios» (Jn. 20:17). ¿Por qué Jesús no dijo simplemente: «Subo a nuestro Padre y a nuestro Dios»? La razón es que Jesús siempre tuvo cuidado de distinguir su relación con el Padre de la relación que los humanos tenían con el Padre. Como señala Robert Bowman, Jesús tuvo cuidado de distinguir las dos cosas «porque él era Hijo de Dios por naturaleza, mientras que los cristianos son 'hijos' de Dios por adopción». Del mismo modo, el Padre era el Dios de Jesús porque Jesús se humilló a sí mismo para hacerse hombre (Fil. 2:7), mientras que el Padre es nuestro Dios porque somos criaturas por naturaleza».[24]

En cuanto a esta importante distinción, el erudito bíblico Robert Reymond comenta:

> Es significativo que, en ninguna parte de las enseñanzas de Jesús, Él hablara de Dios a sus discípulos como «nuestro Padre» o «nuestro Dios». A lo largo de su ministerio habló constantemente del Padre como «el Padre» o «mi Padre», pero nunca como «nuestro Padre». (El «Padre Nuestro» de la oración llamada «Padre Nuestro» no es una excepción a esto en la medida en que allí Jesús está instruyendo a sus discípulos sobre cómo deben dirigirse corporativamente a Dios en la oración). Aquí [en Jn. 20:17], de acuerdo con su patrón establecido de discurso, evitó la forma obviamente más corta de expresión («nuestro») y eligió permanecer con la forma más larga («Mi» y «vuestro»). Sugiero que su interés aquí era mantener la distinción entre el sentido en el que Él es Hijo de Dios por naturaleza y por derecho y el sentido en el que sus discípulos son hijos de Dios por gracia y por adopción.[25]

Pregunte...

- ¿Por qué cree usted que Jesús siempre fue cuidadoso de distinguir su relación con el Padre de la relación de los humanos con el Padre?
- ¿Por qué Jesús siempre decía «Mi Padre» o «vuestro Padre» pero nunca «Nuestro Padre»?

---

[24] Bowman, p. 72.
[25] Reymond, pp. 210-11.

Independientemente de la respuesta que reciba de un testigo, puede utilizar estas preguntas para dejar claro que Cristo era Hijo de Dios por naturaleza, mientras que los cristianos son hijos de Dios por adopción. Porque Él es el Hijo de Dios por naturaleza, Jesús es verdaderamente Dios. Como también es hombre por naturaleza (en la encarnación), puede llamar al Padre «mi Dios».

Marcos 13:32: Nadie sabe ni el día ni la hora

La enseñanza de la Watchtower. En la *Traducción del Nuevo Mundo* Marcos 13:32 se lee, «Acerca de aquel día o de la hora nadie sabe, ni los ángeles en el cielo, ni el Hijo, sino el Padre». Los testigos de Jehová dicen que como Cristo ignoraba el tiempo del fin, no puede ser Dios Todopoderoso porque Dios conoce todas las cosas. «Si Jesús hubiera sido el Hijo, igual parte de una Divinidad, habría sabido lo que el Padre sabe.[26] Sólo el Padre es Jehová y es omnisciente.

La enseñanza bíblica. Aunque es algo complejo, usted debe enfatizar el punto de que el Hijo eterno de Dios—quien, antes de la encarnación, era *uno en persona y naturaleza* (completamente divino)—en la encarnación, asumió una naturaleza humana *al tiempo* que seguía siendo *una persona*. El Hijo, quien ya había sido una persona durante el pasado eterno, se unió a sí mismo no con una persona humana, sino con una naturaleza humana en la encarnación.

Uno de los aspectos más complejos de la relación entre las dos naturalezas de Cristo es que, mientras que los atributos de una naturaleza nunca se atribuyen a la otra, los atributos de ambas naturalezas se atribuyen propiamente a su única persona. Así, Cristo tuvo en el mismo momento lo que parecen ser cualidades contradictorias. Era finito y sin embargo infinito, débil y sin embargo omnipotente, creciente en conocimiento y sin embargo omnisciente, limitado a estar en un lugar en un momento dado y sin embargo omnipresente. En la encarnación, la persona de Cristo es partícipe de los atributos de ambas naturalezas, de modo que todo lo que

---

[26] Should You Believe in the Trinity? (Brooklyn: Watchtower Bible and Tract Society, 1989), p. 19.

puede afirmarse de una u otra naturaleza —humana o divina—puede afirmarse de la *única* persona.

Aunque Cristo actuaba a veces en la esfera de su humanidad y en otros casos en la esfera de su deidad, en todos los casos lo que hacía y lo que era podía atribuirse a su única persona. Aunque Cristo en su naturaleza humana conoció el hambre (Lc. 4:2), el cansancio (Jn. 4:6) y la necesidad de dormir (Lc. 8:23), en su naturaleza divina también era omnisciente (Jn. 2:24), omnipresente (Jn. 1:48) y omnipotente (Jn. 11). Todo eso lo experimentó la única persona de Jesucristo.

Los relatos de los evangelios muestran claramente que, en diferentes momentos, Cristo actuó bajo la influencia principal de una u otra de sus dos naturalezas. En efecto, actuó en la esfera humana en la medida en que le era necesario para cumplir su propósito terrenal, tal como estaba determinado en el plan eterno de salvación. Al mismo tiempo, actuó en la esfera divina en la medida en que fue posible en el período de su humillación (Fil. 2:6-9).

Este es el punto clave: ambas naturalezas de Cristo entran en juego en muchos acontecimientos registrados en los evangelios. Por ejemplo, el acercamiento inicial de Cristo a la higuera para recoger y comer un higo para aliviar su hambre, reflejó la ignorancia natural de la mente humana (Mt. 21:19a). (Es decir, en su humanidad, no sabía a distancia que no había frutos en ese árbol). Pero entonces reveló inmediatamente su omnipotencia divina al hacer que el árbol se secara (v. 19b).

En otra ocasión, Jesús, en su omnisciencia divina, supo que su amigo Lázaro había muerto, por lo que se puso en camino hacia Betania (Jn. 11:11). Cuando Jesús llegó, preguntó (en su humanidad, sin ejercer la omnisciencia) dónde habían puesto a Lázaro (v. 34). Robert Reymond señala que «como Dios-hombre, [Jesús] es simultáneamente omnisciente como Dios (en compañía de las otras personas de la Divinidad) e ignorante de algunas cosas como hombre (en compañía de las otras personas de la raza humana)».[27]

Todo esto ayuda a comprender adecuadamente el comentario de Jesús en Marcos 13:32: «Pero acerca de aquel día o de aquella hora, nadie sabe, ni aun los ángeles que están en los cielos, ni el Hijo, sino sólo el Padre». En este pasaje, Jesús hablaba desde el punto de vista de su humanidad. Como

---

[27] Reymond, p. 80.

ser humano, Jesús no era omnisciente, sino que tenía un entendimiento limitado, como todos los seres humanos. Si Jesús hubiera estado hablando desde la perspectiva de su divinidad, no habría dicho lo mismo.[28]

Es fundamental que usted le señale al testigo de Jehová que las Escrituras son muy claras en cuanto a que, en su naturaleza divina, Jesús es omnisciente, *tan omnisciente como el Padre*. El apóstol Juan dijo que Jesús «no necesitaba que nadie diera testimonio acerca del hombre, porque él mismo sabía lo que había en el hombre» (Jn. 2:25). Los discípulos dijeron: «Ahora sabemos que *tú lo sabes todo* y que no necesitas que nadie te interrogue; por eso creemos que has salido de Dios» (Jn. 16:30, énfasis añadido). Después de la resurrección, cuando Jesús preguntó a Pedro por tercera vez si le amaba, el discípulo respondió: «Señor, *tú lo sabes todo*; tú sabes que te amo» (Jn. 21:17, énfasis añadido).

El erudito bíblico Thomas Schultz ha proporcionado un excelente resumen de la extensa evidencia de la omnisciencia de Cristo:

En primer lugar, conoce los pensamientos y recuerdos internos del hombre, una capacidad peculiar de Dios (1Re. 8:39; Jer. 17:9-16). Vio la maldad en el corazón de los escribas (Mt. 9:4); sabía de antemano quiénes lo rechazarían (Jn. 13:11) y quiénes lo seguirían (Jn. 10:14). Podía leer el corazón de cada hombre y mujer (Mc. 2:8; Jn. 1:48; 2:24-25; 4:16-19; Hch. 1:24; 1Co. 4:5; Ap. 2:18-23). Un simple ser humano no puede hacer más que una suposición inteligente de lo que hay en los corazones y las mentes de los demás.

En segundo lugar, Cristo tiene conocimiento de otros hechos más allá de la posible comprensión de cualquier hombre. Sabía dónde estaban los peces en el agua (Lc. 5:4-6; Jn. 21:6-11), y sabía qué pez contenía la moneda (Mt. 17:27). Conocía acontecimientos futuros (Jn. 11:11; 18:4), detalles que se encontrarían (Mt. 21:2-4), y sabía que Lázaro había muerto (Jn. 11:14).

En tercer lugar, poseía un conocimiento interno de la Divinidad que mostraba la comunión más estrecha posible con Dios, así como

---

[28] Los testigos de Jehová a veces rebaten que los cristianos evangélicos están leyendo su teología en el texto de las Escrituras, y normalmente hacen esta afirmación sin abordar la multitud de versículos que los cristianos citan en apoyo de su punto de vista. La triste verdad es que los testigos de Jehová están ciegos ante la realidad de que están leyendo su teología arriana en el texto de las Escrituras. (Curiosamente, los psicólogos nos dicen que la gente tiende a condenar en los demás aquello de lo que ellos mismos son más culpables).

un conocimiento perfecto. Conoce al Padre como el Padre le conoce a Él (Mt. 11:27; Jn. 7:29; 8:55; 10:15; 17:25).

La cuarta y última enseñanza de las Escrituras en esta línea es que Cristo lo sabe todo (Jn. 16:30; 21:17), y que en Él están ocultos todos los tesoros de la sabiduría y el conocimiento (Col. 2:3).[29]

Ciertamente, una afirmación clave de la omnisciencia de Cristo es el hecho de que escucha y responde a las oraciones de su innumerable pueblo. «Cuando Jesús reclamó para sí la prerrogativa de oír y responder a las oraciones de sus discípulos», sugiere Robert Reymond, «estaba afirmando la omnisciencia. Alguien que puede escuchar las innumerables oraciones de sus discípulos —que le son ofrecidas noche y día, día tras día a lo largo de los siglos— mantener cada petición infaliblemente relacionada con su peticionario, y responder a cada una de acuerdo con la mente y voluntad divinas, necesitaría ser omnisciente».[30]

Después de compartir algunos de los versos anteriores referentes a la omnisciencia de Cristo con el testigo de Jehová (quizá es bueno que los lea en voz alta):

Pregunte...

- ¿Puede alguien hacer las cosas que Cristo hizo en estos versos sin tener el atributo de la omnisciencia?
- ¿Puede alguien que no sea Dios tener el atributo de la omnisciencia?
- Puesto que Cristo en la encarnación tenía tanto una naturaleza humana como una naturaleza divina—y puesto que Cristo en su naturaleza divina ejerció su omnisciencia en numerosas ocasiones en los evangelios—¿puede usted ver cómo Jesús estaba hablando desde su naturaleza humana cuando dijo que no sabía el día ni la hora?

---

[29] Citado en Josh McDowell y Bart Larson, Jesus: A Biblical Defense of His Deity (San Bernardino: Here's Life, 1975), p. 54.
[30] Citado en McDowell y Larson, p. 54.

Marcos 10:17-18: «Nadie es bueno sólo Dios»

La enseñanza de la Watchtower. Marcos 10:17-18 en la *Traducción del Nuevo Mundo* dice, «Y cuando salía de camino, un hombre corrió y cayó de rodillas ante él y le preguntó: «Maestro bueno, ¿qué debo hacer para heredar la vida eterna? Jesús le dijo: «¿Por qué me llamas bueno? Nadie es bueno, sino uno solo, Dios'» (énfasis añadido).

Los testigos de Jehová afirman que este versículo prueba que Jesús no es Dios, ya que, como reconoció Jesús, sólo Dios es verdaderamente bueno. Comentando este versículo, el folleto *¿Debe usted creer en la Trinidad?* nos dice: «Jesús estaba diciendo que nadie es tan bueno como Dios, ni siquiera el propio Jesús. Dios es bueno de una manera que lo separa de Jesús».[31] *Ayuda para entender la Biblia* dice igualmente que «Jesucristo, aunque tenía esta cualidad de excelencia moral, no aceptaba 'Bueno' como título...» Así, reconoció a Jehová como la norma definitiva de lo que es bueno».[32]

La enseñanza bíblica. Jesús no estaba afirmando en Marcos 10:17-18 que Él no tuviera la «bondad» característica de Dios. Tampoco estaba negando que Él fuera Dios. Más bien, Jesús le estaba pidiendo al joven rico que examinara las implicaciones de lo que estaba diciendo. En efecto, Jesús dijo: «¿Te das cuenta de lo que estás diciendo cuando me llamas bueno? ¿Estás diciendo que soy Dios?».[33] Como dijo el erudito John D. Grassmick, «la respuesta de Jesús no negaba su propia deidad, sino que la afirmaba veladamente. El hombre, que sin darse cuenta le llamaba 'bueno', necesitaba percibir la verdadera identidad de Jesús».[34]

A este respecto, el apologista Norman Geisler escribe: «El joven no se daba cuenta de las implicaciones de lo que estaba diciendo. Así, Jesús le estaba forzando a un dilema muy incómodo. O Jesús era bueno y Dios, o era malo y hombre. Un Dios bueno o un hombre malo, pero no simplemente un hombre bueno. Esas son las verdaderas alternativas con

---

[31] Should You Believe in the Trinity?, p. 17.

[32] Aid to Bible Understanding, p. 676.

[33] Norman Geisler y Thomas Howe, When Critics Ask: A Popular Handbook of Bible Difficulties (Wheaton: Victor, 1992), p. 350.

[34] The Bible Knowledge Commentary, New Testament, p. 150.

respecto a Cristo. Porque ningún hombre bueno afirmaría ser Dios cuando no lo era».[35]

Así, la declaración de Jesús al joven puede resumirse de esta manera: «Si no soy deidad, no me llames bueno, porque sólo Dios es bueno».[36] O tal vez: «Me has dado un título que sólo pertenece a Dios. ¿Lo entiendes y lo dices en serio?[37] Claramente, Marcos 10:17-18 no apoya la afirmación de la Watchtower de que Jesús no es Dios Todopoderoso simplemente porque carece de la bondad de Dios. Después de explicar esto a los testigos de Jehová...

Pregunte...

- ¿Dónde en el texto dice Jesús explícitamente que Él no es bueno? (Simplemente al preguntar, «¿Por qué me llamas bueno?» no es una confesión de que Cristo no es bueno).
- ¿No muestra el contexto claramente que Jesús estaba realmente diciendo: «Me ha dado un título que pertenece solo a Dios, ¿lo entiendes y lo dices en serio?

1Corintios 8:6: «Un Dios, el Padre... un Señor, Jesucristo»

La enseñanza de la Watchtower. La *Traducción del Nuevo Mundo* traduce 1Corintios 8:6, «para nosotros en realidad solo hay *un Dios, el Padre*, de quien vienen todas las cosas y para quien existimos nosotros, y solo hay *un Señor, Jesucristo*, mediante quien existen todas las cosas y mediante quien existimos nosotros» (énfasis añadido).

Los testigos de Jehová sostienen que, puesto que hay «un Dios» (Jehová) que es distinto de «un Señor» (Jesús), Jesús no puede ser Dios. Este versículo presenta al Padre en una «clase» distinta de Jesucristo.[38] Según *Razonamiento a partir de las Escrituras*, este versículo indica que Jehová es absolutamente único, sin que nadie más comparta su exaltada

---

[35] Geisler y Howe, p. 350.

[36] Jerry y Marian Bodine, Witnessing to the Witnesses (Irvine: n.p., n.d.), pp. 41-42.

[37] J. Dwight Pentecost, The Words and Works of Jesus Christ (Grand Rapids: Zondervan, 1982), p. 359.

[38] Reasoning from the Scriptures, p. 411.

posición. Jehová contrasta claramente con todos los demás supuestos objetos de culto.[39]

La enseñanza bíblica. Aunque el Padre es llamado «un Dios» y Jesucristo es llamado «un Señor» en 1Corintios 8:6, es ilegítimo concluir que Jesús no es Dios, así como es ilegítimo concluir que el Padre no es Señor. Después de todo, hay muchos lugares a lo largo de la Escritura donde el Padre es llamado Señor y el Hijo es llamado Dios.

Es fundamental obligar al testigo de Jehová a llevar su lógica hasta el final. En efecto, si la referencia a que el Padre es el «único Dios» prueba que Jesús no es Dios, entonces por esa misma lógica debemos concluir que la referencia a Jesucristo como el «único Señor» significa que el Padre no es Señor.[40] Y ningún testigo estará dispuesto a admitir que el Padre no es Señor. *No permita que el testigo eluda esta cuestión.* No puede interpretar la primera parte de este versículo de una manera y la segunda de otra.

La lógica defectuosa de los testigos de Jehová en este caso es la suposición de que el uso de un título para una persona en un contexto descarta automáticamente su aplicación a otra persona en otro contexto.[41] En lugar de hacer tal suposición defectuosa, la política adecuada sería consultar lo que toda la Escritura tiene que decir sobre el Padre y Jesucristo y luego llegar a la propia conclusión. De la Escritura sabemos que el Padre es llamado Dios (1Pe. 1:2) y Señor (Mt. 11:25), y sabemos que Jesucristo es llamado Dios (Jn. 20:28; Heb. 1:8) y Señor (Rom. 10:9).[42] Cuando dejamos que la Escritura interprete la Escritura, se hace claro que la interpretación de la Watchtower de 1Corintios 8:6 está en un grave error.

Pregunte...

- ¿El hecho de que Jesús es llamado «un Señor» en este verso significa que el Padre (Jehová) no es Señor? (Dirá que no. Comparta los versos antes mencionados.)
- ¿Por qué? (La respuesta será interesante).

---

[39] Reasoning from the Scriptures, p. 150.
[40] Véase David Reed, Jehovah's Witnesses Answered Verse by Verse (Grand Rapids: Baker Books, 1992), p. 96.
[41] Bowman, p. 73.
[42] Reed, p. 96.

- ¿Puede ver que ya que Jesús como «un Señor» no significa que el Padre no es Señor, entonces, por la misma lógica, el Padre como «un Dios» no significa que Jesús no es Dios?

Salmos 110:1: Jehová y «Mi Señor»

La enseñanza de la Watchtower. El Salmo 110:1 en la *Traducción del Nuevo Mundo* dice: «Jehová declaró a mi Señor es: 'Siéntate a mi diestra hasta que ponga a tus enemigos como banquillo para tus pies'» (énfasis añadido). Los testigos de Jehová dicen que, puesto que Jehová está hablando en este versículo, y puesto que el «Señor» es una persona distinta de Jehová, entonces Jesús no debe ser Dios Todopoderoso. *Razonando a partir de las Escrituras* explican que en Mateo 22:41-45 Jesús afirma que Él mismo es el «Señor» al que se refiere David en este salmo. Por lo tanto, concluyen que Jesús no es Jehová, sino aquel a quien se dirigieron las palabras de Jehová.[43]

La enseñanza bíblica. Este versículo tiene perfecto sentido dentro del ámbito de la teología trinitaria. En el contexto más amplio de Mateo 22:41-46, encontramos a Cristo «acorralando a los fariseos» al hacerles una pregunta relacionada con la persona del Mesías. Les preguntó: «¿De quién es hijo?» (Mt. 22:42).

Ellos respondieron: «El hijo de David». Su respuesta era correcta, ya que el Antiguo Testamento establecía minuciosamente el linaje davídico del Mesías (2Sam. 7:16). Pero su respuesta también era incompleta. Las Escrituras no sólo enseñan que el Mesías sería el hijo de David en términos de su humanidad, sino que también enseñan que Él es Dios, y es este último hecho el que Cristo quería que los fariseos reconocieran.

Cristo, por supuesto, se anticipó a la respuesta a medias de los fariseos. Por eso, en el versículo siguiente citó un salmo davídico: «El Señor dijo a mi Señor: Siéntate a mi diestra, hasta que ponga a tus enemigos debajo de tus pies» (Mt. 22:44; compárese con Salmos 110:1). Las palabras «mi Señor» hacen referencia al Mesías de David. Este Mesías divino es invitado a sentarse a la derecha del «Señor» (Dios Padre). Aquí tenemos a la

---

[43] Reasoning from the Scriptures, p. 198.

primera persona de la Trinidad hablando a la segunda persona de la Trinidad.[44]

En su discusión con los fariseos, Jesús les preguntó que, si el Mesías era «hijo» o descendiente de David, «¿Cómo, pues, David, en el Espíritu, le llama Señor?» (Mt. 22:43). Parece extraño que David llamara a su propio hijo «mi Señor». Ciertamente, el hecho de que el Mesías fuera hijo de David atestiguaba la *humanidad* del Mesías. Pero la referencia de David a «mi Señor» también apunta a la *deidad ilimitada* del Mesías, ya que «Señor» (hebreo: *adonai*) era un título de deidad.[45] El Mesías sería el hijo de David, pero también sería el Dios de David. El Mesías sería a la vez Dios y hombre. Para recalcar este punto, Cristo continuó interrogando a los fariseos: «Si David le llama Señor, ¿cómo puede ser hijo suyo? (v. 45).

Los fariseos estaban atrapados y lo sabían. J. Dwight Pentecost, en su excelente obra *The Words and Works of Jesus Christ* [*Las palabras y obras del Señor Jesucristo*], da esta explicación:

Si los fariseos respondían que David lo llamaba su Señor porque Él es Dios, entonces no podían objetar que Cristo, el hijo de David según la carne, afirmara ser el Hijo de Dios. Si estaban de acuerdo en que el Mesías debía ser verdaderamente humano y verdaderamente Dios, debían cesar sus objeciones a la afirmación de Cristo respecto a su persona. Los fariseos se dieron cuenta del dilema que se les planteaba y se negaron a responder. Ninguno pudo refutar la sabiduría con que hablaba, y «desde aquel día nadie se atrevió a hacerle más preguntas» (v. 46).[46]

Obviamente, lejos de mostrar que Cristo es menos que el Padre, Salmos 110:1 de hecho apunta elementos de la deidad ilimitada de Jesucristo. Después de explicar todo esto al testigo de Jehová:

Pregunte...

- ¿Sabía usted que la misma palabra usada para «Señor» (adonai) en Salmos 110:1 de Jesucristo, es también usada para el Padre en

---

[44] Véase Reymond, p. 105.
[45] Pentecost, pp. 391-92.
[46] Pentecost, p. 392.

numerosas ocasiones en la Escritura (Éx. 23:17; Dt. 10:17; Jos. 3:11)?

• ¿No es claro de acuerdo al contexto de Mateo 22 que el punto principal de Jesús con los fariseos era que el Mesías sería *hijo de David* y también *Dios de David*?

Isaías 9:6: Jesús un «Dios poderoso»

La enseñanza de la Watchtower. En la *Traducción del Nuevo Mundo* Isaías 9:6 dice, «*Porque* nos ha nacido un niño, se nos ha dado un hijo; y el gobierno estará en sus manos. Se le llamará por nombre Maravilloso Consejero, *Dios Poderoso*, Padre Eterno, Príncipe de Paz» (énfasis añadido).

Los testigos de Jehová admiten que Jesús es un «Dios poderoso», pero se mantienen firmes en que no es Dios Todopoderoso como lo es Jehová.[47] Argumentan además que «llamar a Jehová Dios 'Todopoderoso' tendría poco significado a menos que existieran otros que también fueran llamados dioses pero que ocuparan una posición menor o inferior».[48]

La enseñanza bíblica. Al responder al testigo de Jehová sobre este pasaje, usted querrá señalar que en el capítulo siguiente en Isaías (10:21), Jehová mismo es llamado «Dios Poderoso» (usando la misma palabra hebrea).[49] El mismo hecho de que Jehová es llamado «Dios Poderoso» anula completamente el argumento de la Watchtower de que la expresión debe referirse a una deidad menor en oposición a «Dios Todopoderoso». Y debido a que Jehová es llamado «Dios Poderoso», el hecho de que Jesús también sea llamado «Dios Poderoso» apunta a su igualdad con Dios el Padre.

En apoyo de esto, tal vez quiera señalar que a Jehová se le llama «Dios Fuerte» en Jeremías 32:17-18: «¡Oh Señor Jehová! he aquí que tú hiciste el cielo y la tierra con tu gran poder, y con tu brazo extendido, ni hay nada que sea difícil para ti; que haces misericordia a millares, y castigas la

---

[47] Reasoning from the Scriptures, pp. 413-14.
[48] Citado en Bowman, p. 97.
[49] Bowman, pp. 97-98.

maldad de los padres en sus hijos después de ellos; *Dios* grande, *poderoso*, Jehová de los ejércitos es su nombre» (énfasis añadido).[50]

Porque la Biblia muestra que tanto Jehová como Jesús son llamados «Dios poderoso»...

Pregunte...

- Puesto que Jehová es llamado «Dios poderoso (Is. 10:21) tal como Jesús es llamado «Dios poderoso» (Is. 9:6), ¿no significa esto que la Sociedad Watchtower está errada al decir que la designación «Dios poderoso» indica una deidad menor?
- Si Jesús es un Dios poderoso tanto como Jehová lo es, ¿qué le dice esto a usted sobre la naturaleza divina de Jesús?

Por supuesto, mientras que el Padre es llamado «Dios poderoso» y Jesús es llamado «Dios poderoso», hay *un* solo Dios. Comparta con el testigo de Jehová los siguientes versos:

- Isaías 44:6b: «Yo soy el primero, y yo soy el postrero, y fuera de mí no hay Dios».
- Isaías 44:8c: «No hay Dios sino yo. No hay Fuerte; no conozco ninguno».
- Isaías 45:5a: «Yo soy Jehová, y ninguno más hay; no hay Dios fuera de mí».

Pregunte...

- ¿Cómo relaciona estos versos en Isaías 44 y 45 con Isaías 10:21, el cual dice que *Jehová* es un Dios poderoso e Isaías 9:6, el cual dice que *Jesús* es un Dios poderoso?
- ¿No pareciera que todos estos versos se prestan a apoyar la doctrina de la Trinidad?

Para fundamentar aún más su caso, podría mencionar que la frase «Dios Poderoso» se traduce de la palabra hebrea *Elohim*. *Elohim* es un nombre muy común para Dios en el Antiguo Testamento; se utiliza unas 2.570

---

[50] Reed, p. 43.

veces. Literalmente significa «el fuerte», y su terminación plural (*im* en hebreo) indica plenitud de poder.[51] En el Antiguo Testamento, se describe a *Elohim* como el poderoso y soberano gobernador del universo, que gobierna los asuntos de la humanidad. En relación con la soberanía de Dios, la palabra *Elohim* se utiliza para describirlo como el «Dios de toda la tierra» (Is. 54:5), el «Dios de toda carne» (Jer. 32:27), el «Dios del cielo» (Neh. 2:4) y el «Dios de dioses y Señor de señores» (Dt. 10:17).

Con esto en mente, querrá mostrarle al testigo de Jehová que en Isaías 40:3, Jesús es llamado tanto Yahvé (Jehová) como *Elohim* en el mismo versículo: «Voz que clama en el desierto: Preparad camino a Jehová [*Yahvé*]; enderezad calzada en la soledad a nuestro Dios [*Elohim*]». Este versículo fue escrito en referencia a Juan el Bautista preparando el camino para el ministerio de Jesucristo (véase Jn. 1:23), y representa una de las afirmaciones más fuertes de la deidad de Cristo en el Antiguo Testamento. Además, al referirse a «nuestro Dios», Isaías estaba afirmando que Jesucristo era el Dios tanto del Antiguo como del Nuevo Testamento. Claramente, entonces, la enseñanza de la Watchtower de que Jesús es un dios menor que Jehová es enfáticamente errónea.

Jesús como «Padre Eterno». Si tiene la oportunidad, también podría exponer el significado del hecho de que Jesús sea llamado «Padre Eterno» en Isaías 9:6. Este nombre ha causado cierta confusión entre los cristianos. En la Trinidad, Jesús (la segunda persona) siempre se distingue del Padre (la primera persona). Entonces, ¿por qué Isaías se refiere a Jesús el Mesías como «Padre Eterno»?

Al tratar de interpretar el significado de esta frase, es fundamental tener en cuenta lo que dicen otras escrituras sobre la distinción entre el Padre y el Hijo. Por ejemplo, el Nuevo Testamento llama a Jesús «el Hijo» más de 200 veces. Además, el Padre es considerado por Jesús como *alguien distinto de Él mismo* más de 200 veces en el Nuevo Testamento. Y más de 50 veces en el Nuevo Testamento se considera que el Padre y el Hijo son distintos *dentro del mismo verso* (véase, por ejemplo, Rom. 15:6; 2Co. 1:4; Gál. 1:2-3; Fil. 2:10-11; 1Jn. 2:1; 2Jn. 3).[52]

---

[51] Véase Robert P. Lightner, The God of the Bible (Grand Rapids: Baker Books, 1978), pp. 109-10.

[52] Gregory A. Boyd, «Sharing Your Faith with a Oneness Pentecostal», Christian Research Journal (primavera 1991), p. 7.

Si el Padre y el Hijo son distintos, ¿en qué sentido se puede llamar a Jesús «Padre eterno»? «Padre Eterno» en Isaías 9:6 se traduce mejor como «Padre de la eternidad». Las palabras *Padre de* en este contexto llevan el significado «poseedor de la eternidad». «Padre de la eternidad» se usa aquí «de acuerdo con una costumbre usual en hebreo y en árabe, donde el que posee una cosa es llamado padre de ella». Así, *el padre de la fuerza* significa fuerte; *el padre del conocimiento*, inteligente; *el padre de la gloria*, glorioso».[53] En la misma línea, *el padre de la paz* significa pacífico; el *padre de la compasión* significa compasivo; y *el padre de la bondad* significa bueno.[54] Según este uso común, *Padre de la eternidad* en Isaías 9:6 significa eterno. Cristo, como «Padre de la eternidad», es un ser eterno.[55] Por tanto, el erudito bíblico John A. Martin concluye acertadamente que la frase «Padre eterno» es simplemente «un modismo utilizado para describir la relación del Mesías con el tiempo, no su relación con los demás Miembros de la Trinidad».[56]

Los antiguos Targums, paráfrasis simplificadas de las Escrituras del Antiguo Testamento utilizadas por los antiguos judíos, apoyan esta opinión. Es muy revelador que el Targum de Isaías interprete Isaías 9:6: «Su nombre ha sido llamado desde la antigüedad, Consejero Maravilloso, Dios Poderoso, *el que vive para siempre*, el Ungido (o Mesías), en cuyos días la paz aumentará sobre nosotros».[57] Claramente, los antiguos judíos consideraban la frase «Padre de la eternidad» una referencia a la eternidad del Mesías. No cabe duda de que este es el significado que Isaías pretendía comunicar a sus lectores.

Juan 4:23: ¿Adorar solo al Padre?

La enseñanza de la Watchtower. Juan 4:23 en la *Traducción del Nuevo Mundo* dice: «Pero viene la hora—de hecho, ha llegado ya—en que los auténticos adoradores del Padre *lo adorarán* con espíritu y con verdad.

---

[53] Albert Barnes, Notes on the Old Testament—Isaiah (Grand Rapids: Baker Books, 1977), p. 193.

[54] E.W. Hengstenberg, Christology of the Old Testament (Grand Rapids: Kregel, 1970), p. 196.

[55] Hengstenberg, p. 196.

[56] John Martin, «Isaiah», en The Bible Knowledge Commentary, Old Testament, eds. John F. Walvoord y Roy B. Zuck (Wheaton: Victor, 1985), p. 1053.

[57] J.F. Stenning, The Targum of Isaiah (Londres: Oxford Press, 1949), p. 32.

Porque el Padre sin duda está buscando a personas así para que lo adoren» (énfasis añadido). Los testigos de Jehová suelen citar este versículo en apoyo de su postura de que solo se debe adorar a Dios Padre, es decir, a Jehová. Jesús, una deidad menor, no debe ser adorado.[58]

Aunque la misma palabra griega usada para hablar de adorar a Jehová (*proskuneo*) se usa para referirse a Jesucristo en el Nuevo Testamento, la Sociedad Watchtower dice que la palabra debe traducirse «reverencia» y no «adoración» cuando se usa para referirse a Cristo.[59] Cristo puede ser honrado, pero no adorado, pues la adoración sólo puede rendirse a Jehová-Dios.

La enseñanza bíblica. Para empezar, es intrigante notar que en un tiempo la Sociedad Watchtower realmente apoyaba la adoración de Jesús. Un primer número de la revista *La Atalaya* (1880) decía que «adorar a Cristo en cualquier forma no puede estar mal».[60] Algunos años después, otro número de la revista (1892) decía: «Sí, creemos que nuestro Señor Jesús mientras estuvo en la tierra fue realmente adorado, y apropiadamente. Aunque no era el Dios Jehová, era un Dios».[61]

Muchos años después, la revista *La Atalaya* afirmó dogmáticamente que «no es bíblico que los adoradores del Dios vivo y verdadero rindan culto al Hijo de Dios, Jesucristo».[62] De hecho, la revista advirtió: «No concluyan erróneamente que los cristianos deben adorar a Cristo; eso no es lo que él enseñó».[63] En vista de este cambio de postura:

Pregunte...

- ¿Por qué números antiguos de la revista *La Atalaya* dicen que debemos adorar a Jesús mientras que otros más tardíos dicen que no debemos adorarlo?
- Puesto que números tardíos de la revista *La Atalaya* decían que «no está en la Escritura» que adoremos a Cristo, ¿significa eso que los

---

[58] La Atalaya, 1 de noviembre de 1964.
[59] La Atalaya, 15 de febrero de 1983, p. 18.
[60] La Atalaya, marzo de 1880, p. 83.
[61] La Atalaya, 15 de mayo de 1892, p. 1410.
[62] La Atalaya, 1 de noviembre de 1964, p. 671.
[63] La Atalaya, 15 de julio de 1959, p. 421.

números más antiguos de *La Atalaya* estaban en contra de la Escritura?

- ¿Qué dice esta gran contradicción acerca de la afirmación de la Sociedad Watchtower de actuar como un profeta verdadero de Dios?

- ¿Terminaron los primeros testigos de Jehová que leyeron la vieja revista *La Atalaya perdiéndose* porque creían en algo que no estaba en la Escritura?

El sesgo teológico de la Watchtower se hace patente cuando examinamos cómo traduce la palabra griega *proskuneo*. Como se señaló anteriormente, cuando se utiliza en referencia a Jehová, la *Traducción del Nuevo Mundo* traduce correctamente la palabra como «adoración» (22 veces). Pero cuando *proskuneo* se usa para referirse a Cristo, se traduce como «obediencia», «reverencia» y «homenaje». La traducción de la Sociedad Watchtower oscurece completamente el hecho de que Jesús es adorado como Dios en el Nuevo Testamento.

El hecho es que Cristo fue adorado como Dios (*proskuneo*) muchas veces, según los relatos de los evangelios, y siempre aceptó esa adoración como apropiada. Jesús aceptó la adoración de Tomás (Jn. 20:28). Se dice que a todos los ángeles se les ordena adorar a Jesús (Heb. 1:6). Los magos adoraron a Jesús (Mt. 2:11); un leproso lo adoró (Mt. 8:2); un gobernante se inclinó ante Él en señal de adoración (Mt. 9:18); un ciego lo adoró (Jn. 9:38); una mujer lo adoró (Mt. 15:25); María Magdalena lo adoró (Mt. 28:9); y los discípulos lo adoraron (Mt. 28:17).

En relación con esto, es significativo que cuando Pablo y Bernabé estaban en Listra y sanaron milagrosamente a un hombre por el grandioso poder de Dios, los que estaban en la multitud gritaron: «¡Los dioses han bajado a nosotros en semejanza de hombres!». (Hch. 14:11). Cuando Pablo y Bernabé se dieron cuenta de que la gente se disponía a adorarlos, «rasgaron sus vestiduras y salieron corriendo entre la multitud, gritando: «Varones, ¿por qué hacéis estas cosas? Nosotros también somos hombres, de la misma naturaleza que vosotros'» (vv. 14-15). En cuanto se dieron cuenta de lo que ocurría, corrigieron de inmediato la burda idea errónea de que eran dioses.

Por el contrario, *Jesús nunca trató de corregir a sus seguidores*, o «enderezarlos», cuando se inclinaban y le adoraban. De hecho, Él consideraba que tal adoración era perfectamente apropiada. El hecho de que aceptara la adoración y no corrigiera a los que le adoraban es otra afirmación de que Él era verdaderamente Dios en la carne.

En sus encuentros con los testigos de Jehová, puede mostrarles que en el libro de Apocalipsis se ve claramente que Dios Padre y Jesucristo reciben la misma adoración. Indíqueles Apocalipsis 4:10, donde se adora al Padre, y Apocalipsis 5:11-14, donde vemos a todo el cielo adorando al Cordero de Dios, Jesucristo.

Pregunte…

- ¿Qué podemos concluir sobre la verdadera identidad de Jesús cuando leemos en el libro de Apocalipsis que él recibe la misma *adoración* que se le da a al Padre?

Que Jesús es adorado dice mucho sobre su verdadera identidad, porque es consistente con el testimonio de las Escrituras de que solo Dios puede ser adorado. Éxodo 34:14 «Porque no te has de inclinar a ningún otro dios, pues Jehová, cuyo nombre es Celoso, Dios celoso es» (véase también Dt. 6:13; Mt. 4:10). El hecho de que Jesús es adorado en numerosas ocasiones muestra que Él de hecho es Dios.

Hebreos 1:6: ¿«Homenaje» a Jesús?

La enseñanza de la Watchtower. La *Traducción del Nuevo Mundo* interpreta Hebreos 1:6, «Y, al traer de nuevo a su Primogénito a la tierra habitada, dice: «Y *que todos los ángeles de Dios le rindan homenaje»* (énfasis añadido). Aunque este versículo utiliza la misma palabra griega (*proskuneo*) que se utiliza en otros lugares para hablar de adorar al Padre, porque se utiliza aquí en referencia a Jesucristo, la Sociedad Watchtower lo ha traducido como «obediencia».[64] Esto significa que Jesús debe ser honrado, pero no adorado como Dios.

La enseñanza bíblica. Es interesante observar que la edición de 1961 de la *Traducción del Nuevo Mundo* tradujo Hebreos 1:6, «Y, al traer de nuevo a

---

[64] La Atalaya, 15 de febrero de 1983, p. 18.

su Primogénito a la tierra habitada, dice: «Y que todos los ángeles de Dios le adoren» (énfasis añadido). En cambio, la edición de 1971 dice: «Y, al traer de nuevo a su Primogénito a la tierra habitada, dice: 'Y que todos los ángeles de Dios le rindan *homenaje'*» (énfasis añadido).

Pregunte…

- ¿Por qué la edición de la Traducción del Nuevo Mundo de 1961 traduce Hebreos 1:6 para decir que debemos *adorar* a Jesús, mientras que la de 1971 dice solo le debemos rendir *homenaje*?
- ¿Qué dice este gran cambio acerca de la afirmación de la Sociedad Watchtower de ser un profeta verdadero de Dios?
- ¿Fueron engañados los testigos de Jehová que usaban la *Traducción del Nuevo Mundo* de 1961?
- ¿Usted cree que la Sociedad Watchtower podría introducir otros cambios a la *Traducción del Nuevo Mundo* en algún momento en el futuro?

Si la Sociedad Watchtower está en lo correcto al decir que Jesús es un ser creado y no debe ser adorado, entonces el Padre mismo es aparentemente culpable de incurrir en un horrible pecado porque en Hebreos 1:6 ordenó a los ángeles cometer un acto sacrílego al adorar (*proskuneo*) a una criatura (Jesús).

Lo peor viene a ser peor cuando nos damos cuenta de que los testigos de Jehová dicen que Jesús era un ser angélico en su estado prehumano (como el arcángel Miguel) y regresó al estado angélico después de su muerte en la cruz. Siendo este el caso, a los ángeles mencionados en Hebreos 1:6 en realidad se les ordena adorar a un ángel compañero: ¡se les dice que adoren a uno de los suyos! ¿Por qué iba Dios a permitir esto, sobre todo teniendo en cuenta que en otras ocasiones ha dicho que sólo a Él se debe rendir culto (Éx. 34:14; Dt. 6:13; Mt. 4:10)?

En otras partes del Nuevo Testamento se muestra a los ángeles claramente rechazando la adoración. Por lo tanto, el antiguo testigo de Jehová David Reed sugiere:

Invite al TJ a consultar Apocalipsis 22:8-9 en su propia *Traducción Interlineal del Reino*, donde se utiliza la misma palabra *proskuneo* en el griego original. Allí el apóstol Juan dice: «Me postré para adorar [raíz: *proskuneo*] ante los pies del ángel... Pero él me dice: '¡Ten cuidado! No hagas eso... Adora [raíz: *proskuneo*] a Dios'. «Señale al testigo de Jehová que la adoración que el ángel se negó a aceptar, pero le dijo a Juan que diera a Dios, es el mismo *proskuneo* que el Padre ordenó que se diera a su Hijo Jesús en Hebreos 1:6. Por lo tanto, el Hijo ciertamente no es un ángel.[65]

También debemos recalcar que el contexto es sumamente importante para interpretar correctamente Hebreos 1. Uno de los principales propósitos de Hebreos, especialmente en el capítulo 1, es demostrar la superioridad de Jesucristo, incluida su superioridad sobre los profetas (1:1-4), los ángeles (1:5-2:18) y Moisés (3:1-6). ¿Cómo se demuestra esta superioridad? Se demuestra que Cristo es la revelación definitiva de Dios (v. 1); se afirma que es el creador y sustentador del universo (vv. 2-3); y se dice que tiene la misma naturaleza de Dios (v. 3). Nada de esto podía decirse de los profetas, los ángeles o Moisés.

De nuevo, Hebreos 1:5-2:18 afirma la superioridad de Cristo sobre los ángeles. En Hebreos 1:6, se nos dice que Cristo es adorado (*proskuneo*) por los ángeles. Pero en la *Traducción del Nuevo Mundo*, esta superioridad se oscurece debido a la forma en que la Watchtower traduce el versículo.

El comentarista Ray Stedman señala que «en el Cántico de Moisés, los ángeles son llamados a adorar a Yahvé (Jehová). Los escritores del Nuevo Testamento aplican esos pasajes a Jesús sin vacilar. Muchos lugares de las Escrituras atestiguan la obediencia de los ángeles, en particular Job 38:7, Lucas 2:13 y Apocalipsis 5:11-12. Marcos 3:11 indica que incluso los demonios (ángeles caídos) se postraron ante Jesús cuando lo vieron y se dirigieron a él como Hijo de Dios».[66]

Claramente, Cristo fue adorado con la misma adoración (*proskuneo*) dada al Padre. Esto no se puede negar. Así que nuevamente:

Pregunte...

* ¿Qué nos dice sobre la verdadera identidad de Jesús que él reciba la misma adoración que es dada al Padre?

---

[65] Reed, p. 101.
[66] Ray Stedman, Hebrews (Downers Grove: InterVarsity, 1992), p. 29.

7

IDENTIDAD ERRADA: ¿ES CRISTO EL ARCÁNGEL MIGUEL?

Porque ¿a cuál de los ángeles dijo Dios
alguna vez: «Tú eres mi Hijo...»?
—Hebreos 1:5

Según la Sociedad Watchtower, Jesucristo fue el primer ser que Jehová-Dios creó en el universo. La revista *La Atalaya* dice que «hay evidencia bíblica para concluir que Miguel era el nombre de Jesucristo *antes* de que dejara el cielo y *después* de su regreso» (énfasis añadido).[1] De hecho, «'Miguel el gran príncipe' no es otro que Jesucristo mismo».[2]

La Sociedad Watchtower enseña que fue a través de este arcángel creado que Dios trajo todas las otras cosas a la existencia. Miguel fue creado primero, y luego fue usado por Dios para crear el resto del universo (véase Col. 1:16).[3]

Miguel (Jesús) posiblemente existió en su estado prehumano durante miles de millones de años, según la literatura de la Watchtower. En el momento señalado, nació en la tierra como un ser humano—dejando de existir como un ángel. Con el fin de «rescatar» a la humanidad del pecado,

---

[1] La Atalaya, 15 de mayo de 1969, p. 307.
[2] La Atalaya, 15 de diciembre de 1984, p. 29.
[3] Aid to Bible Understanding (Brooklyn: Watchtower Bible and Tract Society, 1971), p. 391.

Miguel renunció voluntariamente a su existencia como criatura espiritual (ángel) cuando su fuerza vital fue transferida al vientre de María por Jehová.

No fue una encarnación (Dios en la carne). Jesús se convirtió en un ser humano perfecto, ni más ni menos. Era igual en todo a Adán antes de la Caída. Vivió su vida como un ser humano, cumplió el ministerio que le asignó Jehová y murió fielmente por el rescate de la humanidad.

En la «resurrección», Jesús no fue levantado físicamente de entre los muertos como un ser humano glorificado. Más bien, Él fue «puesto a muerte en la carne y fue resucitado como una criatura espiritual invisible».[4] El libro de la Watchtower *Sea Dios hallado veraz* nos dice que «Jehová Dios resucitó [a Jesús] de entre los muertos, no como un Hijo humano, sino como un poderoso Hijo espiritual inmortal».[5]

En otra publicación, los testigos de Jehová «niegan que haya resucitado en la carne, e impugnan cualquier afirmación en ese sentido como no bíblica».[6] En efecto, «el *hombre* Jesús está muerto, muerto para siempre».[7]

Si esto es cierto, entonces ¿qué fue de Jesús? Según la literatura de la Watchtower, Jesucristo reasumió su identidad como arcángel Miguel en la «resurrección» (que obviamente es más bien una *recreación*). El libro de la Watchtower *Ayuda para entender Biblia* explica que «al retener el nombre de Jesús después de su resurrección (Hch. 9:5), la 'Palabra' muestra que él es idéntico al Hijo de Dios en la tierra. Su reasunción de su nombre celestial Miguel y su título (o, nombre) 'La Palabra de Dios' (Rev. 19:13) lo vincula con su existencia prehumana».[8]

Los testigos de Jehová relacionan la resurrección de Cristo como criatura espiritual con la doctrina de la expiación. Dicen que Jesús entregó su vida humana como sacrificio de rescate en beneficio de la humanidad. Jesús *dio su cuerpo para siempre* como rescate. En el libro de la Watchtower *Usted puede vivir para siempre en el paraíso en la tierra,* leemos, «Habiendo entregado su carne por la vida del mundo, Cristo nunca pudo tomarla de nuevo y convertirse en hombre una vez más».[9] *Sea Dios*

---

[4] Let God Be True (Brooklyn: Watchtower Bible and Tract Society, 1946), p. 200.
[5] Let God Be True, p. 40.
[6] Studies in the Scriptures, vol. 7 (Brooklyn: Watchtower Bible and Tract Society, 1917), p. 57.
[7] Studies in the Scriptures, vol. 5 (1899), p. 454.
[8] Aid to Bible Understanding, p. 1152.
[9] You Can Live Forever in Paradise on Earth (Brooklyn: Watchtower Bible and Tract Society, 1982), p. 143.

hallado veraz nos dice igualmente que «Dios no tenía el propósito de que Jesús fuera humillado así para siempre siendo un hombre carnal para siempre. No, sino que después de haber sacrificado su perfecta humanidad, Dios lo resucitó a la vida inmortal como una gloriosa criatura espiritual».[10]

En apoyo de esto, los testigos de Jehová suelen citar Hebreos 10:5, un versículo en el que Jesús dice a Dios Padre: «No quisiste ni sacrificios ni ofrendas, pero me preparaste *un cuerpo*» (TNM, énfasis añadido). Jesús también dijo que «el pan que voy a entregar para que el mundo viva es *mi carne*» (Jn. 6:51 TNM, énfasis añadido).

En vista de lo anterior, se deduce que «Cristo no podía volver a tomar su cuerpo en la resurrección, retirando así el sacrificio ofrecido a Dios por la humanidad. Además, Cristo ya no debía morar en la tierra. Su 'hogar' está en los cielos con su Padre, que no es carne, sino espíritu».[11]

Pero si Cristo no resucitó físicamente de entre los muertos, entonces, ¿qué pasó con su cuerpo humano? Hay respuestas contradictorias a esta pregunta en la literatura de la Watchtower. En una de las primeras publicaciones de la Watchtower— *Estudios de las Escrituras,* por el pastor Russell—se nos dice: «Si [el cuerpo de Jesús] se disolvió en gases o si todavía se conserva en algún lugar como el gran memorial del amor de Dios, de la obediencia de Cristo, y de nuestra redención, *nadie lo sabe*» (énfasis añadido).[12] Otra publicación temprana de la Watchtower dijo que el cuerpo carnal de Jesús «fue desechado por Jehová Dios, disuelto en sus elementos constitutivos o átomos».[13] Un artículo de la revista *La Atalaya* afirmaba que «Jehová Dios se deshizo del cuerpo sacrificado de su Hijo».[14] Del mismo modo, el libro de la Watchtower *Cosas en las cuales es imposible que Dios mienta* dice que «el cuerpo humano de carne, que Jesucristo puso para siempre como sacrificio de rescate, fue desechado por el poder de Dios».[15]

Si Cristo no resucitó físicamente de entre los muertos, ¿cómo demostró su «resurrección» a los discípulos y seguidores? Los testigos de Jehová dicen que Jesús se apareció o «materializó» a sus seguidores en «cuerpos»

---

[10] Let God Be True, p. 41.
[11] Aid to Bible Understanding, p. 1396.
[12] Studies in the Scriptures, vol. 2 (1888), p. 129.
[13] La Atalaya, 1 de septiembre de 1953, p. 518.
[14] La Atalaya, 1 de agosto de 1975, p. 479.
[15] Things in Which It Is Impossible for God to Lie (Brooklyn: Watchtower Bible and Tract Society, 1965), p. 354.

diferentes al que fue depositado en la tumba.[16] De hecho, «los cuerpos en los que Jesús se manifestó a sus discípulos después de su vuelta a la vida no eran el cuerpo en el que fue clavado en el madero».[17] *Ayuda para entender la Biblia* nos dice: «Jesús se apareció a sus discípulos en diferentes ocasiones en diversos cuerpos carnales, al igual que los ángeles se habían aparecido a los hombres de la antigüedad. Como esos ángeles, tenía el poder de construir y desintegrar esos cuerpos carnales a voluntad, con el propósito de probar visiblemente que había sido resucitado».[18]

Incluso hoy en día, Jesús existe como una criatura espiritual: el arcángel Miguel. No existe en un cuerpo material, carnal. Su «resurrección» no fue una resurrección *de carne material*, sino una «re-creación» del arcángel Miguel.

En resumen, 1) Jesús existió durante miles de millones de años en su estado prehumano como el arcángel Miguel; 2) renunció a su existencia espiritual como ángel cuando su fuerza vital fue transferida al vientre de María por Jehová y, tras su nacimiento, vivió una vida humana normal y finalmente fue crucificado; y 3) en la resurrección, no resucitó de entre los muertos en forma física y corporal, sino que fue recreado como el arcángel Miguel.

Razonando a la luz de la Biblia

Daniel 10:13,21; 12:1: Miguel, el gran príncipe

La enseñanza de la Watchtower. Daniel 10:13 llama a Miguel «uno de los príncipes más importantes» (TNM). Igualmente, se le llama el «príncipe» del pueblo de Dios en el verso 21. Luego, en Daniel 12:1, leemos que durante el tiempo del fin, «se levantará Miguel, el gran príncipe que está *de pie* a favor de tu pueblo» (énfasis añadido).

Basándose en estos versos, los testigos de Jehová sostienen que en su estado prehumano Jesús era el arcángel Miguel y era un gran príncipe del pueblo de Dios. También dicen que la profecía de Daniel 12:1 apunta a la

---

[16] ¡Despertad! 22 de julio de 1973, p. 4.
[17] The Kingdom Is at Hand (Brooklyn: Watchtower Bible and Tract Society, 1944), p. 259.
[18] Aid to Bible Understanding, p. 1395.

entronización de Miguel (Jesús) como rey en el cielo en 1914.[19] De hecho, «el Miguel que se *levanta* como el 'gran príncipe' para cumplir Daniel 12:1 es el Señor Jesucristo a la diestra de Dios» (énfasis añadido).[20] La frase «levantarse» es interpretada por la Sociedad Watchtower como «tomar el control y reinar como rey».[21]

Según la teología de la Watchtower, entonces, estos versículos en Daniel indican que Jesús era Miguel tanto en su estado prehumano como en su estado posthumano (es decir, después de su resurrección). La existencia progresiva de Jesús puede resumirse como *ángel-humano-ángel*.

La enseñanza bíblica. Al responder a la interpretación de la Watchtower de Daniel 10:13,21 y 12:1, hay varios puntos importantes que usted querrá señalar. Primero:

Pregunte...

- ¿En qué parte del texto de Daniel 10 y 12 se afirma explícitamente que se trata de una referencia a Jesucristo?

Los testigos de Jehová no podrán indicarle una declaración tan explícita. Pero probablemente tratarán de argumentar que Miguel es llamado «gran príncipe», apelando así a su autoridad sobre los otros ángeles. Este *debe* ser Cristo, le dirán. Sin embargo, es vital mencionar que en Daniel 10:13 Miguel es llamado específicamente «*uno de* los príncipes más importantes» (énfasis añadido). El hecho de que Miguel sea «uno de» los principales príncipes indica que es uno entre un grupo de principales príncipes. No se nos dice cuán grande es ese grupo. Pero el hecho de que Miguel sea uno entre iguales demuestra que no es único. Por el contrario, la palabra griega utilizada para describir a Jesús en Juan 3:16 («Porque de tal manera amó Dios al mundo, que ha dado a su Hijo *unigénito...*») es *monogenes*, que literalmente significa «único», «de una clase». Jesús no es uno entre iguales.

---

[19] Your Will Be Done on Earth (Brooklyn: Watchtower Bible and Tract Society, 1958), p. 310.
[20] Your Will Be Done on Earth, p. 313.
[21] Your Will Be Done on Earth, p. 311.

Pregunte...

- Si Jesús es el primero y más elevado de todos los seres creados, como enseña la Watchtower—y si Jesús en su estado prehumano era el arcángel Miguel—entonces ¿por qué se llama a Miguel «*uno de* los príncipes más importantes» en Daniel 10:13?

- ¿No indica este versículo que Miguel es uno entre un grupo de iguales?

También querrá enfatizar que a Jesús nunca se le llama «gran príncipe» en la Biblia. (Si argumentan que se le llama así en Daniel 10:13, pregúnteles de nuevo dónde se menciona *explícitamente a* Jesús en el texto).

El hecho es que Jesús es llamado «Rey de reyes y Señor de señores» en Apocalipsis 19:16. Este es un título que indica soberanía y autoridad absolutas. Un Rey de reyes/Señor de señores es mucho más alto en autoridad que un mero «gran príncipe» (que es uno entre iguales). El primero tiene soberanía y autoridad absolutas; el segundo tiene autoridad derivada, limitada.

Tal vez quiera señalar que todo el enfoque de Hebreos 1-3 es demostrar la superioridad de Jesucristo, incluida su superioridad sobre los profetas (1:1-4), los ángeles (1:5 -2:18) y Moisés (3:1-6).[22] ¿Cómo se demuestra esta superioridad? Se demuestra que Cristo es la revelación definitiva de Dios (1:1); se afirma que es el creador y sustentador del universo (1:2-3); y se dice que tiene la naturaleza misma de Dios (1:3). Nada de esto podía decirse de los profetas, los ángeles o Moisés.

En Hebreos 1:5-2:18 leemos acerca de la superioridad de Cristo sobre los ángeles. En Hebreos 1:5, se nos dice que ningún ángel puede ser llamado Hijo de Dios: «¿A cuál de los ángeles dijo Dios jamás: Mi Hijo eres tú?». Puesto que Jesús *es* el Hijo de Dios (Dios incluso le dijo: «Tú eres mi Hijo amado»—Mc. 1:11), y puesto que ningún ángel puede ser llamado jamás Hijo de Dios,[23] entonces Jesús no puede ser el arcángel Miguel.

---

[22] David Reed, Jehovah's Witnesses Answered Verse by Verse (Grand Rapids: Baker Books, 1992), p. 48.

[23] Algunos se preguntarán qué relación tiene esto con el hecho de que en el Antiguo Testamento se llame a los ángeles «hijos de Dios» (Job 1:6; 2:1; 38:7). Las palabras «hijo de...» pueden tener diferentes significados en diferentes contextos. El término puede usarse de una manera con respecto a los ángeles y de otra muy distinta cuando se usa de la persona de Jesucristo. Los ángeles son llamados metafóricamente «hijos de Dios» en el sentido de haber sido creados

Pregunte...

• Si ningún ángel puede ser llamado Hijo de Dios (Heb. 1:5)—y si Jesús *es* de hecho el Hijo de Dios—¿entonces esto no significa que Jesús no puede ser el arcángel Miguel?

Pasando a Hebreos 1:6, se nos dice que Cristo es adorado (griego: *proskuneo*) por los ángeles. Como se señaló anteriormente en el capítulo 5, esta es exactamente la misma palabra utilizada en referencia a adorar a Jehová Dios. Cristo fue adorado con el mismo tipo de adoración rendida al Padre. No se puede eludir este hecho. Jesús no es un ángel; es adorado *por* los ángeles.

Merece la pena repetir lo que dice el comentarista Ray Stedman sobre este pasaje. Señala que «en el Cántico de Moisés, los ángeles son llamados a adorar a Yahvé (Jehová). Los escritores del Nuevo Testamento aplican esos pasajes a Jesús sin vacilar. Muchos lugares de la Escritura atestiguan la obediencia de los ángeles, en particular Job 38:7, Lucas 2:13 y Apocalipsis 5:11-12. Marcos 3:11 indica que incluso los demonios (ángeles caídos) se postraron ante Jesús cuando lo vieron y se dirigieron a él como Hijo de Dios».[24]

Otro argumento que puede extraerse del libro de Hebreos es que en Hebreos 2:5 se nos dice explícitamente que el mundo *no está* (ni *estará*) sometido a un ángel. Curiosamente, los Rollos del Mar Muerto, descubiertos en Qumrán en 1947, reflejan una expectativa de que el arcángel Miguel sería una figura suprema en el reino mesiánico venidero. Es posible que algunos de los destinatarios del libro de Hebreos tuvieran la tentación de asignar a los ángeles un lugar por encima de Cristo. Sea o no así, Hebreos 2:5 deja absolutamente claro que ningún ángel (incluido el arcángel) gobernará en el reino de Dios. Cristo, el Dios-hombre glorificado, reinará supremo (Ap. 19:16).

Si ningún ángel puede gobernar el mundo (Heb. 2:5), entonces *Cristo no puede ser el arcángel Miguel,* ya que las Escrituras dicen repetidamente que Cristo será el gobernante del reino de Dios (por ejemplo, Gén. 49:10;

---

directamente por la mano de Dios. Jesús, por el contrario, es única y eternamente el Hijo de Dios en el sentido de que eternamente tiene la naturaleza de Dios. Este es el significado de Hebreos 1:5. Véase mi análisis de Juan 3:16 en el capítulo 5.

[24] Ray Stedman, *Hebrews* (Downers Grove: InterVarsity, 1992), p. 29.

2Sam. 7:16; Sal. 2:6; Dan. 7:13-14; Lc. 1:32-33; Mt. 2:1-2; 9:35; 13; Ap. 19:16). No permita que los testigos de Jehová eludan esta cuestión.

Pregunte...

- Si ningún ángel puede gobernar el mundo (Heb. 2:5)—y si la Escritura dice claramente que Cristo es el gobernante del mundo (Lc. 1:32-33; Ap. 19:16)—entonces, ¿no significa esto que Cristo no puede ser el arcángel Miguel?

Hay otro argumento que quiero mencionar. Se basa en la doctrina bíblica de la inmutabilidad de Cristo. La inmutabilidad—uno de los atributos clave de Dios en la Biblia—se refiere a la idea de que Cristo (como Dios) es inmutable y, por tanto, no cambia. Esto no significa que Cristo es inmóvil o inactivo, pero sí significa que Él nunca crece o se desarrolla o cambia en su naturaleza esencial como Dios. Esto está en grave contraste con la enseñanza de la Watchtower de que Cristo fue creado como un ángel, más tarde se convirtió en un ser humano, y luego (en la «resurrección») se convirtió en un ángel de nuevo.

Un pasaje clave relativo a la inmutabilidad de Cristo es Hebreos 1:10-12, donde el Padre habla de la naturaleza inmutable del Hijo: «Y: Tú, oh Señor, en el principio fundaste la tierra, y los cielos son obra de tus manos. Ellos perecerán, mas *tú permaneces*; y todos ellos se envejecerán como una vestidura, y como un vestido los envolverás, y serán mudados; pero *tú eres el mismo*, y tus años no acabarán» (énfasis añadido).

Hebreos 1:10-12 es en realidad una cita del Salmo 102:25-27. Es muy intrigante observar que las palabras de este salmo se dirigen a Jehová, pero se aplican directamente a Jesucristo en Hebreos 1:10-12. Esto representa un fuerte argumento a favor de la plena deidad de Cristo.

Hebreos 1:10-12 enseña que, aunque la creación actual se desgaste como un vestido viejo, Jesús permanecerá inmutable. La referencia aquí es a «la transformación de los cielos y la tierra que ocurrirá después del Milenio [el futuro gobierno de 1000 años de Cristo en la tierra] e introducirá el estado eterno (2Pe. 3:10-13). Sin embargo, incluso después de esos acontecimientos cataclísmicos, los años del Hijo nunca terminarán».[25]

La inmutabilidad de Cristo también se afirma en Hebreos 13:8, donde se nos dice que «Jesucristo es *el mismo ayer, y hoy, y por los siglos*» (énfasis añadido). Si Cristo es el mismo ayer, hoy y siempre, entonces no pudo haber sido un *ángel,* convertirse en *humano* y luego ser recreado como *ángel.*

Es cierto que en la encarnación Cristo, el eterno Hijo de Dios, asumió una naturaleza humana, pero los eruditos ortodoxos siempre han sostenido que es la naturaleza divina de Cristo la que permanece inalterable y, por tanto, inmutable.[26] A diferencia de la doctrina de la encarnación, la Sociedad Watchtower enseña que la existencia de Jesús a lo largo de la historia puede resumirse como *ángel-humano-ángel.* Esto representa un cambio *en la naturaleza*—y contradice Hebreos 13:8 y otros pasajes relativos a la inmutabilidad de Cristo.

Pregunte...

- Puesto que las Escrituras enseñan que Jesús es «el mismo ayer, hoy y por los siglos» (Heb. 13:8), ¿cómo puede decirse entonces que Jesús fue un ángel, se hizo hombre y luego volvió a ser un ángel?

1Tesalonicenses 4:16: La voz de un arcángel

La enseñanza de la Watchtower. La *Traducción del Nuevo Mundo* interpreta 1Tesalonicenses 4:16, «Porque el Señor mismo con voz de mando, con voz de arcángel, y con trompeta de Dios, descenderá del cielo; y los muertos en Cristo resucitarán primero». La Sociedad Watchtower argumenta que el *Señor mismo* emite un llamado de mando con voz de arcángel, demostrando así que Él es el arcángel Miguel.

En apoyo de esta interpretación, *Ayuda para entender la Biblia* comenta: «Miguel es el único del que se dice que es el 'arcángel', que significa 'ángel principal'. El término aparece en la Biblia sólo en singular. Esto parece implicar que no hay más que uno a quien Dios ha designado

---

[25] The Bible Knowledge Commentary, New Testament, eds. John F. Walvoord y Roy B. Zuck (Wheaton: Victor, 1983), p. 782.
[26] John F. Walvoord, Jesus Christ Our Lord (Chicago: Moody, 1980), p. 30.

jefe o cabeza de la hueste angélica. En 1Tesalonicenses 4:16 se describe la voz del Señor Jesucristo resucitado como la de un arcángel, lo que sugiere que él mismo es, de hecho, el arcángel».[27]

La enseñanza bíblica. En su respuesta al testigo de Jehová, comience por abordar la afirmación de que debido a que «arcángel» ocurre en singular, esto debe significar que «sólo hay uno a quien Dios ha designado jefe o cabeza de la hueste angélica». Señale el testigo a Daniel 10:13, donde Miguel es llamado específicamente «uno de los príncipes más importantes». El hecho de que Miguel sea «uno de» los príncipes principales indica que es uno entre un grupo de príncipes principales. No se nos dice cuán grande es ese grupo. Pero el hecho de que Miguel sea *uno* entre iguales demuestra que no es totalmente único.

Pregunte...

- Si Jesús es el *primero y más alto* de todos los seres creados, como enseña la Watchtower—y si Jesús en su estado prehumano era Miguel el arcángel—entonces ¿por qué se llama a Miguel «uno de los príncipes más importante» en Daniel 10:13? ¿No indica esto que Miguel es *uno entre iguales?*

También podría señalar que el mero hecho de que la palabra «arcángel» (en 1Ts. 4:16) aparezca en singular y con un artículo definido (*el* arcángel) no significa que sólo haya un arcángel. En su libro *Angels: Elect and Evil* [*Ángeles: Elegidos y malvados*], el teólogo Fred Dickason señala que «el artículo definido con arcángel no limita necesariamente la clase de arcángel a Miguel. El artículo puede ser uno de identificación como el arcángel *bien conocido en* lugar de limitación como el *único* arcángel. Puede haber otros de la misma clase o rango, ya que se le describe como 'uno de los principales príncipes' (Dan. 10:13)». (énfasis añadido).[28] La tradición judía siempre ha sostenido que hay siete arcángeles.[29]

Después de compartir esto, lea 1Tesalonicenses 4:16 en voz alta de una traducción fiable, como la Nueva Versión Internacional: «El Señor mismo

---

[27] Aid to Bible Understanding, p. 1152.

[28] Fred Dickason, Angels: Elect and Evil (Chicago: Moody, 1975), p. 68.

[29] International Standard Bible Encyclopedia, ed. Geoffrey W. Bromiley, vol. 3 (Grand Rapids: Eerdmans, 1986), p. 347.

descenderá del cielo con voz de mando, con voz de arcángel y con trompeta de Dios, y los muertos en Cristo resucitarán primero». El antiguo testigo de Jehová David Reed sugiere mencionar al testigo de Jehová que «si usar la voz de un arcángel convierte al Señor en arcángel, entonces tener la trompeta de Dios lo convierte en Dios—aunque los líderes de la Watchtower nos harían mirar sólo la primera parte del versículo».[30] Es un punto legítimo. Uno debe ser coherente en la forma de abordar el texto. Uno no puede simplemente usar la porción del versículo que—extraído de su contexto—apoya el punto de vista de uno.

Pregunte...

- Si la referencia a la voz del arcángel hace que el Señor Jesús sea un arcángel, entonces—para ser consistente—¿tener la trompeta de Dios no hace que Jesús sea Dios? (Asegúrese de mencionar que usted no cree que tener la trompeta de Dios significa que Jesús es Dios. La creencia en la deidad de Cristo se basa en muchos otros pasajes. Sin embargo, la pregunta anterior sí ilustra la locura del razonamiento de la Watchtower).

Una mirada cuidadosa a 1Tesalonicenses 4:16 revela que el texto *nunca dice explícitamente* que Jesús *mismo* habla con la voz del arcángel. Esta es una suposición injustificada de la Sociedad Watchtower, basada en un fuerte sesgo teológico. Es mucho más natural y lógico leer el versículo diciendo que cuando Jesús venga del cielo para arrebatar a la iglesia de la tierra, estará *acompañado* por el arcángel, ya que es la voz del arcángel (distinta de la de Jesús) la que emite el grito.

Esto no es muy distinto de lo que ocurrirá en la segunda venida de Cristo (siete años después del rapto, tras el período de la Tribulación). En la segunda venida, el Señor Jesús se manifestará «desde el cielo *con los ángeles de su poder*» (2Ts. 1:7, énfasis añadido). Si los ángeles acompañan a Cristo en la segunda venida, entonces seguramente el arcángel Miguel también lo acompañará.

La autoridad para reprender a Satanás. Una observación clave sobre el arcángel Miguel es que no tiene autoridad para reprender a Satanás. Señale

---

[30] Reed, p. 47; véase también The New Treasury of Scripture Knowledge, ed. Jerome H. Smith (Nashville: Thomas Nelson, 1992), p. 1412.

al testigo de Jehová Judas 9, que dice: «Pero cuando el arcángel Miguel contendía con el diablo, disputando con él por el cuerpo de Moisés, no se atrevió a proferir juicio de maldición contra él, sino que dijo: 'El Señor te reprenda'». Por el contrario, Jesús reprendió personalmente al diablo en varias ocasiones (véase, por ejemplo, Mt. 4:10; 16:23; Mc. 8:33).[31] Puesto que Miguel *no podía* reprender al diablo con su propia autoridad y Jesús sí podía (y *lo hizo*), Miguel y Jesús no pueden ser la misma persona.

Pregunte...

- Puesto que el arcángel Miguel no podía reprender al diablo con su propia autoridad y Jesús sí podía (y *lo hizo*), ¿no significa eso que Miguel y Jesús no pueden ser la misma persona?

Observe en Judas 9 que el arcángel Miguel dijo: «*¡El Señor* te reprenda!» (énfasis añadido). La palabra griega para «Señor» en este versículo es *kurios*. Es la palabra estándar para «Señor» en el Nuevo Testamento. También es un paralelo directo de la palabra *Yahvé* o *Jehová* en el Antiguo Testamento. Es crucial notar que mientras Jesús es llamado *kurios* («Señor») muchas veces en el Nuevo Testamento, Miguel nunca es llamado *kurios*.

Por ejemplo, se nos dice que Jesús es *kurios* («Señor») en Filipenses 2:9-11, y que ante el nombre de Jesús se doblará toda rodilla en el cielo y en la tierra, y toda lengua confesará que Jesús es el Señor. El apóstol Pablo, estudioso del Antiguo Testamento por excelencia, alude aquí a Isaías 45:22-23: «Mirad a mí, y sed salvos, todos los términos de la tierra, porque yo soy Dios, y no hay más. Por mí mismo hice juramento, de mi boca salió palabra en justicia, y no será revocada: Que a mí se doblará toda rodilla, y jurará toda lengua»... Pablo se basaba en su vasto conocimiento del Antiguo Testamento para afirmar que Jesucristo es *kurios* y *Yahvé*, el *Señor* de toda la humanidad.

El punto de que diga todo esto es que cuando Miguel dijo «*el Señor* te reprenda», estaba apelando directamente a la autoridad soberana del Señor del universo. Y *Jesús es claramente el soberano Señor del universo.*

---

[31] Lorri MacGregor, *What You Need to Know About Jehovah's Witnesses* (Eugene: Harvest House, 1992), p. 51.

Cristo creó a los ángeles. Un último punto que querrá destacar es que Cristo es el *creador,* y los ángeles se encuentran entre los *creados.* Colosenses 1:16-17 nos dice que en Cristo «Porque en él fueron creadas todas las cosas, las que hay en los cielos y las que hay en la tierra, visibles e invisibles; sean tronos, sean dominios, sean principados, sean potestades; todo fue creado por medio de él y para él. Y él es antes de todas las cosas, y todas las cosas en él subsisten».

Observe que Pablo dice que Cristo creó «tronos», «dominios», «principados» y «potestades». En el pensamiento rabínico (judío) del siglo I, estas palabras se utilizaban para describir los diferentes órdenes de ángeles (véase Rom. 8:38; Ef. 1:21; 3:10; 6:12; Col. 2:10,15; Tit. 3:1). Al parecer, había una herejía floreciente en Colosas (la ciudad de la iglesia a la que Pablo escribió su carta a los colosenses) que implicaba la adoración de ángeles. El resultado final de esa adoración era que Cristo había sido degradado. Para corregir este grave error, Pablo enfatizó que Cristo es Aquel que creó todas las cosas—incluyendo todos los ángeles—y, por lo tanto, Él es supremo y es el único digno de ser adorado. Puesto que Miguel es un ángel, sería uno de los seres creados por Cristo. Por lo tanto, Cristo no puede ser el arcángel Miguel.

La «resurrección» de Cristo como el arcángel Miguel

1Pedro 3:18: ¿Fue Jesús «resucitado» de entre los muertos como criatura espiritual?

La enseñanza de la Watchtower. Primera de Pedro 3:18 en la *Traducción del Nuevo Mundo* dice, «Porque Cristo murió una vez y para siempre por los pecados, un justo por injustos, a fin de llevarlos a ustedes hacia Dios. Lo mataron en la carne, pero recibió *vida en el espíritu*» (énfasis añadido).

Los testigos de Jehová citan este verso para apoyar su opinión de que Jesús fue resucitado con un cuerpo espiritual, no físico. El libro de la Watchtower *Santificado sea tu Nombre* dice que «Jesús fue resucitado a la vida como un espíritu invisible. No volvió a tomar aquel cuerpo en el que había sido muerto como sacrificio humano a Dios».[32] De hecho, Jesús «no fue levantado de la tumba como una criatura humana, sino que fue levantado como un espíritu».[33] La resurrección de Jesús fue «en espíritu», adecuada a la vida espiritual en el cielo.[34]

En el libro *Razonando a partir de las Escrituras,* la Sociedad Watchtower dice que es claro que Jesús fue resucitado con un cuerpo espiritual porque en el texto griego las palabras «carne» y «espíritu» están puestas en contraste una con la otra («siendo muerto en la *carne,* pero vivificado en el *espíritu*»; énfasis añadido).[35] Así como Jesús murió en la carne, también fue resucitado en el espíritu.

La enseñanza bíblica. La Nueva Versión Internacional traduce 1Pedro 3:18, «Porque Cristo murió por los pecados una vez por todas, el justo por los injustos, a fin de llevarlos a ustedes a Dios. Él sufrió la muerte en su cuerpo, pero *el Espíritu* hizo que volviera a la vida» (énfasis añadido). En mi opinión, «por el espíritu» es una traducción más exacta que «en el espíritu».

Siendo este el caso, este versículo no se refiere a una resurrección espiritual de Cristo; más bien, como muchos eruditos están de acuerdo, se refiere a la resurrección física de Cristo *por el Espíritu Santo.*[36] Creo que 1Pedro 3:18 dice que Jesús fue resucitado de entre los muertos— «vivificado»—por el Espíritu Santo.[37] De hecho, «Dios no resucitó a Jesús como un espíritu, sino que lo resucitó *por* su Espíritu» (énfasis añadido).[38] Esto concuerda con Romanos 1:4, que nos dice «que fue declarado Hijo de Dios con poder, según el Espíritu de santidad, por la resurrección de entre los muertos».

Por supuesto, esto no significa negar que el Padre y el Hijo también participaron en la resurrección. A menudo se dice que Dios Padre resucitó

[32] Let Your Name Be Sanctified (Brooklyn: Watchtower Bible and Tract Society, 1961), p. 266.

[33] Let God Be True, p. 272.

[34] Aid to Bible Understanding, p. 1395.

[35] Reasoning from the Scriptures (Brooklyn: Watchtower Bible and Tract Society, 1989), p. 334.

[36] Louis A. Barbieri, First and Second Peter (Chicago: Moody, 1979), p. 69; véase también Walter Martin y Norman Klann, Jehovah of the Watchtower (Minneapolis: Bethany House, 1974), p. 70; Norman Geisler, When Critics Ask (Wheaton: Victor, 1992), p. 533; NIV Study Bible (Grand Rapids: Zondervan, 1985), p. 1893.

[37] Barbieri, p. 69.

[38] Martin y Klann, p. 70.

a Cristo de entre los muertos (Hch. 2:32; 13:30; Rom. 6:4; Ef. 1:19-20). Pero sin restar importancia al papel clave del Padre en la resurrección, las Escrituras dejan igualmente claro que Jesús se resucitó a sí mismo. En Juan 10:17-18, Jesús dijo de su vida: «Por eso me ama el Padre: porque entrego mi vida para volver a recibirla. Nadie me la arrebata, sino que yo la entrego por mi propia voluntad. Tengo autoridad para entregarla y tengo también autoridad para volver a recibirla. Este es el mandamiento que recibí de mi Padre». (NVI). Así pues, está claro que cada una de las tres personas de la Trinidad—el Padre, el Hijo y el Espíritu Santo—participó en la resurrección de Cristo.

Un principio fundamental de la interpretación bíblica es que *la Escritura interpreta a la Escritura.* Este principio dice que si uno interpreta un versículo específico de tal manera que se contradice claramente con otros versículos bíblicos, entonces se demuestra que su interpretación es incorrecta. *La armonía bíblica es esencial.*

En vista de ese principio, es imposible que 1Pedro 3:18 signifique que Jesús resucitó de entre los muertos en un cuerpo espiritual. Durante su discusión con el testigo de Jehová, usted querrá señalar que el Cristo resucitado dijo a sus discípulos: «Mirad mis manos y mis pies, que yo mismo soy; palpad, y ved; porque un espíritu no tiene carne ni huesos, como veis que yo tengo» (Lc. 24:39). Fíjese en tres cosas: 1) El Cristo resucitado dice en este verso que *no es un espíritu;* 2) Su cuerpo resucitado está hecho de *carne y huesos;* y 3) Las manos y los pies físicos de Cristo representan la prueba física de la materialidad de su resurrección de entre los muertos. En esta misma línea, leemos en Hechos 2:31 que «no fue abandonado al Hades, ni su carne vio corrupción». ¿Por qué su carne no «vio corrupción»? Porque Jesús resucitó de entre los muertos en un cuerpo de carne.

Pregunte...

- El Jesús resucitado dijo en Lucas 24:39 que Él *no era un espíritu* y que tenía un *cuerpo de carne y hueso.* ¿Cómo relaciona usted esto con la enseñanza de la Watchtower de que Jesús resucitó como una criatura espiritual sin cuerpo físico?

Un apoyo adicional a la resurrección física puede encontrarse en las propias palabras de Cristo registradas en Juan 2:19-21, que en la

Traducción del Nuevo Mundo dice: «Jesús les respondió: «Derriben este templo y en tres días lo levantaré». Entonces los judíos dijeron: «Tomó 46 años construir este templo, ¿y tú lo vas a levantar en tres días?». *Pero el templo del que él hablaba era su cuerpo* (énfasis añadido). Jesús dijo aquí que sería resucitado de entre los muertos *corporalmente,* no como una criatura espiritual.

Pregunte...

- ¿Cómo define Jesús el «templo» en Juan 2:19-21?
- Puesto que el «templo» es el cuerpo de Jesús, y puesto que Él dijo que *resucitaría* este «templo» (cuerpo), entonces ¿no está Jesús aquí hablando de una resurrección *corporal* en Juan 2:19-21?

Después de hacer esas preguntas, continúe con los siguientes puntos:

- El cuerpo de Jesús resucitado conservaba las heridas físicas de la cruz. De hecho, el Cristo resucitado reveló las cicatrices de la crucifixión a los discípulos (Lc. 24:39), e incluso desafió a Tomás, que dudaba, a que tocara sus heridas (Jn. 20:27).
- El Cristo resucitado comió alimentos físicos en cuatro ocasiones diferentes. Lo hizo para demostrar que tenía un cuerpo físico real (Lc. 24:30; 24:42-43; Jn. 21:12-13; Hch. 1:4). Norman Geisler observa acertadamente que «habría sido un engaño por parte de Jesús haber ofrecido su capacidad de comer alimentos físicos como prueba de su resurrección corporal si no hubiera sido resucitado en un cuerpo físico».[39]
- El cuerpo físico de Cristo resucitado fue tocado y manipulado por diferentes personas. Por ejemplo, fue tocado por María (Jn. 20:17) y por algunas mujeres (Mt. 28:9). También desafió a los discípulos a que lo tocaran físicamente para que pudieran estar seguros de que su cuerpo era material (Lc. 24:39).
- La palabra griega para cuerpo (*soma*), cuando se usa para una persona, siempre significa un cuerpo *físico* en el Nuevo Testamento. No hay excepciones. El erudito del griego Robert

---

[39] Norman Geisler, «The Significance of Christ's Resurrection», Bibliotheca Sacra, abril/junio 1989, p. 163.

Gundry, en su libro autoritativo *Soma in Biblical Theology [Soma en la teología bíblica]*, señala «el uso sin excepciones que hace Pablo de *soma* para referirse a un cuerpo físico».[40] Por lo tanto, todas las referencias a la resurrección de Jesús «cuerpo» (*soma*) en el Nuevo Testamento debe ser tomado para significar un cuerpo físico resucitado.

- El cuerpo que se «siembra» en la muerte es el *mismo* que resucita en la vida (1Co. 15:35-44). Lo que entra en el sepulcro resucita (véase el v. 42).

Aquí hay un argumento final que usted puede querer traer a colación: Contrario a la posición de la Watchtower de que en la resurrección Jesús fue levantado como una criatura espiritual—como el arcángel Miguel, dejando atrás su humanidad para siempre—el Nuevo Testamento enseña claramente la *continuación* de la humanidad de Jesús en la resurrección y más allá.

Para probar esto, primero señale (y asegúrese de abrir su Biblia en versículos específicos) que Cristo resucitó inmortal en el *mismo cuerpo humano* en el que murió (Lc. 24:37-39; Hch. 2:31; 1Jn. 4:2; 2Jn. 7). Y cuando Cristo ascendió al cielo, lo hizo en el mismo cuerpo humano físico, como atestiguaron varios de los discípulos (Hch. 1:11). Primera de Timoteo 2:5, un versículo que habla de Jesús después de la resurrección, nos dice: «Porque hay un solo Dios, y un solo mediador entre Dios y los hombres, Jesucristo *hombre*» (énfasis añadido). Cuando Cristo regrese, lo hará como el «Hijo del Hombre», un título mesiánico que apunta a su humanidad (Mt. 26:64). No cabe duda de que las Escrituras afirman sistemáticamente que Cristo conservó para siempre su humanidad en la resurrección.

1Corintios 15:44-50: ¿Una resurrección no física?

La enseñanza de la Watchtower. Todo el capítulo de 1Corintios 15 trata de la resurrección. En la *Traducción del Nuevo Mundo* leemos el verso 44, «Se siembra un cuerpo físico y se resucita un cuerpo espiritual. Si hay un

---

[40] Robert Gundry, Soma in Biblical Theology (Cambridge: Cambridge University Press, 1976), p. 168.

cuerpo físico, también hay uno espiritual»... Los testigos de Jehová citan este versículo para apoyar la afirmación de que Jesús resucitó de entre los muertos como una criatura espiritual. También se cita a menudo el verso 50: «Pero, hermanos, les digo esto: carne y hueso no pueden heredar el Reino de Dios ni la corrupción hereda la incorrupción»... Jesús *debe* haber tenido una resurrección espiritual, se nos dice, ya que los cuerpos de carne y hueso no pueden existir en el cielo.

La Sociedad Watchtower argumenta que, en el momento de la resurrección, a Jesús «se le concedió la inmortalidad y la incorrupción, que ninguna criatura en la carne puede tener».[41] La mortalidad y la corrupción pertenecen al cuerpo carnal. El cuerpo de la resurrección es inmortal e incorruptible porque es por naturaleza un cuerpo espiritual. Aunque la carne y la sangre no pueden heredar el reino de Dios, el cuerpo espiritual es ideal para la vida espiritual en el cielo.[42]

La enseñanza bíblica. Los testigos de Jehová han malinterpretado completamente el significado de la palabra «espiritual» en 1Corintios 15:44. El significado primario de «cuerpo espiritual» aquí no es un cuerpo inmaterial sino un cuerpo sobrenatural, *dominado por el espíritu.* «Las palabras griegas *soma pneumatikos* (traducidas aquí 'cuerpo espiritual') significan un cuerpo *dirigido por* el espíritu, en oposición a uno bajo el dominio de la carne» (énfasis añadido).[43]

Basándose en lo dicho anteriormente, recuerde al testigo de Jehová que es un hecho indiscutible que la palabra griega para «cuerpo» (*soma*), cuando se usa para una persona, siempre se refiere a un cuerpo físico en el Nuevo Testamento. No hay excepciones. El erudito del griego Robert Gundry, en *Soma in Biblical Theology, habla* del «uso sin excepciones que hace Pablo de *soma* para referirse a un cuerpo físico».[44] Por lo tanto, todas las referencias al cuerpo de resurrección de Jesús (*soma*) en el Nuevo Testamento deben tomarse en el sentido de un cuerpo físico resucitado. Esto apoya la opinión de que la frase «cuerpo espiritual [*soma*]» se refiere a un cuerpo físico dominado por el espíritu y sobrenatural.

---

[41] Aid to Bible Understanding, p. 1395.
[42] Your Will Be Done on Earth, p. 50.
[43] Geisler, «The Significance of Christ's Resurrection», p. 153.
[44] Geisler, «The Significance of Christ's Resurrection», p. 168.

También es importante reconocer que el apóstol Pablo utiliza a menudo la palabra «espiritual» en 1Corintios para referirse a algo *sobrenatural*. El cuerpo espiritual es sobrenatural porque «no se rige por la carne que perece, sino por el espíritu que permanece (1Co. 15:50-58)».[45] Que Pablo pretende el significado de sobrenatural en 1Corintios 15:40-50 parece claro por los evidentes contrastes que presenta en el capítulo. Obsérvese lo siguiente:[46]

Cuerpo antes de la resurrección	Cuerpo después de la resurrección
Terrenal (v. 40)	Celestial
Perecedero (v. 42)	Imperecedero
Débil (v. 42)	Poderoso
Natural (v. 44)	[*Sobrenatural*]
Mortal (v. 53)	Inmortal

Algunos eruditos creen que la palabra griega traducida como «espiritual» en 1Corintios 15 debería traducirse como «sobrenatural» en este contexto. De hecho, esta misma palabra griega se traduce «sobrenatural» justo antes en 1Corintios 10:4, que hace referencia a la «roca espiritual»[47] que seguía a los israelitas en el desierto. En vista de los contrastes de los versículos 40-50 (terrenal/celestial, perecedero/ imperecedero, débil/poderoso, mortal/inmortal), la traducción «sobrenatural» (como contraste con *natural*) encajaría en el contexto mucho mejor que la palabra «espiritual».

Pregunte...

- En vista de los contrastes obvios de 1Corintios 15:40-50— terrenal/celestial, perecedero/imperecedero, débil/poderoso, mortal/inmortal—¿puede usted ver que el significado que Pablo quiere dar al contraste con el cuerpo natural es un cuerpo *sobrenatural*?

---

[45] Geisler, «The Significance of Christ's Resurrection», p. 153.
[46] Geisler, «The Significance of Christ's Resurrection», p. 153.
[47] Nota del traductor: Esto es lo que dicen todas las versiones en español.

Debe recalcar al testigo de Jehová que el uso que hace el apóstol Pablo de la palabra «espiritual» no exige una referencia a la inmaterialidad o a lo no físico. Observe, por ejemplo, que Pablo habló de un «hombre espiritual» en 1Corintios 2:15. Está claro por el contexto que no se refería a un hombre invisible, inmaterial, sin cuerpo físico.

Más bien hablaba de un «ser humano de carne y hueso cuya vida era vivida por el poder sobrenatural de Dios. Se refería a una persona literal cuya vida tenía una dirección espiritual».[48] Del mismo modo, la frase «cuerpo espiritual» de 1Corintios 15:44-50 no apunta a un cuerpo inmaterial, sino a un cuerpo físico (*soma*) dominado por el espíritu y sobrenatural.

Pregunte...

- ¿Sabía usted que en 1Corintios 2:15 Pablo utiliza la misma palabra griega para *espiritual* que en 1Corintios 15:44-50? (Lea el versículo en voz alta).

- En el contexto de 1Corintios 2:15, ¿habla Pablo de una criatura espiritual invisible que no tiene cuerpo físico, o de un ser humano de carne y hueso que sigue siendo en cierto sentido espiritual?

- ¿Puede ver que, según el uso de Pablo, ser «espiritual» no exige inmaterialidad o inexistencia física? (Enfatice que lo mismo ocurre en 1Co. 15).

¿Qué hay de 1Corintios 15:50, que dice que «la carne y la sangre no pueden heredar el reino de Dios, ni lo corruptible hereda lo incorruptible»? Usted necesita comenzar refutando la afirmación de la Watchtower de que los cuerpos materiales y físicos no pueden existir en el cielo. Señale que la frase «carne y sangre» es simplemente un modismo usado en las Escrituras para referirse a la *humanidad mortal*. Este verso está diciendo que la humanidad mortal no puede heredar el reino de Dios. La humanidad mortal debe convertirse en humanidad inmortal para poder sobrevivir en el cielo. El cuerpo de la resurrección estará dotado de cualidades especiales que le permitirán adaptarse perfectamente a la vida en la presencia de Dios.

En apoyo de esta opinión, lleve al testigo de Jehová a la última parte del verso 50, que se refiere a la carne humana «perecedera». Esto ayuda a

---

[48] Geisler, «The Significance of Christ's Resurrection», p. 154.

establecer el contexto adecuado para interpretar todo el versículo. Claramente, Pablo no está hablando de carne como tal, sino de carne *perecedera*. Pablo «no está afirmando que el cuerpo de la resurrección no tendrá carne, sino que no tendrá carne *perecedera*».[49]

A la vista de los hechos anteriores, el apologista Norman Geisler resume el significado de «carne y sangre» en 1Corintios 15:50: «'Carne y hueso' en este contexto significa aparentemente carne y hueso mortal, es decir, un mero ser humano. Así lo corroboran los usos paralelos en el NT. Cuando Jesús le dijo a Pedro: 'Ni carne ni sangre te ha revelado esto' (Mt. 16:17), no podía estar refiriéndose a la mera sustancia del cuerpo como tal, que obviamente no podía revelar que Él era el Hijo de Dios. Más bien, la interpretación más natural de 1Corintios 15:50 parece ser que *los seres humanos, tal como son ahora, criaturas terrenales y perecederas,* no pueden tener un lugar en el glorioso reino celestial de Dios».[50]

Ahora vuelva el testigo de Jehová al versículo 53, que dice que «es necesario que este cuerpo corruptible se *vista de* incorruptible, y que este cuerpo mortal se *vista de* inmortalidad» (énfasis añadido). En otras palabras, no dejamos de ser humanos y renunciamos a nuestros cuerpos físicos para entrar en el cielo. Más bien, «revestimos» de inmortalidad nuestra humanidad mortal. No se nos quita nada (materialidad), sino que se nos añade o «pone» algo (inmortalidad). Por lo tanto, 1Corintios 15 no puede ser usado como un texto de prueba para apoyar la doctrina de la Watchtower de que Jesús fue levantado como una criatura espiritual.

Pregunte...

- ¿Qué cree usted que significan la palabra «revestirse» (1Corintios 15:53) en este contexto?
- Tomadas en su sentido natural, ¿no indican las palabras «revestir» *añadir* algo a la humanidad (la inmortalidad) en lugar de *quitar* algo a la humanidad (el cuerpo material)?

Tal vez desee concluir su debate sobre la cuestión de Jesús y el arcángel Miguel repasando brevemente sus puntos principales sobre cada uno de los versos claves enumerados anteriormente. El peso acumulativo de estos

---

[49] Geisler, When Critics Ask, p. 468.
[50] Geisler, When Critics Ask, p. 469.

argumentos debería servir para llamar la atención del testigo de Jehová para que cuestione las enseñanzas de la Sociedad Watchtower.

8

IDENTIFICANDO AL ESPÍRITU SANTO

*El Espíritu Santo es una persona,
no una fuerza, y esa persona es Dios,
tan plenamente Dios y del mismo modo
que lo son el Padre y el Hijo.*
—Millard J. Erickson[1]

Según la Sociedad Watchtower, el Espíritu Santo no es ni una persona ni Dios. Más bien, el Espíritu Santo es la «fuerza activa» impersonal de Dios para cumplir su voluntad en el mundo.[2] De hecho, como *Razonamiento a partir de las Escrituras* argumenta, el Espíritu Santo «no es una persona sino una fuerza poderosa que Dios hace emanar de sí mismo para cumplir su santa voluntad».[3] Esta negación de la personalidad y deidad del Espíritu Santo es consistente con la negación de la doctrina de la Trinidad por parte de la Watchtower.

La publicación de Watchtower *¿Debe usted creer en la Trinidad?* dice que, hasta cierto punto, el Espíritu Santo puede ser comparado con la

---

[1] Millard J. Erickson, Christian Theology (Grand Rapids: Baker Books, 1987), p. 862.

[2] Aunque no se refleja a lo largo de este capítulo, tenga en cuenta que la literatura de La Atalaya pone en minúsculas las referencias al Espíritu Santo (es decir, «espíritu santo»). Además, el artículo definido («el») rara vez se utiliza en tales referencias (es decir, «espíritu santo», no «el espíritu santo»).

[3] Reasoning from the Scriptures (Brooklyn: Watchtower Bible and Tract Society, 1989), p. 381.

electricidad, «una fuerza que puede ser adaptada para realizar una gran variedad de operaciones».[4] Así como los seres humanos usan la electricidad para lograr una variedad de propósitos, así Dios usa la fuerza impersonal conocida como el Espíritu Santo para lograr sus propósitos.

Fue esta poderosa fuerza la que vino sobre Jesús en forma de paloma en su bautismo (Mc. 1:10). «Esta fuerza activa de Dios permitió a Jesús sanar a los enfermos y resucitar a los muertos».[5] Este mismo poder está disponible para los cristianos, y les permite soportar pruebas de fe y hacer cosas que no podrían hacer de otra manera.[6]

La Sociedad Watchtower argumenta que la prueba de este punto de vista se encuentra en la descripción de las Escrituras de las personas que son llenas, bautizadas y ungidas por el Espíritu Santo. Este tipo de expresiones serían apropiadas, dice la Watchtower, *sólo* si el Espíritu Santo fuera una fuerza y no una persona.[7] Después de todo, ¿cómo puede una persona llenar a miles de personas al mismo tiempo? Una persona no puede ser dividida de esa manera.

Además, si el Espíritu Santo fuera una persona, tendría un nombre al igual que el Padre y el Hijo. Sabemos por las Escrituras, dice la Watchtower, que el nombre personal del Padre es Jehová. Del mismo modo, el nombre personal del Hijo es Jesús. Pero en ninguna parte de las Escrituras se le atribuye un nombre personal al Espíritu Santo.[8] Por lo tanto, el Espíritu Santo no debe ser una persona como el Padre y el Hijo.

La Sociedad Watchtower admite que hay ciertos versos en los que se dice que el Espíritu Santo habla a las personas, lo que parece indicar su personalidad. Sin embargo, los testigos de Jehová argumentan que «aunque algunos textos bíblicos dicen que el espíritu habla, otros textos muestran que en realidad lo hizo a través de seres humanos o ángeles (Mt. 10:19-20; Hch. 4:24-25; 28:25; Heb. 2:2). La acción del espíritu en tales casos es como la de las ondas de radio que transmiten mensajes de una persona a otra lejana».[9] De hecho, «Dios, por medio de su espíritu, transmite sus mensajes y comunica su voluntad a las mentes y corazones de sus siervos

---

[4] Should You Believe in the Trinity? (Brooklyn: Watchtower Bible and Tract Society, 1989), p. 20.

[5] Should You Believe in the Trinity?, p. 21.

[6] Should You Believe in the Trinity?, p. 21.

[7] Reasoning from the Scriptures, p. 380.

[8] Reasoning from the Scriptures, p. 407.

[9] Should You Believe in the Trinity?, p. 22.

en la tierra, quienes, a su vez, pueden transmitir ese mensaje a otros más».[10]

Aunque el Espíritu Santo no es una persona, la Sociedad Watchtower dice que esta fuerza activa de Dios es a menudo personificada en las Escrituras. Esto no es diferente a otras cosas que son personificadas en las Escrituras—como la sabiduría, el pecado y la muerte. Por ejemplo, el folleto *¿Debería usted creer en la Trinidad?* cita la interpretación de la Nueva Biblia Inglesa de Génesis 4:7: «El pecado es un demonio agazapado a la puerta». Esto personifica el pecado como un espíritu maligno a la puerta de Caín.[11] Pero, por supuesto, «el pecado no es una persona espiritual; ni personificar al espíritu santo lo convierte en una persona espiritual».[12]

En vista de estos y otros argumentos, la Sociedad Watchtower concluye: «No, el espíritu santo no es una persona y no es parte de una Trinidad. El espíritu santo es la fuerza activa de Dios que utiliza para cumplir su voluntad. No es igual a Dios, sino que está siempre a su disposición y subordinado a él».[13]

Razonando a la luz de la Biblia

Génesis 1:1-2: La fuerza activa de Dios en la creación

La enseñanza de la Watchtower. En la *Traducción del Nuevo Mundo* leemos Génesis 1:1-2, «*En* el principio, Dios creó los cielos y la tierra. Ahora bien, la tierra no tenía forma y estaba vacía. La oscuridad cubría la superficie de las aguas profundas, *y la fuerza activa de Dios se movía de un lado a otro por encima de las aguas*» (énfasis añadido). Los testigos de Jehová argumentan a partir de este versículo que «el espíritu de Dios era su fuerza activa trabajando para dar forma a la tierra».[14]

La Sociedad Watchtower dice que, así como un artesano humano usaría sus manos y dedos para ejercer fuerza para construir una casa, así Dios usó

---

[10] Aid to Bible Understanding (Brooklyn: Watchtower Bible and Tract Society, 1971), p. 1543.

[11] Should You Believe in the Trinity?, p. 21.

[12] Should You Believe in the Trinity?, p. 21.

[13] Should You Believe in the Trinity?, p. 23.

[14] Should You Believe in the Trinity?, p. 20.

su *fuerza activa* (el Espíritu Santo) para construir el universo. De hecho, en las Escrituras se habla del Espíritu Santo de Dios como sus «manos» y «dedos» (Sal. 8:3; 19:1; Mt. 12:28; Lc. 11:20).[15]

La Sociedad Watchtower admite que la palabra hebrea *ruach* (que es la palabra traducida como «fuerza activa» en Gén. 1:2 TNM) se traduce muchas veces como «espíritu» en el Antiguo Testamento. Sin embargo, también se traduce como «viento» o de «otras maneras para denotar una fuerza activa invisible».[16] Esto da justificación, dice la Sociedad, para traducir Génesis 1:2, «La fuerza activa de Dios se movía de un lado a otro sobre la superficie de las aguas».

Si uno se preguntara qué tienen en común «viento» y «espíritu», la respuesta es sencilla: Estas palabras «se refieren a lo que es invisible a la vista humana y que da evidencia de fuerza en movimiento. Tal fuerza invisible es capaz de producir efectos visibles».[17] Así, razonan los testigos, la fuerza invisible del Espíritu de Dios dio origen al universo en la creación.

La enseñanza bíblica. Para empezar, es cierto que la palabra hebrea *ruach* puede tener una variedad de significados—incluyendo aliento, aire, fuerza, viento, brisa, espíritu, valor, temperamento y espíritu.[18] Pero, ¿le da eso licencia a la Sociedad Watchtower para traducirla como «fuerza activa» en Génesis 1:1-2 y otros pasajes que se refieren al Espíritu de Dios?

De ninguna manera. De hecho, cuando se usa *ruach* para el Espíritu de Dios, encontramos consistentemente claras evidencias de la *personalidad* del Espíritu Santo. La presencia de atributos personales en tales contextos descarta la traducción «fuerza activa». Después de todo, una fuerza activa no tiene características personales. H.C. Leupold, en su comentario *Exposition of Genesis,* dice que *ruach* en Génesis 1:2 «debe traducirse definitivamente como 'el Espíritu de Dios'». De hecho, refleja el amplio consenso de los eruditos bíblicos de que no hay justificación para ninguna otra traducción en este contexto.[19]

---

[15] Aid to Bible Understanding, p. 1544.
[16] New World Translation (Brooklyn: Watchtower Bible and Tract Society, 1971), p. 9; véase también Should You Believe in the Trinity?, p. 20.
[17] Aid to Bible Understanding, p. 1542.
[18] Francis Brown, S. R. Driver, y Charles A. Briggs, A Hebrew and English Lexicon of the Old Testament (Oxford: Clarendon Press, 1980), p. 926.
[19] H.C. Leupold, Exposition of Genesis (Grand Rapids: Baker Books, 1968), p. 49.

Examinemos ahora algunas de las evidencias de la personalidad del Espíritu Santo en las Escrituras. (Nótese que los siguientes argumentos se aplican no sólo a refutar la interpretación de la Watchtower de Génesis 1:1-2, sino también a todos los demás pasajes que ellos citan sobre el Espíritu Santo).

El Espíritu Santo tiene todos los atributos de la personalidad

Desde hace tiempo se reconoce que los tres atributos primarios de la personalidad son la mente, las emociones y la voluntad. Una «fuerza» no tiene estos atributos. Si se puede demostrar que el Espíritu tiene mente, emociones y voluntad, la posición de la Watchtower de que el Espíritu es una «fuerza activa» se desmorona como un castillo de naipes.

El Espíritu Santo tiene una mente. Esto queda claro en varios pasajes. Por ejemplo, el intelecto del Espíritu Santo se ve en 1Corintios 2:10, donde se nos dice que «el Espíritu todo lo escudriña» (compárese con Is. 11:2; Ef. 1:17). La palabra griega para «escudriñar» significa investigar a fondo un asunto. El Espíritu Santo—con su mente—investiga las cosas de Dios y da a conocer estos asuntos a los creyentes. Observe que Jesús dijo una vez a un grupo de judíos: «*Escudriñáis* las Escrituras porque pensáis que en ellas tenéis la vida eterna» (Jn. 5:39, énfasis añadido). El Señor usó allí la misma palabra griega que se usa en 1Corintios 2:10. Así como los judíos usaban sus mentes para escudriñar las Escrituras, el Espíritu Santo usa su mente para escudriñar las cosas de Dios.

También se nos dice en 1Corintios 2:11 que el Espíritu Santo *conoce* los pensamientos de Dios. ¿Cómo puede el Espíritu «conocer» las cosas de Dios si el Espíritu no tiene mente? Una fuerza no conoce las cosas. Los procesos de pensamiento requieren la presencia de una mente.

Romanos 8:27 nos dice que, así como el Espíritu Santo conoce las cosas de Dios, Dios el Padre conoce «cuál es la *mente del Espíritu*» (énfasis añadido). Según el muy respetado *Greek-English Lexicon of the New Testament and Other Early Christian Literature* de Arndt y Gingrich, la palabra traducida «mente» en este versículo significa «manera de pensar,

215

mentalidad, objetivo, aspiración, esfuerzo».[20] Una simple fuerza no tiene una «manera de pensar, mentalidad, meta, aspiración» o «esfuerzo».

El Espíritu Santo tiene emociones. Que el Espíritu Santo tiene emociones queda claro en varios pasajes. Por ejemplo, en Efesios 4:30 se nos amonesta: «No contristéis al Espíritu Santo de Dios». La aflicción es una emoción, y las emociones no pueden ser experimentadas por una fuerza. La pena es algo que se *siente*. El Espíritu Santo siente la emoción de la pena cuando los creyentes pecan. En el contexto de Efesios, tales pecados incluyen mentir (v. 25), la ira (v. 26), robar (v. 28), la pereza (v. 28), y hablar palabras que no son amables (v. 29).

Para ilustrar mi punto de vista, cabe destacar que los creyentes de Corinto experimentaron *tristeza* después de que el apóstol Pablo les escribiera una carta severa (2Co. 2:2-5). Allí vemos la misma palabra griega que se usa en Efesios 4:30 (traducida «contristar»). Así como los creyentes corintios experimentaron tristeza o aflicción, la persona del Espíritu Santo puede experimentar tristeza o aflicción.

El Espíritu Santo tiene voluntad. Se nos dice en 1Corintios 12:11 que el Espíritu Santo distribuye los dones espirituales «a cada uno individualmente *como él quiere*» (énfasis añadido). La frase «Él quiere» se traduce de la palabra griega *bouletai,* que se refiere a «decisiones de la voluntad después de una deliberación previa».[21] El Espíritu Santo hace una elección soberana con respecto a qué dones espirituales recibe cada cristiano respectivo. Una fuerza no tiene tal voluntad.

Es notable que la misma palabra griega usada para describir la voluntad del Espíritu Santo es usada para describir la voluntad de Jehová-Dios en Santiago 1:18. Así como la persona del Padre ejerce su voluntad, así la persona del Espíritu Santo ejerce su voluntad.

Otro ejemplo clave del Espíritu Santo ejerciendo su voluntad se encuentra en Hechos 16:6. Aquí el Espíritu prohíbe a Pablo predicar en Asia y luego lo redirige a ministrar en Europa.

---

[20] William F. Arndt y F. Wilbur Gingrich, A Greek-English Lexicon of the New Testament and Other Early Christian Literature (Chicago: University of Chicago, 1957), p. 874.
[21] Arndt y Gingrich, p. 146.

Pregunte...

- ¿Cómo armoniza usted el punto de vista de la Watchtower de que el Espíritu Santo es una «fuerza» con la enseñanza bíblica de que el Espíritu Santo 1) tiene una mente y puede «saber» cosas, 2) tiene emociones y puede sentir amor y pena, y 3) tiene una voluntad por la cual se toman y comunican decisiones?

Las obras del Espíritu Santo confirman su personalidad

En las Escrituras se ve al Espíritu Santo haciendo muchas cosas que sólo una persona puede hacer. De hecho, muchas de sus obras son similares a las obras del Padre y del Hijo. Por ejemplo, el Espíritu Santo *enseña a* los creyentes (Jn. 14:26), *testifica* de Cristo (Jn. 15:26), *guía a* los creyentes (Rom. 8:14), *comisiona* a las personas al servicio (Hch. 13:4), *da órdenes* (Hch. 8:29), *refrena el pecado* (Gén. 6:3), *intercede* u ora (Rom. 8:26) y *habla* a las personas (Jn. 15:26; 2Pe. 1:21). Veamos tres de estos aspectos con un poco más de detalle.

El Espíritu Santo da testimonio. Juan 15:26 nos dice que el Espíritu Santo «dará testimonio» de Cristo. La palabra griega para «dar testimonio» se utiliza para describir el testimonio de los discípulos acerca de Cristo en Juan 15:27. Se dice que Juan el Bautista es uno de los que ha «dado testimonio» de la verdad en Juan 5:33. Dios Padre «dio testimonio» en Hechos 15:8. Así como los discípulos, Juan el Bautista y el Padre (que son todos *personas*) testificaron o dieron testimonio, el Espíritu Santo como persona testifica o da testimonio acerca de Cristo. Una fuerza no puede dar testimonio de algo; sólo una persona puede hacerlo.

El Espíritu Santo intercede (ora) por los creyentes. Romanos 8:26 nos dice: «Y de igual manera el Espíritu nos ayuda en nuestra debilidad; pues qué hemos de pedir como conviene, no lo sabemos, pero el Espíritu mismo intercede por nosotros con gemidos indecibles». En otras partes de la Escritura se nos dice que Jesucristo *intercede* (la misma palabra griega) por los creyentes (Rom. 8:34; Heb. 7:25). Así como Cristo (como persona) intercede por los creyentes, el Espíritu Santo (como persona) intercede por los creyentes. Una fuerza no puede interceder u orar a favor de otra.

El Espíritu Santo da órdenes. Hechos 8:29 nos dice que fue el Espíritu Santo quien ordenó a Felipe que hablara con el eunuco etíope. Hechos 13:2 nos dice que el Espíritu Santo ordenó que Pablo y Bernabé fueran apartados para la obra misionera. Igualmente vemos en Hechos 13:4 que estos dos hombres fueron «enviados por el Espíritu Santo».

Así como el Espíritu envió a Pablo y a sus colaboradores a ciertos lugares, también les prohibió ir a otros. Por ejemplo, Hechos 16:6 nos dice que el Espíritu prohibió a Pablo y a Silas predicar en Asia. Una fuerza no puede enviar individuos a ciertos lugares y prohibirles ir a otros. Solo una persona con mente y voluntad puede hacer eso.

Pregunte...

- ¿Cómo armoniza usted la opinión de la Watchtower de que el Espíritu Santo es una «fuerza» con la enseñanza bíblica de que el Espíritu Santo hace cosas que sólo una persona puede hacer, como orar por los creyentes, hablar a la gente, dar órdenes a la gente, dar testimonio y enseñar a la gente?

El Espíritu Santo es tratado como una persona

Como señala Charles Ryrie en su libro *The Holy Spirit* [*El Espíritu Santo*], «se realizan ciertos actos hacia el Espíritu Santo que serían de lo más incongruentes si no poseyera verdadera personalidad».[22] Veamos brevemente algunos de esos actos.

El Espíritu Santo puede ser contristado. Como señalamos antes, Efesios 4:30 nos dice que no contristemos al Espíritu Santo con el pecado. Una fuerza no puede experimentar la emoción de la aflicción. Sólo una persona puede hacerlo.

El Espíritu Santo puede ser blasfemado. Normalmente no se piensa en una fuerza (la electricidad, por ejemplo) o una cosa (como una computadora) que es blasfemada, el término es más aplicado a personas. Vemos en las Escrituras que Dios Padre puede ser blasfemado (Ap. 13:6;

---

[22] Charles C. Ryrie, The Holy Spirit (Chicago: Moody, 1965), p. 13.

16:9), así como Dios Hijo (Mt. 27:39; Lc. 23:39). Del mismo modo, se nos dice que el Espíritu Santo puede ser blasfemado (Mt. 12:32; Mc. 3:29-30).

Preste especial atención a Mateo 12:32: «A cualquiera que dijere alguna palabra *contra el Hijo del Hombre*, le será perdonado; pero al que hable *contra el Espíritu Santo*, no le será perdonado, ni en este siglo ni en el venidero» (énfasis añadido). Obsérvese que la persona del Hijo del hombre contrasta claramente con la persona del Espíritu Santo.[23] Ambos son retratados como personas en este versículo.

Se puede mentir al Espíritu Santo. Según Hechos 5:3, Ananías y Safira fueron culpables de mentir al Espíritu Santo. Perdieron la vida por esta grave ofensa. No se puede mentir a una fuerza o a una cosa; sólo se puede mentir a una persona. ¿Te imaginas cómo te respondería la gente si confesaras que le has mentido a la electricidad de tu casa esta mañana?

El Espíritu Santo puede ser obedecido. Las Escrituras describen a los creyentes obedeciendo las órdenes e instrucciones del Espíritu Santo. Antes vimos cómo Pablo y Bernabé obedecieron al Espíritu (Hch. 13:2). Pedro también obedeció al Espíritu al ir a la casa de Cornelio para compartir el evangelio (Hch. 10). No se puede obedecer a una fuerza o a una cosa; sólo se puede obedecer a una persona.[24]

El Espíritu Santo es enviado. Juan 14:26 nos dice que el Espíritu Santo es enviado por el Padre (compárese con Jn. 16:7). No se «envía» una fuerza impersonal para realizar una tarea específica.[25] Más bien, se envía a una persona para que realice dicha tarea. Así como Jesús fue enviado por el Padre (Jn. 6:38), también el Espíritu Santo fue enviado por el Padre.

Pregunte...

- ¿Cómo armoniza la opinión de la Watchtower de que el Espíritu Santo es una «fuerza» con la enseñanza bíblica de que al Espíritu Santo se le puede mentir, contristar, obedecer y blasfemar?

---

[23] Robert M. Bowman, Why You Should Believe in the Trinity (Grand Rapids: Baker Books, 1989), p. 118.

[24] ¡Se podría rebatir que una ley puede ser obedecida, pero las leyes siempre vienen de las personas!

[25] Bowman, p. 116.

El Espíritu Santo es contrastado con los espíritus impuros

Marcos 3:29-30 presenta al Espíritu Santo en claro contraste con un espíritu impuro. Jesús fue acusado por algunos líderes judíos hostiles de tener un espíritu impuro. Él respondió diciendo que tenía el Espíritu Santo. Este es el punto clave: Así como un espíritu inmundo es un ser personal (y usted querrá enfatizar que la Sociedad Watchtower enseña que los espíritus inmundos *son* seres personales), así también el espíritu *contrastante*—el Espíritu Santo—es un ser personal.[26]

Falta de nombre personal

Los testigos de Jehová dicen que, si el Espíritu Santo fuera realmente una persona, tendría un nombre igual que el Padre y el Hijo. ¿Es este un argumento legítimo?

Para nada. Los seres espirituales no siempre se nombran en las Escrituras. Por ejemplo, los espíritus inmundos rara vez se nombran en las Escrituras. La mayoría de las veces, se identifican por su carácter particular, es decir, «impuro», «malo», «perverso», etc. (véase, por ejemplo, Lc. 4:36; Hch. 19:15).

Del mismo modo, por el contrario, el Espíritu Santo se identifica por su carácter primario, que es *la santidad.* Decir que el Espíritu no es una persona porque no se le asigna un nombre es un razonamiento claramente falaz.

Pregunte...

- ¿Sabía usted que en la mayoría de los casos los espíritus inmundos no se nombran en las Escrituras, sino que se describen por su carácter particular, como espíritu *inmundo* o espíritu *maligno*?
- ¿El hecho de que la mayoría de los espíritus inmundos no se nombren en las Escrituras significa que no son personas? (La respuesta es obviamente no.)

---

[26] Bowman, p. 48.

- Por el contrario, ¿no tiene sentido que la designación «Espíritu Santo» se entienda como una descripción del carácter y no como una prueba de no personalidad?

Autoridades del Nuevo Testamento griego

La Sociedad Watchtower cita a menudo a varios eruditos del griego en aparente apoyo de su interpretación del Espíritu Santo. Para que conste, sin embargo, notemos que aunque las siguientes autoridades griegas son citadas en la literatura de la Watchtower, *todas ellas creen que el Espíritu Santo es una persona:* F.F. Bruce, A.T. Robertson, John N. Darby, Marvin R. Vincent, y W.E. Vine.[27] La Sociedad Watchtower es totalmente engañosa al citar a tales individuos en apoyo de su punto de vista.

Pregunte...

- ¿Sabía usted que las autoridades de la lengua griega bien conocidas que se citan en la literatura de la Watchtower como *supuestamente* apoyando la opinión de que el Espíritu Santo es una fuerza, de hecho *todos* creen que el Espíritu Santo es una persona? (Mencione algunos de los nombres).

Mateo 3:11 (compárese con Marcos 1:8): bautizados con el Espíritu Santo

La enseñanza de la Watchtower. Según la *Traducción del Nuevo Mundo*, Juan el Bautista dijo: «Yo, por mi parte, los bautizo a ustedes *con agua* por su arrepentimiento. Pero el que viene después de mí es más poderoso que yo, y yo ni siquiera merezco quitarle las sandalias. Él los bautizará *con espíritu santo* y con fuego» (énfasis añadido).

Los testigos de Jehová argumentan que el espíritu y el agua son *paralelos directos* en este versículo, y por lo tanto el espíritu debe ser una

---

[27] Basta consultar los libros publicados por estas personas para comprobar que esto es cierto.

entidad impersonal al igual que el agua.[28] Razonan que, puesto que el Espíritu Santo está tan estrechamente asociado con cosas impersonales en las Escrituras—en este caso, el agua—el Espíritu mismo debe ser impersonal.[29]

La enseñanza bíblica. Es totalmente injustificado decir que, porque el *agua* no es una persona, entonces el Espíritu Santo no es una persona. Esto no sólo va en contra de la evidencia masiva de la personalidad del Espíritu Santo en el Nuevo Testamento (véase la discusión en relación con Gén. 1:1-2), sino que tampoco hay prácticamente ninguna justificación para trazar un paralelo tan estricto y rígido entre dos sustantivos obviamente diferentes.

El ex testigo de Jehová David Reed sugiere que este mismo argumento del bautismo puede utilizarse para «refutar» la personalidad de Jesucristo, que claramente caminó en esta tierra como una persona. Señala Romanos 6:3: ¿O no sabéis que todos los que hemos sido *bautizados en Cristo Jesús*, hemos sido *bautizados en su muerte?*». (énfasis añadido). Se podría argumentar que, puesto que la muerte no es una persona, Jesucristo tampoco debe ser una persona.[30] Pero tal lógica es claramente ridícula.

Pregunte...

* Puesto que Romanos 6:3 nos dice que «todos los que hemos sido *bautizados en Cristo Jesús*, hemos sido *bautizados en su muerte?*», ¿significa esto que Jesús no es una persona puesto que—con estos bautismos «paralelos»—la muerte no es una persona? (La respuesta será no. Del mismo modo, simplemente porque el agua no es una persona [Mt. 3:11] no significa que el Espíritu Santo no es una persona).

Hechos 2:4: Lleno del Espíritu Santo

La enseñanza de la Watchtower. La *Traducción del Nuevo Mundo* interpreta Hechos 2:4, «Estaban enojados porque los apóstoles le

---

[28] Should You Believe in the Trinity?, p. 22.
[29] Aid to Bible Understanding, p. 1543.
[30] David Reed, Jehovah's Witnesses Answered Verse by Verse (Grand Rapids: Baker Books, 1992), p. 51.

enseñaban al pueblo y proclamaban abiertamente la resurrección de Jesús de entre los muertos». Los testigos de Jehová argumentan que como todos los discípulos estaban llenos del Espíritu Santo, Él no debe ser una persona. *Usted puede vivir para siempre en el paraíso en la Tierra* pregunta: «¿Estaban 'llenos' de una persona? No, pero estaban llenos de la fuerza activa de Dios.... ¿Cómo podría el espíritu santo ser una persona, cuando llenó a unos 120 discípulos al mismo tiempo?»[31]

Un ejemplo del Antiguo Testamento de alguien que fue lleno del Espíritu de Dios es Sansón, que tuvo una fuerza sobrenatural como resultado de esa llenura (Jue. 14:6). Los testigos de Jehová preguntan: ¿Entró una persona divina en Sansón, manipulando su cuerpo para hacer lo que hizo?[32] No, responden. Fue realmente la fuerza activa de Dios la que hizo a Sansón tan fuerte.

Los testigos de Jehová también señalan que Efesios 5:18 instruye a las personas a ser llenas del Espíritu Santo en lugar de vino. Obviamente, el vino no es una persona.[33] Del mismo modo, el Espíritu Santo no es una persona. Es la fuerza activa de Dios. El vino y el Espíritu Santo se ven como paralelos antitéticos en este versículo.

La enseñanza bíblica. Cuando responda a los testigos de Jehová, querrá señalar que Efesios 3:19 habla de estar llenos de *Dios mismo.*[34] El hecho de que Dios pueda llenar todas las cosas no significa que no sea una persona. Del mismo modo, el hecho de que el Espíritu Santo pueda llenar a numerosas personas no prueba que no sea una persona.

Asimismo, Efesios 4:10 habla de que *Cristo* llena todas las cosas. Efesios 1:23 habla de Cristo como Aquel que «todo lo llena en todo». El hecho de que Cristo pueda llenar todas las cosas no significa que no sea una persona. Y una vez más, lo mismo se aplica al Espíritu Santo. Claramente, entonces, la lógica de la Watchtower en este asunto es defectuosa.

---

[31] You Can Live Forever in Paradise on Earth (Brooklyn: Watchtower Bible and Tract Society, 1982), p. 85.
[32] Should You Believe in the Trinity?, p. 21.
[33] Should You Believe in the Trinity?, p. 22.
[34] Bowman, p. 122.

Pregunte...

- El hecho de que Dios Padre y Cristo puedan llenarlo todo, ¿significa que no son personas? (La respuesta será no).

- Entonces, ¿cómo puede la Sociedad Watchtower insistir en que el Espíritu Santo no puede ser una persona simplemente porque el Espíritu llena a numerosas personas?

En cuanto a que el vino es un paralelo antitético que prueba la naturaleza impersonal del Espíritu Santo (Ef. 5:18), debemos responder de nuevo que se trata de un argumento sin peso. No hay justificación alguna para trazar este tipo de paralelismo inexpresivo en el contexto. Y va en contra de la abrumadora evidencia en el Nuevo Testamento de que el Espíritu Santo *es* una persona (véase la discusión en relación con Gén. 1:1-2). El argumento de Pablo en Efesios 5:18 es que, como cristianos, no debemos ceder el control de nosotros mismos a una sustancia impersonal (como el vino) que puede perturbar nuestro sano juicio y llevarnos a hacer cosas malas. Por el contrario, debemos estar llenos de la persona del Espíritu Santo, que no sólo nos guía y enseña personalmente, sino que también produce frutos específicos en nuestras vidas (Gál. 5:22ss.).[35]

1Juan 5:6-8: Tres «dan testimonio»

La enseñanza de la Watchtower. En la *Traducción del Nuevo Mundo* 1Juan 5:6-8 se lee, «Este es el que vino por medio de agua y sangre, Jesucristo; no solo con el agua, sino con el agua y con la sangre. Y el espíritu da testimonio, porque el espíritu es la verdad. Porque son tres los que dan testimonio: el espíritu, el agua y la sangre, y los tres están de acuerdo» (énfasis añadido).

Los testigos de Jehová argumentan que, puesto que el agua y la sangre obviamente no son personas, tampoco lo es el Espíritu Santo.[36] Los tres elementos de este versículo—el agua, la sangre y el Espíritu Santo—se consideran personificaciones.

---

[35] Bowman, p. 122.
[36] Should You Believe in the Trinity?, p. 22.

La enseñanza bíblica. Es cierto que el agua y la sangre se utilizan en este texto en sentido metafórico, personificándose como testigos. Pero esto no significa que el Espíritu Santo sea una personificación. Este es otro ejemplo de razonamiento erróneo por parte de la Sociedad Watchtower.

Un poco de trasfondo histórico nos ayuda a comprender lo que ocurre en 1Juan 5:6-8. Un falso maestro gnóstico llamado Cerinto propuso la idea herética de que el «Cristo» (una especie de ser espiritual cósmico) vino sobre un Jesús humano en su bautismo, pero se marchó antes de su crucifixión. Primera de Juan 5:6-8 refuta esta idea. «Agua» es una referencia al bautismo de Jesús, mientras que «sangre» es una referencia a su crucifixión. Ambos actúan como testigos metafóricos del hecho de que Jesús el Cristo experimentó *tanto* el bautismo *como* la muerte por crucifixión. Y el Espíritu Santo (también conocido como el Espíritu de verdad—1Jn. 2:27; 4:2) es el tercer testigo que atestigua este hecho. La mención de tres testigos refleja el requisito de la ley judía (Dt. 19:15; Jn. 8:17-18). El simple hecho de que el agua y la sangre no sean personas no es razón para interpretar que el Espíritu Santo es impersonal.

Aunque es cierto que las personificaciones aparecen a menudo en las Escrituras, la gente no suele confundirse en cuanto a si el tema en cuestión es personal o impersonal. Como señala Robert Bowman, «siempre que se personifican realidades impersonales... el hecho de que son impersonales ya es bien conocido».[37] En cambio, «la mayoría de la gente (incluida la mayoría de los antitrinitarios) que ha leído el Nuevo Testamento ha pensado que el Espíritu Santo es una persona, y con razón».[38] En vista de esto, parece legítimo acusar que si el Espíritu Santo no es una persona, entonces la Biblia es engañosa ya que hay muchas ocasiones en las Escrituras donde se le retrata teniendo personalidad y funcionando como una persona.[39]

También podríamos mencionar que hay muchas veces en las Escrituras en las que se asocia a Jesús con elementos impersonales, aunque esto no argumenta en contra de su personalidad. En diferentes ocasiones, a Jesús se le llama *pan* (Jn. 6:35), *puerta* (Jn. 10:7), *luz* (Jn. 8:12), *roca* (1Co. 10:4), *piedra* (1Pe. 2:4-8), la *verdad* (Jn. 14:6), la *vid* (Jn. 15:1), el *camino* (Jn. 14:6) y la *Palabra* (Jn. 1:1). Es evidente que la personalidad de Jesús no

---

[37] Bowman, p. 121.
[38] Bowman, p. 120.
[39] Bowman, p. 121.

queda anulada por el mero hecho de que este tipo de términos se utilicen asociados a Él.

Pregunte...

- ¿Es legítimo argumentar que Jesús no es una persona porque a menudo se le asocia con objetos impersonales, como el pan, una puerta, la luz, una roca, una piedra y una vid? (La respuesta será no).

- Para ser coherentes, entonces, ¿no es ilegítimo decir que el Espíritu Santo no es una persona simplemente porque se le ve en estrecha asociación con elementos impersonales como el agua y la sangre?

Juan 14-16: El «otro consolador»

La enseñanza de la Watchtower. Cuando Jesús habla con los discípulos en el aposento alto, se refiere al Espíritu Santo como un «consolador», y en esa capacidad se dice que el Espíritu «enseña», «guía», «da testimonio», «habla» y «oye» (Jn. 14:16-17, 26; 15:26; 16:13). ¿Exigen tales afirmaciones que el Espíritu Santo sea interpretado como una persona?

De ninguna manera, según la Sociedad Watchtower. En este y otros pasajes que *parecen* retratar al Espíritu Santo como una persona, el Espíritu Santo simplemente está siendo *personificado,* dicen ellos.[40] Por eso en Juan 14-16 Jesús usó el pronombre personal «él» para referirse al Espíritu Santo. El uso de este pronombre personal en tales situaciones *no* exige personalidad, se nos dice. Además, como el Espíritu Santo está personificado en las Escrituras, expresiones figuradas como «habla» u «oye» no prueban que el Espíritu Santo sea una persona.[41]

En relación con esto, la Sociedad Watchtower señala que la palabra «consolador» en Juan 14-16 está en género masculino. Y, argumentan, es por eso que Jesús usó pronombres personales masculinos (como «él») para hablar del Espíritu Santo (Jn. 16:7-8). En otras palabras, el uso de pronombres masculinos («él») en este pasaje no prueba la personalidad,

---

[40] Reasoning from the Scriptures, p. 380.
[41] Reasoning from the Scriptures, p. 381.

sino que viene dictado por la gramática griega, ya que la palabra griega para «consolador» (*parakletos*) es un sustantivo masculino.

En otros lugares, señala la Sociedad Watchtower, la palabra griega *neutra* para Espíritu se usa para referirse al Espíritu Santo. Y en estos casos, el pronombre neutro «ello» es usado en referencia al Espíritu. Por lo tanto, la Sociedad concluye, «Cuando la Biblia usa pronombres personales masculinos en conexión con [la palabra 'consolador'] en Juan 16:7-8, se está conformando a reglas de gramática, no expresando una doctrina». [42]

La enseñanza bíblica. Para responder a la afirmación de la Watchtower de que el Espíritu Santo es una fuerza personificada en las Escrituras, David Reed sugiere remitir al testigo de Jehová interesado a un artículo que apareció en un número de 1973 de la revista *¡Despertad!* Allí leemos: «¿Es el Diablo una personificación o una persona?... ¿Puede una 'fuerza' no inteligente mantener una conversación con una persona?... Sólo una persona inteligente podría.... Cada cualidad, cada acción, que puede indicar personalidad, se le atribuye en un lenguaje que no se puede explicar».[43]

Si este argumento puede utilizarse para demostrar la personalidad del diablo, también puede utilizarse (con pruebas mucho más sustanciales) para demostrar la personalidad del Espíritu Santo. Porque, en efecto, el Espíritu Santo puede mantener una conversación con otros (Hch. 8:29; 13:2), tiene todas las cualidades de la personalidad (véase 1Co. 2:10; 12:11; Ef. 4:30) y realiza todas las acciones de la personalidad (véase Jn. 14:26; 15:26; Hch. 8:29; Rom. 8:14). Claramente, la personalidad es atribuida al Espíritu Santo *en un lenguaje que no puede ser explicado.*

La experta acerca de asuntos de la Watchtower Marian Bodine sugiere el siguiente enfoque:

Pregunte...

- *Cristiano:* «¿Cree usted que Satanás es una persona espiritual?»
  TJ: «Sí».
  Cristiano: «¿Cree usted que Satanás es una persona porque tiene los atributos calificativos de una persona?».
  TJ: «Supongo que sí, pero ¿qué quiere decir?».

---

[42] Should You Believe in the Trinity?, p. 22.
[43] ¡Despertad!, 8 de diciembre de 1973, p. 27; véase también David Reed, Index of Watchtower Errors (Grand Rapids: Baker Books, 1990), p. 85.

Cristiano: «¿Está de acuerdo en que, para ser considerado un ser o una persona inteligente, uno debe ser capaz de pensar, actuar, comunicarse, y tener voluntad?»

TJ: «Sí, Satanás puede hacer todas esas cosas».

Cristiano: «¿Entonces por qué no cree usted que el Espíritu Santo es una persona? La Biblia enseña que Él tiene todos los atributos de una persona». (Luego comparta algunos de los atributos específicos de la personalidad que el Espíritu Santo manifiesta en las Escrituras).[44]

Una cosa es decir que individuos como Jesús usaron pronombres personales para hablar del Espíritu Santo. Sin embargo, es muy significativo que el Espíritu Santo utilizara pronombres personales *de sí mismo*. Un ejemplo de esto es Hechos 13:2: «Mientras adoraban al Señor y ayunaban, el Espíritu Santo dijo: '*Apartadme* a Bernabé y a Saulo para la obra a la que [*yo*] los he llamado'» (énfasis e inserción añadidos). Independientemente de lo que digan los testigos de Jehová, ¡parece claro que el Espíritu Santo se consideraba a sí mismo una persona y no una personificación!

Pregunte...
* Si el Espíritu Santo es una fuerza, como argumenta la Sociedad Watchtower, entonces ¿por qué usa los pronombres personales «yo» y «me» en referencia a sí mismo (Hch. 13:2)?

En cuanto al uso de pronombres personales en relación al Espíritu Santo, el teólogo reformado Charles Hodge concluye que el Espíritu Santo «se presenta como una persona tan a menudo, no sólo en el discurso poético o excitado, sino en la narración simple, y en las instrucciones didácticas; y su personalidad se sostiene por tantas pruebas colaterales, que explicar el uso de los pronombres personales en relación con Él en el principio de personificación, es hacer violencia a todas las reglas de interpretación».[45]

Al analizar los capítulos 14-16 de Juan, querrá centrar parte de su atención en Juan 14:16: «Y yo rogaré al Padre, y os dará *otro Consolador*,

---

[44] Jerry y Marian Bodine, Witnessing to the Witnesses, copia de manuscrito de prepublicación de la 2da edición (Irvine: n.p., 1993).
[45] Charles Hodge, Systematic Theology (Grand Rapids: Eerdmans, 1952), I: 524.

para que esté con vosotros para siempre» (énfasis añadido). Hay dos palabras en el idioma griego para la palabra «otro»: La primera (*heteros*) significa «otro de diferente clase». La segunda (*allos*) significa *«otro de la misma clase»*. Es esta segunda palabra, *allos,* la que se usa en Juan 14:16. Así que Jesús está diciendo que le pedirá al Padre que envíe otro Consolador de la *misma clase que Él,* es decir, personal. Así como Jesús fue un abogado/representante personal que ayudó a los discípulos durante tres años de su ministerio terrenal, ahora los discípulos tendrían otro abogado/representante personal—el Espíritu Santo—que estaría con ellos durante toda su vida.

El propósito de este defensor/representante personal es dar testimonio de Cristo (Jn. 15:26-27). *Esto es algo que sólo una persona puede hacer.* De hecho, es digno de mención que a los discípulos se les diga que den testimonio después de recibir el testimonio dado por el Espíritu Santo. Está claro que dar testimonio es un acto *personal*.[46]

Juan 16:13 también nos dice que el Espíritu Santo « no hablará por su propia cuenta, sino que hablará todo lo que oyere, y os hará saber las cosas que habrán de venir» Sería verdaderamente ridículo interpretar esto como que una fuerza repite lo que «oye».[47] Es tan ridículo como decir que la electricidad de mi casa repetirá todo lo que me oiga decir.

¿Qué hay de los sustantivos y pronombres neutros que se usan para referirse al Espíritu Santo? Cuando se trata de hablar de palabras masculinas, femeninas y neutras en griego, entramos en un terreno que muchos probablemente preferirían evitar. Sin embargo, debido a que los testigos de Jehová entran en este terreno para argumentar en contra de la personalidad del Espíritu Santo, debemos echar un breve vistazo a cómo debemos responder.

En griego, todos los sustantivos tienen tres géneros: masculino, femenino o neutro. Estos géneros no son indicadores de sexo. En *The Elements of New Testament Greek* [*Los elementos del griego del Nuevo Testamento*], J.W. Wenham señala que «en griego, el género tiene que ver con la forma de las palabras y poco con el sexo. Hay formas masculinas, femeninas y neutras, pero 'pan' [en griego] es masculino, 'cabeza' es

---

[46] Bowman, p. 116.
[47] Bowman, p. 117.

femenino y 'niño' es neutro».[48] Así pues, el hecho de que un término sea gramaticalmente masculino no significa que su género sea realmente masculino. Que un término sea gramaticalmente femenino no significa que su género sea femenino. Y simplemente porque un término sea gramaticalmente *neutro* no significa que el artículo sea un «ello».

Una razón por la que los testigos de Jehová dicen que el Espíritu Santo es una «fuerza activa» es que la palabra griega para «Espíritu» (*pneuma*) es neutra. Sin embargo, como se señaló anteriormente, este es un razonamiento erróneo, ya que el género neutro de la palabra tiene que ver con la *forma gramatical* de la palabra y no con el género físico real. Por ejemplo, en las Escrituras se utilizan términos neutros para referirse a *los bebés* (Lc. 1:41,44; 2:16; 18:15), *los niños* (Mc. 5:39-41), *las niñas* (Mt. 9:24-25; Mc. 5:41-42), los *espíritus inmundos* (Mt. 12:24, 27-28; Mc. 7:26, 29-30) y *los ángeles* (Heb. 1:14). Obviamente, cada uno de estos seres tiene personalidad, aunque se utilice un término neutro para referirse a ellos. Por tanto, podemos concluir con seguridad que el uso de un término neutro no indica falta de personalidad.

Pregunte...

- ¿Sabía usted que en el Nuevo Testamento griego se utiliza un término neutro para referirse a los bebés, los niños, las niñas, los espíritus inmundos y los ángeles?

- El hecho de que se utilice un término neutro para los bebés, los niños, las niñas, los espíritus inmundos y los ángeles, ¿significa que no son personas? (La respuesta será no).

- Entonces, ¿cómo es legítimo que la Sociedad Watchtower insista en que el Espíritu Santo no es una persona simplemente porque se utiliza un término neutro para referirse a Él?

Aunque una palabra neutra no indica falta de personalidad, cabe destacar que los escritores de las Escrituras utilizaron pronombres *masculinos* en el griego original para referirse al sustantivo *neutro* «espíritu» (*pneuma*).[49] El teólogo Charles Ryrie lo explica así:

---

[48] J.W. Wenham, The Elements of New Testament Greek (Cambridge: Cambridge University, 1979), p. 8.
[49] The New Treasury of Scripture Knowledge, ed. Jerome H. Smith (Nashville: Thomas Nelson, 1992), p. 1219.

Según toda regla gramatical normal, cualquier pronombre que sustituyera a este sustantivo neutro [*pneuma*] tendría que ser neutro. Sin embargo, en varios lugares los escritores bíblicos no siguieron este procedimiento normal de la gramática, y en lugar de usar un pronombre neutro en lugar del sustantivo neutro *pneuma,* deliberadamente contradijeron la regla gramatical y usaron pronombres masculinos... Esto demuestra que consideraban que el Espíritu era una persona y no simplemente una cosa.[50]

Pregunte...

• En las Escrituras, un sustantivo neutro normalmente requeriría un pronombre neutro para referirse a él. ¿Por qué cree que los escritores de las Escrituras contradijeron deliberadamente esta regla gramatical y utilizaron pronombres *masculinos* para referirse al sustantivo neutro «espíritu» (cuando se referían al Espíritu Santo)?

Mateo 28:19: El «nombre» del Espíritu Santo

La enseñanza de la Watchtower. En la *Traducción del Nuevo Mundo* Mateo 28:19 dice, «Así que vayan y hagan discípulos de gente de todas las naciones. Bautícenlos en el nombre del Padre, del Hijo y del espíritu santo». Al leer este versículo, parecería claramente evidente que el Espíritu Santo es una persona, ya que el Padre y el Hijo son ambos personas, y porque la palabra «nombre» se usa tanto del Espíritu como del Padre y del Hijo. Pero los testigos de Jehová no estarán de acuerdo con eso.

Argumentan que la palabra «nombre» no siempre significa un nombre personal. Por ejemplo, cuando decimos: «En nombre de la ley», no nos referimos a una persona. Más bien estamos comunicando lo que la ley representa: su autoridad. En *¿Debe usted creer en la Trinidad?*, se argumenta que «nombre» es una forma común de señalar «poder y autoridad».[51] Este es supuestamente el sentido en el que se utiliza la palabra en Mateo 28:19. Por lo tanto, este versículo no puede utilizarse para apoyar la creencia en la personalidad del Espíritu Santo.

---

[50] Ryrie, p. 14.
[51] Should You Believe in the Trinity?, p. 22.

La enseñanza bíblica. Uno debe comenzar abordando la afirmación de la Watchtower de que la palabra «nombre» no siempre significa un nombre personal. En realidad, lo contrario es cierto: En el Nuevo Testamento, la palabra griega para «nombre» casi siempre se utiliza de personas reales. Como señala Robert Bowman, «La palabra griega para 'nombre' (*onoma*) se utiliza unas 228 veces en el Nuevo Testamento, y salvo cuatro topónimos (Mc. 14:32; Lc. 1:26; 24:13; Hch. 28:7; cf. Ap. 3:12) siempre se refiere a personas».[52] Sobre todo porque la palabra «nombre» en Mateo 28:19 se usa en conjunción con el Padre, el Hijo y el Espíritu Santo, parece bastante obvio que el elemento personal está presente porque el Padre y el Hijo son innegablemente personas. Del mismo modo, el Espíritu Santo debe ser una persona.

Pregunte...

- ¿Sabía usted que la palabra griega «nombre» se utiliza unas 228 veces en el Nuevo Testamento y, salvo cuatro topónimos, *siempre* se refiere a personas?

- En vista de esto—y del hecho de que no se mencionan topónimos en Mateo 28:19—¿no significa esto que la Watchtower está en un error al insistir en que el «nombre» utilizado en asociación con el Espíritu Santo no indica personalidad?

¿Qué hay de la afirmación de la Watchtower de que la palabra «nombre» puede usarse para representar poder y autoridad? Un examen de las Escrituras es claro que la palabra puede representar el poder y la autoridad, pero el poder y la autoridad *de las personas* siempre implica.[53] Nunca representa el poder y la autoridad de una fuerza o de una cosa. Que la palabra «nombre» pueda representar poder y autoridad no sólo *no* apoya la posición de la Watchtower, sino que *argumenta fuertemente contra ella.*

---

[52] Bowman, p. 115.
[53] Bowman, p. 115.

El Espíritu Santo: Una persona

Hemos visto que el Espíritu Santo habla de sí mismo como una persona (usando los pronombres «yo» y «me»); otros se dirigen a Él como una persona; Él tiene todos los atributos de la personalidad (mente, emociones y voluntad); Él hace cosas que sólo una persona puede hacer (como orar e interceder); Él es tratado por otros como sólo una persona puede ser tratada (por ejemplo, se le puede mentir), e interactúa con otros en una base personal—incluyendo al Padre y al Hijo. Muy claramente, entonces, la posición de la Watchtower de que el Espíritu Santo es una fuerza va en contra del testimonio claro y consistente de toda la Escritura.

9

LA TRINIDAD:
¿DOCTRINA BÍBLICA O MENTIRA PAGANA?

> *Adoramos a un solo Dios en la Trinidad,*
> *y a la Trinidad en unidad;*
> *distinguimos entre las personas,*
> *pero no dividimos la sustancia...*
> *Las tres personas son coeternas*
> *y coiguales entre sí, de modo que...*
> *adoramos la unidad completa en la Trinidad*
> *y la Trinidad en la unidad.*
> —El Credo Atanasiano[1]

La publicación de la Watchtower *¿Debería usted creer en la Trinidad?* pregunta, «Si la gente leyera la Biblia de cabo a rabo sin ninguna idea preconcebida de una Trinidad, ¿llegaría a tal concepto por sí misma? En absoluto».[2]

Más bien, dice la publicación, el estudiante de la Biblia encontraría «monoteísmo», la creencia de que Dios es *uno*. Jesús mismo enfatizó este tipo de monoteísmo en Juan 17:3 donde se refirió al Padre como el «único

---

[1] Henry C. Thiessen, Lectures in Systematic Theology (Grand Rapids: Eerdmans, 1981), p. 90.
[2] Should You Believe in the Trinity? (Brooklyn: Watchtower Bible and Tract Society, 1989), p. 12.

Dios verdadero». Puesto que Jesús llamó al Padre el *único* Dios verdadero, entonces Jesús mismo no podía *ser* ese Dios.

La Sociedad Watchtower argumenta que Jesús nunca enseñó ningún concepto de la Trinidad. En *Sea Dios hallado veraz,* leemos que «pasa por extraño que esta complicada y confusa doctrina no recibiera ninguna atención por parte de Cristo Jesús, a modo de explicación o enseñanza».[3]

A continuación, esta misma publicación plantea lo que al parecer considera un argumento «contundente» contra la Trinidad: «Una de las cosas más misteriosas es la pregunta, ¿Quién dirigió el universo durante los tres días que Jesús estuvo muerto y en la tumba... Si Jesús era Dios, entonces durante la muerte de Jesús Dios estaba muerto y en la tumba. ¡Qué maravillosa oportunidad para que Satanás tomara el control completo!... Si Jesús era el Dios inmortal, no pudo haber muerto».[4]

Otro argumento común de la Watchtower contra la Trinidad es que debido a que Dios no es un Dios de desorden o confusión (1Co. 14:33), es imposible que la Escritura hable de un Dios que no puede ser entendido por la razón humana. La idea de que el Padre es Dios, el Hijo es Dios y el Espíritu Santo es Dios—junto con la idea paralela de que *sólo hay un Dios*—es incomprensible e irrazonable. Puesto que Dios no es un Dios de confusión, este concepto de Él no puede ser correcto. Jesús dijo: «Adoramos *lo que conocemos*» (Jn. 4:22, énfasis añadido). Además, la palabra «Trinidad» ni siquiera aparece en la Biblia. Es un concepto que se *lee en* la Biblia en lugar de *derivarse de* la Biblia.

A lo largo de su historia, la Sociedad Watchtower ha tergiversado la doctrina de la Trinidad con el fin de hacer su negación más plausible para la gente «razonable». Por ejemplo, la publicación de la Watchtower *Estudios de las Escrituras* (1899) decía que «esta doctrina de tres Dioses en un Dios... [es] uno de los *oscuros misterios* por los cuales Satanás, a través del papado, ha enturbiado la Palabra y el carácter del plan de Dios».[5] (Los trinitarios, sin embargo, no creen en «tres Dioses en un Dios»; creen en un Dios, y que hay tres *personas* coiguales en la única Divinidad).

En otra parte de este mismo volumen, encontramos referencia a «la irrazonable y antibíblica doctrina de la Trinidad: tres Dioses en una

---

[3] Let God Be True (Brooklyn: Watchtower Bible and Tract Society, 1946), p. 200.
[4] Let God Be True, p. 109.
[5] Studies in the Scriptures, vol. 5 (Brooklyn: Watchtower Bible and Tract Society, 1899), pp. 60-61.

persona».[6] Sin embargo, los trinitarios no creen que la Trinidad sea «tres Dioses en *una persona*»; creen en tres *personas* coiguales en la única Divinidad.

Una publicación de la Watchtower llegó a referirse a la Trinidad como un ser «raro»:

> Cuando sus seguidores preguntan a los clérigos cómo es posible que exista tal combinación de tres en uno, se ven obligados a responder: «Eso es un misterio». Algunos tratarán de ilustrarlo utilizando triángulos, tréboles o imágenes con tres cabezas en un solo cuello. Sin embargo, a las personas sinceras que quieren conocer al Dios verdadero y servirle les resulta un poco difícil amar y adorar a un *Dios* complicado, *de aspecto estrafalario y con tres cabezas.* Los clérigos que inyectan tales ideas se contradicen a sí mismos inmediatamente al afirmar que Dios hizo al hombre a su propia imagen; porque ciertamente nadie ha visto jamás una criatura humana de tres cabezas (énfasis añadido).[7]

En cuanto al supuesto origen satánico de esta doctrina, el libro de la Watchtower *Reconciliation* [*Reconciliación*] (1928) elabora, «Nunca hubo una promoción a una doctrina más engañosa que la de la Trinidad. Sólo pudo haberse originado en una mente... la mente de Satanás el Diablo».[8] El libro *Riches* [*Riquezas*] (1936) dice igualmente: «Otra mentira hecha y contada por Satanás con el propósito de reprochar el nombre de Dios y apartar a los hombres de Dios es la de la 'Trinidad'».[9]

Además de tener orígenes satánicos, la Sociedad Watchtower insiste en que la doctrina de la Trinidad es un concepto pagano. Citan un libro titulado *The Paganism in Our Christianity* [*El Paganismo en Nuestro Cristianismo*], que dice: «El origen [de la Trinidad] es completamente pagano».[10] Se argumenta que muchos siglos antes de la época de Cristo, existían tríadas o trinidades de dioses en la antigua Babilonia, Egipto y Asiria.[11] Citando al historiador Will Durant, «el cristianismo no destruyó el

---

[6] Studies in the Scriptures, vol. 5, p. 76.

[7] Let God Be True, p. 102.

[8] Reconciliation (Brooklyn: Watchtower Bible and Tract Society, 1928), p. 101.

[9] Riches (Brooklyn: Watchtower Bible and Tract Society, 1936), p. 185.

[10] Should You Believe in the Trinity? p. 3.

[11] Should You Believe in the Trinity? p. 9.

paganismo; lo adoptó».[12] «Se deduce entonces», dice la Sociedad Watchtower, «que Dios no fue el autor de esta doctrina».[13] Más bien, este concepto satánico/pagano fue asimilado en la teología cristiana en los primeros siglos de la iglesia.

Para ser más específicos, la Sociedad Watchtower dice que el concepto de la Trinidad fue adoptado por la iglesia unos trescientos años después de la muerte de Cristo.[14] De acuerdo con la publicación de la Watchtower de 1990 *El hombre en la búsqueda de Dios*, el emperador Constantino quería unidad en su reino, y en el año 325 d.C. convocó un concilio de sus obispos en Nicea. Se dice que asistieron entre 250 y 318 obispos (una minoría de obispos). «Después de un feroz debate, de ese concilio poco representativo salió el Credo de Nicea con su fuerte sesgo hacia el pensamiento trinitario. Sin embargo, no resolvió el argumento doctrinal... Fue una victoria para la teología y una derrota para aquellos que se aferraban a las Escrituras».[15]

La Sociedad Watchtower argumenta que esta «desviación» de lo que la iglesia primitiva creía fue profetizada por Cristo y sus apóstoles. Ellos hablaron de una «apostasía» que tendría lugar antes del regreso de Cristo. De hecho, además de la doctrina pagana de la Trinidad, otros conceptos paganos como el fuego del infierno, la inmortalidad del alma y la idolatría se convirtieron en parte de la cristiandad, trayendo consigo una «edad oscura» espiritual dominada por una creciente clase clerical del «hijo de iniquidad».[16]

La Sociedad Watchtower concluye así: «Adorar a Dios en sus términos significa rechazar la doctrina de la Trinidad. Contradice lo que los profetas, Jesús, los apóstoles y los primeros cristianos creían y enseñaban. Contradice lo que Dios dice de sí mismo en su propia Palabra inspirada».[17]

---

[12] Should You Believe in the Trinity? p. 11.
[13] Let God Be True, p. 101.
[14] Should You Believe in the Trinity? p. 6.
[15] Mankind's Search for God (Brooklyn: Watchtower Bible and Tract Society, 1990), p. 276.
[16] Should You Believe in the Trinity? p. 12.
[17] Should You Believe in the Trinity? p. 31.

Razonando a la luz de la Biblia

La palabra «Trinidad»: ¿un término antibíblico?

¿El hecho de que la palabra «Trinidad» no aparezca en la Biblia constituye una prueba de que la doctrina es falsa? En absoluto. Aunque la palabra no se menciona en la Biblia, el concepto de la Trinidad se deriva claramente de las Escrituras (como se hará evidente en este capítulo).

Se podría señalar al testigo de Jehová que la palabra Jehová no aparece como tal en la Biblia.[18] De hecho, Jehová no aparece en *ningún* manuscrito legítimo hebreo o griego de la Biblia.[19] La palabra fue formada originalmente por escribas judíos supersticiosos que unieron las consonantes *YHWH* con las vocales de «Adonai». El resultado fue Yahowah, o Jehová. Así que si uno va a argumentar que la doctrina de la Trinidad no es bíblica porque la palabra «Trinidad» no aparece en la Biblia, entonces por esa misma lógica la doctrina de Jehová debe ser considerada falsa ya que ese término tampoco aparece en ninguna parte de la Biblia.

También podemos ilustrar este punto con la palabra «teocracia». El ex testigo de Jehová Duane Magnani presenta la siguiente conversación entre Chris (cristiano) y Jay (testigo de Jehová):

Chris: Tomemos «teocracia» como ejemplo. Aunque la palabra no aparece en la Biblia, el Imperio romano tenía una especie de teocracia en la que el emperador era considerado un dios, un rey divinizado. Lo mismo ocurría en Egipto, donde el faraón era un dios que gobernaba la nación. Esto es muy similar a la estructura de la Watchtower.

Jay: ¿Cómo es eso?

Chris: La Sociedad afirma ser una teocracia, gobernada desde el «gobernante divino» hacia abajo, a través de todo el pueblo de Dios [todos los testigos de Jehová], ¿verdad?

---

[18] Walter Martin y Norman Klann, Jehovah of the Watchtower (Minneapolis: Bethany House, 1974), p. 43.

[19] Algunos testigos de Jehová afirman que los cristianos que dicen que «Jehová» no está en la Biblia, ignoran cómo se traducen los nombres del hebreo o el griego originales al español. Los cristianos responden que YHWH en el hebreo original se traduce mejor como «Yahvé» (una transliteración) o, más fácil, «Señor» (una traducción). A pesar de las quejas de los Testigos, «Jehová» es, de hecho, un término creado por el hombre. Por eso la Enciclopedia Británica, entre otras obras de referencia, clasifica a «Jehová» como un nombre artificial.

Jay: Oh, sí, la Sociedad Watchtower es una organización teocrática.

Chris: Bueno, el hecho de que una «teocracia» se encuentre en estructuras paganas, y que la palabra no se encuentre en la Biblia, no descarta el hecho de que el concepto pueda ser bíblico, ¿verdad?[20]

Por supuesto, la respuesta a la pregunta es no. Y, del mismo modo, el simple hecho de que la palabra «Trinidad» no se encuentre en la Biblia no significa que el concepto de Trinidad no sea bíblico.

Pregunte...

- El hecho de que la palabra «teocracia» no aparezca en la Biblia, ¿excluye la posibilidad de que sea un concepto bíblico? (La respuesta será no).

- Para ser justos y coherentes, entonces, ¿el hecho de que la palabra «Trinidad» no aparezca en la Biblia descarta la posibilidad de que sea un concepto bíblico?

Al abordar esta cuestión, James White preguntó: «Si creo *todo* lo que dice la Biblia sobre el tema X y uso un término que no se encuentra en la Biblia para describir la enseñanza completa de las Escrituras sobre ese punto, ¿no estoy siendo más veraz con la Palabra que alguien que se limita sólo a los términos bíblicos, pero rechaza algún aspecto de la revelación de Dios?».[21] Esta es una pregunta sobre la que los testigos de Jehová deberían reflexionar.

¿Un concepto pagano?

¿Tiene algún fundamento la afirmación de la Watchtower de que la doctrina de la Trinidad es un concepto pagano? De ninguna manera. En primer lugar, es fundamental reconocer que los babilonios y asirios creían en *tríadas* de dioses que encabezaban un panteón de muchos otros dioses.[22] Pero estas tríadas constituían tres dioses separados (politeísmo), que es

---

[20] Duane Magnani, The Watchtower Files (Minneapolis: Bethany House, 1985), p. 148.

[21] James White, The Forgotten Trinity (Minneapolis: Bethany House, 1998), p. 29.

[22] Paul G. Weathers, «Answering the Arguments of Jehovah's Witnesses Against the Trinity», Contend for the Faith, ed. Eric Pement (Chicago: EMNR, 1992), pp. 132, 136.

totalmente diferente de la doctrina de la Trinidad, que sostiene que sólo hay *un Dios* (monoteísmo) con tres personas dentro de la única Divinidad.

Pregunte...

- ¿Puede ver la diferencia entre una *tríada* de dioses que encabezaban un panteón de muchos dioses y la doctrina de la *Trinidad,* que sostiene que hay un Dios con tres personas dentro de la única Divinidad?

Podría informar al testigo de Jehová de que los paganos enseñaban el concepto de un gran diluvio que mató a gran parte de la humanidad. También enseñaban la idea de una figura parecida a un mesías (llamado *Tamuz*) que resucitó. Por lo tanto, como sostiene el erudito bíblico Paul G. Weathers, «si la Watchtower utiliza el mismo método de razonamiento, se deduce que la creencia cristiana en el diluvio, el Mesías (Jesús) y su resurrección son paganas. Después de todo, ¡los paganos creían estas cosas antes que los cristianos!».[23]

El punto es, simplemente porque los paganos hablaron de un concepto remotamente parecido a algo que se encuentra en las Escrituras no significa que el concepto fue robado de fuera del cristianismo. Si usted puede demostrar esto efectivamente al testigo de Jehová, él o ella se enfrentará a una elección: «O admite que el argumento de la Watchtower es falso, o concluye que el diluvio, el Mesías y la resurrección de Cristo también se derivan del paganismo».[24]

Pregunte...

- ¿Sabía usted que los paganos enseñaban el concepto de un gran diluvio que mató a gran parte de la humanidad y el concepto de una figura-mesías llamada *Tamuz* que supuestamente resucitó? (Probablemente responderán que no).
- ¿Son falsas las doctrinas bíblicas del diluvio y del Mesías simplemente porque los paganos enseñaron relatos remotamente similares hace mucho tiempo?

---

[23] Weathers, p. 136.
[24] Weathers, p. 136.

1Corintios 14:33-Jehová: No es un Dios de confusión

La enseñanza de la Watchtower. Al leer 1Corintios 14:33 en la *Traducción del Nuevo Mundo* vemos que dice, «Porque Dios no es un Dios de desorden, sino de paz». Los testigos de Jehová dicen que debido a que Dios no es un Dios de desorden o de confusión, la doctrina de la Trinidad no puede ser verdadera ya que es tan irrazonable. Después de todo, ¿cómo pueden el Padre, el Hijo y el Espíritu Santo ser Dios cada uno y sin embargo haber un solo Dios? No tiene sentido.[25]

En *Sea Dios hallado veraz,* leemos lo siguiente sobre la Trinidad: «Excusarla con la palabra '¡Misterio!' no es satisfactorio. Si uno tiene en mente las palabras del apóstol, 'Dios no es el autor de la confusión' (1Co. 14:33), se ve inmediatamente que tal doctrina no es de Dios. Pues bien, cabría preguntarse, si Dios no es el autor de esta doctrina confusa, ¿quién lo es?».[26] La implicación es que la doctrina se originó con Satanás.

La enseñanza bíblica. El hecho de que uno sea incapaz de comprender plenamente una doctrina no significa que sea falsa. Para que los seres humanos pudieran comprender todo acerca de Dios, tendrían que tener la misma mente de Dios.

Usted querrá mostrarle a un testigo de Jehová versos claves de la Biblia que muestran que los seres humanos no pueden entender todo acerca de Dios o de sus caminos. Por ejemplo:

- «¡Oh profundidad de las riquezas de la sabiduría y de la ciencia de Dios! ¡Cuán insondables son sus juicios, e inescrutables sus caminos!». (Rom. 11:33).
- «Porque mis pensamientos no son vuestros pensamientos, ni vuestros caminos mis caminos, dijo Jehová. Como son más altos los cielos que la tierra, así son mis caminos más altos que vuestros caminos, y mis pensamientos más que vuestros pensamientos» (Is. 55:8-9).

---

[25] Should You Believe in the Trinity? p. 4.
[26] Let God Be True, p. 100.

- «Ahora vemos por espejo, oscuramente; mas entonces veremos cara a cara. Ahora conozco en parte; pero entonces conoceré como fui conocido» (1Co. 13:12).

Estos versos dejan claro que el razonamiento humano tiene limitaciones. Las mentes finitas no pueden comprender todo lo que hay que saber sobre un ser infinito. Las criaturas no pueden saber todo lo que hay que saber sobre el creador soberano. Así como un niño pequeño no puede entender todo lo que dice su padre, tampoco nosotros, como hijos de Dios, podemos entender todo lo que hay que saber acerca de nuestro Padre celestial o del Dios trino.

Pregunte...

- ¿Cree que es posible que los seres humanos comprendan *todo* sobre la naturaleza de Dios? (Probablemente responderán que no. Pero si dice que sí, pídale que explique por qué, teniendo en cuenta Is. 55:8-9, Rom. 11:33 y 1Co. 13:12).

Independientemente de cómo responda un testigo, usted querrá señalar que según el libro de la Watchtower *Razonamiento a partir de las Escrituras*, los seres humanos no pueden comprender plenamente que Dios no tuvo un principio. Después de citar el Salmo 90:2, que habla de la naturaleza eterna de Dios, este libro pregunta lo siguiente:

¿Es razonable? Nuestra mente no puede comprenderlo del todo. Pero esa no es una razón sólida para rechazarlo. *Veamos algunos ejemplos:* (1) *El tiempo.* Nadie puede señalar un momento determinado como el comienzo del tiempo. Y es un hecho que, aunque nuestras vidas terminen, el tiempo no lo hace. No rechazamos la idea del tiempo porque haya aspectos que no comprendemos del todo. Más bien, regulamos nuestras vidas en función de él. (2) *El espacio.* Los astrónomos no encuentran principio ni fin en el espacio. Cuanto más se adentran en el universo, más espacio hay. No rechazan lo que muestran las pruebas; muchos

se refieren al espacio como infinito. El mismo principio se aplica a la existencia de Dios.[27]

Enfatice a los testigos de Jehová la afirmación de la Watchtower de que el *simple hecho de que uno no pueda comprender algo acerca de Dios no es una razón sólida para rechazarlo.* Aplique esta afirmación a la doctrina de la Trinidad. El mero hecho de que no podamos comprender plenamente el concepto no es razón para rechazarlo.

Pregunte...

- *Razonamiento a partir de las Escrituras* dice que no debemos rechazar una doctrina simplemente porque no podemos comprenderla plenamente. ¿Podemos estar de acuerdo, entonces, en que no debemos rechazar la doctrina de la Trinidad simplemente porque no podemos comprenderla plenamente?

Consideremos ahora 1Corintios 14:33 en su contexto adecuado. Cuando Pablo dijo: «Dios no es Dios de confusión, sino de paz», ¿qué estaba comunicando a los creyentes corintios?

Consultar el contexto de 1Corintios lo aclara todo. Esta era una iglesia plagada de divisiones internas y desorden (1Co. 1:11). Un asunto que estaba causando desorden en los servicios de adoración en Corinto tenía que ver con el uso apropiado de los dones espirituales. Aparentemente había situaciones en las que demasiadas personas hablaban en lenguas y profetizaban, todo al mismo tiempo. Esto causaba desorden en la iglesia.

Pablo les dice a los creyentes en esta iglesia que solo una persona a la vez debe hablar en lenguas, y solo dos o tres personas deben hacerlo en cualquier servicio (1Co. 14:27). Además, para que toda la iglesia pueda beneficiarse, debe haber un intérprete presente. Si no hay tal intérprete disponible, entonces la persona debe permanecer callada (v. 28).

Del mismo modo, Pablo dice a los creyentes de Corinto que sólo dos o tres profetas deben hablar en cualquier servicio dado—y sólo uno debe hablar a la vez (1Co. 14:29-30). Luego declara el principio subyacente de estas instrucciones: «Dios no es un Dios de confusión, sino de paz» (v. 33).

---

[27] Reasoning from the Scriptures (Brooklyn: Watchtower Bible and Tract Society, 1989), p. 148.

Puesto que Dios es un Dios de paz (armonía) y no un Dios de confusión, dice Pablo, la propia iglesia debe tratar de imitar a Dios buscando la paz y evitando la falta de armonía en sus servicios. De este modo, la Iglesia honra a Dios. En su contexto, pues, el versículo no guarda relación con la doctrina de la Trinidad.

Juan 17:3: Jehová: El «único Dios verdadero»

La enseñanza de la Watchtower. De acuerdo con la *Traducción del Nuevo Mundo*, Jesús dijo en Juan 17:3: «Esto significa vida eterna: que lleguen a conocerte a ti, *el único Dios verdadero,* y a quien tú enviaste, Jesucristo» (énfasis añadido). Basada en este verso, la literatura de la Watchtower argumenta que el destino eterno de uno depende de conocer la verdadera naturaleza de Dios, y por lo tanto, uno debe determinar si la doctrina de la Trinidad es verdadera o falsa.[28]

La Sociedad Watchtower dice que Jesús se distinguió claramente de Dios, llamando al Padre «el único Dios verdadero» (Jn. 17:3). *Razonamiento a partir de las Escrituras* lo expresa de esta manera: «Él [el Padre] no puede ser 'el único Dios verdadero'... si hay otros dos que son Dios en el mismo grado que él, ¿puede serlo?».[29]

La publicación de la Watchtower *¿Debería usted creer en la Trinidad?* nos dice que «una y otra vez, Jesús demostró que era una criatura separada de Dios y que él, Jesús, tenía un Dios por encima de él, un Dios a quien adoraba, un Dios a quien llamaba 'Padre'. En oración a Dios, es decir, al Padre, Jesús dijo: 'Tú, *el único Dios verdadero'*» (Jn. 17:3).[30] En efecto, «puesto que Jesús *tenía* un Dios, su Padre, no podía *ser* al mismo tiempo ese Dios» (énfasis añadido).[31]

La enseñanza bíblica. Al hablar de Juan 17:3 con un testigo de Jehová, es importante plantear la cuestión: *¿Es Jesús un Dios verdadero o un dios falso?*[32] Si Jesús es un dios verdadero, entonces esto obliga al testigo de

---

[28] Should You Believe in the Trinity? p. 3.
[29] Reasoning from the Scriptures, p. 411.
[30] Should You Believe in the Trinity? p. 17.
[31] Should You Believe in the Trinity? p. 17.
[32] Los apologistas de los testigos de Jehová afirman a veces que los trinitarios no están en condiciones de plantear esa pregunta. Después de todo, afirmar que el Padre es el único Dios

Jehová a creer en más de un Dios verdadero (lo cual es politeísmo). Si Jesús no es tal Dios verdadero, entonces debe ser un dios falso. En un artículo de «Witnessing Tips» en el *Christian Research Journal* titulado «Is Jesus a True or a False God?» [«¿Es Jesús un Dios verdadero o falso?»] Robert Bowman sugiere la siguiente línea de lógica al conversar con un testigo de Jehová:

Pregunte...

• *Cristiano:* Según Juan 17:3, ¿cuántos Dioses verdaderos hay?

TJ: Sólo uno: Jehová Padre es «el único Dios verdadero».

Cristiano: Muy cierto. Ahora bien, ¿está de acuerdo en que todo lo que no es verdadero debe ser falso?

TJ: Sí, supongo que sí.

Cristiano: Entonces, si sólo hay un Dios verdadero, todos los demás dioses deben ser dioses falsos, ¿verdad?

TJ: Sí, ya lo veo.

Cristiano: Ahora, según Juan 1:1 en la *Traducción del Nuevo Mundo*, Jesús es un dios. ¿Está de acuerdo con eso?

TJ: Por supuesto.

Cristiano: Entonces, ¿Jesús es un dios verdadero o un dios falso?

TJ: No lo sé.

Cristiano: No puede ser un dios falso, ¿verdad, ya que eso significaría que el apóstol Juan era culpable de honrar falsamente a Jesús como un dios? Por lo tanto, debe ser un Dios verdadero. Pero Jehová es el único Dios verdadero. Por lo tanto, Jesús debe ser Jehová.[33]

Después de exponer los puntos anteriores, haga hincapié en que la frase «único verdadero» (en «único Dios verdadero») en Juan 17:3—tanto en la gramática como en el contexto—no pretende contrastar al Padre y al Hijo,

---

verdadero podría socavar su propia creencia en la deidad de Jesús. Sin embargo, los trinitarios responden que este versículo simplemente afirma algo sobre el Padre, no niega algo sobre el Hijo. Como dijo James White: «Puesto que Él no es un dios separado del Padre (es una persona separada, que comparte el único Ser que es Dios), ¿cómo podría tomarse esta confesión de la deidad del Padre como una negación de su propia deidad?» (White, p. 91.) La deidad de Jesús queda completamente establecida a lo largo del resto del evangelio de Juan (1:1; 8:58; 10:30; 20:28).

[33] Robert M. Bowman, «Is Jesus a True or a False God?, Christian Research Journal, invierno/primavera 1990, p. 7.

sino la naturaleza del único Dios verdadero con la de los dioses falsos.[34] La palabra griega para «verdadero» en este versículo tiene el significado de «real» o «genuino». Por lo tanto, Jesús en este versículo simplemente está diciendo que el Padre es el «único Dios verdadero»—el único Dios real o genuino—en oposición a los muchos dioses e ídolos falsos (véase 2Cró. 15:3; Is. 65:16; 1Ts. 1:9; 1Jn. 5:20; Ap. 3:7). Juan 17:3 no desvirtúa en modo alguno la deidad de Cristo. De hecho, Juan establece firmemente la deidad de Cristo (como el Dios *verdadero*) de forma bastante exhaustiva a lo largo del resto de su evangelio (por ejemplo, Jn. 1:1; 8:58; 10:30; 20:28).

Deuteronomio 6:4 y Marcos 12:29: El más grande mandamiento

La enseñanza de la Watchtower. En la *Traducción del Nuevo Mundo* Deuteronomio 6:4 dice, «Escucha, oh, Israel. Jehová nuestro Dios es un solo Jehová». En el Nuevo Testamento, cuando le preguntaron a Jesús cuál era el mayor mandamiento, Él respondió: «Jesús contestó: «El primero es: 'Escucha, oh, Israel. Jehová nuestro Dios es un solo Jehová» (Mc. 12:29 TNM).

Los testigos de Jehová razonan que, puesto que Dios es «uno», no es posible que sea trino al mismo tiempo. Puesto que Jehová es Dios, y puesto que sólo hay «un Jehová», Jesús no puede ser Dios en el mismo sentido que Jehová; tampoco puede ser cierta la doctrina de la Trinidad. Miles de veces en la Biblia, se habla de Dios como una sola persona. Y cuando él habla, habla como una persona única e indivisa.[35]

En esta línea, *¿Debería usted creer en la Trinidad?* se pregunta: «¿Por qué todos los escritores bíblicos inspirados por Dios hablarían de Dios como una sola persona si en realidad fuera tres personas?... Seguramente, si Dios estuviera compuesto por tres personas, habría hecho que sus escritores bíblicos lo dejaran bien claro para que no pudiera haber ninguna duda al respecto».[36]

---

[34] Weathers, p. 141.
[35] Should You Believe in the Trinity? p. 13.
[36] Should You Believe in the Trinity? p. 13.

La enseñanza bíblica. Que sólo hay un Dios verdadero es el testimonio constante de las Escrituras desde Génesis hasta Apocalipsis. Esa verdad es como un hilo que recorre cada página de la Biblia.

Aunque hay varias traducciones posibles de Deuteronomio 6:4, creo que la mejor traducción del texto hebreo es la siguiente: «¡Escucha, Israel! El Señor es nuestro Dios, *sólo el Señor*». Utilizando los nombres de Dios, podríamos traducir este versículo: «¡Escucha, Israel! Yahvé es nuestro Elohim, sólo Yahvé». Esta afirmación de fe era conocida como la *shemá* entre los antiguos judíos.

En una cultura saturada de falsos dioses e ídolos, la *shemá* habría sido especialmente significativa para los israelitas. Los judíos tenían la costumbre de recitar esta afirmación dos veces al día: una por la mañana y otra por la noche. La importancia de la *shemá* se refleja en la práctica hebrea de obligar a los niños a memorizarlo a una edad muy temprana.

Si bien es cierto que Yahvé (el Señor) es nuestro Elohim (Dios), la identificación clave que debemos hacer ahora es la siguiente: *¿Quién es Yahvé?* ¿Es sólo el Padre, como suponen los testigos de Jehová, o Jesús es también Yahvé? De hecho, ¿es Yahvé el Dios trino?

Las Escrituras no dicen directamente: «El Padre es Yahvé». Pero sabemos que el Padre es Yahvé porque en las Escrituras se le llama «Dios» y el «único Dios verdadero» (Jn. 6:27; 17:3). En virtud de esto, sin embargo, Jesús también debe ser reconocido como Yahvé: Se le llama «Dios» (Jn. 1:1), «Dios fuerte» (Is. 9:6; compárese con 10:21), «nuestro gran Dios y salvador» (Tit. 2:13) y «Señor» (Rom. 10:9; 1Co. 12:3; Fil. 2:11).[37]

Es evidente, pues, que Jesús es Yahvé, al igual que el Padre es Yahvé. El Espíritu Santo también debe ser reconocido como Yahvé en vista de su deidad (véanse Hch. 5; 1Co. 3:16; 6:19; 2Co. 3:17; Ef. 2:22). A la luz de estos hechos, debemos concluir que de ninguna manera Deuteronomio 6:4 argumenta en contra de la doctrina de la Trinidad. Los trinitarios afirman con gusto que este verso prueba que hay un solo y único Dios. Y eso no contradice la idea de que hay tres personas dentro de la única Divinidad, una verdad que se revela claramente en otros pasajes, como Mateo 28:19 y 2Corintios 13:14.

---

[37] Robert M. Bowman, Understanding Jehovah's Witnesses (Grand Rapids: Baker Books, 1991), p. 120.

Pregunte...

- ¿Comprende que los trinitarios están de acuerdo con la enseñanza de Deuteronomio 6:4 de que sólo hay un Dios, *sí o no?*

- ¿Comprende que los trinitarios no enseñan que hay tres dioses en la Trinidad, sino que hay un solo Dios y que hay tres personas dentro de la única Divinidad, *sí o no?*

- (Estas preguntas le ayudarán a aclarar a los testigos de Jehová lo que realmente creen los trinitarios, en contraposición a las *distorsiones* que hace la Watchtower de lo que creen los trinitarios).

Es interesante observar que los primeros cristianos—que tenían una sólida formación judía—no dudaban en referirse a Jesús como «Señor» y «Dios», a pesar de su monoteísmo inflexible (Rom. 10:13; 1Ts. 5:2; 1Pe. 2:3; 3:15).[38] De hecho, a pesar de su compromiso con la *shemá* de Deuteronomio 6:4, no tenían ningún escrúpulo en aplicar a Jesús muchos textos del Antiguo Testamento que originalmente fueron escritos en referencia a Yahvé. Por ejemplo:

- En Apocalipsis 1:7 se ve a Jesús como el Yahvé traspasado que se describe en Zacarías 12:10.
- La referencia a Yahvé y Elohim en Isaías 40:3 se ve cumplida en la persona de Jesucristo en Marcos 1:2-4.
- La invocación a Yahvé en Joel 2:32 se considera idéntica y paralela a la invocación a Jesús en Romanos 10:13.
- La gloria de Yahvé en Isaías 6:1-5 se dice que es la gloria de Jesús en Juan 12:41.
- La voz de Yahvé «como el sonido de muchas aguas» (Ez. 43:2) es idéntica a la voz de Jesús «como estruendo de muchas aguas» (Ap. 1:15).
- La descripción de Yahvé como luz eterna en Isaías 60:19-20 se considera idéntica a la afirmación sobre Jesús como luz eterna en Apocalipsis 21:23.

---

[38] Robert L. Reymond, Jesus, Divine Messiah: The New Testament Witness (Phillipsburg: Presbyterian and Reformed, 1990), p. 287.

Después de compartir lo anterior con el testigo de Jehová:

Pregunte...

- ¿Cómo se explica que los primeros cristianos judíos—que estaban claramente comprometidos con la *shemá* de Deuteronomio 6:4—no tuvieran ningún escrúpulo en aplicar a Jesús muchos textos del Antiguo Testamento que originalmente fueron escritos en referencia a Yahvé?

- ¿Cómo se explica que los primeros cristianos judíos llamaran a Jesús «Señor» y «Dios» en el mismo sentido en que se llama a Jehová «Señor» y «Dios»?

Al hablar con el testigo de Jehová sobre Deuteronomio 6:4, es importante recalcar que, en el curso de la auto-revelación de Dios a la humanidad, Él reveló su naturaleza al hombre en etapas progresivas. En primer lugar, Dios reveló su unidad y unicidad esenciales, es decir, reveló que Él es *uno* y que es el único Dios verdadero. Este fue un punto de partida necesario, ya que a lo largo de la historia Israel estuvo rodeado de naciones profundamente sumidas en el politeísmo (la creencia en muchos dioses). A través de los profetas, Dios comunicó y afirmó a Israel la verdad del monoteísmo (la creencia de que sólo hay un Dios verdadero).

Aunque la unidad y la unicidad de Dios—tal como se afirma en la *shemá*—es el énfasis claro en la revelación del Antiguo Testamento, esto no quiere decir que no haya indicios o sombras de la doctrina de la Trinidad, pues de hecho los hay (Gén. 1:26; 3:22; 11:7; Prov. 30:4; Is. 6:8; 48:16). Pero Dios no reveló la *plenitud* de esta doctrina hasta los tiempos del Nuevo Testamento (véase Mt. 3:16-17; 28:19; 2Co. 13:14). Es leyendo el Antiguo Testamento bajo la iluminación del Nuevo Testamento que allí encontramos pruebas que apoyan la Trinidad.

De hecho, como señala el teólogo Benjamin Warfield,

El Antiguo Testamento puede compararse a una cámara ricamente amoblada pero tenuemente iluminada; la introducción de la luz no introduce en ella nada que no estuviera antes; pero hace que se vea más claramente mucho de lo que hay en ella pero que antes sólo se percibía tenuemente o incluso no se percibía en absoluto. El misterio de la Trinidad no se revela [explícitamente] en el Antiguo

Testamento; pero el misterio de la Trinidad subyace en la revelación del Antiguo Testamento, y aquí y allá casi sale a la luz. Así, la revelación de Dios del Antiguo Testamento no es corregida por la revelación más completa que le sigue, sino sólo perfeccionada, extendida y ampliada.[39]

La enseñanza de que hay un Dios, pero tres personas dentro de la Divinidad, es el claro testimonio de las Escrituras. Un versículo clave del Nuevo Testamento que ilustra esta verdad es Mateo 28:19.

Mateo 28:19: El nombre» del Padre, del Hijo y del Espíritu Santo

La enseñanza de la Watchtower. Mateo 28:19 en la *Traducción Nuevo Mundo* dice: «Así que vayan y hagan discípulos de gente de todas las naciones. Bautícenlos en el nombre del Padre, del Hijo y del espíritu santo».

¿Prueba este versículo que el Padre, el Hijo y el Espíritu Santo son iguales en sustancia, poder y eternidad? No, responde la Sociedad Watchtower—«no más que enumerar a tres personas, como Tom, Dick y Harry, significa que son tres en uno».[40] Los testigos de Jehová dicen que los trinitarios están leyendo algo en el texto que simplemente no está allí. La doctrina de la Trinidad, dicen, se impone al texto, no se deriva de él.

La enseñanza bíblica. En la versión Reina Valera, Mateo 28:19 dice: «Por tanto, id, y haced discípulos a todas las naciones, bautizándolos en el nombre *del* Padre, y *del* Hijo, y *del* Espíritu Santo» (énfasis añadido). Es fundamental señalar que la palabra «nombre» está en singular en el texto griego, lo que indica que hay un Dios, pero tres personas distintas dentro de la Deidad: *el* Padre, *el* Hijo y *el* Espíritu Santo.[41] El erudito del griego Daniel B. Wallace nos dice que el artículo definido («el») se utiliza a

---

[39] Benjamin B. Warfield, Biblical and Theological Studies (Phillipsburg: Presbyterian and Reformed, 1968), p. 30.
[40] Should You Believe in the Trinity? p. 23.
[41] Benjamin B. Warfield, The Person and Work of Christ (Filadelfia: Presbyterian and Reformed, 1950), p. 66.

menudo para subrayar la identidad de un individuo.[42] El teólogo Robert Reymond llama nuestra atención sobre la importancia de este verso para la doctrina de la Trinidad:

> Jesús no dice (1) «en los nombres [plurales] del Padre y del Hijo y del Espíritu Santo», o lo que es su equivalente virtual, (2) «en el nombre del Padre, y en el nombre del Hijo, y en el nombre del Espíritu Santo», como si tuviéramos que tratar con tres Seres separados. Tampoco dice: (3) «en el nombre del Padre, Hijo y Espíritu Santo» (omitiendo los tres artículos recurrentes), como si «el Padre, el Hijo y el Espíritu Santo» pudieran tomarse simplemente como tres designaciones de una sola persona. Lo que sí dice es esto: (4) «en el nombre [singular] *del* Padre, y *del* Hijo, y *del* Espíritu Santo», afirmando primero la unidad de los tres al combinarlos todos dentro de los límites del Nombre único, y luego haciendo énfasis en la distinción de cada uno al introducirlos sucesivamente con el artículo repetido.[43]

Por lo tanto, contrario a lo que dice la Sociedad Watchtower, Mateo 28:19 definitivamente apoya la doctrina de la Trinidad, y de una manera muy enfática.

Después de explicar lo anterior al testigo de Jehová:

Pregunte...

- ¿Se da usted cuenta de que, como la palabra «nombre» es singular en griego—y los artículos definidos se anteponen al Padre, al Hijo y al Espíritu Santo—se indica así la pluralidad dentro de la unidad?

También querrá señalar que hay muchas otras indicaciones bíblicas de la trinidad en la Divinidad. Por ejemplo, cuando Dios iba a crear al hombre, dijo: «*Hagamos* al hombre a *nuestra* imagen, conforme a *nuestra* semejanza; y señoree en los peces del mar, en las aves de los cielos, en las bestias, en toda la tierra, y en todo animal que se arrastra sobre la tierra». (Gén. 1:26, énfasis añadido). Aunque los eruditos han ofrecido diferentes

---

[42] Daniel B. Wallace, The Basics of New Testament Syntax: An Intermediate Greek Grammar (Grand Rapids: Zondervan, 2000), p. 94.

[43] Reymond, p. 84.

sugerencias sobre lo que pueden significar los pronombres plurales en este versículo,[44] y aunque no se puede decir que este versículo pruebe definitivamente la doctrina de la Trinidad, muchos teólogos afirman que el versículo ciertamente *permite*[45] la doctrina de la Trinidad.[46] Obsérvese que la frase «nuestra imagen» en Génesis 1:26 se explica en el versículo 27 como imagen de Dios. Comentando este versículo, el erudito bíblico Gleason Archer señala que «el único Dios verdadero subsiste en tres Personas, Personas que son capaces de conferenciar entre sí y llevar a cabo sus planes conjuntamente, sin dejar por ello de ser un solo Dios».[47]

Después de que Adán y Eva cayeran en pecado, Dios dijo: «Y dijo Jehová Dios: He aquí el hombre es como *uno de nosotros*, sabiendo el bien y el mal; ahora, pues, que no alargue su mano, y tome también del árbol de la vida, y coma, y viva para siempre. Y lo sacó Jehová del huerto de Edén...» (Gén. 3:22-23a, énfasis añadido). Nótese que la frase «como uno de nosotros» remite al verso 5, «como Dios». Como ocurre con Génesis 1:26, los teólogos afirman que este verso permite la doctrina de la Trinidad.

Más tarde, cuando la humanidad pecadora intentaba erigir la Torre de Babel, Dios dijo: «Ahora, pues, *descendamos*, y confundamos allí su lengua, para que ninguno entienda el habla de su compañero» (Gén. 11:7, énfasis añadido). Este versículo también permite la doctrina de la Trinidad.

Muchos siglos después, Isaías tuvo una visión en el templo durante la cual Dios le encargó un servicio. Dios preguntó a Isaías: «¿A quién enviaré y quién irá por *nosotros?*». Isaías respondió: «¡Heme aquí! Envíame a mí!» (Is. 6:8, énfasis añadido). Esta es otra prueba a favor de la Trinidad.

Justo antes de su crucifixión, Jesús habló de las tres personas de la Trinidad en su discurso del aposento alto. Jesús dijo a los discípulos

---

[44] Algunos estudiosos creen que Génesis 1:26 puede implicar un «plural de majestad», señalando la majestad, dignidad y grandeza de Dios. La terminación plural del nombre de Dios (la terminación im de Elohim) da un sentido más pleno y majestuoso al nombre de Dios. En cuanto a los pronombres plurales de Génesis 1, los gramáticos bíblicos nos dicen que los pronombres plurales del pasaje son una necesidad gramatical. El pronombre plural «nosotros», por ejemplo, es necesario por la terminación plural de Elohim. En otras palabras, el pronombre plural «nosotros» corresponde gramaticalmente con la forma plural de la palabra hebrea Elohim. Véase H.C. Leupold, Exposition of Genesis, vol. 1 (Grand Rapids: Baker Books, 1980), pp. 86-88.

[45] Dado que el verso no especifica tres personas en un solo Dios, no puede decirse que pruebe la doctrina de la Trinidad. Sin embargo, como mínimo, es correcto decir que los pronombres plurales permiten la doctrina de la Trinidad, a pesar de que no se menciona la naturaleza «tres en uno» de la Trinidad.

[46] Leupold, pp. 86-88.

[47] Gleason Archer, Encyclopedia of Bible Difficulties (Grand Rapids: Zondervan, 1982), p. 359.

(énfasis añadido): «Y yo rogaré *al Padre*, y os dará *otro Consolador*, para que esté con vosotros para siempre: el *Espíritu de verdad*, al cual el mundo no puede recibir, porque no le ve, ni le conoce; pero vosotros le conocéis, porque mora con vosotros, y estará en vosotros». (Jn. 14:16-17). *Jesús* dijo también que «*el Consolador, el Espíritu Santo*, a quien *el Padre* enviará en *mi nombre*, él os enseñará todas las cosas, y os recordará todo lo que yo os he dicho». (14:26). También dijo *Jesús*: «Cuando venga *el Consolador*, a quien yo os enviaré *del Padre, el Espíritu de verdad*, el cual procede *del Padre*, él dará testimonio acerca de mí» (15:26).

El lenguaje trinitario impregna prácticamente todos los escritos de Pablo. Consideremos este breve extracto de su primera carta a los Tesalonicenses (énfasis añadido): Damos siempre gracias a *Dios* [el Padre] por todos vosotros, haciendo memoria de vosotros en nuestras oraciones, acordándonos sin cesar delante del *Dios y Padre* nuestro de la obra de vuestra fe, del trabajo de vuestro amor y de vuestra constancia en la esperanza en nuestro *Señor Jesucristo*.

Porque conocemos, hermanos amados de *Dios* [el Padre], vuestra elección; pues nuestro evangelio no llegó a vosotros en palabras solamente, sino también en poder, en el *Espíritu Santo* y en plena certidumbre, como bien sabéis cuáles fuimos entre vosotros por amor de vosotros. Y vosotros vinisteis a ser imitadores de nosotros y *del Señor* [Jesucristo], recibiendo la palabra en medio de gran tribulación, con gozo *del Espíritu Santo*, de tal manera que habéis sido ejemplo a todos los de Macedonia y de Acaya que han creído. Porque partiendo de vosotros ha sido divulgada la palabra *del Señor* [Jesucristo], no solo en Macedonia y Acaya, sino que también en todo lugar vuestra fe en *Dios* [el Padre] se ha extendido, de modo que nosotros no tenemos necesidad de hablar nada; porque ellos mismos cuentan de nosotros la manera en que nos recibisteis, y cómo os convertisteis de los ídolos a *Dios* [el Padre], para servir al *Dios vivo y verdadero*, y esperar de los cielos a su *Hijo*, al cual resucitó de los muertos, a *Jesús*, quien nos libra de la ira venidera (1 Ts. 1:2-10).

Es interesante observar que Pablo y los demás escritores del Nuevo Testamento no sentían incongruencia alguna entre su doctrina de la Trinidad y el concepto de Dios del Antiguo Testamento. «El Dios del Antiguo Testamento era su Dios, y su Dios era una Trinidad, y su sentido de la identidad de los dos era tan completo que ninguna pregunta al respecto se planteó en sus mentes».[48] En otras palabras, no encontramos en el Nuevo Testamento el nacimiento de un concepto nuevo y novedoso de Dios. De hecho, «la doctrina de la Trinidad no aparece en el Nuevo Testamento en ciernes, sino como ya hecha».[49]

2Corintios 13:14: La bendición de Pablo

La enseñanza de Watchtower. La *Traducción del Nuevo Mundo* registra la bendición de Pablo en 2Corintios 13:14: «Que la bondad inmerecida del Señor *Jesucristo*, el amor de *Dios* y el *espíritu santo* del que todos ustedes se benefician estén con todos ustedes» (énfasis añadido). La Sociedad Watchtower dice que este versículo sólo apoya la idea de que los tres sujetos mencionados—Padre, Hijo y Espíritu Santo—*existen;* no dice nada sobre su relación entre sí o su supuesta igualdad o la doctrina de la Trinidad.

La Sociedad Watchtower argumenta que uno no puede inferir justamente de 2Corintios 13:14 que el Padre, el Hijo y el Espíritu Santo poseen igual autoridad o la misma naturaleza.[50] De hecho, referencias como esta prueban «sólo que existen los tres sujetos nombrados... pero no prueba, por sí misma, que los tres pertenezcan necesariamente a la naturaleza divina, y posean igual honor divino».[51]

La enseñanza bíblica. Ningún trinitario basa su creencia en la Trinidad en un solo versículo, sino en la evidencia acumulativa de toda la Escritura. Es cierto que 2Corintios 13:14 por sí mismo no prueba concluyentemente la doctrina de la Trinidad. Pero cuando se considera con otras escrituras, no hay duda de que la doctrina es verdadera.

Aunque las Escrituras dejan claro que sólo hay un Dios (como se ha señalado anteriormente), en el desarrollo de la revelación de Dios a la humanidad también queda claro que hay *tres personas distintas* a las que se llama Dios. Por ejemplo, Pedro se refiere a los santos que han sido elegidos «según la presciencia de *Dios Padre*» (1Pe. 1:2, énfasis añadido). Cuando

---

[48] Warfield, Biblical and Theological Studies, p. 32.
[49] Warfield, p. 32.
[50] Should You Believe in the Trinity? p. 23.
[51] Should You Believe in the Trinity? p. 23.

Jesús se apareció después de la resurrección a Tomás, que dudaba, el discípulo respondió con adoración dirigiéndose a él: «Señor mío y *Dios mío*» (Jn. 20:28, énfasis añadido). El Padre también dijo del Hijo: «Tu trono, *oh Dios,* es eterno y para siempre» (Heb. 1:8, énfasis añadido). En Hechos 5:3-4, se nos dice que mentir al Espíritu Santo equivale a mentir a Dios: Pedro dijo: «Y dijo Pedro: Ananías, ¿por qué llenó Satanás tu corazón para que *mintieses al Espíritu Santo*, y sustrajeses del precio de la heredad? Reteniéndola, ¿no se te quedaba a ti? y vendida, ¿no estaba en tu poder? ¿Por qué pusiste esto en tu corazón? *No has mentido a los hombres, sino a Dios»* (énfasis añadido). Después de repasar los versos anteriores...

Pregunte...

- ¿Está usted de acuerdo en que el Padre, el Hijo y el Espíritu Santo son llamados Dios en el Nuevo Testamento? (Si el testigo de Jehová dice que no—lo cual es probable—pídale que lea lentamente en voz alta cada uno de los versos anteriores y pregúntele)
- ¿Se llama Dios al Padre en 1Pedro 1:2?
- ¿Se llama Dios a Jesús en Juan 20:28? (Los testigos de Jehová pueden intentar discutir sobre este verso. Vea mi discusión sobre Juan 20:28 más adelante en este capítulo).
- ¿Se reconoce al Espíritu Santo como Dios en Hechos 5:3-4?

Además de llamarse Dios, cada una de las tres personas posee en distintas ocasiones los atributos de la deidad. Obsérvense los siguientes ejemplos:

- Las tres personas poseen el atributo de *omnipresencia* (presentes en todas partes): el Padre (1Re. 8:27), el Hijo (Mt. 28:20) y el Espíritu Santo (Sal. 139:7).
- Los tres tienen el atributo de la *omnisciencia*: el Padre (Sal. 147:5), el Hijo (Jn. 16:30) y el Espíritu Santo (1Co. 2:10).
- Los tres tienen el atributo de *omnipotencia* (todopoderoso): el Padre (Sal. 135:6), el Hijo (Mt. 28:18) y el Espíritu Santo (Rom. 15:19).
- *La santidad* se atribuye a cada una de las tres personas: el Padre (Ap. 15:4), el Hijo (Hch. 3:14) y el Espíritu Santo (Rom. 1:4).

- *La eternidad* se atribuye a cada una de las tres personas: el Padre (Sal. 90:2), el Hijo (Miq. 5:2; Jn. 1:2; Ap. 1:8,17) y el Espíritu Santo (Heb. 9:14).

- Cada una de las tres personas es descrita individualmente como *la verdad*: el Padre (Jn. 7:28), el Hijo (Ap. 3:7) y el Espíritu Santo (1Jn. 5:6).

- Cada uno de los tres es llamado *Señor* (Lc. 2:11; Rom. 10:12; 2Co. 3:17), *eterno* (Rom. 16:26; Heb. 9:14; Ap. 22:13), *todopoderoso* (Gén. 17:1; Rom. 15:19; Ap. 1:8) y *poderoso* (Jer. 32:17; Zc. 4:6; Heb. 1:3).[52]

Después de repasar las referencias anteriores...

Pregunte...

- ¿Estamos de acuerdo en que el Padre, el Hijo y el Espíritu Santo ejercen los atributos de la deidad en distintas ocasiones? (Si dice que no, empiece a buscar con él o ella algunos de los versos anteriores y léalos en voz alta. Tenga paciencia; merecerá la pena. Luego pregúntele)

- ¿Puede alguien que no sea Dios tener los *atributos* de Dios? (Use esta pregunta para señalar la deidad de Jesús y del Espíritu Santo).

Además de tener los atributos de la deidad, cada una de las tres personas participó en la realización de las *obras* de la deidad. Por ejemplo, las tres participaron en la creación del mundo: el Padre (Gén. 2:7; Sal.102:25; 1Co. 8:6), el Hijo (Jn. 1:3; Col. 1:16; Heb. 1:2) y el Espíritu Santo (Gén. 1:2; Job 33:4; Sal. 4:30).

Un hecho que a menudo se pasa por alto en las discusiones teológicas es que las tres personas de la Trinidad participaron soberanamente en la encarnación. En Lucas 1:35 encontramos a un ángel que informa a María: «Respondiendo el ángel, le dijo: El Espíritu Santo vendrá sobre ti, y el poder del Altísimo te cubrirá con su sombra; por lo cual también el Santo Ser que nacerá, será llamado Hijo de Dios» Aunque el Espíritu Santo fue el agente a través del cual se produjo la encarnación, en Hebreos 10:5 se nos

---

[52] The New Treasury of Scripture Knowledge, ed. Jerome H. Smith (Nashville: Thomas Nelson, 1992), pp. 1095-96.

dice que fue el Padre quien preparó un cuerpo humano para Cristo. Además, se dice que Jesús tomó sobre sí carne y sangre, como si fuera un acto de su propia voluntad individual (Heb. 2:14).

Las tres personas de la Trinidad también participaron en la resurrección de Jesús de entre los muertos. A menudo se dice que Dios Padre resucitó a Cristo (Hch. 2:32; 13:30; Rom. 6:4; Ef. 1:19-20). Pero sin restar importancia al papel clave del Padre en la resurrección, las Escrituras dejan igualmente claro que Jesús se resucitó a sí mismo. Recordemos que en Juan 2:19 Jesús dijo a unos judíos que buscaban una señal divina: «Destruid este templo [mi cuerpo físico], y en tres días lo levantaré». Luego, en Juan 10:17-18, Jesús dijo de su vida: «Por eso me ama el Padre, porque yo pongo mi vida, para volverla a tomar. Nadie me la quita, sino que yo de mí mismo la pongo. Tengo poder para ponerla, y tengo poder para volverla a tomar». El Espíritu Santo también participó en la resurrección de Cristo, pues fue «según el Espíritu de santidad» que Jesús fue «declarado Hijo de Dios con poder» por su «resurrección de entre los muertos» (Rom. 1:4).

Cada una de las tres personas de la Trinidad también santifica (Heb. 2:11; 1Pe. 1:2, Jud. 1), es vida (Dt. 30:20; Rom. 8:10; Col. 3:4), da vida eterna (Jn. 10:28; Rom. 6:23; Gál. 6:8), resucita a los muertos (Jn. 5:21, 1Pe. 3:18) e inspira divinamente a los profetas y portavoces de Dios (Mc. 13:11; 2Co. 13:3; Heb. 1:1).[53] Después de exponer algunos de los puntos anteriores:

Pregunte...

- ¿Estamos de acuerdo en que el Padre, el Hijo y el Espíritu Santo participan en la realización de las *obras* de la deidad? (Si responde que no, busque algunos de los versos anteriores y léalos en voz alta. Luego pregúntale)
- ¿Puede alguien más que Dios hacer las obras de la deidad? (Utilice esta pregunta para señalar la deidad de Jesús y del Espíritu Santo).

A la vista de todo lo anterior, parece claro que, dentro de la Divinidad trina, nunca se realiza un solo acto por una persona sin la aquiescencia instantánea de las otras dos. Esto no significa negar que cada una de las tres personas tenga ministerios distintivos y exclusivos de sí misma. Pero está

---

[53] The New Treasury of Scripture Knowledge, p. 96.

claro que las tres actúan siempre en armoniosa unidad en todas las obras poderosas realizadas por Dios en el universo.

Mateo 3:16-17: El bautismo de Jesús

La enseñanza de la Watchtower. En la *Traducción del Nuevo Mundo* Mateo 3:16-17 se lee, «En cuanto Jesús fue bautizado, salió del agua, y en aquel momento los cielos se abrieron y él vio el espíritu de Dios bajando como una paloma y viniendo sobre Jesús. Y entonces una voz dijo desde los cielos: «Este es mi Hijo amado; él tiene mi aprobación».

Burlándose de la interpretación trinitaria de este versículo, la Sociedad Watchtower pregunta: «¿Estaba diciendo Dios que era su propio hijo, que se aprobaba a sí mismo, que se enviaba a sí mismo? No, Dios el creador estaba diciendo que él, como el superior, estaba aprobando a uno menor, su Hijo Jesús, para el trabajo que tenía por delante».[54]

La Sociedad Watchtower argumenta que Mateo 3:16-17 no prueba que el Padre, el Hijo y el Espíritu Santo sean uno. El folleto *¿Debería usted creer en la Trinidad?* señala que Abraham, Isaac y Jacob son mencionados juntos varias veces, pero esto no los hace uno. Del mismo modo, Pedro, Santiago y Juan se mencionan juntos, pero esto no los convierte en uno.[55] Por lo tanto, Mateo 3:16-17 no apoya la doctrina de la Trinidad.

La enseñanza bíblica. Al igual que 2Corintios 13:14, Mateo 3:16-17 no prueba *por sí mismo* la doctrina de la Trinidad. Ningún trinitario basa su creencia en la Trinidad en un solo verso, sino en la evidencia acumulativa de toda la Escritura. Cuando Mateo 3:16-17 se considera con otros pasajes, no puede haber duda de que la doctrina de la Trinidad es verdadera (*Asegúrese de consultar los argumentos bíblicos detallados a favor de la Trinidad que se enumeran en las discusiones de Mt. 28:19 y 2Co. 13:14*).

Aunque Mateo 3:16-17 no pruebe por sí mismo la doctrina de la Trinidad, definitivamente la apoya. Se puede demostrar *teológicamente* que las tres personas mencionadas en este versículo—el Padre, el Hijo y el Espíritu Santo—son Dios. Los testigos de Jehová no cuestionan que el

---

[54] Should You Believe in the Trinity? p. 18.
[55] Should You Believe in the Trinity? p. 23.

Padre sea Dios, por lo que no trataremos de establecerlo. Sin embargo, como he señalado anteriormente, el hecho de que Jesús sea llamado «Hijo de Dios» demuestra que tiene la misma naturaleza divina que el Padre.

Quizá recuerde que, aunque el término «hijo de...» puede referirse a «descendiente de» en algunos contextos, un significado teológico importante es «del orden de».[56] Por ejemplo, «hijos de los profetas» significa «del orden de los profetas» (1Re. 20:35). «Hijos de los cantores» significa «del orden de los cantores» (Neh. 12:28). Del mismo modo, la frase «Hijo de Dios» significa «del orden de Dios», y representa una afirmación de deidad plena.

Los antiguos semitas y orientales utilizaban la expresión «hijo de...» para indicar *semejanza o similitud de naturaleza* e *igualdad de ser.*[57] Por lo tanto, cuando Jesús afirmó ser el Hijo de Dios, sus contemporáneos judíos comprendieron perfectamente que estaba afirmando ser Dios en un sentido no calificado. Benjamin Warfield afirma que, desde los primeros días del cristianismo, se entendía que la frase «Hijo de Dios» equivalía plenamente a Dios.[58] Por eso, cuando Jesús hizo su afirmación, los judíos insistieron: «Nosotros tenemos una ley, y según nuestra ley [Cristo] debe morir, porque se hizo a sí mismo Hijo de Dios» (Jn. 19:7). Al reconocer que Jesús se estaba identificando como Dios, los judíos querían condenarlo a muerte por cometer blasfemia (véase Lev. 24:16).

Pregunte...

- Si la frase «hijo de...» significaba *igualdad de naturaleza* e *igualdad de ser* entre los antiguos, como demuestran los registros históricos, ¿qué nos dice esto sobre el significado de la frase «Hijo de Dios»?

Otra prueba de la filiación *eterna* de Cristo se encuentra en Hebreos 1:2, donde se dice que Dios creó el universo *por medio de* su «Hijo», lo que implica que Cristo era el Hijo de Dios *antes* de su obra de la creación. Además, se dice explícitamente que Cristo *como Hijo* existía «antes de todas las cosas» (Col. 1:17; compárese con los vv. 13-14). Asimismo,

---

[56] James Oliver Buswell, A Systematic Theology of the Christian Religion (Grand Rapids: Zondervan, 1979), 1:105.

[57] Charles C. Ryrie, Basic Theology (Wheaton: Victor, 1986), p. 248.

[58] Warfield, The Person and Work of Christ, p. 77.

Jesús, hablando como Hijo de Dios (Jn. 8:54-56), afirma su preexistencia eterna antes de Abraham (v. 58).

En vista de estos hechos, debemos concluir que cuando se menciona al Padre y al Hijo en Mateo 3:16-17, se habla de ellos en términos de su deidad eterna. Esto añade evidencia de apoyo a la doctrina de la Trinidad. Y puesto que sabemos por otros pasajes que el Espíritu Santo es Dios (véanse Hch. 5; 1Co. 3:16; 6:19; 2Co. 3:17; Ef. 2:22), está claro que Mateo 3:16-17 es un excelente texto de apoyo para afirmar la realidad de la Trinidad.

Juan 20:28: «Mi Señor y mi Dios»

La enseñanza de la Watchtower. Cuando Tomás, que dudaba, contempló a Cristo resucitado, respondió: «¡Mi Señor y mi Dios!». (Jn. 20:28 TNM). Algunos testigos de Jehová han descartado este versículo por considerar que simplemente registra la sorpresa de Tomás al ver a Cristo resucitado. El paralelo moderno de las palabras de Tomás sería algo así como: «Dios mío».

Otra posible explicación de las palabras de Tomás se sugiere en *¿Debería usted creer en la Trinidad?* Jesús le pareció «como» un dios a Tomás, especialmente en vista del milagro que estaba presenciando. O tal vez Tomás estaba haciendo una exclamación emocional que fue dirigida a Jehová-Dios aunque hablada a Jesús.[59] En cualquier caso, el verso no tiene por qué interpretarse en el sentido de que Jesús es Dios en el mismo sentido en que el Padre es Dios.

Razonamiento a partir de las Escrituras sugiere que el hecho de que Tomás llamara a Jesús «un dios» concuerda perfectamente con otros pasajes de las Escrituras. Por ejemplo, en Juan 1:18 se llama a Jesús «el dios unigénito», lo que indica que es un dios menor que Jehová. Isaías 9:6 llama a Jesús «dios poderoso», que es un título menor que Dios Todopoderoso. Y en Juan 1:1 se describe a Jesús como «un dios» o «divino».[60]

---

[59] Should You Believe in the Trinity? p. 29.
[60] Reasoning from the Scriptures, p. 213.

La enseñanza bíblica. ¿Se limitó Tomás a expresar su sorpresa al ver a Cristo resucitado, exclamando algo así como «Dios mío»? De ninguna manera. De hecho, si Tomás hubiera hecho esto, habría sido culpable de tomar el nombre de Dios en vano. Los judíos del siglo I creían que cualquier uso descuidado del nombre de Dios equivalía a una blasfemia.[61]

Si Tomás *hubiera* tomado el nombre de Dios en vano, Jesús seguramente le habría reprendido por hacerlo. Pero Jesús no sólo *no* reprendió a Tomás, sino que lo *elogió* por creer finalmente que Él era quien decía ser (tanto «Señor» como «Dios»). Jesús afirmó a Tomás, no lo corrigió. Un erudito lo explica así:

No hay reproche alguno a la descripción que hace Tomás de Jesús como su Señor y Dios. Ningún ser creado podría permitir *jamás* que se le dirigieran personalmente tales palabras. Ningún ángel, ningún profeta, ningún ser humano en su sano juicio, podría permitir que se dirigieran a él como «Señor y Dios». Sin embargo, Jesús no sólo acepta las palabras de Tomás, sino que pronuncia sobre ellas la bendición de la fe.[62]

Después de explicar todo esto a los testigos de Jehová...

Pregunte...

* Si Tomás sólo expresaba sorpresa al ver a Cristo resucitado, ¿no equivaldrían sus palabras a tomar el nombre de Dios en vano?
* Si Tomás hubiera tomado el nombre de Dios en vano en presencia de Jesús, ¿no cree usted que Jesús le habría reprendido?
* ¿Por qué cree usted que Jesús *elogió* a Tomás en lugar de *reprenderle*?

¿Qué hay de la opinión de que Jesús era «como» un dios para Tomás? Es imposible que eso sea correcto. Una respuesta como «Señor *mío* y Dios *mío*» al ver a Cristo resucitado habría merecido una reprimenda en el judaísmo del siglo I, *a menos que Jesús fuera realmente Dios* (véase Hch.

---

[61] David Reed, Jehovah's Witnesses Answered Verse by Verse (Grand Rapids: Baker Books, 1992), p. 84.
[62] White, p. 70.

14:11-15).[63] Tomás no sólo llamaba a Jesús «un» dios; llamaba a Jesús *su* Señor y *su* Dios. Y si Jesús no fuera Dios Todopoderoso en el mismo sentido que el Padre, seguramente habría corregido a Tomás diciéndole algo como: «No. Yo sólo soy un dios, un dios menor. Jehová es el único Dios verdadero. No debes ponerme en el lugar de Jehová. Sólo Jehová puede ser llamado '*mi* Señor y *mi* Dios'». Pero Jesús no dijo nada de eso. En cambio, *elogió* a Tomás por reconocer su verdadera identidad.

Para convencer a los testigos de Jehová...

Pregunte...

- ¿Qué fue precisamente lo que Tomás «creyó», según Juan 20:29? (La respuesta obvia es que Tomás había llegado finalmente a creer que Jesús era «Señor» y «Dios»).

Por cierto, en el Salmo 35:23 la frase «mi Dios y mi Señor» se utiliza para referirse a Yahvé.[64] Esto hace que uno se pregunte si Tomás—un creyente hebreo bastante familiarizado con el Antiguo Testamento—tenía este verso en mente cuando se dirigía a Jesús como «mi Señor y mi Dios».

Podemos concluir que Juan 20:28 constituye un excelente texto de apoyo para la doctrina de la Trinidad. El Padre es plenamente Dios; el Hijo es plenamente Dios; y, sin embargo, sólo hay un Dios verdadero. *Esto sólo tiene sentido dentro de un marco trinitario.* Dentro de la unidad de la Deidad única, hay tres personas—el Padre, el Hijo y el Espíritu Santo—y cada una de las tres es coigual y coeterna.

Juan 10:30: «Yo y el Padre somos uno»

La enseñanza de la Watchtower. En Juan 10:30 Jesús le dijo a un grupo de judíos: «Yo y el Padre somos uno» (TNM). ¿Qué quiso decir con esto? Los testigos de Jehová responden señalando Juan 17:21-22, donde Jesús oró al Padre para que los discípulos «para que todos sean *uno*; como tú, oh Padre, en mí, y yo en ti, que también ellos sean uno en nosotros... para que

[63] Robert M. Bowman, Why You Should Believe in the Trinity (Grand Rapids: Baker Books, 1989), pp. 96-97.
[64] Robert M. Bowman, Jehovah's Witnesses, Jesus Christ, and the Gospel of John (Grand Rapids: Baker Books, 1989), p. 133.

sean *uno*, así como nosotros somos *uno*». (énfasis añadido). Es de gran importancia, se nos dice, que Jesús utilizó la misma palabra griega (*hen*) para «uno» en todos esos casos.[65]

Está claro que Jesús no oraba para que todos los discípulos se convirtieran en una sola entidad. Tampoco oraba para que se convirtieran en parte de la Trinidad.[66] Por el contrario, oraba para que tuvieran unidad de pensamiento y propósito, tal como Él y el Padre la tenían.[67] De hecho, «así como Cristo y los miembros de su cuerpo son considerados como uno, también Jehová y Cristo son considerados como uno. Todos son uno en *acuerdo, propósito* y *organización*».[68]

La enseñanza bíblica. Como puede decirle cualquier estudiante de primer año de griego, el contexto es siempre determinante para interpretar una palabra en una frase. En diferentes contextos, la misma palabra puede tener diferentes matices de significado. Hay que tener esto en cuenta al interpretar la palabra griega para «uno» (*hen*).

Pregunte...

- ¿Comprende la enseñanza constante de los eruditos del griego de que el contexto siempre es determinante para interpretar una palabra determinada en una frase concreta?

Aunque la palabra griega *hen* por sí misma no tiene por qué referirse a algo más que a la unidad de propósito, el contexto de Juan 10 deja claro que se refiere a mucho más.[69] ¿Cómo lo sabemos? Por la forma en que los judíos respondieron a la afirmación de Jesús de que «Yo y el Padre somos uno». Inmediatamente tomaron piedras para matarle. Comprendieron que Jesús afirmaba ser Dios en un sentido no calificado. De hecho, según el verso 33, los judíos dijeron: «Le respondieron los judíos, diciendo: Por buena obra no te apedreamos, sino por la blasfemia; porque tú, siendo hombre, *te haces Dios*» (énfasis añadido). La pena por blasfemia, según la ley del Antiguo Testamento (Lev. 24), era la muerte por lapidación.

---

[65] Reasoning from the Scriptures, p. 424.
[66] Reasoning from the Scriptures, p. 424.
[67] Should You Believe in the Trinity? p. 24.
[68] Let God Be True, p. 104.
[69] Bowman, Why You Should Believe in the Trinity, p. 88.

Pregunte...

- ¿Por qué iban los judíos a tomar piedras para matar a Jesús si lo único que afirmaba era su unidad de propósito con el Padre?
- ¿No tenían también los judíos unidad de propósito con el Padre?
- Si Jesús sólo estaba afirmando la unidad de propósito con el Padre al decir: «Yo y el Padre somos uno», entonces ¿por qué los judíos entendieron sus palabras como una afirmación de que *Él era Dios* (Jn. 10:33)? (Si el testigo de Jehová dice que los judíos se equivocaron al interpretar la declaración de Jesús como una afirmación de deidad, pregúntele por qué Jesús no corrigió su «malentendido», sino que les indicó que le habían entendido correctamente [véase Jn. 10:34-38]).

Cambiando de tema, el contexto de Juan 17:21—donde Jesús ora para que los discípulos «sean todos *uno,* como tú, Padre, en mí, y yo en ti»—es totalmente diferente. En este contexto, la palabra griega para «uno» se refiere a la unidad entre las personas en medio de su diversidad. Al igual que hoy, los creyentes de entonces tendían a dividirse en torno a diversas cuestiones. Por eso Cristo oró por su unidad. Entre otras cosas, este tipo de unidad puede expresarse en el ejercicio adecuado de los dones espirituales (Ef. 4:3-16), así como en la oración de unos por otros y la exhortación mutua (2Co. 1:11; Heb. 10:25).

Es fundamental subrayar que no se puede adoptar una metodología frágil en la que el uso de una palabra concreta en un verso determine cómo debe interpretarse en otro versículo distante. Es decir, el uso de la palabra «uno» en Juan 17:21 no determina su significado en Juan 10:30. Se trata de dos contextos totalmente distintos.

La experta de en asuntos de la Watchtower Marian Bodine dice que si la unidad que Cristo comparte con el Padre es idéntica a la unidad que los creyentes tienen con Cristo, entonces todos los creyentes deberían poder hacer estas afirmaciones:

- «Yo [*su nombre*] y el Padre somos uno» (Jn. 10:30).
- «Quien ha visto [*su nombre*] ha visto al Padre» (Jn. 14:9).
- «Todo lo que hace el Padre, eso mismo hace [*su nombre*]» (Jn. 5:19).

- «Quien no honra [*su nombre*] no honra al Padre que le ha enviado» (Jn. 5:23).
- «Todo lo que tiene el Padre es mío [*su nombre*]» (Jn. 16:15).[70]

Pregunte...

- Si la interpretación de la Watchtower de Juan 10:30 es correcta—y la unidad que Cristo comparte con el Padre es *idéntica* a la unidad que los creyentes tienen con Cristo—¿está usted dispuesto a insertar su nombre personal en Juan 10:30? ¿En Juan 14:9? ¿En Juan 5:23? ¿En Juan 16:15? (Busque cada verso y léalo en voz alta).

Apocalipsis 1:8 y 22:13: El «Alfa y Omega»

La enseñanza de la Watchtower. En la *Traducción del Nuevo Mundo* Apocalipsis 1:8 dice, «Yo soy el Alfa y el Omega—dice Jehová Dios—, aquel que es y que era y que viene, el Todopoderoso». Apocalipsis 22:13 también registra las palabras: «Yo soy el Alfa y la Omega, el primero y el último, el principio y el fin» (TNM).

Según *Razonamiento a partir de las Escrituras,* las referencias al «Alfa y Omega» en el libro de Apocalipsis no se refieren a Jesucristo, sino a Dios Todopoderoso, el Padre. Entre las evidencias citadas en apoyo de este punto de vista están: 1) En Apocalipsis 1:8 se dice que Dios Todopoderoso es el Alfa y la Omega. Este es el Padre. Es cierto que en la versión Reina Valera, ese título «se aplica a uno cuya descripción a partir de entonces muestra que es Jesucristo».[71] Pero la referencia al Alfa y la Omega en el versículo 11 es *espuria,* y no aparece en la mayoría de las demás traducciones. 2) «Muchas traducciones» de la Biblia al hebreo insertan el nombre Jehová en Apocalipsis 1:8, reconociendo que se está haciendo referencia a Dios Todopoderoso.[72]

3) En Apocalipsis 21:6-7 se dice que los cristianos vencedores son «hijos» del Alfa y la Omega. Sin embargo, la relación de los creyentes ungidos por el espíritu con Jesucristo es la de *hermanos,* no la *de hijos.*[73]

---

[70] Jerry y Marian Bodine, Witnessing to the Witnesses (Irvine: n.p., n.d.), p. 46.
[71] Reasoning from the Scriptures, p. 412.
[72] Reasoning from the Scriptures, p. 412.
[73] Reasoning from the Scriptures, p. 412-13.

Por estas y otras razones, entonces, las referencias al Alfa y Omega en Apocalipsis se interpretan como Dios Todopoderoso, no Jesucristo.

La enseñanza bíblica. Si usted puede demostrarle al testigo de Jehová que Jesús es realmente el «Alfa y Omega» y el «principio y el final», él o ella realmente no tendrá otra opción que admitir que Apocalipsis 1:8 y 22:13 dicen que Jesús es Jehová-Dios. Y demostrar este hecho no es difícil. David Reed, un ex testigo de Jehová, sugiere utilizar la siguiente línea de razonamiento—utilizando la *Traducción del Nuevo Mundo*—para demostrar que Jesús es el Alfa y la Omega:

Apocalipsis 1:7-8... dice que alguien «viene». ¿Quién? El versículo 7 dice que es alguien que fue «traspasado». ¿Quién fue el que fue traspasado cuando fue clavado para morir? ¡Jesús! Pero el verso 8 dice que es Jehová Dios quien «viene». ¿Podría ser que hay dos que vienen? ¡No! El versículo 8 se refiere al «que... viene».

Apocalipsis 1:8 afirma claramente que Jehová Dios es el Alfa y la Omega. Ahora observe lo que dice en Apocalipsis 22:12-13: «Escucha, vengo pronto... Yo soy el Alfa y la Omega, el primero y el último...» Así que Jehová Dios viene pronto. Pero observe la respuesta cuando lo dice de nuevo: «Sí; vengo pronto». ¡Amén! Ven, Señor Jesús'» (22:20 TNM).

Luego, refiriéndose de nuevo a la *Traducción del Nuevo Mundo*, continúe así: ¿Quién habla en Apocalipsis 2:8? «Estas son las cosas que dice: 'el Primero y el Último', que se hizo muerto y volvió a la vida».

Obviamente, se trata de Jesús. ¿Quién se identificaba a sí mismo Jesús cuando se llamaba a sí mismo «el Primero y el Último»? Así es como Dios Todopoderoso se describía a sí mismo en el Antiguo Testamento (Is. 48:12-13).[74]

Isaías 44:6 registra a Jehová-Dios diciendo. «Yo soy el primero y yo soy el último; fuera de mí no hay dios». De nuevo, en Isaías 48:12, Dios dijo: «Yo soy; yo soy el primero y yo soy el último». Dios dijo esto justo después de su pronunciamiento: «Mi gloria no daré a otro» (v. 11b). El uso

---

[74] Reed, p. 102.

de este título por parte de Cristo en Apocalipsis 22:12-13 sin duda tenía la intención de ser tomado como una afirmación de ser Jehová-Dios. Ninguna otra conclusión es aceptable.

Después de establecer que Jesús es realmente el Alfa y la Omega, hay que ayudar a los testigos de Jehová a entender lo que estas palabras significan realmente. Para el oído moderno, la afirmación de ser el Alfa y la Omega puede parecer extraña. Pero para el antiguo judío, Cristo se describía a sí mismo de una manera que habría comprendido fácilmente. Aunque las letras alfa y omega son la primera y la última del alfabeto griego, Juan escribió Apocalipsis para lectores judíos que también estaban familiarizados con la lengua y el alfabeto hebreos. Y ahí radica el significado de la afirmación de Cristo: en el pensamiento judío, se consideraba que una referencia a la primera y la última letra de un alfabeto (*aleph* y *tav* en hebreo) incluía todas las letras intermedias, y llegó a representar la totalidad.

Es con esta idea en mente que los judíos en sus antiguos comentarios sobre el Antiguo Testamento decían que Adán transgredió toda la ley desde *aleph* hasta *tav*. Abraham, por el contrario, observó toda la ley desde *aleph* hasta *tav*. Los judíos también creían que cuando Dios bendice a Israel, lo hace abundantemente, desde *aleph* hasta *tav*.

Cuando se utilizan para referirse a Dios (o a Cristo), la primera y la última letra expresan eternidad y omnipotencia. La afirmación de Cristo de ser el Alfa y la Omega es una afirmación de que Él es el todopoderoso de la eternidad pasada y de la eternidad futura (Jehová-Dios). Al describirse a sí mismo como «el principio y el final», Cristo se relaciona a sí mismo con el tiempo y la eternidad. Él es el Dios eterno que siempre ha existido en el pasado y que siempre existirá en el futuro».[75] Para cualquier ser creado, por exaltado que sea, pretender ser el Alfa y la Omega como estos términos se usan de Jesucristo sería una blasfemia total.

Pregunte...

* Puesto que Jesús afirma claramente ser «el principio y fin» en Apocalipsis 22:12-13—y puesto que Isaías 44:6 recoge que Jehová-Dios dijo: «Yo soy el primero y yo soy el último; fuera de mí no

---

[75] John F. Walvoord, The Revelation of Jesus Christ (Chicago: Moody, 1980), p. 60.

hay dios»—¿qué debemos concluir acerca de la verdadera identidad de Jesús?

10

LA GRAN DIVISIÓN:
EL «GRUPO DE LOS UNGIDOS» Y LAS «OTRAS OVEJAS»

Si alguno *me sirve, sígame; y donde yo estuviere,*
allí también estará mi servidor
(*Jn. 12:26, énfasis añadido*).
—Jesucristo

Según la teología de la Watchtower, sólo 144.000 testigos de Jehová van al cielo, y estos constituyen lo que se conoce como los «sellados»[1] (Ap. 7:4; véase también 14:1-3). Todos los demás testigos de Jehová forman parte de las «otras ovejas» de Dios y vivirán para siempre en una tierra paradisíaca.

Hablando de esta «gran división», *Razonando a partir de las Escrituras* nos dice que «Dios se ha propuesto asociar a un número limitado de seres humanos fieles con Jesucristo en el reino celestial».[2] Este libro enseña que sólo aquellos que «nacen de nuevo»—convirtiéndose así en «hijos» de Dios—pueden participar en este reino celestial (Jn. 1:12-13; Rom. 8:16-17; 1Pe. 1:3-4).[3]

---

[1] Nota del traductor: El término «sellado» es usado para referirse a personas escogidas y apartadas, y en el resto del capítulo se hará referencia a ellos como «ungidos», «grupo de ungidos» para expresar el mismo concepto.

[2] Reasoning from the Scriptures (Brooklyn: Watchtower Bible and Tract Society, 1989), p. 76.

[3] Reasoning from the Scriptures, p. 77.

Estas personas no esperan una existencia física, sino espiritual en el cielo. El libro *Hágase tu voluntad en la tierra* dice que «en la resurrección de entre los muertos esperan nacer como Jesucristo a la plenitud de la vida espiritual en el cielo, cambiados, transformados de verdad».[4]

Se nos dice que «puesto que 'la carne y la sangre no pueden heredar el reino de Dios', estas deben convertirse en hijos espirituales de Dios».[5] Asimismo, *Sea Dios hallado veraz* dice que «Cristo Jesús fue entregado a la muerte en la carne y resucitó como una criatura espiritual invisible. Por eso el mundo no lo verá más. Fue a preparar un lugar celestial para sus herederos asociados, 'el cuerpo de Cristo,' porque ellos también serán criaturas espirituales invisibles. Su ciudadanía existe en los cielos».[6]

La Sociedad Watchtower enseña que sólo unos «pocos» encuentran la entrada en este reino espiritual—y son verdaderamente un «rebaño pequeño» en comparación con la población de la tierra.[7] Este pequeño rebaño de verdaderos creyentes (Lc. 12:32) supuestamente comenzó con los 12 apóstoles y fue completamente llenado por el año 1935 (Judge Rutherford recibió una «revelación» a este efecto). No muchos de estos creyentes «sellados» siguen vivos hoy en día.

La literatura de la Watchtower enseña que para ser salvos, estos individuos deben creer en Dios, arrepentirse de sus pecados, dedicarse a Dios, ser bautizados por inmersión, y someterse al «sacrificio» de todos los derechos y esperanzas humanas, tal como lo hizo Jesús. Esta es claramente una salvación orientada a las obras. Estos individuos deben «poner sus afectos y mantener sus mentes fijas en las cosas de arriba».[8]

Los miembros de los ungidos tienen bendiciones espirituales y privilegios que el testigo de Jehová promedio no tiene. La Sociedad Watchtower enseña que *sólo* los miembros de los sellados:

- nacen de nuevo (Jn. 3:3-8; Tit. 3:5; 1Pe. 1:3; 1Jn. 5:1);
- son adoptados como «hijos» de Dios (Jn. 1:12-13; Rom. 8:14-17; Gál. 4:6-7; Ef. 1:5);
- son hermanos con Cristo (Rom. 8:29; Heb. 2:11-17; 3:1);

---

[4] Your Will Be Done on Earth (Brooklyn: Watchtower Bible and Tract Society, 1958), p. 50.
[5] Let God Be True (Brooklyn: Watchtower Bible and Tract Society, 1946), p. 200.
[6] Let God Be True, p. 138.
[7] Let God Be True, p. 137.
[8] Your Will Be Done On Earth, p. 50.

- son conformados a la imagen de Cristo (Rom. 8:29; 2Co. 3:18);
- están en unión con Cristo (2Co. 5:17; Ef. 1:3);
- son herederos con Cristo (Rom. 8:17);
- son miembros del Nuevo Pacto (Lc. 22:20; Heb. 12:20-22);
- pueden participar en la Cena del Señor (Lc. 22:15-20; 1Co. 11:20-29);
- son bautizados en la muerte de Cristo (Rom. 6:3-8; Fil. 3:10-11; Col. 2:12,20; 2Ti. 2:11-12);
- son bautizados en el Espíritu Santo (1Co. 12:13);
- son miembros de la Iglesia (Ef. 1:22-23; Col. 1:18);
- son miembros del cuerpo de Cristo (Rom. 12:5; 1Co. 12:13; Ef. 4:4);
- son miembros del templo de Dios (1Co. 3:16; Ef. 2:20-22; 1Pe. 2:5);
- son miembros de la descendencia de Abraham (Gál. 3:26-29; 6:15-16);
- son miembros del sacerdocio real (1Pe. 2:4-9; Ap. 1:6; 5:10);
- son justificados por la fe (Rom. 3:22-28; 5:1; Tit. 3:7);
- son santificados (1Co. 1:2; 6:11; Ef. 1:4; Heb. 12:14);
- reciben cuerpos glorificados (1Co. 15:40-54; Fil. 3:21);
- disfrutan de la vida en el cielo (Jn. 14:2-3; 1Co. 15:50; 1Pe. 1:4);
- gobernarán con Cristo (1Co. 6:2; 2Ti. 2:12; Ap. 20:6);
- y verán a Cristo y a Dios (Mt. 5:8; 1Jn. 3:2).[9]

Con estos y otros privilegios que pertenecen solo a los ungidos, es claro que la gran mayoría de las bendiciones y privilegios del Nuevo Testamento son irrelevantes para la gran parte de los testigos de Jehová, ya que muchos la de ellos no son miembros del grupo de los ungidos.

¿Cuál será la actividad principal de los ungidos en el cielo? Según la literatura de la Watchtower, estos individuos gobernarán con Cristo. De hecho, «serán sacerdotes de Dios y de Cristo, y reinarán como reyes con él durante mil años» (Ap. 20:6). Y, obviamente, si el grupo de los ungidos se

---

[9] Estos puntos provienen de Robert M. Bowman, «Only for the 144,000?» Hoja de datos, Christian Research Institute.

compone de «reyes», entonces debe haber otros sobre los que el grupo de los ungidos gobernará.[10] Estas son las «otras ovejas» que tienen un destino terrenal.

Los testigos de Jehová que no son miembros del grupo de los ungidos no esperan un destino celestial, sino vivir eternamente en un paraíso terrenal. La revista *La Atalaya* dice que «la esperanza celestial se mantuvo, se destacó y se enfatizó hasta aproximadamente el año 1935. Entonces, cuando 'la luz resplandeció' para revelar claramente la identidad de la 'gran muchedumbre' de Apocalipsis 7:9, el énfasis comenzó a ponerse en la esperanza terrenal».[11] Desde que el número requerido de 144.000 miembros para el grupo de los ungidos se hizo realidad en 1935, todos los testigos de Jehová desde ese año han esperado un destino terrenal.

El libro *Hágase tu voluntad en la tierra* nos asegura que «la esperanza celestial de los 144.000 fieles de la verdadera congregación cristiana no deja al resto de la humanidad sin nada que esperar. Esa esperanza resplandeciente de un paraíso terrenal, donde la voluntad de Dios se hará tanto en la tierra como en el cielo, es la bendita esperanza reservada para ellos según el amoroso e inalterable propósito de Dios».[12]

En apoyo de esto, la Sociedad Watchtower dice que la Biblia establece consistentemente la idea de que «la tierra permanecerá 'hasta tiempo indefinido, o para siempre' (Sal. 104:5; Ecl. 1:4). Así que la tierra del paraíso estaba destinada a servir permanentemente como un hogar encantador para los humanos perfectos, que vivirían allí para siempre».[13] Estos «humanos perfectos» son los testigos de Jehová que no forman parte del grupo de los ungidos. Ellos constituyen lo que Apocalipsis 7:9 llama la «gran muchedumbre/población», o lo que Juan 10:16 llama las «otras ovejas». Estos son seguidores de Jesucristo pero no están en el «redil del Nuevo Pacto» con una esperanza de vida celestial (este «redil» celestial es sólo para el grupo de los ungidos).[14]

Los que componen las «otras ovejas» esperan sobrevivir a la Gran Tribulación y al Armagedón que se aproximan, y disfrutar de una vida

---

[10] Reasoning from the Scriptures, p. 79.

[11] La Atalaya, 1 de febrero de 1982, p. 28.

[12] Your Will Be Done On Earth, p. 50.

[13] Life—How Did It Get Here? (Brooklyn: Watchtower Bible and Tract Society, 1985), p. 233.

[14] Reasoning from the Scriptures, p. 166.

humana perfecta en la tierra bajo el gobierno de Cristo.[15] La Sociedad Watchtower dice que «así como Noé y su familia sobrevivieron al diluvio universal y formaron el núcleo de la nueva sociedad humana en la tierra, la 'gran multitud' sobrevivirá a la 'gran tribulación' que se aproxima y formará el núcleo permanente de la nueva sociedad humana, la 'tierra nueva' simbólica».[16]

La literatura de la Watchtower nos dice que después del Armagedón, «en todas partes del globo se encontrarán las 'otras ovejas' y su descendencia rectamente entrenada. Ellos se dedicarán a la realización de la voluntad de Dios, para someter a la tierra, así como para tener las criaturas animales inferiores en sujeción... Después del Armagedón todos «los que arruinan la tierra» habrán sido llevados a la ruina. Sólo quedarán los deseosos de edificar la tierra y de 'cultivarla y cuidarla'».[17]

El libro *El hombre en la búsqueda de Dios* nos dice que «en ese nuevo mundo no habrá lugar para la explotación de los semejantes ni de los animales. No habrá violencia ni derramamiento de sangre. No habrá personas sin hogar, ni hambre, ni opresión».[18]

La salvación para las «otras ovejas» es una salvación orientada a las obras, al igual que lo es para el llamado grupo de los ungidos. El principal «trabajo» de cada testigo de Jehová parecería ser testificar de puerta en puerta y distribuir literatura de la Watchtower. «En este día se deleitan en compartir la obligación que recae sobre todo cristiano, la de predicar estas buenas nuevas del reino de Dios. Alegremente van, de casa en casa, en las calles, y en lugares de reunión pública, dando a conocer a los católicos rectamente dispuestos, protestantes, judíos, y los que profesan otras creencias religiosas, o ninguna en absoluto, el camino de Dios a la vida».[19]

La Sociedad Watchtower nos dice que aquellos de las «otras ovejas» que han muerto experimentarán una «resurrección de vida». No se les negará el pleno disfrute de las muchas bendiciones terrenales prometidas a esta clase.[20]

---

[15] Man's Salvation Out of World Distress At Hand! (Brooklyn: Watchtower Bible and Tract Society, 1975), p. 201.

[16] Man's Salvation Out of World Distress At Hand!, p. 325.

[17] Your Will Be Done On Earth, p. 351.

[18] Mankind's Search for God (Brooklyn: Watchtower Bible and Tract Society, 1990), p. 374.

[19] Let God Be True, pp. 264-65.

[20] Let God Be True, p. 265.

Razonando a la luz de la Biblia

El «grupo de los ungidos»

Lucas 12:32: El «rebaño pequeño» como el «grupo de los ungidos»

La enseñanza de la Watchtower. Según la *Traducción del Nuevo Mundo* Lucas 12:32 dice, «No teman, rebaño pequeño, porque su Padre quiere darles el Reino». El rebaño pequeño, según los testigos de Jehová, está formado por 144.000 personas que tienen un destino celestial (véase Ap. 7:4). De hecho, la Sociedad Watchtower enseña que «el Apocalipsis limita a 144.000 el número de los que entran a formar parte del reino y están de pie en el monte Sión celestial». Así se ve que Dios nunca se propuso convertir este viejo mundo y llevar a todos los buenos al cielo. Hay sólo unos pocos que encuentran entrada en este reino—sólo un 'pequeño rebaño' cuando se compara con la población de la tierra».[21]

La Sociedad Watchtower también enseña que los santos precristianos como Abraham, Isaac, Jacob y los profetas del Antiguo Testamento no son parte de este pequeño rebaño. Más bien, forman parte de las «otras ovejas» de las que habló Jesús en Juan 10:16. Por lo tanto, tienen una esperanza terrenal y no celestial.

La enseñanza bíblica. La interpretación de la Watchtower de Lucas 12:32 viola el contexto del pasaje. Una mirada al contexto muestra que Lucas 12:22-34 (¡los trece versículos!) es una *sola* unidad. Comienza de esta manera: *«Dijo [Jesús] luego a sus discípulos...»* (v. 22, énfasis añadido). Toda la unidad—de los versículos 22 a 34—contiene palabras pronunciadas por Jesús *directamente a sus discípulos terrenales* en el siglo I. Por lo tanto, no se puede imaginar que Lucas 12:32 se refiera a un grupo selecto de 144.000 miembros de una clase ungida que se desarrollaría desde el siglo I hasta 1935. Los testigos de Jehová están leyendo algo en el texto que simplemente no existe.

---

[21] Let God Be True, pp. 136-37.

En otras ocasiones, Jesús se refirió a sus discípulos como ovejas de su rebaño. Por ejemplo, cuando estaba dando instrucciones a los doce discípulos para su futuro servicio, les dijo: «He aquí, yo os envío *como a ovejas* en medio de lobos; sed, pues, prudentes como serpientes, y sencillos como palomas» (Mt. 10:16, énfasis añadido). Más tarde, Jesús dijo a los discípulos que su crucifixión provocaría su dispersión: «Entonces Jesús les dijo: Todos vosotros os escandalizaréis de mí esta noche; porque escrito está: Heriré al pastor, y *las ovejas del rebaño* serán dispersadas» (Mt. 26:31, énfasis añadido). Así como los discípulos son llamados «ovejas» del rebaño de Jesús en Mateo 10:16 y 26:31, también son llamados «rebaño pequeño» de Jesús en Lucas 12:32.[22] Jesús los llamó «rebaño pequeño» porque eran un grupo pequeño e indefenso que podía ser presa fácil. Pero no había por qué preocuparse, pues el Pastor divino cuidaría de ellos.

Más concretamente, en Lucas 12:22-34, Jesús instruye a los discípulos para que no se preocupen por la comida, la ropa y otras cosas. La preocupación no tiene sentido, porque en realidad no consigue nada (v. 25-26). No prolongará la vida de nadie ni un solo día, y la raíz de la preocupación es la falta de fe (v. 29). Los discípulos debían tener presente que Dios Padre sabía lo que necesitaban (v. 30). Por eso, Jesús les dijo que, si se comprometían a hacer del reino su pasión, Dios se ocuparía de todas sus demás necesidades (v. 31). Los discípulos no deben temer, sino confiar en Dios, porque a Dios «le place» darles el reino (v. 32). Claramente, pues, en el contexto, no hay justificación alguna para relacionar estos versículos con 144.000 miembros de una supuesta clase ungida.

Pregunte...

- Según Lucas 12:22, ¿a quién se dirige Jesús en los trece versículos que abarcan Lucas 12:22-34?
- ¿Dónde se indica específicamente en el texto de Lucas 12:32 que se esté hablando de los 144.000 de los capítulos 7 y 14 de Apocalipsis?

---

[22] Véase I. Howard Marshall, Commentary on Luke (Grand Rapids: Eerdmans, 1983), p. 530.

- ¿Dónde indican las Escrituras que la entrada en este llamado «rebaño pequeño» de creyentes ungidos se cerraría en el año 1935?[23]

Es importante plantear esta última pregunta a un testigo de Jehová, ya que debe llegar a reconocer que su punto de vista no se basa en las Escrituras, sino en una supuesta «revelación» dada a J.F. Rutherford. Asegúrese de recordarle al testigo de Jehová que la Sociedad Watchtower siempre ha afirmado que ellos son el único grupo en la tierra que verdaderamente sigue *la Biblia* (en oposición a aquellos que siguen doctrinas *hechas por el hombre*).

Hablando de la Biblia, señale que los evangelios retratan a Jesús hablando incesantemente del reino de los cielos y del reino de Dios durante su ministerio de tres años. Y *ni una sola vez* restringió el reino a 144.000 personas. Enseñó que *todas* las personas debían buscar el reino, y dijo que quien lo buscara lo encontraría (véase Mt. 9:35-38; Mc. 1:14-15; Lc. 12:22-34).[24]

Pregunte...

- ¿Puede pensar en un solo verso de la Biblia en el que Jesús limite la ciudadanía del cielo a 144.000 personas? (Si le señala Ap. 7 o 14, pídale que le muestre un solo verso de esos capítulos en el que se diga *explícitamente* que el reino está limitado a 144.000 personas. El hecho es que no existe tal verso).

También podría indicarle al testigo de Jehová las palabras de Jesús en Juan 3:5: «Respondió Jesús: De cierto, de cierto te digo, que el que no naciere de agua y del Espíritu, no puede entrar en el reino de Dios». Como se señaló anteriormente, la Sociedad Watchtower enseña que sólo los miembros del grupo de los ungidos son «nacidos de nuevo» y por lo tanto pueden entrar en el cielo. Pero eso no es lo que enseña la Escritura. Abra su Biblia en 1Juan 5:1 y lea en voz alta al testigo de Jehová: «*Todo aquel que cree* que Jesús es el Cristo, es nacido de Dios» (énfasis añadido). Haga hincapié en

---

[23] David Reed, Jehovah's Witnesses Answered Verse by Verse (Grand Rapids: Baker Books, 1992), p. 107.

[24] Walter Martin y Norman Klann, Jehovah of the Watchtower (Minneapolis: Bethany House, 1974), pp. 150-51.

las palabras «todo el que cree» ante el testigo de Jehová. Estas palabras lo incluyen todo y no se limitan a 144.000 personas.[25]

Pregunte...

- Primera de Juan 5:1 dice que «*Todo aquel que cree* que Jesús es el Cristo, es nacido de Dios». ¿Acaso «todo aquel que cree» no incluye verdaderamente a *todos* y no sólo a unas 144.000 personas selectas?

- Si «nacer de Dios» está abierto a «todo el que cree»—y si el requisito para entrar en el reino de los cielos es «nacer de Dios» o «nacer de nuevo» (Jn. 3:5)—entonces, ¿no está el reino de los cielos abierto a «todo el que cree» y no sólo a 144.000 personas?

¿Qué hay de la enseñanza de la Watchtower de que los santos del Antiguo Testamento no son parte del pequeño rebaño o grupo de los ungidos y por lo tanto no tienen una esperanza celestial? La mejor manera de responder a eso es ir a Hebreos 11, donde leemos los nombres de aquellos que están en el Salón de la Fama de la Fe.[26] Al leer lo más destacado de este capítulo, observe que se mencionan muchos santos del Antiguo Testamento, entre ellos Abel, Enoc, Noé y Abraham. Invite al testigo de Jehová a leer en voz alta los versículos 13 a 16:

> Conforme a la fe murieron todos estos sin haber recibido lo prometido, sino mirándolo de lejos, y creyéndolo, y saludándolo, y confesando que eran extranjeros y peregrinos sobre la tierra.
>
> Porque los que esto dicen, claramente dan a entender que buscan una patria; pues si hubiesen estado pensando en aquella de donde salieron, ciertamente tenían tiempo de volver. Pero anhelaban una mejor, esto es, *celestial*; por lo cual Dios no se avergüenza de llamarse Dios de ellos; porque *les ha preparado una ciudad* (énfasis añadido).

Claramente, estos santos del Antiguo Testamento esperaban un destino *celestial*, no terrenal. Esto abre un gran agujero en la teoría de la

---

[25] Reed, p. 74.
[26] Reed, p. 79.

Watchtower de que sólo 144.000 creyentes selectos de un grupo llamado ungidos vivirán eternamente en el cielo.

Además, tenemos claras referencias en las Escrituras que prueban que ciertos santos del Antiguo Testamento fueron al cielo. Por ejemplo, en 2Reyes 2:1 leemos: «Aconteció que cuando quiso Jehová alzar a Elías en un torbellino al cielo, Elías venía con Eliseo de Gilgal». Luego, en el versículo 11 leemos: «Y aconteció que yendo ellos y hablando, he aquí un carro de fuego con caballos de fuego apartó a los dos; y *Elías subió al cielo en un torbellino*» (énfasis añadido). Elías pasó por alto la experiencia de la muerte y fue directamente a la presencia de Dios en el cielo. ¡He aquí un ejemplo innegable de un santo del Antiguo Testamento con un destino celestial!

También hay otros ejemplos. Mateo 8:11 se refiere específicamente a que Abraham, Isaac y Jacob están en el reino de los cielos. Y en Lucas 13:28 se dice que todos los profetas del Antiguo Testamento están con Abraham, Isaac y Jacob.

Pregunte...

- ¿Cómo armoniza usted la enseñanza de la Watchtower de que los santos del Antiguo Testamento esperan un destino *terrenal* con la evidencia bíblica que dice que Abraham, Isaac, Jacob, los profetas y otros santos del Antiguo Testamento estarán con Dios *en el cielo?* (Si él o ella discute con usted, pídale que lea en voz alta Mt. 8:11 y Lc. 13:28. Luego pregunte qué significan estos versículos).

¿Apocalipsis 7:4 y 14:1-3: 144.000 en el «grupo de los ungidos»?

La enseñanza de la Watchtower. Leemos Apocalipsis 7:4 en la *Traducción del Nuevo Mundo* decir, «Y oí el número de los sellados: 144.000 sellados, de todas las tribus de los hijos de Israel» (énfasis añadido). Este versículo, dicen los testigos de Jehová, se refiere al grupo de los creyentes ungidos que tienen un destino celestial (véase también Ap. 14:1-3).

Según la literatura de la Watchtower, estos 144.000 son a los que se hace referencia como el «rebaño pequeño» en Lucas 12:32. Este «rebaño pequeño» de 144.000 constituye el cuerpo de Cristo y reinará con Él. La Sociedad Watchtower dice que ellos participarán en la «primera resurrección»—recibiendo cuerpos espirituales tal como Jesús lo hizo.[27] Deben tener cuerpos espirituales porque «carne y hueso no pueden heredar el reino de Dios» (1Co. 15:50 TNM).

Aunque el libro de Apocalipsis dice que los 144.000 representan las doce tribus de Israel con 12.000 personas de cada tribu, la Sociedad Watchtower dice que esto es en realidad una referencia metafórica al grupo de los ungidos de los testigos de Jehová. De hecho, «la congregación celestial se asemeja a doce tribus de 12.000 miembros cada una, bajo el Gran Moisés, Cristo Jesús».[28]

¿Cómo sabemos que las tribus literales de Israel no se mencionan en Apocalipsis 7:4-8? La Sociedad Watchtower dice que estas no pueden ser las tribus del Israel natural porque nunca hubo una tribu de José en el Antiguo Testamento, aunque se menciona en Apocalipsis 7:4-8. También las tribus de Efraín y Dan—que se enumeran en el Antiguo Testamento—no están incluidas en Apocalipsis 7:4-8. Y los levitas—que se mencionan como una tribu en Apocalipsis 7—fueron apartados para el servicio en relación con el templo en el Antiguo Testamento, pero no fueron contados como una de las 12 tribus.[29] Es evidente, pues, que los 144.000 de Apocalipsis 7 no son *literalmente* las doce tribus de Israel. Este pasaje no se refiere a los israelitas naturales sino al grupo ungido de 144.000 testigos de Jehová consagrados.

La enseñanza bíblica. Hay varios puntos importantes que usted puede hacer para refutar la interpretación de la Watchtower de Apocalipsis 7:4 y 14:1-3. En primer lugar, señale que la Sociedad Watchtower cambia de metodología interpretativa justo a la mitad de Apocalipsis 7:4. Observe que ellos interpretan la primera mitad del verso usando un método *literal* de interpretación: «Entonces oí el número de los que estaban sellados: *144.000...*» (énfasis añadido). Ellos concluyen de esto que el llamado grupo de los ungidos tendrá *precisamente* 144.000 personas.

Pero entonces, la segunda mitad del versículo *no* se interpreta literalmente: «de todas las tribus de Israel». En otras palabras, la Sociedad

---

[27] Let God Be True, p. 277.
[28] Let God Be True, p. 130.
[29] Reasoning from the Scriptures, pp. 166-67.

Watchtower dice que hay literalmente 144.000 personas, pero esto se refiere no a las tribus literales de Israel sino al grupo los de los testigos de Jehová ungidos. Dentro de los confines de un solo versículo, entonces, ellos usan *tanto* un medio literal *como* figurativo de interpretar la Escritura.

Después de señalar esto al testigo de Jehová:

Pregunte...

- ¿Qué justificación hay para cambiar de método de interpretación— de *literal* a *figurado*—justo en medio de Apocalipsis 7:4?

Segundo, usted querrá mostrar que las mujeres están claramente excluidas de los 144.000 en el libro de Apocalipsis.[30] Al referirse a este grupo, Apocalipsis 14:4 dice: «Estos son los que no se han contaminado *con mujeres*» (énfasis añadido). Esto significa que los 144.000 hombres son solteros o célibes (véase 2Co. 11:2). De cualquier manera, el hecho de que ellos «no se han contaminado con mujeres», y que los pronombres masculinos son usados para este grupo, muestra que ellos son hombres. Para la Sociedad Watchtower decir que las mujeres son parte de este grupo es ignorar la clara enseñanza de las Escrituras.

Pregunte...

- ¿Hay mujeres en el grupo de los 144.000 creyentes ungidos? (Dirán que sí).
- ¿Cómo armoniza usted eso con Apocalipsis 14:4, que indica claramente que los 144.000 son todos hombres que no se han contaminado con mujeres?

Tercero, y más importante, es el claro testimonio de las Escrituras de que un destino celestial aguarda a *todos* los que creen en Jesucristo, no sólo a un grupo selecto de 144.000 creyentes ungidos (Ef. 2:19; Fil. 3:20; Col. 3:1; Heb. 3:1; 12:22; 2Pe. 1:10-11). Trazar una dicotomía entre los que tienen un destino celestial y los que tienen uno terrenal no tiene absolutamente ninguna justificación en las Escrituras. *Todos* los que creen en Cristo son herederos del reino eterno (Gál. 3:29; 4:28-31; Tit. 3:7; Stg.

---

[30] The New Treasury of Scripture Knowledge, ed. Jerome H. Smith (Nashville: Thomas Nelson Publishers, 1992), p. 1516.

2:5). La justicia de Dios que conduce a la vida en el cielo está disponible «por medio de la fe en Jesucristo *para todos los que creen*» (Rom. 3:22, énfasis añadido). Jesús prometió: «Si alguno *me sirve, sígame; y donde yo estuviere*, allí también estará mi servidor [es decir, en el cielo]» (Jn. 12:26, énfasis añadido). Jesús afirmó claramente que todos los creyentes estarán juntos en «un rebaño» bajo «un pastor» (Jn. 10:16). No habrá dos «rebaños»: uno en la tierra y otro en el cielo. La Escritura es clara: *¡un rebaño, un pastor!*

Pregunte...

* ¿Cómo armoniza usted la enseñanza de la Watchtower de que habrá un grupo de ungidos en el cielo y las «otras ovejas» en la tierra cuando Juan 10:16 dice claramente que *todos* los creyentes estarán juntos en «un rebaño» bajo «un pastor»?

¿Tribus literales de Israel? Ahora debemos abordar el argumento de la Watchtower de que las tribus mencionadas en Apocalipsis 7 no pueden ser tribus literales de Israel. Una observación clave es que el hecho mismo de que se mencionen tribus específicas junto con números específicos para esas tribus elimina toda posibilidad de que se trate de una figura retórica. En ninguna otra parte de la Biblia la referencia a doce tribus de Israel significa otra cosa que doce tribus de Israel. El apologista Norman Geisler dice acertadamente que «la palabra 'tribus' nunca se usa para nada que no sea un grupo étnico literal en las Escrituras».[31][30] Además, como señala el *Expositor's Bible Commentary*, la palabra «Israel» se usa normalmente en el Nuevo Testamento para referirse a los descendientes físicos de Jacob.[32] Por lo tanto, el punto de vista de la Watchtower está en contra del uso normal de «Israel» en el Nuevo Testamento.

Pregunte...

* ¿Sabía usted que la palabra «tribus» nunca se utiliza en las Escrituras para referirse a otra cosa que no sea un grupo étnico literal?

---

[31] Norman Geisler y Thomas Howe, When Critics Ask (Wheaton: Victor, 1992), p. 553.

[32] Expositor's Bible Commentary, «Revelation», ed. Frank E. Gaebelein (Grand Rapids: Zondervan, 1978), p. 479.

- ¿Sabía usted que la palabra «Israel» se utiliza normalmente en las Escrituras para referirse a los descendientes físicos de Jacob?

- ¿Puede ver que la interpretación de la Watchtower de Apocalipsis 7:4 va en contra del uso común de esas palabras?

A continuación, debemos responder a la pregunta: ¿Por qué se omiten en Apocalipsis 7 las tribus de Dan y Efraín del Antiguo Testamento? Es importante reconocer que el Antiguo Testamento «tiene no menos de veinte listas variantes de las tribus, y estas listas incluyen entre diez y trece tribus, aunque el número doce es predominante (cf. Gén. 49; Dt. 33; Ez. 48)».[33] Así pues, ninguna lista de las doce tribus debe ser idéntica. Sin embargo, dado que doce parece ser el número ideal al enumerar las tribus de Israel, parece claro que Juan quiso mantener esta cifra ideal en Apocalipsis 7 y 14.

La mayoría de los eruditos de hoy coinciden en que la tribu de Dan fue omitida porque fueron culpables de idolatría en muchas ocasiones y, como resultado, fueron en gran parte borrados (Lev. 24:11; Jue. 18:1-30; véase también 1Re. 12:28-29). Participar en la idolatría sin arrepentirse es ser excluido de la bendición de Dios. También existía una antigua tradición según la cual el Anticristo procedería de la tribu de Dan. El erudito bíblico Robert H. Mounce comenta todo esto:

Aparentemente, Dan fue omitido debido a una conexión temprana con la idolatría. Cuando la tribu de Dan emigró al norte y se asentó en Lais, erigió para sí la imagen esculpida (Jue. 18:30). Más tarde, Dan se convirtió en uno de los dos grandes santuarios del reino del norte (1Re. 12:29). En el *Testamento de Dan* (5:6) se dice que Satanás es el príncipe de la tribu. Ireneo, que escribió a finales del siglo II, señaló que la omisión de Dan se debía a la tradición de que el Anticristo procedería de esa tribu (*Adv. Haer.* v.30.2).[34]

¿Y la tribu de Efraín? ¿Por qué se omitió en Apocalipsis 7? Como telón de fondo, Efraín y Manasés eran hijos de José. En el Antiguo Testamento, la tribu de José «siempre se menciona en las demás listas bien incluyendo a José y excluyendo a sus dos hijos, Efraín y Manasés (Gén. 49), bien

---

[33] Expositor's Bible Commentary, p. 482.
[34] Robert H. Mounce, The Book of Revelation, The New International Commentary on the New Testament (Grand Rapids: Eerdmans, 1977), pp. 169-70.

omitiendo a José y contando a los dos hijos como una tribu cada uno (Ez. 48)».[35] En Apocalipsis 7, sin embargo, se enumeran las tribus de José y Manasés y se omite a Efraín. La pregunta es, entonces, *¿por qué?*

Un examen de las Escrituras indica que la tribu de Efraín—al igual que la tribu de Dan—estaba involucrada en la idolatría y el culto paganizado (Jue. 17; Os. 4:17). Y, como señala el *Expositor's Bible Commentary*, si la idolatría es la razón para omitir tanto a Dan como a Efraín, «puede entenderse el reajuste de la lista para incluir a José y Manasés para completar los doce».[36]

Pregunte...

- ¿Cuál es la posición de la Sociedad Watchtower sobre la idolatría? (La Sociedad condena todas las formas de idolatría).

- Si las tribus de Dan y Efraín fueron culpables de idolatría, como lo indican claramente las Escrituras, ¿cree usted que estas tribus deberían seguir figurando en Apocalipsis 7 como siervos de Dios? (Dirán que no)

- Entonces, ¿está usted de acuerdo en que hay una buena razón para omitir estas tribus en Apocalipsis 7?

- En vista de lo que hemos aprendido acerca de por qué las tribus de Dan y Efraín no se enumeran en Apocalipsis 7, ¿no es obvio que la interpretación no literal de la Sociedad Watchtower de las tribus es *ilegítima*, ya que la comprensión de la Sociedad de por qué Dan y Efraín fueron omitidos es *ilegítima?*

Queda una última pregunta: ¿Por qué se *incluyó* a la tribu de Leví en la lista de tribus de Apocalipsis 7? Recuerde que en el Antiguo Testamento los levitas no formaban parte de las doce tribus debido a su estatus especial como tribu sacerdotal bajo la Ley de Moisés. Es probable que se incluyan aquí porque las funciones sacerdotales de su tribu *cesaron* con la venida de Cristo, el Sumo Sacerdote definitivo.[37] De hecho, el sacerdocio levítico se cumplió en la persona de Cristo (Heb. 7-10).[38] Debido a que ya no había necesidad de sus servicios como sacerdotes, no había razón para

---

[35] Expositor's Bible Commentary, p. 482.

[36] Expositor's Bible Commentary, pp. 482-83.

[37] Charles C. Ryrie, Revelation (Chicago: Moody, 1981), p. 51.

[38] Geisler y Howe, p. 554.

mantenerlos distintos y separados de los demás; por lo tanto, fueron incluidos correctamente en la lista tribal en el libro de Apocalipsis.

Las objeciones de la Sociedad Watchtower a la interpretación de las tribus de Apocalipsis 7 y 14 como tribus literales de Israel se ven así completamente injustificadas. Su punto de vista de que los 144.000 se refiere a un grupo de ungidos representa una distorsión grosera y atroz de las Escrituras.

Las «otras ovejas»

Juan 10:16: Las «otras ovejas»

La enseñanza de la Watchtower. La *Traducción del Nuevo Mundo* interpreta Juan 10:16, «Y tengo otras ovejas, que no son de este redil; a esas también las tengo que traer, y ellas escucharán mi voz. Formarán un solo rebaño con un solo pastor» (énfasis añadido). Los testigos de Jehová enseñan que, aunque sólo hay 144.000 creyentes ungidos por el espíritu que van al cielo, Dios tiene «otras ovejas»—es decir, otros verdaderos creyentes—que recibirán la vida eterna y vivirán en un paraíso terrenal. Como se señaló anteriormente, la oportunidad de formar parte de los 144.000 terminó en 1935.

Según *Sea Dios hallado veraz*, estas otras ovejas «recuerdan a su creador, mantienen firme su fe y se desprenden de los elementos satánicos que ahora reinan. Con celo predican la proximidad del Armagedón y las bendiciones del reino que le seguirán. Siguiendo fieles hasta el Armagedón, las otras ovejas que buscan la justicia y la mansedumbre se esconderán, como los sobrevivientes del diluvio de los días de Noé, en el arca antitípica, el sistema teocrático de cosas de Jehová, y llegarán a una tierra limpia del mal».[39]

Estas «otras ovejas» tendrán el privilegio de someter, embellecer y poblar la tierra paradisíaca. Aunque no van al cielo, su existencia es dichosa en una tierra perfecta y restaurada.[40] Debido a que estas «ovejas» están ocupadas proclamando el reino a la gente de todo el mundo—

---

[39] Let God Be True, p. 264.
[40] Let God Be True, p. 231.

trayendo aún más ovejas al «redil»—son un grupo en continuo crecimiento, a diferencia del número fijo de los ungidos (144.000).

La enseñanza bíblica. Está muy claro por el contexto que la frase «otras ovejas» en Juan 10:16 se refiere a los creyentes *gentiles* en contraposición a los creyentes judíos. Como trasfondo, es fundamental reconocer que en los evangelios los judíos fueron llamados «las ovejas perdidas de la casa de Israel» (Mt. 10:6; 15:24), y aquellos judíos que siguieron a Cristo fueron llamados sus «ovejas» (Jn. 10).

Jesús se refirió a menudo a sus discípulos judíos como ovejas de su rebaño. Por ejemplo, cuando estaba dando a los doce instrucciones para su futuro servicio, dijo: «He aquí, yo os envío *como a ovejas* en medio de lobos; sed, pues, prudentes como serpientes, y sencillos como palomas» (Mt. 10:16, énfasis añadido). Más tarde, Jesús les dijo que su crucifixión haría que se dispersaran: «Entonces Jesús les dijo: Todos vosotros os escandalizaréis de mí esta noche; porque escrito está: Heriré al pastor, y *las ovejas del rebaño serán dispersadas*» (Mt. 26:31, énfasis añadido).

Cuando Jesús dijo: «Tengo *otras ovejas* que no son de este redil» (Jn. 10:16, énfasis añadido), se refería claramente a los creyentes gentiles, es decir, no judíos. Estos gentiles, junto con los creyentes judíos, «serán *un rebaño*» bajo «*un pastor*» (Jn. 10:16, énfasis añadido). Esto concuerda perfectamente con Efesios 2:11-22, donde se nos dice que en Cristo, judíos y gentiles están reconciliados en *un solo cuerpo*. Gálatas 3:28 nos dice que «Ya no hay judío ni griego [gentil]; no hay esclavo ni libre; no hay varón ni mujer; porque todos *vosotros sois uno* en Cristo Jesús» (inserción y énfasis añadidos). Asimismo, Colosenses 3:11 habla de una renovación en la que «donde no hay griego [gentil] ni judío, circuncisión ni incircuncisión, bárbaro ni escita, siervo ni libre, sino que Cristo es el todo, y en todos».

Debe recalcarle al testigo de Jehová lo que dice la última parte de Juan 10:16: «Habrá *un rebaño* y *un pastor*». No habrá un rebaño del pueblo de Dios en el cielo y otro rebaño en la tierra. No habrá distinción entre ungidos y las «otras ovejas». Más bien, todos morarán juntos como «un solo rebaño» bajo «un solo pastor».

Pregunte...

- ¿Cómo se armoniza la enseñanza de la Watchtower de que habrá un «grupo de ungidos» en el cielo que permanece para siempre distinta de las «otras ovejas» en la tierra cuando la Escritura dice claramente que *todo el pueblo de Dios* es «uno» en Cristo y forma parte de «un solo rebaño» bajo «un solo pastor»?

Apocalipsis 7:9: La «gran multitud» como las «otras ovejas»

La enseñanza de la Watchtower. Apocalipsis 7:9 en la *Traducción del Nuevo Mundo* dice, «Después de esto vi *una gran muchedumbre que ningún hombre podía contar*. Eran de todas las naciones, tribus, pueblos y lenguas, y estaban de pie delante del trono y delante del Cordero. Iban vestidos con túnicas largas blancas y llevaban hojas de palmera en las manos» (énfasis añadido).

La Sociedad Watchtower argumenta que este versículo se refiere a las «otras ovejas» mencionadas en Juan 10:16. Y, como se señaló anteriormente, los que forman parte de este grupo *no pueden* llegar a ser miembros del cuerpo de Cristo, nacer de nuevo, compartir el reino celestial de Cristo, recibir el bautismo del Espíritu Santo, participar en la comunión, o ser incluidos en el Nuevo Pacto mediado por Cristo. Claramente, las «otras ovejas» son un grupo desfavorecido.

En la publicación de la Watchtower *El hombre en la búsqueda de Dios*, leemos el siguiente resumen de la «gran muchedumbre» del libro de Apocalipsis:

En 1935 los testigos llegaron a una comprensión más clara respecto a la clase del reino celestial, que reinará con Cristo, y sus súbditos en la tierra. Ya sabían que el número de cristianos ungidos llamados a reinar con Cristo desde los cielos sería sólo de 144.000. Entonces, ¿cuál sería la esperanza para el resto de la humanidad? Un gobierno necesita súbditos que justifiquen su existencia. Este gobierno celestial, el reino, también tendría millones de súbditos obedientes aquí en la tierra. Estos serían la «gran muchedumbre, que nadie podía contar, de todas las naciones y tribus y pueblos y lenguas»...

Esta comprensión de la gran multitud ayudó a los testigos de Jehová a ver que tenían ante sí un tremendo desafío: encontrar y enseñar a todos esos millones de personas que buscaban al Dios verdadero y que formarían la «gran multitud».[41]

La Sociedad Watchtower se anticipa a una posible objeción teológica a su interpretación del libro de Apocalipsis abordando una frase en particular en Apocalipsis 7:9, donde los 144.000 son descritos como «estaban delante del trono y en la presencia del Cordero». ¿No significa esto que este grupo está en el cielo y no en la tierra?

No, dice la Sociedad Watchtower. Esta frase indica no necesariamente una ubicación sino «una condición aprobada». Se dice que la expresión «ante el trono» es literalmente «a la vista del trono». Tal frase no requiere que el grupo esté en el cielo. La posición de la multitud es simplemente «a la vista del trono». Esto concuerda con la forma en que Dios dice a veces que desde el cielo contempla a los hijos de los hombres (Sal. 11:4).[42]

La enseñanza bíblica. Si habla con un testigo de Jehová sobre Apocalipsis 7:9, la experta en asuntos de la Watchtower Marian Bodine sugiere que empiece por hacerle estas preguntas clave:

Pregunte...

- ¿En qué parte del texto dice que la gran multitud está exenta del cielo?
- ¿Dónde dice que la gran multitud queda relegada a vivir en la tierra?[43]

El hecho es que en *ninguna* parte del texto de Apocalipsis dice que esta gran multitud está exenta del cielo. Esto es algo que la Sociedad Watchtower lee en las Escrituras. Pida al testigo de Jehová que lea el pasaje en voz alta y siga haciendo las preguntas anteriores hasta que responda.

Apocalipsis 7:9 se refiere claramente a esta gran multitud como «de pie ante el trono y delante del Cordero». Aunque los testigos de Jehová tratan de argumentar que «delante del trono» significa simplemente «a la vista del trono», esto no es en absoluto lo que se comunica en este versículo. El

---

[41] Mankind's Search for God, pp. 358-59.
[42] Reasoning from the Scriptures, p. 167.
[43] Jerry y Marian Bodine, Witnessing to the Witnesses (Irvine: n.p., n.d.), p. 65.

cuadro es de una gran multitud que está *físicamente presente* ante el trono de Dios en el cielo, así como los ángeles están ante su trono (v. 11).

La palabra griega para «delante» (*enopion*) en Apocalipsis 7:9 se usa varias veces en ese libro para hablar de aquellos que están en la presencia física del trono de Dios. Por ejemplo, la palabra se utiliza en Apocalipsis 5:8, donde se nos dice que «los cuatro seres vivientes y los veinticuatro ancianos se postraron *delante* del Cordero; todos tenían arpas, y copas de oro llenas de incienso, que son las oraciones de los santos» (énfasis añadido). La palabra griega se utiliza de nuevo en Apocalipsis 7:11, donde leemos: «Y todos los ángeles estaban en pie alrededor del trono, y de los ancianos y de los cuatro seres vivientes; y se postraron sobre sus rostros *delante* del trono, y adoraron a Dios» (énfasis añadido). La palabra también se utiliza en Apocalipsis 14:3, donde leemos lo siguiente sobre los 144.000: «Y cantaban un cántico nuevo *delante* del trono, y *delante* de los cuatro seres vivientes, y de los ancianos» (énfasis añadido).

Enopion se utiliza *exactamente en el mismo sentido* en Apocalipsis 7:9, donde se dice que la gran multitud está «ante el trono» de Dios. Según el autoritativo *Greek-English Lexicon of the New Testament and Other Early Christian Literature,* esta palabra griega se usa en Apocalipsis 7:9 no en el sentido de «a la vista de», sino en el sentido «*de lugar,* ante alguien o algo».[44] En otras palabras, se refiere a estar en la presencia física del trono de Dios.

Pregunte...

- Puesto que la palabra griega para «ante» se utiliza en Apocalipsis para referirse a los 144.000 que están ante el trono de Dios (14:3), a los ángeles que están ante el trono de Dios (7:11) y a los veinticuatro ancianos que están ante el trono de Dios (5:8), ¿no tiene sentido utilizar la palabra del mismo modo para referirse a la gran multitud que está ante el trono de Dios (7:9)?

Observe lo que se dice de esta gran multitud en Apocalipsis 7:15: «están delante del trono de Dios, y le sirven día y noche *en su templo*» (énfasis añadido). ¿Dónde se encuentra el «templo» de Dios? Señale al testigo de Jehová que Apocalipsis 11:19 hace referencia a «El templo de Dios *en el*

---

[44] William F. Arndt y F. Wilbur Gingrich, A Greek-English Lexicon of the New Testament and Other Early Christian Literature (Chicago: University of Chicago Press, 1957), p. 270.

cielo» (énfasis añadido). Apocalipsis 14:17 dice igualmente: «Salió otro ángel del *templo que está en el cielo»* (énfasis añadido).

Si la gran multitud sirve a Dios día y noche *en su templo* (Ap. 7:15), y si el templo está *en el cielo* (Ap. 11:19; 14:17), entonces claramente la gran multitud está en el cielo y no en la tierra, como trata de argumentar la Sociedad Watchtower.[45] La gran multitud está «delante del trono», «delante del Cordero», y sirven a Dios día y noche «en su templo» que está «en el cielo». ¿Qué puede ser más claro? Decir que la gran multitud está en la tierra es ignorar completamente el contexto de los capítulos 7 y 14 de Apocalipsis.

Pregunte...

- Puesto que la «gran multitud» sirve a Dios día y noche en su templo (Ap. 7:15), y puesto que el templo de Dios está *en el cielo* (Ap. 11:19; 14:17), ¿no significa esto que la gran multitud está en el cielo?

Hay otro argumento que puede ser eficaz en su conversación con el testigo de Jehová. Una buena referencia cruzada para Apocalipsis 7:9 es Apocalipsis 19:1: «Después de esto oí una gran voz de *gran multitud en el cielo*, que decía: ¡Aleluya! Salvación y honra y gloria y poder son del Señor Dios nuestro». Nótese que en este pasaje se dice que la gran multitud estaba «en el cielo».[46]

Después de pedir al testigo de Jehová que lea en voz alta Apocalipsis 19:1:

Pregunte...

- Según Apocalipsis 19:1, ¿la gran multitud está en el cielo o en la tierra?

Mateo 6:10: ¿Un paraíso en la Tierra?

La enseñanza de la Watchtower. En la *Traducción del Nuevo Mundo* Mateo 6:10 dice, «Que venga tu Reino. Que se haga tu voluntad, como en el cielo, también en la tierra». Este versículo es citado a menudo por la

---

[45] Bodine, p. 64.

[46] David Reed, How to Rescue Your Loved One from the Watch Tower (Grand Rapids: Baker Books, 1989), p. 28.

Sociedad Watchtower en apoyo de su opinión de que las «otras ovejas» o «gran multitud» pasarán la eternidad en un paraíso terrenal, no en el cielo.

En el libro *Razonando a partir de las Escrituras* se pregunta: «¿Cuál es la voluntad de Dios respecto a la Tierra?».[47] En respuesta a esta pregunta, se citan dos versículos bíblicos:

- «Además, Dios los bendijo y les dijo: «Tengan muchos hijos, multiplíquense, llenen la tierra y tomen control de ella, y tengan autoridad sobre los peces del mar, los animales voladores de los cielos y todos los seres vivos que se mueven sobre la tierra». (Gén. 1:28).

- «Porque esto es lo que dice Jehová, el Creador de los cielos, el Dios verdadero, el que formó la tierra, el que la hizo y la estableció firmemente, que no la creó sencillamente para nada, sino que la formó para que fuera habitada: «Yo soy Jehová y no hay otro» (Is. 45:18 TNM).

Puesto que la voluntad de Dios es que la tierra sea habitada y sojuzgada por el hombre—y puesto que Mateo 6:10 pide que se haga la voluntad de Dios en la tierra—entonces, claramente (se argumenta), esta es una oración para el establecimiento de un paraíso terrenal en el que el hombre morará para siempre.

La enseñanza bíblica. Cuando Jesús enseñó a los discípulos a orar: «Hágase tu voluntad, como en el cielo, así también en la tierra», ¿realmente les estaba enseñando a orar por un paraíso terrenal en el que el hombre morará para siempre? En absoluto. Este es un ejemplo de lo que se conoce como *eiségesis* (leer un significado *en* el texto) en contraposición a la *exégesis* (derivar el significado *del* texto). ¡Una persona que lea este versículo sin consultar la literatura tendenciosa de la Watchtower nunca, ni en un millón de años, llegaría a tal interpretación y la relacionaría con Génesis 1:28 e Isaías 48:15! Mateo 6:10 simplemente no se refiere a un paraíso terrenal.

---

[47] Reasoning from the Scriptures, p. 165.

Pregunte...

• ¿Qué pruebas contextuales puede aportar que demuestren que Mateo 6:10 pretendía relacionarse con Génesis 1:28 e Isaías 48:15?

Una lectura sencilla de Mateo 6:10 (en su contexto) indica que Jesús estaba enseñando a los discípulos a orar para que, del mismo modo que la voluntad de Dios *ya se está* haciendo perfectamente en el cielo, también se haga en la tierra, la esfera en la que habita la humanidad caída y pecadora. Como señala Alva J. McClain, «Aunque el reino de Dios [en un sentido espiritual] ya estaba gobernando en general, había sin embargo una diferencia entre el ejercicio de su gobierno 'en el cielo' y 'en la tierra'. Esta diferencia surge del hecho de que la rebelión y el pecado existen en la tierra».[48] Así pues, esta parte del Padre Nuestro aborda una necesidad muy relevante para los cristianos que viven en la tierra. Esa necesidad es que Dios se ocupe de todos aquellos que se resisten y se rebelan contra su voluntad y provocan multitud de consecuencias negativas.

Pregunte...

• ¿No tiene sentido que, dado que la tierra es la morada del hombre caído y pecador, una petición de oración legítima sea que se haga la voluntad de Dios en la tierra tal como ya se hace en el cielo?

Con el tiempo, esta oración—que ha sido pronunciada millones de veces por cristianos de todo el mundo desde el siglo I—se cumplirá completa y perfectamente. Esto sucederá cuando Dios acabe por fin con toda rebelión humana y con sus malos resultados, trayendo así por fin la plenitud del reino de Dios, en el que la voluntad de Dios se cumplirá tanto *en la tierra* como *en el cielo*.[49] En ese tiempo futuro, la voluntad de Dios será universalmente obedecida por todos.

Que Cristo el Señor cumplirá en última instancia esta oración queda claro por lo que dice en otras partes de la Escritura. Afirmó en Mateo 28:18: «Toda potestad me es dada *en el cielo* y *en la tierra*» (énfasis añadido). Cristo es soberano sobre *ambos* reinos. Y cuando vuelva en

---

[48] Alva J. McClain, The Greatness of the Kingdom (Grand Rapids: Kregel, 1960), p. 35.
[49] McClain, p. 35.

gloria como Rey de reyes y Señor de señores (Ap. 19), aplastará toda resistencia a su soberana voluntad.

Salmo 37:9, 11, 29: ¿Un paraíso en la tierra?

La enseñanza de la Watchtower. En la *Traducción del Nuevo Mundo* Salmos 37:9, 11, 29 se lee: «Porque los malos serán eliminados, pero los que ponen su esperanza en Jehová heredarán la tierra... Pero los mansos *heredarán la tierra* y disfrutarán plenamente de abundante paz.... Los justos *heredarán la tierra* y vivirán en ella para siempre» (énfasis añadido).

Según *Razonamiento a partir de las Escrituras,* estos versículos demuestran que no todas las personas buenas van al cielo.[50] Algunas vivirán para siempre en la tierra. Estos versos también muestran que una persona no tiene que ir al cielo para tener una vida verdaderamente feliz. Muchos vivirán felices para siempre en una tierra paradisiaca.[51]

La enseñanza bíblica. Una mirada al contexto del Salmo 37 deja claro que el Salmo no se refiere a un futuro lejano en el que Dios eliminará a todos los malvados y permitirá que los buenos vivan en una tierra paradisíaca. Más bien, el salmista estaba hablando de algo que la gente *en su propia vida* (y las generaciones siguientes) experimentaría. La gente malvada *de su tiempo* sería eliminada; la gente justa *de su tiempo* experimentaría la bendición en la tierra prometida.[52]

Es fundamental reconocer que la palabra hebrea para «tierra» en este contexto hace referencia a la *tierra*, más concretamente, a «la tierra de Judea, dada por Dios mismo como herencia a sus padres y a su posteridad para siempre».[53] Aunque la palabra hebrea ('eres—usualmente transliterada como 'eretz) se traduce a menudo como «tierra» en el Antiguo Testamento, también tiene a menudo el significado de «terreno». El *Vine's Expository Dictionary of Biblical Words* explica:

---

[50] Reasoning from the Scriptures, p. 162.
[51] Reasoning from the Scriptures, p. 163.
[52] Reed, Jehovah's Witnesses Answered Verse by Verse, pp. 33-34.
[53] The New Treasury of Scripture Knowledge, p. 610.

'Eres no sólo designa la totalidad del planeta terrestre, sino que también se utiliza para referirse a algunas de las partes que lo componen. Palabras como *tierra, terreno, campo* y *suelo* trasladan su significado a nuestra lengua. Con bastante frecuencia, se refiere a un área ocupada por una nación o tribu.... Se dice que Israel vive «en la *tierra* del Señor» (Lev. 25:33s; Os. 9:13). Cuando el pueblo llegó a su frontera, Moisés les recordó que sería suya sólo porque el Señor expulsó a las demás naciones para «daros su *tierra* en herencia» (Dt. 4:38). Moisés prometió que Dios haría que su suelo fuera productivo, pues «Él dará lluvia a vuestra *tierra*» para que fuera «una *tierra* fructífera», «una *tierra* que mana leche y miel, y *tierra* de trigo y cebada» (Dt. 11:13-15; 8:7-9; Jer. 2:7).[54]

Es evidente que la palabra hebrea *'eres* se utiliza en el contexto actual de la *tierra prometida* y no se refiere a una futura tierra paradisíaca. De hecho, la cuestión central abordada en este salmo es la siguiente:

¿Quién «heredará la tierra» (vv. 9, 11, 22, 29), es decir, vivirá para disfrutar de las bendiciones del Señor en la tierra prometida? ¿Serán los malvados, que conspiran (v. 12), maquinan (vv. 7, 32), no pagan sus deudas (v. 21), utilizan el poder bruto para obtener ventajas (v. 14) y parecen prosperar con ello (vv. 7, 16, 35)? ¿O lo harán los justos, que confían en el Señor (vv. 3, 5, 7, 34) y son humildes (v. 11), intachables (vv. 18, 37), generosos (vv. 21, 26), rectos (v. 37) y pacíficos (v. 37), y de cuya boca se oye la sabiduría moral que refleja la meditación de la ley de Dios (vv. 30-31)?[55]

La respuesta obvia que da el salmo es que los justos heredarán la tierra prometida y experimentarán allí la bendición de Dios.

Pregunte...

- ¿Sabía usted que la palabra hebrea para «tierra» en el Salmo 37 a menudo significa «terreno» en el Antiguo Testamento, y es la

---

[54] Vine's Expository Dictionary of Biblical Words, eds. W. E. Vine, Merrill F. Unger, and William White (Nashville: Thomas Nelson, 1985), p. 66.
[55] NIV Study Bible, ed. Kenneth Barker (Grand Rapids: Zondervan, 1985), p. 822.

palabra real utilizada en el Antiguo Testamento en referencia a la tierra prometida que Dios dio a Israel?

- ¿Puede ver cómo el contraste entre justos e impíos tiene mucho sentido cuando se interpreta en términos de «heredar» o ser «excluido» de la tierra prometida?

Si esta interpretación es correcta, entonces ¿qué significa el verso 29 cuando dice que «los justos heredarán la tierra y vivirán *para siempre* sobre ella» (énfasis añadido)? Contrario a lo que enseña la Sociedad Watchtower, no significa que habrá una grupo terrenal de personas que vivirán para siempre en un paraíso terrenal, separados del grupo de ungidos que vive en el cielo.

Según las autoridades más respetadas en lengua hebrea, la palabra hebrea para «para siempre» (*'ad*) en el Antiguo Testamento denota a menudo el futuro imprevisible.[56] De ahí que la frase «habitar en ella para siempre» signifique simplemente «habitar en ella desde el presente hasta el futuro imprevisible». La frase es una forma hebraica de decir que los israelitas *que vivían entonces habitarían* en la tierra prometida toda su vida, *al igual que sus hijos y los hijos de sus hijos,* y así sucesivamente. De una generación a la siguiente, los justos experimentarían la bendición en la tierra prometida hasta un futuro imprevisible. Esto contrasta notablemente con los impíos, pues, como señala el verso anterior, «la descendencia de los impíos será destruida» (v. 28b).

Salmo 115:16: ¿Un paraíso en la tierra?

La enseñanza de la Watchtower. Salmos 115:16 en la *Traducción del Nuevo Mundo* dice: «Los cielos, los cielos le pertenecen a Jehová, pero la tierra se la dio a los hijos de los hombres». Una vez más, se dice que el destino del testigo de Jehová promedio—las «otras ovejas», que no forman parte del grupo de ungidos—es un paraíso terrenal.

Después de citar este salmo, *Santificado sea tu nombre* comenta: «Así que el propósito que se les fijó a Adán y Eva era exclusivamente terrenal,

---

[56] Theological Wordbook of the Old Testament, ed. R. Laird Harris, vol. 2 (Chicago: Moody, 1981), p. 645.

vivir para ver toda la tierra llena de su gran familia, con miles de millones de descendientes, y luego seguir viviendo con ellos para siempre en perfecta felicidad en un paraíso que cubriera toda la tierra. Jehová Dios les dijo que ese era su propósito para ellos».[57]

La enseñanza bíblica. Es cierto que Dios ha dado la tierra al hombre. Pero, ¿cuál es el contexto de la declaración del Salmo 115:16? ¿Está escrito este verso con respecto a sólo una porción de la humanidad—un grupo terrenal de creyentes a diferencia de un grupo ungido? Es evidente que no es así; el Salmo 115:16 dice que Dios ha dado la tierra a *toda la raza humana*, sin hacer distinciones ni exclusiones.

Pregunte...

- ¿En qué parte de Salmos 115:16 hay alguna prueba de que este versículo se aplique sólo a una parte de la humanidad y no a toda la raza humana?

Si el Salmo 115:16 se aplica a *todos* los seres humanos, como indica claramente el contexto, entonces ¿en qué sentido les ha dado Dios la tierra? Parece bastante claro que ha dado a los seres humanos *mortales* la tierra como morada y lugar sobre el que gobernar. Génesis 1:28 nos dice: «Y los bendijo Dios, y les dijo: Fructificad y multiplicaos; llenad la tierra, y sojuzgadla, y señoread en los peces del mar, en las aves de los cielos, y en todas las bestias que se mueven sobre la tierra».

Vemos este mismo pensamiento básico reflejado en Salmos 8:6-8: «Le hiciste señorear sobre las obras de tus manos; todo lo pusiste debajo de sus pies: Ovejas y bueyes, todo ello, y asimismo las bestias del campo, las aves de los cielos y los peces del mar; todo cuanto pasa por los senderos del mar». A la vista de tales pasajes, parece obvio que Salmos 115:16 se refiere al hombre mortal y a la vida mortal en la tierra (antes de la muerte).

Después de exponer los puntos anteriores al testigo de Jehová, indíquele los pasajes del Nuevo Testamento que indican que todos los verdaderos creyentes esperan un destino celestial. El claro testimonio de las Escrituras es que el cielo espera a todos los que creen en Jesucristo, no sólo a un grupo selecto de 144.000 creyentes ungidos (Ef. 2:19; Fil. 3:20; Col. 3:1;

---

[57] Let Your Name Be Sanctified, (Brooklyn: Watchtower Bible and Tract Society, 1961), p. 34.

Heb. 3:1; 12:22; 2Pe. 1:10-11). Jesús prometió: «Si alguno *me sirve, sígame; y donde yo estuviere*, allí también estará mi servidor [es decir, en el cielo]» (Jn. 12:26, énfasis añadido). *Todos* los que creen en Cristo son herederos del reino eterno (Gál. 3:29; 4:28-31; Tit. 3:7; Stg. 2:5).

Puede pedirle al testigo de Jehová que lea Juan 12:26 en voz alta y, a continuación:

Pregunte...

- A la vista de Juan 12:26—«Si alguno *me sirve, sígame; y donde yo estuviere*, allí también estará mi servidor. [es decir, en el cielo]»— ¿no está claro que cualquiera que siga a Cristo puede esperar un destino celestial?

11
LA SALVACIÓN AL ESTILO WATCHTOWER

La diferencia entre la fe y las obras es precisamente esta:
En el caso de la fe, lo hace Dios; en el caso de las obras,
intentamos hacerlo nosotros; y la diferencia se mide simplemente
por la distancia entre lo infinito y lo finito, el Dios Todopoderoso
y un gusano indefenso.
—Albert Benjamin Simpson (1843-1919)[1]

Los testigos de Jehová suelen defender de boca la idea de la salvación por gracia mediante la fe en Cristo.[2] Pero también le dirán que los testigos «aún no han sido declarados justos *de por vida*», es decir, aún no han sido declarados merecedores del derecho a la vida eterna. Serán «declarados justos» *definitivamente* al final del Milenio *si continúan en obediencia fiel.* Para entender, la «declaración de justicia» de Dios para el creyente no es *instantánea,* recibida en el momento de la fe en Jesucristo, sino más bien *provisional,* en espera de una prueba futura y prolongada.

Rozando los juegos semánticos, los testigos de Jehová afirman que, aunque las buenas obras no *ganan* la salvación, son, sin embargo, *prerrequisitos* para la salvación. Estas buenas obras incluyen obedecer

---

[1] Draper's Book of Quotations for the Christian World (Grand Rapids: Baker Books, 1992), p. 205.
[2] Reasoning from the Scriptures (Brooklyn: Watchtower Bible and Tract Society, 1989), p. 132.

todas las leyes de Jehová, asociarse y obedecer a la Sociedad Watchtower (incluyendo obedecer las prohibiciones contra las transfusiones de sangre, celebrar cumpleaños y días festivos, llevar una cruz, y similares), y participar en compartir el mensaje de la Watchtower con otras personas.[3] Sin estas buenas obras, la salvación es imposible.

Lo admitan o no, los testigos de Jehová creen en una salvación orientada a las obras. La salvación para un testigo de Jehová es imposible sin una obediencia total a la Sociedad Watchtower y una participación vigorosa en los diversos programas prescritos por la Sociedad. Mediante dicha obediencia y participación, los testigos de Jehová toman parte en la «realización» de su salvación (Fil. 2:12).

En cuanto a la centralidad de la Sociedad Watchtower, la revista *La Atalaya* insta a los lectores a «acudir a la organización de Jehová [la Sociedad Watchtower] para la salvación».[4] De hecho, leemos que «a menos que estemos en contacto con este canal de comunicación [la Sociedad Watchtower] que Dios está utilizando, no progresaremos en el camino de la vida, por mucha lectura bíblica que hagamos».[5] Se nos dice que «para recibir la vida eterna en el paraíso terrenal debemos identificar esa organización [la Sociedad Watchtower] y servir a Dios como parte de ella».[6]

La importancia de hacer obras para la salvación se hace evidente al leer la literatura de la Watchtower. Por ejemplo, la revista *La Atalaya* dice que «conseguir que el nombre de uno sea escrito en ese Libro de la Vida dependerá de las obras de uno».[7] Otro número de esta revista hace referencia a «trabajar duro por la recompensa de la vida eterna».[8] Este concepto de «obras» de la salvación tiene implicaciones en cómo los padres educan a sus hijos: «Los padres que aman a sus hijos y que quieren verlos vivos en el nuevo mundo de Dios los animarán y guiarán hacia metas de mayor servicio y responsabilidad».[9]

¿Cómo entienden la *gracia* los testigos de Jehová? Al leer la literatura de la Watchtower, se hace evidente que la gracia es más o menos la

---

[3] Véase Robert Bowman, Jehovah's Witnesses (Grand Rapids: Zondervan, 1995), p. 50.
[4] La Atalaya, 15 de noviembre de 1981, p. 21.
[5] La Atalaya, 1 de diciembre de 1981, p. 27.
[6] La Atalaya, 15 de febrero de 1983, pp. 12-13.
[7] La Atalaya, 1 de abril de 1947, p. 204.
[8] La Atalaya, 15 de agosto de 1972, p. 491.
[9] La Atalaya, 15 de marzo de 1962, p. 179.

oportunidad para que los seres humanos «trabajen» o ganen su salvación. No implica un don gratuito de la salvación. La Sociedad enseña que obedecer «los mandamientos de Dios... puede significar un futuro eterno».[10] De hecho, «en todos los ámbitos de la vida, debemos estar dispuestos a dar lo mejor de nosotros mismos. No debemos ser tibios en asuntos tan vitales. Lo que está en juego es la aprobación de Jehová y que se nos conceda la vida».[11]

Parte de «ocuparse de» la salvación de uno depende de la fidelidad de uno en la distribución de la literatura de la Sociedad Watchtower de puerta en puerta. La revista *La Atalaya* dice: «Dios requiere que los futuros súbditos de su reino apoyen su gobierno *abogando lealmente por su gobierno del reino a los demás*» (énfasis añadido).[12] La revista pregunta: «¿Cumplirá usted este *requisito* hablando a otros del reino de Dios?».[13]

Con este concepto de la salvación, no es sorprendente que la Sociedad Watchtower también enseñe que los testigos de Jehová no pueden saber con certeza si tienen la salvación durante esta vida.[14] De hecho, sólo una postura constante e indoblegable contra el pecado y la obediencia total a Dios (a través de la obediencia a la Sociedad Watchtower) da al testigo alguna esperanza de salvación. Incluso entonces, al testigo se le dice que, si él o ella fallan durante el futuro milenio, él o ella serán aniquilados. Sin embargo, si él o ella sirve fielmente a Dios a lo largo de este período de 1000 años, él o ella puede finalmente ser «declarado justo» y la vida eterna puede finalmente ser concedida.[15]

Si la salvación es por obras, entonces ¿cómo se relaciona con la persona y obra de Jesucristo en la teología de la Watchtower? La Sociedad enseña *que* Jesús murió (no en una cruz sino en una estaca de tortura) como sacrificio por el pecado. Pero ellos no interpretan la muerte sacrificial de Cristo de la misma manera que lo hacen los cristianos evangélicos. En una cápsula, la Sociedad enseña que la vida humana que Jesús entregó en

---

[10] Making Your Family Life Happy (Brooklyn: Watchtower Bible and Tract Society, 1978), pp. 182-83.

[11] La Atalaya, 1 de mayo de 1979, p. 20; véase también La Atalaya, 1 De mayo de 1980, p. 13.

[12] La Atalaya, 15 de febrero de 1983, pp. 12-13.

[13] La Atalaya, 15 de febrero de 1983, pp. 12-13.

[14] Life Everlasting—In Freedom of the Sons of God (Brooklyn: Watchtower Bible and Tract Society, 1966), p. 398.

[15] John Ankerberg y John Weldon, The Facts on Jehovah's Witnesses (Eugene: Harvest House, 1988), p. 18.

sacrificio era *exactamente* igual a la vida humana con la que Adán cayó. «Puesto que el pecado de un hombre (el de Adán) había sido responsable de que toda la familia humana fuera pecadora, la sangre derramada de otro humano perfecto (en efecto, un segundo Adán), al tener un valor correspondiente, podía equilibrar la balanza de la justicia».[16] Si Jesús hubiera sido Dios, dice la Sociedad Watchtower, entonces el pago del rescate habría sido *demasiado*.

Los testigos de Jehová *sí* hablan de la necesidad de la gracia y la fe en Cristo para ser salvos. Y hablan de la salvación como un «don gratuito». Pero, obviamente, la gracia y la fe no son suficientes, según la literatura de la Watchtower. Tampoco es la salvación realmente un don gratuito en la teología de la Watchtower.

Duane Magnani, antiguo testigo de Jehová, lo explica así:

Lo que la Watchtower quiere decir con «don gratuito» es que la muerte de Cristo sólo borró el pecado heredado de Adán. Ellos enseñan que, sin esta obra de expiación, los hombres no podrían *ocuparse* de su salvación. Pero el «don» del sacrificio de rescate de Cristo se pone gratuitamente a disposición de todos los que lo deseen. En otras palabras, sin el sacrificio de Cristo, el individuo no tendría la oportunidad de salvarse. Pero en vista de su obra, el don gratuito que eliminó el pecado heredado de Adán, el individuo ahora tiene una *oportunidad.*[17]

Los testigos de Jehová también hablan de «nacer de nuevo» (Jn. 3:35). Pero no quieren decir lo mismo que los cristianos evangélicos. Ellos dicen que el nuevo nacimiento es solo para los ungidos. Este nuevo nacimiento es necesario para ellos para que puedan disfrutar de la vida espiritual en el cielo. La revista *La Atalaya* dice que «las 'otras ovejas' no necesitan tal renacimiento, porque su meta es la vida eterna en el paraíso terrenal restaurado como súbditos del reino».[18]

De lo anterior se desprende claramente que los testigos de Jehová utilizan muchas de las mismas palabras que los cristianos evangélicos

---

[16] Reasoning from the Scriptures, p. 308.

[17] Duane Magnani, The Watchtower Files (Minneapolis: Bethany House, 1985), p. 232.

[18] La Atalaya, 15 de febrero de 1986, p. 14.

cuando describen la salvación, pero atribuyen significados totalmente diferentes a esas palabras. Esta es una marca común de las sectas.

Razonando a la luz de la Biblia

La salvación no implica una «declaración de justicia» provisional

Contrariamente a los testigos de Jehová, la «declaración de justicia» (justificación) de Dios nunca se presenta en las Escrituras como provisional, a la espera de un futuro tiempo de prueba (a lo largo del Milenio). Por el contrario, la justificación siempre se presenta en las Escrituras como *única* y *permanente*. Un erudito lo expresa así:

Las Escrituras nunca sugieren que la justificación sea provisional o que el Milenio sea un periodo de prueba (cf. Heb. 9:27). Abraham y otros que vivieron antes de Cristo tenían *asegurada* la salvación (mediante su fe en las promesas de Dios) sin necesidad de pruebas futuras. Su lugar en el reino de Dios está *asegurado* (Mt. 8:11; Lc. 13:28; Gál. 3:9); la fe de Abraham se considera perfecta o completa (Stg. 2:22); y Noé «llegó a ser heredero [tiempo pasado] de la justicia que es según la fe» (Heb. 11:7, énfasis añadido). Porque todos los cristianos, mediante su fe en la muerte sacrificial de Cristo, son declarados justos y su salvación, o vida eterna, está *asegurada*. La justificación es un *hecho consumado* (Rom. 5:1, 9a) que *garantiza que* «por medio de él [Cristo] seremos salvados del castigo de Dios» (v. 9b NVI). El don gratuito de Dios en Jesucristo es tanto la justificación (Rom. 3:22-24; 5:15-16) como la vida eterna (Rom. 6:23); ambas van de la mano (Rom. 5:17-18, 21). Los que son justificados también son glorificados (Rom. 8:30); nótese que la glorificación futura del creyente es tan cierta que se habla de ella como un *hecho consumado*. La distinción entre ser declarado justo *provisionalmente* y ser «declarado justo *de por vida*» está ausente de las Escrituras.[19]

1Timoteo 2:5-6: El sacrificio de rescate de Jesús

La enseñanza de la Watchtower. En la *Traducción del Nuevo Mundo* 1Timoteo 2:5-6 se lee, «Porque hay un solo Dios, y hay un solo mediador entre Dios y los hombres: un hombre, Cristo Jesús, que se entregó como rescate correspondiente por todos. De esto se dará testimonio al tiempo debido».

La Sociedad Watchtower argumenta que como se dice que Jesús media «entre Dios y los hombres», está claro que no puede ser visto como Dios. Después de todo, «ya que por definición un mediador es alguien separado de aquellos que necesitan mediación, sería una contradicción que Jesús fuera una entidad con cualquiera de las partes que está tratando de reconciliar. Sería pretender ser algo que no es».[20] Su conclusión, entonces, es que Cristo como mediador no puede ser visto como Dios. ¿Cómo podría Jesús mediar *entre* Dios y el hombre si Él mismo *fuera* Dios?

En cuanto al «rescate correspondiente» que Jesús pagó, la Sociedad Watchtower enseña que la vida humana que Jesús puso en sacrificio era exactamente igual a la vida humana con la que Adán cayó. De hecho, «como los privilegios de la vida humana habían sido perdidos para la raza humana por su perfecto padre Adán, a través del pecado, esos privilegios de vida tenían que ser recomprados por el sacrificio de una vida humana perfecta como Jesús».[21] Claramente, pues, el rescate de Cristo correspondía *exactamente* al de Adán:

> Jesús, ni más ni menos que un ser humano perfecto, se convirtió en un rescate que compensó exactamente lo que Adán perdió: el derecho a una vida humana perfecta en la tierra. Así que Jesús pudo ser llamado con razón «el último Adán» por el apóstol Pablo, que dijo en el mismo contexto: «Así como en Adán todos mueren,

---

[19] Bowman, Jehovah's Witnesses, p. 54.

[20] Should You Believe in the Trinity? (Brooklyn: Watchtower Bible and Tract Society, 1989), p. 16.

[21] Anthony Hoekema, The Four Major Cults (Grand Rapids: Eerdmans, 1978), p. 273.

también en Cristo todos serán vivificados» (1Co. 15:22, 45). La vida humana perfecta de Jesús fue el «rescate correspondiente» exigido por la justicia divina, ni más ni menos. Un principio básico, incluso de la justicia humana, es que el precio pagado debe corresponder al mal cometido.[22]

La literatura de la Watchtower argumenta que, si Jesús fuera parte de una Divinidad trina, «el precio del rescate habría sido infinitamente más alto que lo que la propia Ley de Dios requería».[23] Después de todo, fue Adán—un *ser humano perfecto*—quien pecó en el jardín del Edén, no Dios. Por lo tanto, el rescate que se pagó, para estar realmente en línea con la perfecta justicia de Dios, tenía que ser un equivalente exacto a Adán—un ser humano perfecto: «Cuando Dios envió a Jesús a la tierra como rescate, hizo que Jesús fuera lo que satisficiera la justicia, no una encarnación, no un dios-hombre, sino un hombre perfecto».[24] Este sacrificio del segundo Adán, al tener el valor correspondiente, podía «equilibrar la balanza de la justicia».[25]

La enseñanza bíblica. ¿Es cierto que porque Jesús es un mediador entre Dios y el hombre, no puede ser Dios, ya que «por definición un mediador es alguien separado de aquellos que necesitan mediación»?[26] De ninguna manera. La insensatez de este razonamiento se evidencia de inmediato en el hecho de que si Jesús como mediador no puede ser Dios, entonces, por la misma lógica, tampoco puede ser hombre.[27]

Pregunte...
- Si Cristo, como mediador entre Dios y el hombre, no puede ser Dios, puesto que *un mediador está separado de aquellos que necesitan mediación,* ¿no significa esto también que no puede ser hombre?

[22] Should You Believe in the Trinity?, p. 15.
[23] Should You Believe in the Trinity?, p. 15.
[24] Should You Believe in the Trinity?, p. 15.
[25] Reasoning from the Scriptures, p. 308.
[26] Should You Believe in the Trinity?, p. 16.
[27] Robert M. Bowman, Why You Should Believe in the Trinity (Grand Rapids: Baker Books, 1989), p. 73.

- Si Cristo como *hombre* puede ser mediador entre Dios y el hombre, ¿no puede Cristo *como Dios* ser también mediador entre Dios y el hombre?

El hecho es que Jesús puede mediar entre Dios y el hombre *precisamente porque* es a la vez Dios y hombre.[28] De hecho, la redención de la humanidad dependía completamente de la unión humano-divina en Cristo. Si Cristo Redentor hubiera sido *sólo* Dios, no habría podido morir, ya que Dios, por su propia naturaleza, no puede morir. Sólo como hombre podía Cristo representar a la humanidad y morir como hombre. Como Dios, sin embargo, la muerte de Cristo tenía un valor infinito suficiente para proporcionar la redención por los pecados de todas las personas. Es evidente, pues, que Cristo tuvo que ser a la vez Dios *y* hombre para asegurar la salvación del hombre (1Ti. 2:5).

Esto está relacionado con el concepto de pariente redentor del Antiguo Testamento. En el Antiguo Testamento, la expresión *pariente-redentor* siempre se utilizaba para referirse a alguien que estaba emparentado por sangre con alguien a quien se quería redimir de la esclavitud. Si alguien era vendido como esclavo, por ejemplo, era deber de un pariente consanguíneo—el pariente más cercano—actuar como pariente-redentor de esa persona y rescatarla de la esclavitud (Lev. 25:47-48).

Jesús es el pariente redentor de la humanidad esclavizada por el pecado. Sin embargo, para que Jesús llegara a serlo, tuvo que emparentarse por sangre con la raza humana. Esto indica la necesidad de la encarnación. Jesús se hizo hombre para redimir al hombre (Heb. 2:14-16). Y como también era plenamente Dios, su muerte sacrificial tuvo un valor infinito (Heb. 9:11-28).

Relacionado con el papel de Cristo como Mediador está su papel como Salvador. Un estudio del Antiguo Testamento indica que sólo Dios salva. En Isaías 43:11, Dios afirma: «Yo, yo Jehová, y *fuera de mí no hay quien salve*» (énfasis añadido). Este es un versículo extremadamente importante, porque indica que 1) la afirmación de ser el Salvador es, en sí misma, una afirmación de deidad; y 2) sólo hay un Salvador: Dios.

Puesto que el Nuevo Testamento se refiere a Jesucristo como el Salvador, podemos estar seguros de que tiene una naturaleza divina. Tras

---

[28] Bowman, Why You Should Believe in the Trinity, p. 73.

su nacimiento, un ángel se apareció a unos pastores cercanos y les dijo: «que os ha nacido hoy, en la ciudad de David, un Salvador, que es CRISTO el Señor» (Lc. 2:11). El evangelio de Juan recoge la conclusión de los samaritanos de que Jesús «verdaderamente este es el Salvador del mundo» (Jn. 4:42).

En Tito 2:13, Pablo anima a Tito a aguardar la bendita esperanza, «la manifestación gloriosa de nuestro gran Dios y Salvador Jesucristo». Un examen de Tito 2:10-13, 3:4 y 3:6 revela que las frases «Dios nuestro Salvador» y «Jesús nuestro Salvador» se utilizan indistintamente cuatro veces. Las verdades paralelas de que *sólo Dios es el Salvador* (Is. 43:11) y de que Jesús *mismo es el Salvador* constituyen una poderosa prueba de la deidad de Cristo. En la encarnación, Dios Salvador se convirtió en un ser humano, lo que le permitió cumplir su función de Mediador entre Dios y el hombre (puesto que Él mismo era Dios y hombre).

Pregunte...

- ¿Puede ver cómo las verdades paralelas de que *sólo Dios es el Salvador* (Is. 43:11) y que *Jesús mismo es el Salvador* (Lc. 2:11; Tit. 2:13) requieren que Jesús sea Dios Todopoderoso? (Si el testigo de Jehová responde diciendo que Jesús es sólo un «dios poderoso», entonces pregunte lo siguiente:)
- ¿Quién habla en Isaías 43:11? (Dirá Jehová-Dios.)
- ¿Entonces sólo Jehová-Dios puede ser salvador? (Tendrá que decir que sí).
- Puesto que Jesús es llamado salvador en el Nuevo Testamento, y puesto que sólo Jehová-Dios puede ser salvador, ¿no significa esto que Jesús es Jehová-Dios?

¿Un «rescate apropiado»?

Al responder al argumento de la Watchtower de que Jesús fue un «rescate apropiado» a Adán, comenzamos por abordar lo que indica el texto griego de 1Timoteo 2:6. La versión Reina Valera dice de Jesús: «el cual se dio a sí mismo *en rescate* por todos» (énfasis añadido). La palabra griega para «rescate» es *antilutron*. La pregunta es, ¿Apunta esta palabra a un «rescate apropiado» en el sentido de «ni más ni menos» como argumenta la Sociedad Watchtower? De ninguna manera. Este es un caso de *sobretraducción*, y los testigos de Jehová están leyendo más en esta palabra de lo que se justifica.[29]

El léxico griego de Thayer dice que *antilutron* significa «lo que se da a cambio de otro como precio de su redención, rescate».[30] El «rescate» se llama aquí *antilutron* «para subrayar el hecho de la venida y sufrimiento de Cristo en lugar de todos y en beneficio de ellos».[31] *Vine's Expository Dictionary of Biblical Words* señala que la preposición *anti* «tiene un significado vicario, indicando que el 'rescate' vale para aquellos que, aceptándolo como tal, ya no permanecen en la muerte puesto que Cristo sufrió la muerte en su lugar».[32]

El experto en asuntos de la Watchtower Robert Bowman señala que «aunque la palabra [*antilutron*] es muy rara en griego, y sólo aparece aquí en la Biblia, el significado es ciertamente el mismo que la declaración de Cristo en Marcos 10:45 que vino a dar su vida como 'un rescate a cambio de [*lutron anti*] muchas personas' (TNM). La idea en ambos pasajes es sencillamente la de *sustitución*: que Cristo ocupe nuestro lugar. La idea de que esto requería que Cristo fuera 'no más' que un humano perfecto está ausente».[33] Así que el texto griego milita sólidamente contra el entendimiento de la Watchtower de 1Timoteo 2:6.

Pregunte...

- ¿Sabía usted que las autoridades de la lengua griega nos dicen que el significado de la palabra griega para «rescate» implica simplemente la idea de *sustitución* y no una correspondencia estricta del tipo «ni más ni menos»?

Bowman señala otro punto digno de mención: Los testigos de Jehová no pueden «dar ninguna razón por la que Dios necesitara enviar a su Hijo a la tierra en forma de hombre. Puesto que todo lo que se necesitaba era un ser

---

[29] Bowman, Why You Should Believe in the Trinity, p. 77.
[30] J.H. Thayer, A Greek-English Lexicon of the New Testament (Grand Rapids: Zondervan, 1963), p. 50.
[31] Spiros Zodhiates, The Complete Word Study Dictionary (Chattanooga: AMG, 1992), p. 193.
[32] Vine's Expository Dictionary of Biblical Words, eds. W.E. Vine, Merrill F. Unger, y William White (Nashville: Thomas Nelson Publishers, 1985), p. 506.
[33] Bowman, Why You Should Believe in the Trinity, p. 77.

humano perfecto, Dios podría haber creado uno 'desde cero', si hubiera querido».[34] Podría mencionarle esto al testigo de Jehová y pedirle que lo comente. La respuesta será interesante.

Hechos 16:30-32: Creer en el Señor Jesús

La enseñanza de la Watchtower. Hechos 16:30-31 en la *Traducción del Nuevo Mundo* dice: «Luego [el carcelero] los sacó y les dijo [a Pablo y a Silas]: «Señores, ¿qué tengo que hacer para salvarme?». Ellos respondieron: «Cree en el Señor Jesús, y tú y tu casa serán salvados».

Los testigos de Jehová reconocen que la fe es necesaria para la salvación, pero siempre añaden obras a esta fe. Comentando Hechos 16:30-31, *Razonamiento a partir de las Escrituras* dice: «Si aquel hombre [el carcelero] y su familia creían de verdad, ¿no actuarían en armonía con su creencia? Ciertamente».[35] En otras palabras, las obras desempeñan un papel central.

En *Asegúrense de todas las cosas,* se nos dice que «la fe debe ser demostrada por obras consistentes».[36] La literatura de la Watchtower deja muy claro que para ser realmente salvo uno debe ser un testigo de Jehová activo, siguiendo consistentemente todas las reglas y regulaciones de la sociedad.[37]

La enseñanza bíblica. Cuando hable de Hechos 16:30-32 con los testigos de Jehová, querrá señalar que este pasaje representa un sólido argumento a favor de la deidad de Cristo. Cuando el carcelero preguntó a Pablo y Silas cómo salvarse, ellos respondieron: «Cree en el Señor Jesucristo, y serás salvo, tú y tu casa» (Hch. 16:31). Luego, después de ser salvo, se nos dice que el carcelero «se regocijó con toda su casa de haber creído en Dios [griego: *theos*]» (v. 34).

Creer en Cristo y *creer en Dios* se consideran actos idénticos.

---

[34] Bowman, Why You Should Believe in the Trinity, p. 77.

[35] Reasoning from the Scriptures, p. 359.

[36] Make Sure of All Things (Brooklyn: Watchtower Bible and Tract Society, 1953), p. 438.

[37] La Atalaya, 15 de febrero de 1983, pp. 12-13.

Pregunte...

- ¿Qué cree usted que dice de la naturaleza de Cristo el hecho de que *creer en Él* (Hch. 16:31) y *creer en Dios* (v. 34) se consideren actos idénticos?

Pasemos a la siguiente pregunta: ¿Creer en Cristo es suficiente para la salvación? ¿O debemos combinar la creencia en Cristo con la realización de buenas obras? Recalque al testigo de Jehová que cerca de 200 veces en el Nuevo Testamento se dice que la salvación es *sólo por la fe,* sin obras de por medio. Hechos 16:31 es sólo uno de los muchos versículos que dicen que debemos creer en el Señor Jesús para la salvación. Considere lo siguiente:

- Juan 3:15 nos asegura que «*todo el que en él cree...* tenga vida eterna» (énfasis añadido).

- En Juan 5:24 Jesús dice: «De cierto, de cierto os digo: El que oye mi palabra y *cree al que me envió,* tiene vida eterna; y no vendrá a condenación, mas ha pasado de muerte a vida» (énfasis añadido).

- En Juan 11:25 Jesús dice: «Yo soy la resurrección y la vida. *El que cree en mí,* aunque esté muerto, vivirá» (énfasis añadido).

- En Juan 12:46 Jesús dice: «Yo, la luz, he venido al mundo, para que *todo aquel que cree en mí no permanezca en tinieblas*» (énfasis añadido).

- Juan 20:31 dice del evangelio de Juan que estas cosas «se han escrito para *que creáis* que Jesús es el Cristo, el Hijo de Dios, y para que *creyendo* tengáis vida en su nombre» (énfasis añadido). Claramente, ¡la salvación es por la fe en Cristo!

Relacionada con la creencia en Cristo está la cuestión de la gracia frente a las obras. Considere los siguientes versículos muy claros:

- Efesios 2:8-9 nos asegura: «Porque por gracia sois salvos por medio de la fe; y esto no de vosotros, pues es don de Dios; no por obras, para que nadie se gloríe».

- Tito 3:5 dice: «nos salvó, no por obras de justicia que nosotros hubiéramos hecho, sino por su misericordia, por el lavamiento de la regeneración y por la renovación en el Espíritu Santo».

- Romanos 3:20 nos dice: «ya que por las obras de la ley ningún ser humano será justificado delante de él; porque por medio de la ley es el conocimiento del pecado».

- En Gálatas 2:16 Pablo nos dice: «sabiendo que el hombre no es justificado por las obras de la ley, sino por la fe de Jesucristo, nosotros también hemos creído en Jesucristo...»

Hemos tocado meramente la punta de un iceberg al tratar con los pasajes que hablan de la salvación por gracia mediante la fe. Baste decir que todo el peso del Nuevo Testamento está en contra de la visión orientada a las obras de la Watchtower de Hechos 16:30-32 y otros pasajes similares.

Es posible que desee leer todos los versos anteriores a los testigos de Jehová y luego:

Pregunte...

- ¿La salvación tal como se describe en estos versículos se parece al concepto de salvación que se expone en la literatura de la Watchtower, o ve usted alguna diferencia?

Dicho todo esto, no quiero comunicar que las buenas obras carezcan de importancia para Dios, pero *siguen a la salvación*, no la *causan*. La salvación viene gratuitamente a través de la fe en Cristo (Rom. 4:1-25; Gál. 3:6-14). Las buenas obras, sin embargo, son un *resultado* de la salvación (Mt. 7:15-23; 1Ti. 5:10,25). Aprendemos de Santiago 2:14-16 que la fe genuina[38] *produce* buenas obras, pero es *la fe la que salva,* no las buenas obras. Para aclarar, no es «*ejercitar* la fe» haciendo buenas obras lo que salva, sino que es *solo la fe* la que trae la salvación (ver Jn. 3:16-18; Hch. 16:31; Rom. 1:16-17; 3:21-28; 2Ts. 1:8-10), y las buenas obras siguen.

---

[38] Una persona que afirma tener fe, pero carece por completo de buenas obras, no tiene una base segura para la seguridad de la salvación (véase Tit. 1:16; 1Pe. 1:5-10; 1Jn. 2:3-4; 3:9-10,14-15; 5:2-3).

Romanos 10:13: Invocar a Yahvé

La enseñanza de la Watchtower. En la *Traducción del Nuevo Mundo*, Romanos 10:13 dice: «Todo el que invoque el nombre de Jehová será salvado». Al citar este pasaje (y otros similares), los testigos de Jehová dicen que el uso apropiado del nombre «correcto» de Dios —Jehová—es absolutamente esencial para la salvación de uno.[39]

La Sociedad Watchtower a menudo dice que el tiempo que queda para invocar a Jehová para la salvación es muy corto porque el Armagedón está cerca. El libro de la Watchtower *¡El hombre al umbral der ser salvo de la angustia mundial!* declara lo siguiente:

> Puesto que hemos estado viviendo en el «tiempo del fin» de este sistema mundano de cosas desde el año 1914 d.C., el tiempo que queda durante el cual se puede encontrar a Jehová de manera favorable es ya muy corto. Así que *ahora* es el tiempo favorable para buscarlo. Una persona no tiene que ir muy lejos en esta búsqueda para encontrarlo. Él todavía está cerca, al alcance de quienes lo buscan sinceramente. Así que *ahora* también es el momento de llamarle. No está más allá de la distancia auditiva. Ahora, antes del «día grande e inspirador de temor de Jehová», es cuando se aplican las palabras tranquilizadoras: «Todo el que invoque el nombre de Jehová saldrá sano y salvo».[40]

La enseñanza bíblica. La *Traducción del Nuevo Mundo* traduce erróneamente Romanos 10:13. El texto griego original no hace referencia a «Jehová». Esta palabra fue insertada en el pasaje por los traductores de la Sociedad Watchtower. El versículo dice correctamente: «Todo el que invoque el nombre *del Señor* [griego: *kurios*] será salvo» (énfasis e inserción añadidos). Y, en el contexto más amplio de nuestro pasaje (Rom. 10:9-13), «Señor» se refiere a Jesucristo (véase el v. 9, donde Jesús es explícitamente identificado como el «Señor» de estos cinco versos)[41].

---

[39] Reasoning from the Scriptures, pp. 149.

[40] Man's Salvation Out of World Distress At Hand! (Brooklyn: Watchtower Bible and Tract Society, 1975), p. 111.

[41] Robert M. Bowman, Understanding Jehovah's Witnesses (Grand Rapids: Baker Books, 1991), pp. 120-21; Why You Should Believe in the Trinity, p. 108.

Pregunte...

- ¿Sabía usted que la palabra «Jehová» no se encuentra en ningún manuscrito griego del Nuevo Testamento, sino que fue insertada en Romanos 10:13 y en otros lugares por la Sociedad Watchtower?

- ¿Sabía usted que mientras la Watchtower pone la palabra «Jehová» en Romanos 10:13, todos los manuscritos griegos tienen la palabra *kurios,* que significa «Señor»?

- ¿Sabía usted que el contexto más amplio de este versículo— Romanos 13:9-13—deja claro que el «Señor» al que se hace referencia es Jesús, sobre todo porque se le identifica explícitamente como el «Señor» en el verso 9?

Romanos 10:13 es en realidad una cita de Joel 2:32: «Todo el que invoque el nombre del Señor [Yahvé] será salvo». Sin embargo, esto *no* justifica el uso de la palabra Yahvé (o Jehová) en Romanos 10:13. Como se señaló anteriormente, la palabra utilizada en los manuscritos griegos para «Señor» en Romanos 10:13 es *kurios,* no Yahvé. Por lo tanto, la traducción de la Watchtower es injustificada.

He aquí lo significativo de Joel 2:32: Por mucho que los testigos de Jehová quieran negarlo, el apóstol Pablo está citando Joel 2:32 (que habla de invocar a Yahvé) en el contexto de que se *cumple* al invocar a Jesucristo para salvación. «Invocar a Yahvé» e «invocar a Jesucristo» están aquí equiparados. Esta es una clara evidencia que apunta a la identidad de Cristo como Yahvé.

El apóstol Pedro cita este mismo versículo de Joel 2:32 cuando predica a la multitud el día de Pentecostés: «Todo el que invoque el nombre del Señor será salvo» (Hch. 2:21). Un vistazo a los versos 22 a 36 muestra sin lugar a dudas que el «Señor» del que habla Pedro es nada menos que Jesucristo. (Este «Señor» tiene el testimonio de milagros y prodigios en la tierra, fue clavado en una cruz, resucitó de entre los muertos y ascendió a la diestra del Padre).

Comentando Hechos 2:21, el teólogo Robert Reymond dice: «Es difícil evitar la conclusión de que [Pedro] estaba instando [a la multitud] a acogerse al remedio que el propio Joel había prescrito en su profecía cuando dijo: 'Y todo el que invoque *el nombre del Señor* será salvo' (Hch. 2:21). Pero esto significa, a su vez, que para Pedro, Jesús era el Señor de

Joel 2:32a (compárese con Rom. 10:9-13), lo que significa, a su vez, que Jesús era el Yahvé que hablaba a través de Joel».[42]

Teniendo esto en cuenta, puede pedirle al testigo de Jehová que lea en voz alta Joel 2:32 y Hechos 2:21, y luego:

Pregunte...

- ¿Quién es el «Señor» de Joel 2:32? (Dirá Jehová).

- Puesto que el «Señor» de Hechos 2:21 fue clavado en una cruz, resucitó de entre los muertos y ascendió al cielo, ¿quién es, entonces, este «Señor» de Hechos 2:21? (Obviamente Jesús).

- Puesto que Pedro cita Joel 2:32 en Hechos 2:21 como algo cumplido en Jesucristo, ¿qué dice esto sobre la verdadera identidad de Jesús?

Juan 3:5: Nacer de nuevo

La enseñanza de la Watchtower. En la *Traducción del Nuevo Mundo* leemos Juan 3:5-6: «*Jesús* le contestó: 'De verdad te aseguro que, si uno no nace del agua y del espíritu, no puede entrar en el Reino de Dios. Lo que ha nacido de la carne es carne, y lo que ha nacido del espíritu es espíritu'».

Según la literatura de la Watchtower, «nacer de nuevo» permite convertirse en «hijo de Dios» con la perspectiva de participar en el reino de Dios. «Cuando Jesús habló de nacer de nuevo dijo que era necesario para entrar en el reino de Dios, es decir, para formar parte del reino de Dios, su gobierno celestial».[43] Jesús experimentó el nacer de nuevo, y las 144.000 personas que componen el grupo de los ungidos también nacen de nuevo, compartiendo con Él una existencia espiritual en el cielo.[44]

Los seres humanos mortales no pueden participar de esta existencia espiritual en el cielo. Después de todo, Pablo nos dice que «carne y hueso no pueden heredar el Reino de Dios ni la corrupción hereda la incorrupción» (1Co. 15:50 TNM). Juan 3:6 es claro al decir que «Lo que ha

---

[42] Robert L. Reymond, Jesus, Divine Messiah: The New Testament Witness (Phillipsburg: Presbyterian and Reformed, 1990), p. 230.

[43] Reasoning from the Scriptures, p. 80.

[44] Reasoning from the Scriptures, p. 76.

nacido de la carne es carne, y lo que ha nacido del espíritu es espíritu».[45] Sólo los nacidos del espíritu («nacidos de nuevo») pueden participar de la vida espiritual en el cielo. Los nacidos de la carne sólo son aptos para la vida terrenal.

Esto no quiere decir que quien no haya nacido de nuevo no pueda ser salvo. Después de todo, las Escrituras enseñan que una «gran multitud» de testigos de Jehová espera la vida eterna en una tierra paradisíaca (Ap. 7:9). Estas personas no han nacido de nuevo, pero son salvas y gozan del favor de Jehová.

¿Cómo se relaciona esta clase terrenal con el grupo de ungidos en el cielo? Los ungidos (aquellos que *han nacido de nuevo*) gobernarán sobre aquellos que viven en la tierra (aquellos que *no han* nacido de nuevo).[46] ¡Nacer de nuevo claramente tiene sus beneficios!

La enseñanza bíblica. Las Escrituras dejan claro que la oportunidad de nacer de nuevo no se limita a las 144.000 personas ungidas, sino que está abierta a *todos* los que creen en Jesucristo. Primera de Juan 5:1, por ejemplo, promete que «*todo* el que cree que Jesús es el Cristo ha nacido de Dios» (énfasis añadido). No hay excepciones. Cualquiera y todos los que creen en Jesucristo son «nacidos de nuevo».[47]

Esto concuerda con la discusión de Jesús sobre «nacer de nuevo» con Nicodemo (Jn. 3:1-21). Después de decir que hay que nacer de nuevo (vv. 3, 7), Jesús dijo: «Porque de tal manera amó Dios al mundo, que ha dado a su Hijo unigénito, para que *todo aquel que en él cree*, no se pierda, mas tenga vida eterna» (v. 16, énfasis añadido). Juan 1:12-13 concuerda: «Mas a todos los que le recibieron, a *los que creen en su nombre*, les dio potestad de ser hechos hijos de Dios; los cuales no son engendrados de sangre, ni de voluntad de carne, ni de voluntad de varón, sino de Dios» (énfasis añadido).

Pregunte...
- ¿Por qué es que cada pasaje del Nuevo Testamento que habla de nacer de nuevo dice que *todos los que creen en Jesús* pueden nacer

---

[45] Reasoning from the Scriptures, p. 77.
[46] Reasoning from the Scriptures, p. 79.
[47] David Reed, Jehovah's Witnesses Answered Verse by Verse (Grand Rapids: Baker Books, 1992), p. 74.

de nuevo, sin ninguna mención de limitar esta experiencia a sólo 144.000 personas? (Si él o ella argumenta sobre esto, pídale que le muestre un solo pasaje que limite esta experiencia a los 144.000).

Nacer de nuevo» (literalmente, «nacer de lo alto») se refiere simplemente al acto por el cual Dios da vida eterna a aquel (¡a *cualquiera!)* que cree en Cristo (Tit. 3:5). Nacer de nuevo nos coloca en la familia eterna de Dios (1Pe. 1:23) y da al creyente una nueva capacidad y deseo de agradar al Padre (2Co. 5:17).

Esto concuerda con lo que leemos en Juan 3:6: «Lo que es nacido de la carne, carne es; y lo que es nacido del Espíritu, espíritu es». La «carne» incluye no sólo lo que es natural sino lo que es pecaminoso en el hombre— es decir, el hombre tal como nace en este mundo caído y vive su vida aparte de la gracia de Dios. «La carne sólo puede reproducirse a sí misma como carne, y esto no puede pasar el examen de Dios (Rom. 8:8). La ley de la reproducción es 'según su especie'. Así también el Espíritu produce espíritu, una vida nacida, alimentada y madurada por el Espíritu de Dios».[48] Esta experiencia del hombre caído que recibe la vida eterna de Dios está abierta a todos los que creen en Cristo.

En el caso de Nicodemo, encontramos a un fariseo que habría confiado en su descendencia física de Abraham para entrar en el reino del Mesías. Los judíos creían que, por estar físicamente emparentados con Abraham, se hallaban en una posición especialmente privilegiada ante Dios. Cristo, sin embargo, negó tal posibilidad. Como dijo el erudito J. Dwight Pentecost dice: «Los padres sólo pueden transmitir a sus hijos la naturaleza que ellos mismos poseen. Como la naturaleza de cada padre, a causa del pecado de Adán, es pecaminosa, cada padre transmite una naturaleza pecaminosa al hijo. Lo que es pecaminoso no puede entrar en el reino de Dios (v. 5)».[49] La única manera en que uno puede entrar en el reino de Dios es experimentar un renacimiento espiritual, y esto es precisamente lo que Jesús está enfatizando a Nicodemo.

¿Qué hay de la afirmación de la Watchtower de que Jesús mismo nació de nuevo? Esta postura no concuerda con la Biblia. En la encarnación,

---

[48] The Wycliffe Bible Commentary, eds. Charles F. Pfeiffer y Everett F. Harrison (Chicago: Moody, 1974), p. 1078.

[49] J. Dwight Pentecost, The Words and Works of Jesus Christ (Grand Rapids: Zondervan, 1982), p. 125.

Jesús (que es Dios eterno) asumió una naturaleza humana (Lc. 1:35; 1Ti. 3:16; Heb. 2:14; 1Jn. 4:2-3). El desarrollo de Cristo como ser humano fue normal en todos los aspectos, con dos excepciones importantes: 1) Siempre hizo la voluntad de Dios, y 2) Nunca pecó. Como nos dice Hebreos 4:15, en Cristo «No tenemos un sumo sacerdote que no pueda compadecerse de nuestras debilidades, sino uno que fue tentado en todo según nuestra semejanza, pero *sin pecado*» (énfasis añadido). De hecho, Cristo es intrínsecamente «santo», «inocente» y «sin mancha» (Heb. 7:26).

En vista de ello, y puesto que Cristo es plenamente Dios (Jn. 1:1; 8:58; 20:28), no es necesario que Jesús nazca de nuevo. Jesús vino para *proporcionar* redención (1Ti. 2:5-6); Él—como redentor—no necesitaba ser redimido. Aquel que posee vida en sí mismo (Jn. 5:26) no necesita recibir esa vida de otro.

Pregunte...

- ¿Puede mostrarme un solo pasaje de las Escrituras que diga que Jesús volvió a nacer?

Filipenses 2:12: Esforzándose por la salvación propia

La enseñanza de la Watchtower. La *Traducción del Nuevo Mundo* interpreta Filipenses 2:12, «Por lo tanto, amados míos, tal como siempre han obedecido —no solo durante mi presencia, sino mucho más ahora durante mi ausencia, sigan esforzándose para alcanzar su salvación con temor y temblor». Comentando este versículo, *Razonamiento a partir de las Escrituras* dice: «Este [libro de Filipenses] fue dirigido a 'los santos' en Filipos, como se indica en Filipenses 1:1. Pablo les instó a no confiarse demasiado, sino a darse cuenta de que su salvación final aún no estaba asegurada».[50]

En el libro *Sea Dios hallado veraz,* se nos dice que antes de que los miembros del «cuerpo de Cristo» puedan recibir su herencia celestial, «deben apartarse cada vez más de este mundo y dedicarse al santo servicio

---

[50] Reasoning from the Scriptures, p. 358.

de Jehová Dios, demostrando su fiabilidad al llevar a cabo su dedicación fielmente hasta la muerte».[51]

Todos los testigos de Jehová deben estudiar diligentemente la Palabra de Dios (y la literatura de la Watchtower), aplicar todo lo que aprenden a la vida diaria y procurar en todo momento ser guiados por el Espíritu Santo de Dios. Deben ser santos como Dios es santo. Deben estar enteramente dedicados a Dios y a su justicia. Por eso se exhorta a los testigos de Jehová a «seguir esforzándose» en su salvación con temor y temblor.[52]

Los comentarios de Lorri MacGregor, antigua testigo de Jehová, son muy reveladores: «Me dijeron [que 'esforzarse en la salvación'] consistía en 'publicar las buenas nuevas del reino de Dios' vendiendo sus publicaciones de puerta en puerta, asistiendo a cinco reuniones a la semana y cumpliendo otras numerosas cuotas».[53] La salvación en la teología de la Watchtower está orientada a las obras de principio a fin.

La enseñanza bíblica. ¿Qué significa Filipenses 2:12 cuando dice: «Ocupaos de vuestra salvación con temor y temblor»? ¿Realmente Pablo estaba instando a los filipenses «a no confiarse demasiado, sino a darse cuenta de que su salvación final aún no estaba asegurada»?[54] Yo creo que no. De hecho, estoy convencido de que este versículo no tiene nada que ver con la seguridad de la salvación final para los creyentes individuales.

Hay que tener en cuenta la situación de la iglesia de Filipos. Esta iglesia estaba plagada de 1) rivalidades e individuos con ambiciones personales (Fil. 2:3-4; 4:2); 2) la enseñanza de los judaizantes, que decían que la circuncisión era necesaria para la salvación—3:1-3; 3) el perfeccionismo, la opinión de que uno podía alcanzar la perfección sin pecado en esta vida—3:12-14); y, 4) la influencia de los «libertinos antinomianos», personas que se tomaban excesiva libertad en la forma en que vivían sus vidas, ignorando o yendo en contra de la ley de Dios—3:18-19.[55] Debido a tales problemas, esta iglesia como unidad necesitaba «salvación» (es decir, salvación en el sentido temporal, experiencial, no en el sentido eterno).

---

[51] Let God Be True (Brooklyn: Watchtower Bible and Tract Society, 1946), p. 200; Reasoning from the Scriptures, p. 301.
[52] Let God Be True, p. 302.
[53] Lorri MacGregor, Coping with the Cults (Eugene: Harvest House, 1992), pp. 19-20.
[54] Reasoning from the Scriptures, p. 358.
[55] The Ryrie Study Bible (Chicago: Moody, 1986), p. 1622.

Es fundamental reconocer que la «salvación» en este contexto se refiere a la *comunidad* de creyentes de Filipos y no a *individuos*. Se habla de salvación en un sentido *corporativo*. Los filipenses fueron llamados por el apóstol Pablo a «ocuparse» (continuamente) en la «liberación de la iglesia a un estado de madurez cristiana».[56]

La palabra griega para «ocupar» (*katergazomai*) es un verbo compuesto que indica *logro* o *conclusión*. Pablo estaba llamando a los filipenses a resolver todos los problemas de la iglesia, llevando así la «salvación» o liberación corporativa a un estado de logro final. No permitiría que las cosas siguieran como estaban; había que ocuparse en resolver los problemas. Los filipenses debían «ocuparse hasta el final».[57]

En la frase «ocupaos de vuestra salvación», las palabras «vuestra salvación» son muy enfáticas en el texto griego. Como señala el erudito bíblico H.C.G. Moule, «El apóstol les está pidiendo que 'aprendan a caminar solos', en lugar de apoyarse demasiado en su presencia e influencia personal. No me hagan su apoderado en los deberes espirituales que deben ser suyos».[58] Esto era tanto más necesario cuanto que el apóstol Pablo estaba ausente de la iglesia (Fil. 2:12).

Los filipenses debían cumplir la tarea que se les había asignado con una actitud de «temor y temblor». Esto no significa que Pablo quisiera que tuvieran terror en sus corazones como motivación. Más bien, las palabras «temor y temblor» son una expresión idiomática que apunta a una gran reverencia por Dios y a un estado de ánimo humilde. (Recuerde: Muchos en Filipos eran orgullosos y tenían *poca* reverencia por Dios.) Tal humildad y reverencia por Dios les ayudaría a superar los problemas que estaban experimentando en la iglesia (véase 1Co. 2:3; 2Co. 7:15; Ef. 6:5).

Pregunte...

- ¿Puede ver que, desde un punto de vista contextual e histórico, Filipenses 2:12 tiene mucho sentido cuando se interpreta como una referencia a la salvación *corporativa* de la iglesia de Filipos, una iglesia que tenía problemas específicos que Pablo quería que resolvieran por sí mismos?

---

[56] The Wycliffe Bible Commentary, p. 1325.

[57] The NIV Study Bible, ed. Kenneth Barker (Grand Rapids: Zondervan, 1985), p. 1806.

[58] H.C.G. Moule, Philippians (Grand Rapids: Kregel, 1977), p. 72.

Relevante para esta discusión es el hecho de que en sus otros escritos, el apóstol Pablo establece claramente lo que los teólogos llaman «seguridad eterna». Por ejemplo, en Romanos 8:29-30 Pablo dice: «*Porque* a los que antes conoció, también los predestinó para que fuesen hechos conformes a la imagen de su Hijo, para que él sea el primogénito entre muchos hermanos. Y a los que predestinó, a estos también llamó; y a los que llamó, a estos también justificó; y a los que justificó, a estos también glorificó»… *Aquí encontramos una progresión ininterrumpida desde la predestinación hasta la glorificación.* Y el tiempo de la palabra «glorificado» (en el texto griego) indica que nuestra glorificación futura es tan *cierta* que puede decirse que ¡ya se ha cumplido! Después de leer Romanos 8:29-30 en voz alta:

Pregunte...

* ¿Puede usted ver que hay una cadena ininterrumpida desde la predestinación hasta la glorificación en este pasaje?
* ¿Qué cree usted que significa esto?

Encontramos otra afirmación paulina de la seguridad eterna en Efesios 4:30, donde se nos dice que los creyentes están «sellados» por el Espíritu Santo para el día de la redención. Un sello indica *posesión* y *seguridad*. «La presencia del Espíritu Santo, el sello, es la garantía del creyente de la seguridad de su salvación».[59] Así, el creyente tiene la seguridad de que, de hecho, estará con Dios en el cielo por toda la eternidad.

Pregunte...

* ¿Qué cree usted que significa ser «sellado» por el Espíritu Santo para el día de la redención?

Para recapitular nuestra discusión sobre Filipenses 2:12, la Sociedad Watchtower se equivoca al enseñar que Pablo estaba instando a los filipenses «a no ser demasiado confiados, sino a darse cuenta de que su salvación final aún no estaba asegurada».[60] Tal interpretación parece ir en contra de toda la Escritura (véase, por ejemplo, Sal. 37:23; 138:8; Jn. 5:24;

---

[59] The Ryrie Study Bible, p. 1614.
[60] Reasoning from the Scriptures, p. 358.

6:37-40; 10:27-30; 17:8-11; Rom. 5:1-5; 1Co. 1:8.9; 2Co. 1:21-22; Ef. 1:4-5; Fil. 1:6; 1Ts. 5:24; 2Ti. 1:12; 4:18; 1Pe. 1:3-5; 5:10; 1Jn. 2:1-2; 5:10-18; Jud. 1). Quizá valga la pena repasar algunos de estos pasajes con el testigo de Jehová.

12

ENTENDIENDO EL ALMA Y EL SUEÑO DEL ALMA

La única alternativa a la vida eterna es el castigo eterno.
—Harry W. Post[1]

Los testigos de Jehová no creen que el alma o el espíritu del hombre sean distintos del cuerpo físico. Más bien, creen que el hombre es una combinación de cuerpo y «aliento» que juntos forman un «alma viviente».

Para ser más específicos, los testigos de Jehová creen que el alma no se refiere a una parte inmaterial del hombre que puede sobrevivir a la muerte, sino a la vida misma que tiene una persona. Toda persona *es* un «alma», no porque posea una naturaleza inmaterial, sino porque es *un ser vivo*. «Un alma, celestial o terrenal, consiste en un cuerpo junto con el principio vital o fuerza vital que lo acciona».[2]

En apoyo de este punto de vista, los testigos de Jehová señalan que, según 1Pedro 3:20, «...en los días de Noé... unas pocas personas, es decir, ocho almas, fueron llevadas a salvo a través del agua». (TNM). En Génesis 9:5, se dice que el alma tiene sangre, y sólo un *ser vivo* tiene sangre, no una naturaleza inmaterial. Josué 11:11 en la *Traducción del Nuevo Mundo* dice:

---

[1] Draper's Book of Quotations for the Christian World (Grand Rapids: Baker Books, 1992), p. 180.

[2] Citado en Anthony Hoekema, The Four Major Cults (Grand Rapids: Eerdmans, 1978), p. 265, footnote 191.

«Fueron hiriendo toda alma... a filo de espada» (y las naturalezas inmateriales no pueden ser tocadas con espadas). Claramente, «alma» es sinónimo de «ser viviente» en estos versículos.

La Sociedad Watchtower encuentra más apoyo para este punto de vista en las vidas de los personajes bíblicos. Por ejemplo, como alma, se dice que Adán vivió en la tierra durante un tiempo prolongado y luego murió. El libro de la Watchtower *Santificado sea tu nombre* dice: «Durante novecientos treinta años un 'alma viviente' en la tierra, [Adán] ahora se convirtió en un alma muerta en la tierra, en el suelo».[3]

Del mismo modo, Lucas 23:46 nos informa de que Jesús—después de decir al Padre: «¡Padre, en tus manos encomiendo mi espíritu!». (TNM)— *expiró*. La Sociedad Watchtower argumenta así: «Note que Jesús expiró. Cuando su espíritu expiró no estaba en camino al cielo. No hasta el tercer día de esto fue Jesús resucitado de entre los muertos».[4] Por lo tanto, «se ve claramente que incluso el hombre Cristo Jesús era mortal. No tenía un alma inmortal: Jesús, el alma humana, murió».[5] Entonces, ¿qué quiso decir Jesús con lo que dijo en el momento de su muerte? «Estaba diciendo que sabía que, al morir, sus perspectivas de vida futura descansaban enteramente con Dios».[6]

Obviamente, la doctrina del alma se relaciona estrechamente con la cuestión de lo que sucede en el momento de la muerte. La Sociedad Watchtower nos dice que debido a que heredamos el pecado de Adán, morimos y volvemos al polvo, al igual que los animales. La Sociedad enfatiza que los seres humanos *no* poseen una naturaleza inmaterial (alma o espíritu) que sigue viviendo como una personalidad inteligente después de la muerte, cuando cesa su asociación con el cuerpo.[7] El espíritu del hombre se interpreta como la «fuerza vital» que hay en él y, al morir, la fuerza vital se desvanece: «Cuando cesan la respiración, los latidos del corazón y la actividad cerebral, la fuerza vital deja gradualmente de funcionar en las células del cuerpo».[8]

---

[3] Let Your Name Be Sanctified (Brooklyn: Watchtower Bible and Tract Society, 1961), p. 44.

[4] Reasoning from the Scriptures (Brooklyn: Watchtower Bible and Tract Society, 1989), p. 384.

[5] Let God Be True (Brooklyn: Watchtower Bible and Tract Society, 1946), p. 200; Reasoning from the Scriptures, p. 63.

[6] Reasoning from the Scriptures, p. 384.

[7] Reasoning from the Scriptures, p. 383.

[8] Reasoning from the Scriptures, p. 98.

Esto nos lleva a un énfasis importante en la teología de la Watchtower. Puesto que en la muerte el hombre no tiene naturaleza inmaterial que sobreviva, entonces obviamente no es *consciente* de nada después de la muerte. Como los animales, la conciencia del hombre deja de existir a la muerte de la forma física. Incluso para los justos, los muertos permanecen inconscientes e inactivos en la tumba hasta el momento de la resurrección futura.

El libro de la Watchtower *El hombre en la búsqueda de Dios* comenta así: «Si, como dice la Biblia, el hombre no *tiene* alma sino que *es* un alma, entonces no hay existencia consciente después de la muerte. No hay dicha ni sufrimiento. Todas las complicaciones ilógicas del 'más allá' desaparecen».[9] Por lo tanto, «cuando una persona está muerta está completamente fuera de la existencia. No es consciente de nada».[10] De hecho, los muertos no experimentan ni dolor ni placer, ya que no tienen ningún proceso de pensamiento.[11]

El libro de la Watchtower *Razonamiento a partir de las Escrituras* plantea la pregunta de *quién* querría que la gente creyera que la naturaleza inmaterial del hombre sobrevive a la muerte. En respuesta a la pregunta, se cita el relato de Génesis para probar que el diablo está detrás de esta idea. Consideremos: Después de que Dios advirtiera a Adán y Eva que la desobediencia traería la muerte, ¿quién contradijo la advertencia de Dios? Fue Satanás actuando a través de la serpiente: «De ningún modo morirán». (Gén. 3:4 TNM). Más tarde, por supuesto, Adán y Eva sí murieron. «Razonablemente, entonces, ¿quién inventó la idea de que una parte espiritual del hombre sobrevive a la muerte del cuerpo?».[12] La respuesta, dicen, es Satanás. El libro de la Watchtower *Sea Dios hallado veraz* nos dice que «esta doctrina es la principal que el Diablo ha utilizado a través de las edades para engañar a la gente y mantenerlos en la esclavitud. De hecho, es la doctrina fundamental de la religión falsa».[13]

También se dice que Satanás está detrás del concepto del infierno como lugar eterno de sufrimiento. Se dice que el concepto «calumnioso» del infierno se originó «con el principal calumniador de Dios (el Diablo, cuyo

[9] Mankind's Search for God (Brooklyn: Watchtower Bible and Tract Society, 1990), p. 128.
[10] You Can Live Forever in Paradise on Earth (Brooklyn: Watchtower Bible and Tract Society, 1982), p. 88.
[11] Reasoning from the Scriptures, p. 103.
[12] Reasoning from the Scriptures, p. 101.
[13] Let God Be True, p. 75.

nombre significa 'Calumniador'), aquel a quien Jesucristo llamó 'el padre de la mentira'».[14] La idea del infierno como lugar de castigo eterno es una «doctrina religiosa que deshonra a Dios».[15]

Según la literatura de la Watchtower, «infierno» se refiere simplemente a la fosa común de la humanidad. Esta es la tumba no sólo de los malvados, sino de *toda* la humanidad. «Sí, la gente buena va al infierno de la Biblia.... El Seol y el Hades no se refieren a un lugar de tormento sino a la tumba común de toda la humanidad».[16]

Razonando a la luz de la Biblia

Génesis 2:7: ¿El hombre es un «alma viviente»?

La enseñanza de la Watchtower. En la *Traducción del Nuevo Mundo* vemos que Génesis 2:7 se lee, «Y Jehová Dios pasó a formar al hombre del polvo del suelo y a soplarle el aliento de vida en la nariz. Y *el hombre se convirtió en un ser vivo*» (énfasis añadido). Los testigos de Jehová citan este versículo para demostrar que el hombre no tiene una naturaleza material y otra inmaterial que sean distintas entre sí. Más bien, el hombre es una combinación de material físico y «aliento», que juntos forman un alma viviente.

El libro *Sea Dios hallado veraz* nos dice que «el hombre es una combinación de dos cosas, es decir, el 'polvo de la tierra' y 'el aliento de vida'. La combinación de estas dos cosas (o factores) produjo un alma o criatura viviente llamada hombre».[17] Al hombre no se le dio un alma, sino que *se convirtió* en un alma, en una persona viva.[18] El relato de Génesis, entonces, prueba claramente que la idea «de que el hombre tiene un alma inmortal y por lo tanto difiere de la bestia no es Escritural».[19]

[14] Reasoning from the Scriptures, p. 175.
[15] Let God Be True, p. 68.
[16] You Can Live Forever in Paradise on Earth, p. 83.
[17] Let God Be True, p. 68.
[18] Reasoning from the Scriptures, p. 375.
[19] Let God Be True, p. 68.

La enseñanza bíblica. Es cierto que, en el Antiguo Testamento, la palabra hebrea para alma (*nephesh*) puede utilizarse en referencia a un ser vivo.[20] Génesis 2:7 es claramente un ejemplo de ello. Pero que la palabra pueda usarse en este sentido no significa que esté *limitada* a este sentido, o que el hombre no tenga una naturaleza inmaterial.

Debe recalcar al testigo de Jehová que está leyendo en el texto de Génesis 2:7 algo que no está ahí. En efecto, Génesis 2:7 nos dice simplemente lo que el hombre *es* (un ser vivo), no lo que *no es*.[21] En otras palabras, aunque Génesis 2:7 afirma que el hombre es un ser vivo, no niega en modo alguno que el hombre tenga una naturaleza inmaterial. (De hecho, Génesis 35:18 puede ser un ejemplo del uso de *nephesh* para referirse a la naturaleza inmaterial del hombre).[22]

Además de referirse a los «seres vivos», la palabra *nephesh* también se utiliza en el Antiguo Testamento para hablar de la sede de las emociones y las experiencias.

El *nephesh* del hombre puede estar *triste* (Dt. 28:65), *afligido* (Job 30:25), *adolorido* (Sal. 13:2), *angustiado* (Gén. 42:21), *amargado* (Job 3:20), *turbado* (Sal. 6:3) y *animado* (Sal. 86:4). Es evidente que el alma del hombre puede experimentar una amplia gama de altibajos emocionales.

En este sentido, *nephesh* parece referirse al «hombre interior» *dentro* del ser humano. Esto concuerda con versículos como 2Reyes 4:27, donde leemos: «Déjala, porque *su alma* está en amargura». Asimismo, Salmos 42:6 dice: «Dios mío, mi alma está abatida en mí», y Salmos 43:5 dice: ¿Por qué te abates, oh alma mía, y por qué te turbas dentro de mí?».

Pregunte...

- ¿Sabe usted que la palabra hebrea para alma—*nephesh*— puede utilizarse de diversas maneras en las Escrituras? (Ponga algunos ejemplos).

- ¿Reconoce usted que la palabra *nephesh*, por ejemplo, puede utilizarse para referirse al «hombre interior» en contraposición al

---

[20] Francis Brown, S.R. Driver, y Charles A. Briggs, A Hebrew and English Lexicon of the Old Testament (Oxford: Clarendon Press, 1980), p. 659.

[21] Robert M. Bowman, Fact Sheet on the Jehovah's Witnesses, Christian Research Institute.

[22] Los estudiosos difieren sobre esta cuestión, pero no se puede negar la posibilidad de que se refiera a la naturaleza inmaterial del hombre. Véase The New Treasury of Scripture Knowledge, ed. Jerome H. Smith (Nashville: Thomas Nelson, 1992), p. 5.

hombre como ser vivo? (Si dice que no, pídale que lea los versículos anteriores en voz alta y vuelva a formular la pregunta).

Dicho todo esto, debo mencionar que uno de los principios más importantes de la interpretación bíblica es que *la Escritura interpreta a la Escritura*. Debemos tener siempre presente que la interpretación de un pasaje concreto no debe contradecir la enseñanza total de la Palabra de Dios sobre un punto determinado. Los textos individuales no existen como fragmentos aislados, sino como partes de un todo. Por tanto, la exposición de estos textos debe mostrarlos en relación correcta tanto con el conjunto como entre sí. Recordemos que cada uno de los escritores bíblicos escribió en el contexto más amplio de la enseñanza bíblica anterior. Y todos ellos asumieron que *toda la Escritura*—aunque comunicada a través de instrumentos humanos—tenía *un Autor* (Dios) que no se contradecía a sí mismo (2Pe. 1:21).

Digo esto porque los testigos de Jehová argumentarán que Génesis 2:7 enseña que el hombre no tiene una naturaleza inmaterial. Esta es una conclusión errónea e injustificada ya que, de nuevo, el texto nos está diciendo lo que el hombre *es* (un ser vivo), no lo que *no es*. El punto de vista de la Watchtower va claramente en contra del resto de la Biblia sobre este tema. Comparando Escritura con Escritura, se hace bastante evidente que mientras Génesis 2:7 sólo dice que el hombre llegó a ser un «ser viviente», otros pasajes señalan claramente la naturaleza inmaterial del hombre. Prestemos ahora atención a algunos de ellos. (*Nota: Los siguientes versículos pueden ser usados no sólo para corregir el malentendido de la Watchtower de Génesis 2:7 sino también muchos otros «textos de prueba» de la Watchtower con respecto al alma y el sueño del alma*).

Mateo 10:28: El alma existe después de la muerte

En Mateo 10:28 Jesús dice: «Y no temáis a los que matan el cuerpo, mas el alma no pueden matar; temed más bien a aquel que puede destruir el alma y el cuerpo en el infierno». En este versículo, la palabra griega utilizada para «alma» es *psuche*. En su autoritativo *Greek-English Lexicon of the New Testament*, William Arndt y F. Wilbur Gingrich señalan que la palabra *psuche* puede significar «aliento de vida, principio de vida», «la vida terrenal misma», «el alma como sede y centro de la vida interior del hombre en sus muchos y variados aspectos» y «el alma como sede y centro de la vida *que trasciende lo terrenal*» (énfasis añadido).[23] La palabra *psuche* se utiliza a menudo para traducir el término hebreo *nephesh* en griego. (Por ejemplo, la traducción griega del Antiguo Testamento—la Septuaginta—tiene *psuche* en lugar de *nephesh* en Gén. 2:7).

En Mateo 10:28, *psuche* se utiliza claramente para designar la parte del hombre que continúa después de la muerte física. No se está utilizando simplemente para referirse a la «persona entera». Si ese fuera el caso, entonces la *psuche* (alma) moriría cuando se mata el cuerpo físico. Este versículo indica claramente que es posible matar el cuerpo sin matar el alma (*psuche*). Lo que Jesús está diciendo, entonces, es lo siguiente: «¡Hay algo en ti que los que te matan [en tu ser físico] no pueden tocar! Ese algo es ese aspecto del hombre que sigue existiendo después de que el cuerpo ha sido bajado a la tumba».[24]

Tal vez quieras leerle Mateo 10:28 al testigo de Jehová y luego:

Pregunte...

- Si la palabra *alma* es sólo otra forma de referirse a la «persona completa», como enseña la Sociedad Watchtower, entonces ¿no moriría el alma cuando muere el cuerpo físico?
- ¿Cómo armoniza la postura de la Watchtower con Mateo 10:28, que indica claramente que es posible matar el cuerpo *sin* matar el alma?

Apocalipsis 6:9-10: Almas bajo el altar de Dios

En Apocalipsis 6:9-10 leemos: «Cuando abrió el quinto sello, vi bajo el altar *las almas de los que habían sido muertos* por causa de la palabra de Dios y por el testimonio que tenían. Y *clamaban a gran voz*, diciendo: ¿Hasta cuándo, Señor, santo y verdadero, no juzgas y vengas nuestra sangre en los que moran en la tierra?» (énfasis añadido).

En este pasaje es imposible que «almas» se refiera a seres vivos, pues entonces el texto diría: «vi bajo el altar *los seres vivos* de los que habían

[23] William F. Arndt y F. Wilbur Gingrich, A Greek-English Lexicon of the New Testament and Other Early Christian Literature (Chicago: University of Chicago Press, 1957), pp. 901-2.
[24] Hoekema, p. 347.

sido muertos».[25] Nótese que las almas existen y son conscientes a pesar de haber sido físicamente asesinadas. ¿Cómo sabemos que están conscientes? La Escritura dice que «clamaban» a Dios y que se les habló a su vez. *Lo que es inconsciente no puede gritar ni tampoco hablársele.*

Pregunte...

- ¿No es imposible que la palabra «alma» se refiera a seres vivos en Apocalipsis 6:9-10, ya que entonces el texto diría: «vi bajo el altar *los seres vivos* de los que habían sido muertos»?

- Puesto que estas almas habían sido asesinadas físicamente—y puesto que obviamente están conscientes en presencia de Dios— ¿no indica esto que tienen una naturaleza inmaterial que sobrevivió a su asesinato físico (muerte)?

Lucas 23:46: «En tus manos encomiendo mi espíritu»

En Lucas 23:46 leemos las palabras de Jesús al Padre mientras moría en la cruz: «Jesús, clamando a gran voz, dijo: Padre, en tus manos encomiendo mi espíritu. Y habiendo dicho esto, expiró».

La palabra traducida «espíritu» en este versículo es *pneuma*. Según Arndt y Gingrich, esta palabra puede tener una amplia gama de significados—incluyendo «viento», «aliento», «espíritu de vida», «alma», «el espíritu como parte de la personalidad humana», «el espíritu de Dios», «el espíritu de Cristo» y «el Espíritu Santo».[26]

Muchos de los significados anteriores quedan descalificados como posibles contendientes para Lucas 23:46 en virtud del contexto. No tiene ningún sentido que Jesús encomendara su «viento» o su «aliento» al Padre. Tampoco encaja en el contexto que Jesús encomendara «el espíritu de Dios» o «el Espíritu Santo» al Padre. De hecho, los únicos significados de *pneuma* que tienen algún sentido en este contexto son «alma» y «espíritu como parte de la personalidad humana». Parece claro, a partir de una lectura llana del pasaje, que Jesús está encomendando su *alma o espíritu inmaterial humano* al Padre. Y puesto que Cristo no resucitó de entre los

---

[25] Hoekema, p. 347.
[26] Arndt y Gingrich, pp. 681-83.

muertos hasta tres días después de su crucifixión, debemos concluir que el alma o espíritu humano de Jesús fue directamente a la presencia del Padre en el cielo mientras su cuerpo yacía en la tumba.[27]

Pregunte...

- ¿No cree usted que una persona que leyera este versículo por primera vez, sin haber consultado ninguna literatura de la Watchtower, llegaría a la conclusión de que el versículo trata de la entrega del alma o espíritu *inmaterial* de Cristo al Padre?

Hechos 7:59: «Señor Jesús, recibe mi Espíritu»

En Hechos 7:59 leemos: «Y apedreaban a Esteban, mientras él invocaba y decía: 'Señor Jesús, recibe mi espíritu'». «Este versículo carecería prácticamente de sentido si interpretáramos el «espíritu» (*pneuma*) simplemente como la fuerza vital dentro de Esteban que dejó de existir en el momento de su muerte. ¿Por qué iba Esteban a pedir a Jesús que «recibiera» lo que estaba a punto de dejar de existir?[28] Está claro que pide a Jesús que reciba y tome para sí la parte de su ser que sobreviviría a la muerte de su cuerpo físico.

Pregunte...

- De una lectura simple de Hechos 7:59, ¿no parece improbable que Esteban apelara a Jesús para que «recibiera el espíritu» si el espíritu era simplemente su fuerza vital que estaba a punto de extinguirse y dejar de existir?

1Tesalonicenses 4:13-17: «Los muertos en Cristo resucitarán primero»

En 1Tesalonicenses 4:13-17 leemos lo siguiente:

---

[27] Hoekema, p. 349.
[28] Hoekema, p. 350.

Tampoco queremos, hermanos, que ignoréis acerca de *los que duermen*, para que no os entristezcáis como los otros que no tienen esperanza. Porque si creemos que Jesús murió y resucitó, así también *traerá Dios con Jesús a los que durmieron en él*. Por lo cual os decimos esto en palabra del Señor: que nosotros que vivimos, que habremos quedado hasta la venida del Señor, no precederemos a los que durmieron. Porque el Señor mismo con voz de mando, con voz de arcángel, y con trompeta de Dios, descenderá del cielo; y los *muertos en Cristo* resucitarán primero. Luego nosotros los que vivimos, los que hayamos quedado, seremos arrebatados juntamente con ellos en las nubes para recibir al Señor en el aire, y así estaremos siempre con el Señor (énfasis añadido).

Nótese que, aunque el término «sueño» se utiliza a menudo para denotar la muerte en las Escrituras, nunca se usa en referencia a la parte inmaterial del hombre. De hecho, el experto en sectas Walter Martin explica que «el término *sueño* siempre se aplica en las Escrituras sólo al cuerpo, ya que en la muerte el cuerpo adopta la *apariencia* de alguien que duerme. Pero el término *sueño del alma* nunca se encuentra en las Escrituras. Y en ninguna parte de las Escrituras se afirma que el alma pase a un estado de inconsciencia».[29]

Walter Martin dijo lo siguiente sobre el significado de 1Tesalonicenses 4:13-17 en relación con la idea de la existencia consciente del alma después de la muerte:

El verso 14 de este pasaje indica que Pablo, aunque utilizaba la metáfora *sueño* para describir la muerte física, entendía claramente que cuando Jesús venga de nuevo, traerá *consigo* (griego: *sun*) a aquellos cuyos cuerpos están «durmiendo». Para ser más explícito, las almas y espíritus de los que ahora están con Cristo en la gloria (2Co. 5:8; Fil. 1:22-23) se reunirán con sus cuerpos de resurrección (1Co. 15); es decir, estarán revestidos de inmortalidad, incorruptibilidad y exentos de la decadencia física. La palabra griega *sun* indica que ellos (es decir, sus almas y espíritus) estarán en una posición «lado a lado» con Cristo, y sus cuerpos físicos que están

---

[29] Walter Martin, «Jehovah's Witnesses and the Doctrine of Death», *Christian Research Newsletter*, 5:3, p. 4.

«durmiendo» en ese instante serán levantados a la inmortalidad y reunidos con sus espíritus.[30]

Pregunte...

- Según 1Tesalonicenses 4:14, ¿a quién traerá Jesús consigo cuando vuelva?
- ¿Tienen ya cuerpo estos creyentes? (Obviamente no, ya que no reciben sus cuerpos de resurrección hasta el v. 16.)
- Si Jesús trae a algunos creyentes con Él (v. 14), pero aún no tienen cuerpos de resurrección (v. 16), entonces ¿no significa esto que las almas/espíritus inmateriales de estos creyentes están con Jesús y se reunirán con sus cuerpos en la resurrección?

Lucas 20:38: El Dios de los vivos

En Lucas 20:38, leemos las palabras de Jesús a los saduceos en relación con los santos del Antiguo Testamento Abraham, Isaac y Jacob: «Porque Dios no es Dios de muertos, sino *de vivos*, pues para él todos viven» (énfasis añadidos).

Según el historiador judío del siglo I Flavio Josefo, «la doctrina de los saduceos es esta: que las almas mueren con los cuerpos».[31] En Lucas 20:38, Jesús contradice la opinión de los saduceos. En efecto, Él está diciendo: «Abraham, Isaac y Jacob, aunque murieron hace muchos años, en realidad viven hoy. Porque Dios, que se llama a sí mismo el Dios de Abraham, Isaac y Jacob, no es el Dios de los muertos, sino de los vivos».[32] Las palabras de Jesús indican claramente que estos patriarcas del Antiguo Testamento viven en el *momento presente,* aunque «murieron» físicamente hace muchos años.

Fíjese en las palabras del final de Lucas 20:38: «porque para él todos *viven*» (énfasis añadido). ¿Qué significa esto? El erudito bíblico Anthony Hoekema responde:

---

[30] Martin, p. 4.
[31] Josefo, Antigüedades, XVIII, 1, 4.
[32] Hoekema, p. 352.

Aunque los muertos nos parezcan completamente inexistentes, en realidad están vivos para Dios. Nótese que el tiempo de la palabra vivir no es *futuro* (lo que podría sugerir únicamente que estos muertos vivirán en el momento de su resurrección) sino *presente*, lo que nos enseña que están viviendo ahora. Esto es válido no sólo para los patriarcas, sino para todos los que han muerto. Sugerir, ahora, que Abraham, Isaac y Jacob no existen entre la muerte y la resurrección viola el sentido de estas palabras, e implica que Dios es, con respecto a estos patriarcas, durante un largo período de tiempo el Dios de los muertos en lugar del Dios de los vivos.[33]

Pregunte...

- ¿Por qué cree usted que Jesús se refirió a Dios como el «Dios... de vivos» en referencia a Abraham, Isaac y Jacob (Lc. 20:38)?

- ¿Por qué cree usted que Jesús dijo de los muertos que «todos *viven*» para Dios, utilizando una palabra en tiempo presente para «vivir», indicando así una vida en *tiempo presente* en contraposición a una vida *futura*?

Filipenses 1:21-23: Partir y estar con Cristo

En Filipenses 1:21-23 leemos: «Porque para mí el vivir es Cristo, y el morir es ganancia. Mas si el vivir en la carne resulta para mí en beneficio de la obra, no sé entonces qué escoger. Porque de ambas cosas estoy puesto en estrecho, teniendo deseo de partir y estar con Cristo, lo cual es muchísimo mejor».

He aquí la pregunta que me viene inmediatamente a la mente: *¿Cómo podría Pablo referirse a la muerte como «ganancia» si la muerte significara la no existencia?*[34] Lo que el apóstol entiende por *ganancia* queda muy claro por el contexto, pues la define como la salida del cuerpo físico *para estar con Cristo*. Estar con Cristo es mucho mejor, dice Pablo, que permanecer en el cuerpo físico. (Estar en un estado de inexistencia, sin embargo, no puede decirse que sea mucho mejor ni por asomo).

---

[33] Hoekema, p. 353.
[34] Hoekema, p. 354.

Es importante señalar que Filipenses 1:21-23 no habla de una resurrección futura en la que Pablo estará con Cristo. Más bien Pablo está diciendo que en el mismo momento en que ocurra la muerte física él estará con Cristo. ¿Cómo sabemos esto? Lo dice claramente el texto griego. Sin entrar en demasiados detalles, baste decir que un infinitivo aoristo («partir») está unido por un *solo artículo* a un infinitivo presente («*estar con Cristo*»). Así pues, los infinitivos van juntos: «El artículo único une los dos infinitivos, de modo que las acciones descritas por los dos infinitivos deben considerarse dos aspectos de la misma cosa, o dos caras de la misma moneda».[35] Pablo está diciendo que en el *mismo momento* en que abandone el cuerpo o muera, estará con Cristo en el cielo.

Pregunte...

- ¿Cómo podría Pablo referirse a la muerte como ganancia si la muerte significara la no existencia?
- ¿No le parece que Pablo define lo que entiende por *ganancia* con sus palabras del verso 23: «deseo de partir y estar con Cristo, lo cual es muchísimo mejor»?
- ¿Sabía usted que la construcción del texto griego en el verso 23 indica que *partir* (morir) y *estar con Cristo* son dos caras de la misma moneda, es decir, estar con Cristo ocurre inmediatamente después de que la partida tiene lugar?

2Corintios 5:6-8: Ausente del cuerpo, presentes al Señor

En 2Corintios 5:6-8 leemos: «Así que vivimos confiados siempre, y sabiendo que *entre tanto que estamos en el cuerpo, estamos ausentes del Señor* (porque por fe andamos, no por vista); pero confiamos, y más quisiéramos estar *ausentes del cuerpo, y presentes al Señor*» (énfasis añadido).

En el texto griego de este pasaje, las frases «en el cuerpo» y «ausentes del Señor» están ambas en *tiempo presente* (lo que indica una acción continua). Podríamos parafrasear a Pablo de esta manera: «Por lo tanto,

---

[35] Hoekema, p. 354.

teniendo siempre buen ánimo, y sabiendo que mientras *continuamos estando en casa en el cuerpo continuamos estando ausentes del Señor*».[36]

Por el contrario, la última parte del pasaje contiene dos *infinitivos aoristos:* «ausentes del cuerpo» y «presentes al Señor». Tales aoristos indican un sentido de «de una vez por todas». Podríamos parafrasearlo: «Tenemos buen ánimo, digo, y preferimos estar... ausentes *del cuerpo [mortal, perecedero]* y estar de una vez *para siempre en casa con el Señor*».[37]

Con respecto a todo esto, Anthony Hoekema comenta: «Mientras que los tiempos presentes del verso 6 ilustran un continuo estar en el cuerpo y un continuo estar lejos del Señor, los infinitivos aoristos del verso 8 apuntan a un acontecimiento momentáneo y único. ¿Qué puede ser esto? Sólo hay una respuesta: la *muerte,* que es una transición inmediata de estar en casa en el cuerpo a estar fuera de casa en cuanto al cuerpo».[38] *En el momento en que un cristiano muere, él o ella está inmediatamente en la presencia de Cristo.*

También es digno de mención que la palabra griega *pros* se utiliza para «con» en la frase «estar en casa *con* el Señor». Esta palabra sugiere una comunión muy estrecha (cara a cara) o relaciones íntimas. Pablo indica así que la comunión que espera tener con Cristo inmediatamente después de su muerte física será de gran intimidad.

Pregunte...

- ¿Qué cree usted que significa la frase «ausentes del cuerpo, y presentes al Señor» (2Co. 5:8)?
- ¿Sabía usted que la palabra griega traducida «con» (en la frase «en casa *con* el Señor») es una que indica comunión íntima?

De los anteriores pasajes de las Escrituras, se desprende claramente que los seres humanos poseen una naturaleza inmaterial que sobrevive a la muerte física. Y esta naturaleza inmaterial goza de existencia *consciente* después de la muerte. Trate de compartir tantos de estos pasajes como sea posible con los testigos de Jehová. El efecto acumulativo es devastador para la posición de la Watchtower.

---

[36] Hoekema, p. 356.
[37] Hoekema, p. 356.
[38] Hoekema, p. 356.

Salmos 146:3-4: ¿El hombre está consciente después de la muerte?

La enseñanza de la Watchtower. La versión de Salmos 146:3-4 de la *Traducción del Nuevo Mundo* dice, «No pongan su confianza en príncipes ni en ningún otro hombre, porque no pueden traer la salvación. Sale su espíritu, y el hombre vuelve al suelo; ese mismo día *se acaban sus pensamientos*» (énfasis añadido).

Los testigos de Jehová dicen que este versículo prueba que no hay existencia consciente después de la muerte. Cuando se dice que el espíritu sale del cuerpo humano, significa simplemente que la fuerza vital de esa persona deja de estar activa. Es entonces cuando los pensamientos de una persona supuestamente perecen. Sus procesos mentales *no continúan* en otro reino.[39]

La enseñanza bíblica. Los testigos de Jehová han malinterpretado seriamente lo que se dice en Salmos 146:3-4. No dice que las personas no pensarán en nada después del momento de la muerte. Más bien—en el contexto y teniendo en cuenta el hebreo original, según el *Theological Wordbook of the Old Testament*[40]—significa que los *planes, ambiciones* e *ideas* de la gente para el futuro cesarán y quedarán en nada en el momento de la muerte. Eso es lo que comunica la palabra hebrea para «pensamientos» en Salmos 146:3-4. Los planes y las ideas de futuro de una persona mueren con ella.

Como ha señalado el comentarista Albert Barnes, los «propósitos de un hombre; sus proyectos; sus planes; sus propósitos de conquista y ambición; sus planes de hacerse rico o grande; sus planes de construir una casa, y arreglar sus terrenos, y disfrutar de la vida; su diseño de hacer un libro, o hacer un viaje, o entregarse a la facilidad y el placer»[41]—estas *son las cosas que perecen cuando muere un gran príncipe*. Por eso, el salmista exhorta a la gente a confiar en Aquel que es infinitamente más poderoso que cualquier hombre mortal, incluidos los príncipes: Aquel cuyos planes no fallan (es decir, Dios). Poner la confianza en un simple hombre mortal

---

[39] Reasoning from the Scriptures, p. 383.

[40] Theological Wordbook of the Old Testament, ed. R. Laird Harris (Chicago: Moody, 1980), 2:1056.

[41] Albert Barnes, Barnes' Notes on the Old and New Testaments: Psalms (Grand Rapids: Baker Books, 1977), 3:326.

sólo puede llevar a la decepción, porque los hombres mortales mueren. El ex testigo de Jehová David Reed sugiere la siguiente analogía de los tiempos modernos:

> Un ejemplo real de la lección del Salmo 146 se encuentra en la muerte del Presidente John F. Kennedy. Era un «príncipe» en quien mucha gente confiaba para que les ayudara a mejorar su suerte en la vida. Sin embargo, cuando murió, «todos sus pensamientos perecieron»—sin él, *sus planes y programas pronto se derrumbaron*. La gente que había puesto toda su confianza en él se sintió decepcionada. Deberían haber confiado principalmente en Dios, que ofrece verdadera esperanza, justicia, sanidad y salvación, y que sigue siendo el Rey para siempre (énfasis añadido).[42]

Es evidente que el Salmo 146 no puede utilizarse para apoyar la idea errónea de que no hay existencia consciente después de la muerte. Son los planes y ambiciones del hombre—no su conciencia—lo que perece con la muerte.

Pregunte...

- Puesto que la palabra hebrea para «pensamientos» conlleva la idea de planes, ¿no tiene sentido interpretar las palabras del salmista en el sentido de que los *planes* y *ambiciones* de las personas cesan y se desvanecen en el momento de la muerte?

Eclesiastés 9:5: ¿Los muertos no saben nada?

La enseñanza de la Watchtower. En la *Traducción del Nuevo Mundo* Eclesiastés 9:5 se lee, «Porque los vivos saben que morirán, pero los muertos *no saben nada en absoluto* ni reciben más recompensa, ya que todo recuerdo suyo ha caído en el olvido» (énfasis añadido). Dado que los muertos «no saben nada en absoluto», argumenta la Sociedad Watchtower,

---

[42] David Reed, Jehovah's Witnesses Answered Verse by Verse (Grand Rapids: Baker Books, 1992), p. 39.

también es obvio que las personas no sienten dolor o placer alguno después de la muerte.[43]

La enseñanza bíblica. Aunque los eruditos evangélicos interpretan Eclesiastés 9:5 de diferentes maneras, están de acuerdo en que el versículo *no* enseña que el hombre no tenga una existencia consciente después de la muerte. Veamos brevemente los dos puntos de vista principales:

1) Es bien sabido que el libro del Eclesiastés presenta dos formas opuestas de ver la difícil situación del hombre en el mundo. Uno es el punto de vista secular, humanista y materialista, que interpreta todas las cosas desde una perspectiva terrenal limitada, sin reconocer a Dios ni su participación en los asuntos del hombre. Esta perspectiva terrenal carece por completo de la ayuda de la revelación divina.[44]

La otra perspectiva, es una perspectiva piadosa y espiritual que interpreta la vida y sus problemas desde un punto de vista que honra a Dios. Este punto de vista tiene en cuenta la revelación divina a la hora de interpretar la vida y sus problemas. Esta perspectiva triunfa al final del libro.[45]

Este es el punto que quiero destacar: Hay muchos eruditos que interpretan Eclesiastés 9:1-10 como un reflejo de la perspectiva *terrenal* que no cuenta con la ayuda de la revelación divina.[46] Para demostrar que estos versículos expresan una perspectiva estrictamente humana, David Reed sugiere lo siguiente:

El escritor no sólo dice en el verso 5 que los muertos no saben nada, sino que también añade que «nunca más tendrán parte en todo lo que se hace debajo del sol» (v. 6, RVR, énfasis añadido). (Pregúntele al testigo de Jehová si cree que los muertos se han ido *para siempre.* Contestará que no, porque cree en una futura resurrección a esta tierra bajo el sol). El verso 2 (RVR) expresa el pensamiento de que «un solo destino viene a todos, a justos e impíos, a buenos y malos», una idea contradictoria con todo el resto de la Escritura. (Pregúntele al testigo si cree que recibirá el mismo destino, sea justo o malvado.

---

[43] Reasoning from the Scriptures, p. 169.
[44] Jerry y Marian Bodine, Witnessing to the Witnesses (Irvine: n.p., n.d.), p. 59.
[45] Reed, p. 40.
[46] Reed, p. 40.

Su respuesta tendrá que ser *no*)...Concluimos que el versículo 5 se encuentra en medio de una sección que expresa el punto de vista secular e infiel—no el de Dios.[47]

Puesto que Eclesiastés 9:1-10 expresa una perspectiva *estrictamente humana*, entonces el verso 5 indica que, *desde un punto de vista estrictamente humano*, los muertos no tienen conciencia de nada en absoluto. Siendo este el caso, el versículo no enseña *la verdad de Dios*. Y siendo así, el versículo no puede usarse para apoyar el argumento de que no hay existencia consciente después de la muerte.

Pregunte...

- ¿Sabía usted que el libro de Eclesiastés presenta dos puntos de vista opuestos: uno estrictamente humanista y otro espiritual que honra a Dios?
- Si, como creen muchos eruditos, Eclesiastés 9:1-10 refleja el punto de vista estrictamente humanista, ¿puede usted ver cómo la afirmación del verso 5 no refleja la perspectiva de Dios, sino la de la *humanidad caída*?

La experta en temas de la Watchtower Marian Bodine, plantea un punto más (que es similar al de David Reed) con respecto a este verso. Ella dice: «Si la frase 'nada saben' significa que los muertos están inconscientes en la tumba o en el mundo de los espíritus, entonces [la frase] 'ni tienen más paga' significa que no habrá resurrección ni recompensas después de 'esta' vida».[48] Si los testigos de Jehová son coherentes, esto es lo que hay que concluir.

Pregunte...

- Si la frase «nada saben» (Ecl. 9:5) significa que los muertos están inconscientes en la tumba, entonces ¿no significa la frase «ni tienen más paga «que no habrá resurrección ni recompensas después de esta vida, ni siquiera para los testigos de Jehová?

---

[47] Reed, pp. 40-41.
[48] Bodine, p. 59.

Usted puede utilizar esta pregunta para reforzar su argumento de que la afirmación de Eclesiastés 9:5 no refleja la perspectiva *de Dios*, sino una perspectiva *terrenal, humana*.

2) Hay otros eruditos evangélicos que interpretan Eclesiastés 9:5 en el sentido de que los muertos no son conscientes de los acontecimientos que tienen lugar *en el reino físico*. En su comentario, Robert Jamieson, A.R. Fausset y David Brown dicen que los muertos no saben nada «en cuanto a sus sentidos corporales y asuntos mundanos (Job 14:21; Is. 63:16)».[49] También leemos en el comentario de H.C. Leupold sobre Eclesiastés, que el escritor en este verso «sólo está expresando la relación de los muertos con este mundo».[50] Sin embargo, los muertos *siguen siendo* conscientes de cosas que no están asociadas con el reino físico, terrenal.

Cualquiera que sea la interpretación que usted elija, está claro que Eclesiastés 9:5 no puede ser citado como prueba del punto de vista de la Watchtower. La Sociedad Watchtower interpreta este verso en total aislamiento de pasajes claros que prueban más allá de toda duda que los seres humanos tienen una existencia consciente en la otra vida (Lc. 20:38; 2Co. 5:6-8; Fil. 1:21-23; 1Ts. 4:13-17; Ap. 6:9-10).

Ezequiel 18:4: ¿Muerte para el alma?

La enseñanza de la Watchtower. Ezequiel 18:4 en la *Traducción del Nuevo Mundo* dice, «Miren, todas las almas me pertenecen. Tanto el alma del padre como el alma del hijo me pertenecen. *El alma que peca es la que morirá*» (énfasis añadido). *Razonamiento a partir de las Escrituras* cita este verso en respuesta a la pregunta: ¿Existe alguna parte del hombre que viva cuando el cuerpo muere? La respuesta, según el libro, es *no*.[51]

La Sociedad Watchtower señala que algunas traducciones de este verso dicen: «*El hombre que está pecando... morirá*» o, «*el que* está pecando... morirá» o, «*la persona* que está pecando... morirá».[52] Por lo tanto, la palabra «alma» (hebreo: *nephesh*) no se refiere a la naturaleza inmaterial

---

[49] Robert Jamieson, A.R. Fausset, y David Brown, A Commentary—Critical, Experimental, and Practical—on the Old and New Testaments (Grand Rapids: Eerdmans, 1973), p. 1305.

[50] H.C. Leupold, Exposition of Ecclesiastes (Grand Rapids: Baker Books, 1981), p. 211.

[51] Reasoning from the Scriptures, p. 169.

[52] Reasoning from the Scriptures, p. 377.

del hombre, sino a la persona viva real. Se nos dice que el alma no es algo que sobreviva a la muerte del cuerpo.

La enseñanza bíblica. La afirmación de Ezequiel 18:4 de que «el alma que peca... morirá» no va en contra de la idea de que el hombre tiene una naturaleza inmaterial que sobrevive conscientemente a la muerte. En el contexto actual, es cierto que la palabra hebrea para alma (*nephesh*) se usa en el sentido de «ser vivo» o «persona». Esto no lo discuten los evangélicos. (Como se ha señalado antes, en ciertos contextos, *nephesh* significa «ser vivo»; también puede tener otros significados, como la «persona interior» de un ser humano).

Los evangélicos señalan que, puesto que en Ezequiel 18:4 no se habla de la naturaleza inmaterial del hombre, no podemos sacar *conclusiones* al respecto, ni a favor ni en contra, de este verso. Lo único que pretendía Ezequiel era combatir una falsa enseñanza que había surgido en su época: una enseñanza relacionada con la doctrina de la culpa heredada. Algunas personas sostenían que los niños sufrían y morían a causa de los pecados de sus padres. Si bien es cierto que hay un efecto acumulativo del pecado (véase Éx. 20:5-6), el punto de Ezequiel en este versículo era enfatizar que cada individuo es responsable de *su propio* pecado. Por eso dijo que el alma (o persona) que peque morirá. No estaba intentando enseñar nada sobre la *posesión* o *falta de* naturaleza inmaterial del hombre.

Aunque la palabra hebrea *nephesh* se utiliza en Ezequiel 18:4 en referencia a un «ser vivo» o «persona», hay otros pasajes del Antiguo Testamento en los que la palabra se utiliza en un sentido diferente. Por ejemplo, en Génesis 35:18 *nephesh* puede interpretarse para referirse a la naturaleza inmaterial del hombre: «Y aconteció que al *salírsele el alma* (pues murió), llamó su nombre Benoni; mas su padre lo llamó Benjamín» (énfasis añadido). Este versículo parece reconocer que el alma es distinta del cuerpo físico, que muere. Recuerde también que en nuestro análisis de Génesis 2:7 vimos que hay muchísimos pasajes del Nuevo Testamento que prueban sin lugar a dudas que el hombre tiene una naturaleza inmaterial (véase, por ejemplo, 2Co. 5:8-10 y Ap. 6:9-11).

Para Ezequiel 18:4, formule al testigo de Jehová las mismas preguntas que figuran en el extenso análisis de Génesis 2:7.

Lucas 16:22-28: El seno de Abraham

La enseñanza de la Watchtower. En Lucas 16:22-28, leemos las palabras de Jesús sobre el hombre rico y Lázaro. Ambos hombres murieron y fueron al Hades. Lázaro estaba en paz en el compartimiento «paraíso» del Hades (el seno de Abraham), mientras que el hombre rico estaba en el compartimiento «tormentos». Estaban separados por un gran abismo. El hombre rico, que estaba sufriendo, pidió al Padre Abraham que «enviara a Lázaro para que mojara la punta de su dedo en agua y refrescara mi lengua» (v. 24). Abraham rechazó la petición, pues el rico sufría justamente.

Los testigos de Jehová afirman que esta enseñanza de Jesús es totalmente simbólica y no indica la existencia consciente después de la muerte. Sostienen que este pasaje es una parábola. De hecho, citan la versión liberal y católica romana Biblia de Jerusalén, que dice que se trata de una «parábola en forma de relato sin referencia a ningún personaje histórico».[53] Si se tomara literalmente, este pasaje significaría que todo el pueblo de Dios cabría en el seno de un solo hombre: Abraham. También, el agua en la punta del dedo de un hombre es retratada como no siendo evaporada por el fuego del Hades—y esta sola gota de agua se supone que trae alivio a un hombre que sufre. La Sociedad Watchtower pregunta: ¿Le parece *razonable a usted?*[54] Obviamente esto no debe ser tomado literalmente.

Si esta parábola no debe tomarse literalmente, ¿qué significa entonces? La Sociedad Watchtower dice que el hombre rico simboliza a los líderes religiosos judíos—los fariseos. Lázaro es una imagen de los seguidores judíos de Jesús—gente que había sido despreciada por los fariseos y que se arrepintió para seguir a Jesús. (Algunos de estos se convirtieron en los apóstoles de Jesús). Abraham representa a Jehová-Dios.

La muerte de cada una de estas «personas» representa un cambio de condiciones para cada grupo mientras estuvieron aquí en la tierra.[55] Los que una vez habían sido despreciados llegaron a una posición de favor divino. Por el contrario, los que habían sido aparentemente favorecidos fueron rechazados por Jehová-Dios, y se convirtieron en «atormentados»

---

[53] Reasoning from the Scriptures, p. 174.
[54] Reasoning from the Scriptures, pp. 174-75.
[55] Reasoning from the Scriptures, p. 175.

por las proclamaciones pronunciadas por los que habían despreciado (los apóstoles).[56] En otras palabras, los tormentos del hombre rico representan la *exposición pública* de los líderes religiosos judíos hipócritas por la predicación de los apóstoles.

La enseñanza bíblica. La interpretación que hace la Watchtower de Lucas 16:22-28 muestra hasta dónde están dispuestos a llegar los testigos de Jehová para negar que el hombre tenga una naturaleza inmaterial que sobreviva conscientemente a la muerte. Piénselo un momento: Si al morir la gente simplemente cae en un estado de inexistencia o inconsciencia, entonces *¿qué sentido tiene Lucas 16:22-28?* ¿Debemos concluir que Jesús estaba enseñando algo basado totalmente en una *falsedad*, algo que es totalmente ficticio en todos los sentidos? Si el hombre rico y Lázaro no estaban conscientes después de la muerte, entonces la respuesta tendría que ser sí.

Los estudiosos han observado que cuando Jesús enseñaba a la gente mediante parábolas o historias, *siempre utilizaba situaciones de la vida real.* Por ejemplo, como señala David Reed, «un hijo pródigo regresó a casa después de malgastar su dinero; un hombre encontró un tesoro enterrado en un campo, lo escondió de nuevo y vendió todo lo que tenía para comprar ese campo; un rey organizó una fiesta de bodas para su hijo; un amo viajó al extranjero y luego regresó a casa con sus esclavos; un hombre construyó un viñedo, lo arrendó a otros, pero tuvo dificultades para cobrar lo que le debían; y así sucesivamente».[57] Todas estas situaciones eran comunes en la época bíblica.

Claramente, Jesús nunca ilustró su enseñanza con una falsedad. Debemos concluir que Lucas 16 retrata una situación de la vida real y debe tomarse como prueba sólida de la existencia consciente después de la muerte. Cualquier otra interpretación convierte el texto en un absurdo.

Después de compartir lo anterior con el testigo de Jehová:

Pregunte...

- ¿Cree usted que Jesús ilustró sus enseñanzas con falsedades? (La respuesta será no).

---

[56] Reasoning from the Scriptures, p. 175.
[57] Reed, pp. 63-64.

- Puesto que Jesús fue *absolutamente coherente* en el uso de situaciones de la vida real para ilustrar sus enseñanzas, ¿qué le dice esto a usted acerca de sus palabras en Lucas 16?

- Si la interpretación de la Watchtower de Lucas 16 es correcta, entonces ¿cómo *no podemos* concluir que Jesús estaba siendo totalmente engañoso con sus palabras, ya que a primera vista indican la existencia consciente después de la muerte?

Lucas 23:43: Con Cristo en el Paraíso

La enseñanza de la Watchtower. Leemos Lucas 23:43 en la *Traducción del Nuevo Mundo*, «Y él le contestó: 'Yo te aseguro hoy: estarás conmigo en el Paraíso'». Esto contrasta, por ejemplo, con la versión Reina Valera, que traduce este versículo: «Entonces Jesús le dijo: De cierto te digo que hoy estarás conmigo en el paraíso».

Nótese que en la *Traducción del Nuevo Mundo,* la coma se coloca después de la palabra «hoy», no después de «tú»[58], como en la versión Reina Valera (y la mayoría de las demás traducciones). Los testigos de Jehová hacen esto para evitar que el ladrón esté con Jesús en el Paraíso «hoy» (lo que significaría que hay existencia consciente después de la muerte). En su lugar, hacen que parezca que la *declaración* de Jesús al ladrón sobre el Paraíso tuvo lugar «hoy».[59]

¿Cómo determinamos cuál es la traducción correcta? Los testigos de Jehová responden que las enseñanzas de Cristo y del resto de las Escrituras deben determinar cuál es la correcta. Y puesto que las Escrituras dejan claro que no hay existencia consciente después de la muerte (Sal. 146:3-4), es obvio que Jesús no dijo: «Hoy estarás conmigo en el Paraíso», como si Él y el ladrón fueran a estar en el Paraíso el mismo día de su muerte.[60] Más bien, la declaración de Jesús al ladrón tuvo lugar «hoy».

La enseñanza bíblica. Este es un caso claro de cómo los testigos de Jehová cambian la Biblia para adaptarla a sus doctrinas. Sin justificación

---

[58] Nota del traductor: En español el sujeto está tácito en el verbo. Se entiende que en «estarás» el sujeto es «tú».

[59] Reasoning from the Scriptures, p. 287.

[60] Reasoning from the Scriptures, p. 288.

alguna, han introducido una coma en una parte de la frase que cambia por completo el significado de las palabras de Jesús.

Es útil observar cómo se utiliza la frase «De cierto les digo» en otras partes de la Escritura. Esta frase—que traduce las palabras griegas *amen soy lego*—aparece 74 veces en los evangelios y siempre se utiliza como expresión introductoria. Es algo similar a la frase del Antiguo Testamento: «Así dice el Señor».[61] Jesús utilizó esta frase para introducir una verdad que era muy importante.

En 73 de las 74 ocasiones en que aparece la frase en los evangelios, la *Traducción del Nuevo Mundo* coloca una pausa—como una coma— inmediatamente después de la frase: «De cierto te digo».[62] Lucas 23:43 es la única vez que aparece esta frase en la que la *Traducción del Nuevo Mundo* no la interrumpe. ¿Por qué? Porque si se colocara una pausa—como una coma—después de «De cierto te digo», la palabra «hoy» pertenecería entonces a la segunda mitad de la frase, indicando que «hoy» el ladrón estaría con Jesús en el Paraíso. Pero esto iría en contra de la teología de la Watchtower. De ahí la coma reubicada.

Pregunte...

- ¿Sabía usted que 73 de 74 veces en el Nuevo Testamento, la *Traducción del Nuevo Mundo* coloca correctamente una pausa— como una coma—inmediatamente después de la frase «De cierto te digo»?
- ¿No cree usted que es mejor ser coherente al traducir las Escrituras?
- Para ser coherentes, ¿no cree usted que Lucas 23:43 debería traducirse: «De cierto te digo que hoy estarás conmigo en el Paraíso»?

El apologista Robert Bowman señala que si Jesús hubiera querido decir realmente: «De cierto te digo hoy», podría haberlo hecho muy claramente utilizando una construcción diferente en el idioma griego.[63] Pero basándonos en el uso de *amen soy lego* en toda la Escritura, está claro que la palabra «hoy» pertenece a la segunda parte de la frase, no a la primera.

---

[61] Robert M. Bowman, Understanding Jehovah's Witnesses (Grand Rapids: Baker Books, 1991), pp. 99-100.
[62] Bowman, Understanding Jehovah's Witnesses, pp. 99-100.
[63] Bowman, Understanding Jehovah's Witnesses, p. 101.

Pregunte...

- ¿Sabía usted que si Jesús hubiera querido decir realmente: «De cierto te digo *hoy*», podría haberlo hecho muy fácilmente utilizando una construcción diferente en la lengua griega?

En relación con todo esto, la experta en el tema de la Watchtower Marian Bodine señala que la frase «De cierto te digo *hoy*» no tiene mucho sentido: «No habría hecho falta decir: 'Hoy te digo esto'. ¡Claro que sí! ¿En qué otro día le habría estado hablando al ladrón? Jesús nunca añadió la palabra 'hoy' al hablar con nadie».[64]

Según los eruditos ortodoxos, este ladrón aparentemente creía que Jesús llegaría a su reino en *el fin del mundo*. Por eso pidió que Jesús se acordara de él en ese momento. La respuesta de Jesús, sin embargo, le prometió más de lo que había pedido: «*Hoy* [no sólo al fin del mundo] estarás conmigo en el Paraíso».[65]

¿Y qué es este «Paraíso»? La palabra *paraíso* significa literalmente «jardín del placer» o «jardín de las delicias». Apocalipsis 2:7 hace referencia al cielo como el «paraíso de Dios». El apóstol Pablo dijo que «fue arrebatado al paraíso» y «oyó palabras inefables que no le es dado al hombre expresar» (2Co. 12:3-4). Al parecer, este paraíso de Dios es tan resplandecientemente glorioso, tan inefable, tan maravilloso, que a Pablo se le prohibió decir nada al respecto a los que aún permanecían en el reino terrenal. Cuando Jesús prometió al ladrón que iría al Paraíso, le estaba prometiendo que iría a este maravilloso lugar.

De lo anterior, es claro que Lucas 23:43 argumenta fuertemente en contra de la posición de la Watchtower de que no hay naturaleza inmaterial que sobreviva conscientemente a la muerte. Al igual que ocurre con otros versos bíblicos, una mirada minuciosa al texto desenmascara el engaño de la Watchtower.

Mateo 25:46: ¿«Destrucción» eterna?

La enseñanza de la Watchtower. Mateo 25:46 en la *Traducción del Nuevo Mundo* dice: «Estos irán *a la destrucción eterna*, pero los justos irán

---

[64] Bodine, p. 42.
[65] Hoekema, p. 353.

a la vida eterna» (énfasis añadido). Esto contrasta, por ejemplo, con la versión Reina Valera, que traduce este versículo: «E irán estos al *castigo eterno*, y los justos a la vida eterna» (énfasis añadido). Los testigos de Jehová concluyen de este versículo, basándose en la *Traducción del Nuevo Mundo*, que no hay castigo consciente eterno para los malvados. Más bien, son «destruidos» para siempre.

La Sociedad Watchtower argumenta que un significado de la palabra griega *kolasin* es «cortar; como cortar las ramas de los árboles, podar».[66] Por lo tanto, «cortar a un individuo de la vida, o de la sociedad... se estima como *castigo*».[67] De hecho, el castigo de los malvados será «una aniquilación de la existencia como castigo eterno».[68]

La enseñanza bíblica. Como se señaló anteriormente, la versión Reina Valera traduce Mateo 25:46, «E irán estos al castigo eterno, y los justos a la vida eterna». Nótese que esta traducción tiene las palabras «castigo eterno» en lugar de «destrucción eterna» de la *Traducción del Nuevo Mundo*. Las palabras griegas en cuestión son *aionios* (eterno) y *kolasis* (castigo).

En cuanto a la segunda palabra, es cierto que la raíz de *kolasis* (*kolazoo*) significaba originalmente «poda». Pero conocidos eruditos del griego coinciden en que no hay justificación para la traducción «destrucción» en Mateo 25:46. El autoritativo *Greek-English Lexicon of the New Testament* de William Arndt y F. Wilbur Gingrich dice que el significado de *kolasis* en Mateo 25:46 es «castigo».[69] Este significado es confirmado por *The Vocabulary of the Greek New Testament* de Moulton y Milligan,[70] *Greek-English Lexicon of the New Testament* de Joseph Thayer,[71] *Theological Dictionary of the New Testament* de Gerhard Kittel,[72] y muchos otros.

---

[66] Reasoning from the Scriptures, p. 171.

[67] Reasoning from the Scriptures, p. 171.

[68] Man's Salvation Out of World Distress At Hand! (Brooklyn: Watchtower Bible and Tract Society, 1975), p. 274.

[69] Arndt y Gingrich, p. 441.

[70] J.H. Moulton y William Milligan, The Vocabulary of the Greek Testament (Grand Rapids: Eerdmans, 1976), p. 352.

[71] J.H. Thayer, A Greek-English Lexicon of the New Testament (Grand Rapids: Zondervan, 1963), p. 353.

[72] Gerhard Kittel, Theological Dictionary of the New Testament (Grand Rapids: Eerdmans, 1964), 3:816.

Pregunte...

- ¿Sabía usted que conocidos eruditos del griego están de acuerdo en que «castigo» es la traducción correcta en Mateo 25:46, y no «destrucción»?

El castigo del que se habla en Mateo 25:46 no puede definirse como una extinción no sufriente de la conciencia. En efecto, si no hay sufrimiento real, tampoco hay castigo. Seamos claros: el castigo *implica sufrimiento, y el sufrimiento implica necesariamente conciencia.*[73] El erudito bíblico John Gerstner comenta: «Uno puede existir y no ser castigado; pero nadie puede ser castigado y no existir». La aniquilación significa la eliminación de la existencia y de todo lo que pertenece a la existencia, como el castigo. La aniquilación evita el castigo, en lugar de enfrentarse a él».[74]

Pregunte...

- ¿No le parece a usted razonable que el castigo y el sufrimiento impliquen necesariamente conciencia?
- ¿Acaso la aniquilación no *evita* el castigo en lugar de *enfrentarse* a él?

¿Cómo sabemos que el castigo de Mateo 25:46 no implica la extinción de la conciencia y la aniquilación? Hay muchas pruebas. Por ejemplo, considere el hecho de que no hay *grados* de aniquilación. Como explica el erudito bíblico Alan Gomes, «uno está aniquilado o no lo está». Por el contrario, las Escrituras enseñan que habrá grados de castigo en el día del juicio (Mt. 10:15; 11:21-24; 16:27; Lc. 12:47-48; Jn. 15:22; Heb. 10:29; Ap. 20:11-15; 22:12, etc.)».[75] El mismo hecho de que las personas sufrirán diversos grados de castigo en el infierno demuestra que la aniquilación o la extinción de la conciencia no se enseña en Mateo 25:46 ni en ninguna otra parte de las Escrituras. Son conceptos incompatibles.

---

[73] Alan Gomes, «Evangelicals and the Annihilation of Hell», Part uno, Christian Research Journal, Spring 1991, p. 17.

[74] John Gerstner, citado en Gomes, p. 18.

[75] Gomes, p. 18.

Pregunte...

- ¿Cómo armonizar la clara enseñanza bíblica de que los malvados sufrirán diversos grados de castigo con la enseñanza de la Watchtower de la aniquilación de los malvados?

Además, no se puede negar que para una persona que sufre un dolor insoportable, la extinción de su conciencia sería en realidad una bendición, no un castigo (véase Lc. 23:30-31; Ap. 9:6).[76] Cualquier buscador honesto de la verdad debe admitir que no se puede definir el castigo eterno como una extinción de la conciencia.

Por definición, el tormento puede ser *sólo* consciente. No se puede atormentar a un árbol, una roca o una casa. Por su propia naturaleza, ser atormentado requiere conciencia. Alan Gomes comenta: «Un castigo [como el tormento] que no se siente no es un castigo». Es un uso extraño del lenguaje hablar de un objeto insensible (es decir, que no siente) e inanimado que recibe un castigo. Decir: 'He castigado a mi automóvil por no echar andar, arrancándole lentamente los cables de la bujía, uno a uno', provocaría risa, no una consideración seria».[77] Repetimos, pues, que ¡el castigo implica conciencia!

Nótese también en Mateo 25:46 que se dice que este castigo es *eterno*. No hay forma de que el aniquilacionismo o una extinción de la conciencia puedan ser forzados en este pasaje. De hecho, el adjetivo *aionion* en este versículo significa «eterno, sin fin». Tal vez quiera señalarle al testigo de Jehová que este mismo adjetivo se predica de Dios (el Dios «eterno») en Romanos 16:26, 1Timoteo 1:7, Hebreos 9:14, 13:8, y Apocalipsis 4:9. *El castigo de los malvados es tan eterno como la existencia para siempre de nuestro Dios eterno.* Además, como señala el profesor Gomes

Lo determinante aquí es que la duración de la pena para los impíos forma un paralelismo con la duración de la vida para los justos: el adjetivo *aionios* se utiliza para describir tanto la duración de la pena para los impíos como la duración de la vida eterna para los justos. No se puede limitar la duración del castigo de los impíos sin limitar al mismo tiempo la duración de la vida eterna de los redimidos.

---

[76] William G.T. Shedd, citado en Gomes, p. 18.

[77] Alan Gomes, «Evangelicals and the Annihilation of Hell», Parte Dos, Christian Research Journal, verano 1991, p. 11.

Sería violento para el paralelo darle un significado ilimitado en el caso de la vida eterna, pero limitado cuando se aplica al castigo de los malvados.[78]

Pregunte...

- Puesto que la misma palabra griega para «eterno» en la frase «castigo eterno» se utiliza para describir la eternidad de Dios (Rom. 16:26; 1Ti. 1:7; Heb. 9:14; 13:8; Ap. 4:9), ¿no tiene sentido que el castigo de los malvados sea tan eterno como lo es Dios?

- Puesto que la misma palabra griega para «eterno» en la frase «castigo eterno» de Mateo 25:46 se utiliza en la frase «vida eterna» (mismo versículo), ¿no indica esto que el castigo de los malvados es tan eterno como la vida de los justos?

En vista de los factores anteriores, la opinión de la Watchtower de que Mateo 25:46 enseña el aniquilacionismo debe ser rechazada. De hecho, debemos concluir que este es uno de los pasajes más claros de la Biblia que enseña el castigo eterno de los impíos.

2Tesalonicenses 1:9: ¿Destrucción eterna?

La enseñanza de la Watchtower. En la *Traducción del Nuevo Mundo* 2Tesalonicenses 1:9 dice, «Estos mismos sufrirán el castigo judicial de *destrucción eterna,* siendo así eliminados de delante del Señor y de su gloriosa fuerza» (énfasis añadido). La destrucción de los malvados, dicen los testigos de Jehová, es eterno en el sentido de que son aniquilados para siempre y dejan de existir.[79] No sufren tormento eterno.

La enseñanza bíblica. La Reina Valera traduce este versículo, «los cuales sufrirán pena de *eterna perdición,* excluidos de la presencia del Señor y de la gloria de su poder» (énfasis añadido). Contrariamente a la comprensión de la Watchtower de este versículo, la aniquilación no está en vista aquí. La palabra griega traducida «perdición» en este versículo es *olethros,* y lleva

---

[78] Gomes, 1:18.
[79] Reasoning from the Scriptures, pp. 171-72.

el significado de «ruina repentina», o «pérdida de todo lo que da valor a la existencia».[80] El erudito del Nuevo Testamento Robert L. Thomas dice que *olethros* «no se refiere a la aniquilación... sino más bien gira en torno al pensamiento de la separación de Dios y la pérdida de todo lo que vale la pena en la vida... Así como la vida sin fin pertenece a los cristianos, la destrucción sin fin pertenece a los que se oponen a Cristo».[81]

En esta misma línea, el comentarista David A. Hubbard señala que «la aniquilación no es el pensamiento, sino la ruina total, la pérdida de todo lo que merece la pena. Específicamente, es la separación de la presencia (*rostro)* del Señor, la verdadera fuente de todas las cosas buenas».[82] Por lo tanto, la «destrucción» que sufren los malvados no implica el cese de la existencia, sino un estado continuo y perpetuo de ruina.

Pregunte...

- ¿Sabía usted que la palabra griega traducida «perdición» en 2Tesalonicenses 1:9 conlleva la idea de un estado perpetuo de *ruina,* no de aniquilación?

Nótese también que la palabra «eterno» (*aionion*) se usa en conjunción con «perdición». Es obvio que la aniquilación, por definición, debe tener lugar *instantáneamente*—en un simple momento. Prácticamente no tiene sentido decir que los malvados sufrirán una «aniquilación sin fin».[83] Más bien, 2Tesalonicenses 1:9 está diciendo que los impíos sufrirán una ruina que es eterna—un castigo que nunca terminará.

Pregunte...

- Puesto que por definición la aniquilación debe tener lugar en un instante, ¿no carecería de sentido decir que los malvados sufrirán una «aniquilación sin fin»?

---

[80] Moulton y Milligan, p. 445; véase también Leon Morris, The First and Second Epistles to the Thessalonians (Grand Rapids: Eerdmans, 1959), pp. 153-54.

[81] Robert L. Thomas, «2 Thessalonians», The Expositor's Bible Commentary, ed. Frank E. Gaebelein (Grand Rapids: Zondervan, 1978), p. 313.

[82] The Wycliffe Bible Commentary, eds. Charles F. Pfeiffer y Everett F. Harrison (Chicago: Moody, 1974), p. 1362.

[83] Gomes, 1:18.

Apocalipsis 14:9-11: ¿Atormentado por el fuego?

La enseñanza de la Watchtower. En la *Traducción del Nuevo Mundo* leemos que Apocalipsis 14:9-11 dice, «Otro ángel, un tercero, los siguió, y decía con voz fuerte: 'Si alguien adora a la bestia salvaje y a su imagen, y recibe una marca en la frente o en la mano, también beberá del vino de la furia de Dios, servido sin diluir en la copa de su ira, y será *atormentado con fuego y azufre* a la vista de los santos ángeles y a la vista del Cordero. *El humo de su tormento subirá para siempre jamás. Y los que adoran a la bestia salvaje y a su imagen y los que reciben la marca de su nombre no tendrán descanso ni de día ni de noche'*» (énfasis añadido).

El libro *Razonando a partir de las Escrituras* pregunta: ¿Cuál es el «tormento» al que se refiere este pasaje? El libro responde señalando Apocalipsis 11:10, donde se hace referencia a los «profetas habían atormentado a los que viven en la tierra». Los impíos de la tierra experimentan tormento como resultado de la humillante exposición a la que se ven sometidos a causa del mensaje que proclaman los profetas.

Es cierto, dicen los testigos de Jehová, que se dice que los adoradores de la «bestia» serán «atormentados con fuego y azufre». Sin embargo, esto no puede referirse al tormento consciente eterno después de la muerte porque, como Eclesiastés 9:5 nos dice, «los muertos nada saben». Apocalipsis 14, entonces, se explica como refiriéndose al tormento que sufren los individuos mientras *aún viven*. ¿Y qué causa el tormento? Es simplemente *el mensaje de los siervos de Dios* de que los adoradores de la bestia experimentarán la muerte segunda, representada por el «lago que arde con fuego y azufre».[84]

¿El humo que se eleva para siempre significa que el sufrimiento de estos individuos debe ser eterno? En absoluto, dice la Sociedad Watchtower. Esta referencia simbólica simplemente indica que su destrucción será eterna y nunca será olvidada.[85]

La enseñanza bíblica. Una mirada al texto griego de Apocalipsis 14 muestra que el tormento no está relacionado con un mero mensaje de los profetas de Dios, sino con un dolor físico real y genuino. La palabra griega para «tormento» en este versículo es *basanizo*. El léxico de Joseph Thayer

---

[84] Reasoning from the Scriptures, p. 172.
[85] Reasoning from the Scriptures, p. 173.

dice que la palabra significa «vejar con dolores penosos... atormentar».[86]
Asimismo, el léxico de Arndt y Gingrich dice que la palabra significa
«torturar, atormentar».[87] Cuando uno examina la forma en que esta palabra
se utiliza a lo largo de la Escritura, se hace evidente que se utiliza en
contextos de gran dolor y miseria consciente.

Podría mencionarle al testigo de Jehová que la misma palabra para
«tormento» se usa para hablar de los dolores del parto en Apocalipsis 12:2.
También se usa en Mateo 8:6 para referirse al siervo enfermo del centurión,
atormentado gravemente por la parálisis. Se utiliza en Lucas 16:23 y 28
para describir el sufrimiento físico del hombre rico en el Hades.[88]
Claramente, la palabra comunica la idea de un dolor físico horrendo.

Obsérvese que el «tormento» de Apocalipsis 14 se describe como un
tormento *interminable*: «y el humo de su tormento sube por los siglos de
los siglos. Y no tienen reposo de día ni de noche los que adoran a la bestia
y a su imagen, ni nadie que reciba la marca de su nombre» (v. 11). Las
palabras «por los siglos de los siglos» traducen una enfática frase griega,
eis aionas aionon («hasta los siglos de los siglos»). El doble uso del
término *aionas* se emplea en la Escritura para enfatizar el concepto de
eternidad. Y las formas plurales («hasta los siglos de los siglos») refuerzan
la idea de una duración interminable. El erudito luterano R.C.H. Lenski
comenta,

La expresión más fuerte para nuestro «para siempre» es *eis tous
aionan ton aionon,* «por los eones de eones»; muchos eones, cada
uno de vasta duración, se multiplican por muchos más, lo que
imitamos con «por los siglos de los siglos». El lenguaje humano sólo
es capaz de utilizar términos temporales para expresar lo que está
totalmente más allá del tiempo y es intemporal. El griego toma su
mayor término para el tiempo, el eón, lo pluraliza, y luego lo
multiplica por su propio plural, utilizando incluso artículos que
hacen de estos eones los definidos.[89]

[86] Thayer, p. 96.
[87] Arndt y Gingrich, p. 134.
[88] Gomes, 2:11.
[89] R.C.H. Lenski, Revelation (Minneapolis: Augsburg, 1961), p. 438.

Esta misma construcción enfática se utiliza para hablar de la interminable adoración a Dios en Apocalipsis 1:6, 4:9 y 5:3. También se utiliza para describir la eternidad de Dios en Apocalipsis 4:10 y 10:6. También se utiliza para describir la eternidad de Dios en Apocalipsis 4:10 y 10:6. Nunca insistiremos lo suficiente en que esta frase muestra sin lugar a dudas que el tormento físico de los impíos es eterno, *por los siglos de los siglos.*

Pregunte...

- Puesto que las palabras griegas para «por los siglos de los siglos» se utilizan para describir *la eternidad de Dios* en Apocalipsis 4:10, ¿no significa esto que el tormento de los malvados es *tan eterno como Dios* porque las mismas palabras para «por los siglos de los siglos» se utilizan para describir este tormento en Apocalipsis 14:11?

También es significativo el uso de las palabras «día o noche» (en la frase «no cesaban día y noche»). Gomes comenta: «La expresión 'día [o] noche' es indicativa de una actividad incesante. Esta misma frase se utiliza en Apocalipsis 4:8 y 7:15 para referirse a la interminable adoración a Dios. Al yuxtaponer las palabras 'día [o] noche' con 'por los siglos de los siglos' en 20:10 [otro pasaje que trata del tormento eterno], tenemos la expresión más enfática de actividad interminable e incesante posible en la lengua griega».[90]

Nótese también que si la aniquilación es el destino de los malvados, ellos ciertamente experimentarían «descanso». Pero nuestro texto en Apocalipsis 14:11 dice específicamente que no tendrán descanso *para siempre.* Claramente, entonces, el lenguaje de Apocalipsis 14 apunta enfáticamente al sufrimiento eterno y *consciente* de los malvados.

Pregunte...

- ¿Cómo puede una persona que ha sido aniquilada no experimentar «ningún descanso» *para siempre?*

Para terminar, es vital señalar que muchas de las descripciones más gráficas que tenemos de la perdición eterna de los perdidos vienen de los

---

[90] Gomes, 2:18.

mismos labios de Jesús.[91] Y lo que Él enseñó sobre el sufrimiento eterno de los perdidos, lo comunicó muy claramente. Por lo tanto, uno debe preguntarse: «Si Cristo hubiera querido enseñar la aniquilación de los impíos, ¿es razonable que hubiera seleccionado un lenguaje que garantizara el extravío de su iglesia?».[92] Los testigos de Jehová deben enfrentarse a las implicaciones de esta pregunta.

---

[91] The Bible Knowledge Commentary, New Testament, eds. John F. Walvoord y Roy B. Zuck (Wheaton: Victor, 1983), p. 964.
[92] Gomes, 1:19.

13

LA SOCIEDAD WATCHTOWER (ATALAYA): UNA ORGANIZACIÓN NO PROFÉTICA

si el profeta hablare en nombre de Jehová,
y no se cumpliere lo que dijo, ni aconteciere,
es palabra que Jehová no ha hablado;
con presunción la habló el tal profeta; no tengas temor de él.
—Deuteronomio 18:22

A lo largo de su historia, la Sociedad Watchtower se ha posicionado como el profeta de Dios en la tierra de hoy. Según la revista *La Atalaya*, «el 'profeta' que Jehová ha levantado ha sido, no un hombre individual como en el caso de Jeremías, sino un grupo».[1] La Sociedad Watchtower es la «organización profética» de Dios.[2]

¿Hay alguna manera de estar realmente seguros de que la Sociedad Watchtower funciona como el profeta de Dios en la tierra? En respuesta a esta pregunta, la propia Sociedad Watchtower invita a la gente a poner a prueba las profecías de la organización. La revista *La Atalaya* se jacta, «Por supuesto, es fácil decir que este grupo actúa como un 'profeta' de Dios. Otra cosa es probarlo. La única manera que esto puede hacerse es revisar el

---

[1] La Atalaya, 1 de octubre de 1982, p. 27.
[2] La Atalaya, 1 de octubre de 1964, p. 601.

registro. ¿Qué muestra?».[3] En otro número de la revista se dice que «el mejor método de prueba es someter una profecía a la prueba del tiempo y las circunstancias. La Biblia invita a tal prueba... la Biblia... estableció las reglas para poner a prueba una profecía en Deuteronomio 18:20-22».[4]

Deuteronomio 18:20-22 dice: «El profeta que se atreva a decir en mi nombre una palabra que yo no le haya mandado decir, o que hable en nombre de otros dioses, ese mismo profeta morirá. Y si decís en vuestro corazón: ¿Cómo conoceremos la palabra que el Señor no ha hablado?— cuando un profeta habla en nombre del Señor, si la palabra no se cumple ni se hace realidad, esa es una palabra que el Señor no ha hablado; el profeta la ha pronunciado presuntuosamente. No hay que tenerle miedo». Por tanto, un verdadero profeta de Dios será conocido por sus profecías que se cumplen.

Los testigos de Jehová han afirmado en el pasado que, si un profeta profetiza cosas que no se cumplen, significa que es un falso profeta. La publicación *Luz* de la Watchtower, por ejemplo, dice que para los profetas cuyas profecías no se cumplen, «eso por sí solo es una prueba contundente de que son falsos profetas».[5] Otra publicación de la Watchtower señala que «si estas profecías no se han cumplido, y si toda posibilidad de cumplimiento ha pasado, entonces se demuestra que estos profetas son falsos».[6]

Dios se asegurará de que los falsos profetas sean expuestos, se nos dice. De hecho, la publicación de la Watchtower *El paraíso restaurado a la humanidad... ¡por la teocracia!* nos dice: «Jehová... pondrá a todos los falsos profetas en vergüenza, ya sea no cumpliendo la falsa predicción de tales profetas autonombrados o haciendo que sus propias profecías se cumplan de una manera opuesta a la predicha por los falsos profetas».[7]

Hoy en día, la Sociedad Watchtower admite que se equivocó en su predicción para 1874 (la segunda venida de Cristo), 1925 (la venida de selectos santos del Antiguo Testamento a la tierra), 1975 (el fin de la

[3] La Atalaya, 1 de abril de 1972, p. 197.
[4] La Atalaya, 1 Marzo 1965, p. 151.
[5] Light, vol. 2 (Brooklyn: Watchtower Bible and Tract Society, 1930), p. 47.
[6] Prophecy (Brooklyn: Watchtower Bible and Tract Society, 1929), p. 22.
[7] Paradise Restored to Mankind—By Theocracy (Brooklyn: Watchtower Bible and Tract Society, 1972), pp. 353-54.

historia humana), y otros tiempos.[8] Sin embargo, la Sociedad Watchtower sigue afirmando que durante más de un siglo los testigos de Jehová han «disfrutado de la iluminación espiritual y la dirección» de la organización.[9] ¿Cómo es posible? La propia Sociedad Watchtower nos ha dicho cómo se puede reconocer a un falso profeta, y según ese criterio, la Sociedad ha demostrado ser un falso profeta. ¿Cómo, entonces, puede decirse que los testigos de Jehová han «disfrutado de iluminación y dirección espiritual» siguiendo a la Sociedad?

Pregunte...

- ¿Cómo puede decirse que los testigos de Jehová han «disfrutado de iluminación y dirección espiritual» siguiendo a la Sociedad Watchtower, cuando la Sociedad se equivocó en sus predicciones para 1874, 1925, 1975 y otras épocas?

A pesar de sus muchas predicciones fallidas, la Sociedad Watchtower se niega a admitir que es un falso profeta. La Sociedad argumenta que «la necesidad de revisar un poco nuestra comprensión no nos convierte en falsos profetas».[10] Además, señalan los dirigentes de la Watchtower, no son profetas *infalibles* ni *inspirados*.[11] Por lo tanto, algunos errores son permisibles. Dicen que algunos de los profetas bíblicos tenían puntos de vista erróneos y sin embargo no fueron condenados como falsos. Tampoco la Sociedad Watchtower debe ser condenada por sus errores, se nos dice.

En este capítulo veremos que la profecía en la literatura de la Watchtower, en el pasado, se ha enfocado principalmente en la «segunda venida» espiritual/invisible de Cristo, la predicación de las «buenas nuevas del reino» (que son las «buenas nuevas» de que Cristo ha venido espiritualmente de nuevo en 1914), y que todas las profecías en las Escrituras—incluyendo aquellas que tratan con el Armagedón—tendrán lugar antes de que «esta generación [1914]» pase (Mt. 24:34). Más recientemente, sin embargo, la Watchtower ha alterado su punto de vista

---

[8] 1980 Yearbook of Jehovah's Witnesses (Brooklyn: Watchtower Bible and Tract Society, 1980), pp. 30-31.
[9] John Ankerberg y John Weldon, The Facts on Jehovah's Witnesses (Eugene: Harvest House, 1988), p. 35.
[10] La Atalaya, 15 de marzo de 1986, p. 19.
[11] La Atalaya, 15 de mayo de 1976, p. 297.

sobre la generación de 1914 porque la mayoría de las personas que vivían en ese momento ahora han muerto (Más sobre esto en breve).

Como prefacio para discutir la larga historia de especulación profética de la Watchtower, vamos a tocar brevemente la *gran pirámide de Egipto*, el componente de piedra angular en lo que resultó ser una profunda vergüenza profética en la historia de la Watchtower.

La gran pirámide de Egipto

Una revisión de la literatura temprana de la Watchtower, revela que los líderes de los testigos una vez creyeron que la Gran pirámide de Egipto contenía sabiduría profética de Dios. De hecho, Charles Taze Russell estaba convencido de que Dios había diseñado a propósito la pirámide como un indicador del fin de los tiempos. La pirámide fue comparada con una «Biblia en piedra». En sus *Estudios de las Escrituras,* Russell escribió,

> Midiendo el «Pasaje de Entrada» desde un punto [particular], para hallar la distancia a la entrada del «Abismo», que representa la gran angustia y destrucción con que ha de terminar esta era, cuando el mal será derrocado del poder, hallamos que es de 3416 pulgadas, simbolizando 3416 años a partir de... la fecha, 1542 a.C. Este cálculo muestra el año 1874 d.C. como el comienzo del período de angustia... el comienzo *cronológico* del tiempo de angustia como no lo ha habido desde que hubo nación, ni lo habrá después.[12]

Como se ha señalado anteriormente, los dirigentes de la Watchtower admiten ahora que la fecha de 1874 era errónea.

A su muerte en 1916, Russell fue enterrado bajo una enorme lápida en forma de pirámide.[13] Después de la muerte de Russell, la doctrina de la pirámide continuó siendo enseñada por la Sociedad Watchtower. Para aquellos que dudan de esto, uno podría querer consultar la edición del 15

---

[12] Studies in the Scriptures, citado en Ruth A. Tucker, Another Gospel (Grand Rapids: Zondervan, 1989), p. 124.

[13] Tucker, p. 124.

de mayo de 1925 de la revista *La Atalaya*, en la que leemos de la pirámide: «Su testimonio habla con gran elocuencia sobre el plan divino».[14]

No fue hasta 1928 que Joseph Rutherford, sucesor de Russell, renunció a esta doctrina de la «Biblia en piedra». Esto significa que la doctrina fue enseñada por la Sociedad Watchtower durante casi cincuenta años antes de ser descartada (1879 a 1928).

En 1928, la Sociedad revirtió completamente sus enseñanzas. En lugar de llamarla «Biblia en piedra», ahora se llamaba «Biblia de Satanás». La edición del 15 de noviembre de 1928 de la revista *La Atalaya* comenta, «Es más razonable concluir que la gran pirámide de Guiza, así como las otras pirámides de los alrededores, también la esfinge, fueron construidas por los gobernantes de Egipto y bajo la dirección de Satanás el Diablo... Entonces Satanás puso su conocimiento en piedra muerta, que puede ser llamada la Biblia de Satanás, y no el testigo de piedra de Dios».[15]

Pregunte...

- ¿Sabía usted que Charles Taze Russell y la Sociedad Watchtower en sus primeros años dijeron que la gran pirámide de Egipto era la «Biblia en piedra» de Dios, y que más tarde la Sociedad Watchtower cambió su posición, llamando la gran pirámide «la Biblia de Satanás»?

- ¿Cómo armoniza esto con la afirmación de la Watchtower de ser un verdadero profeta de Dios y «canal de la verdad»?

Una historia de errores

La historia de especulación profética de la Sociedad Watchtower puede resumirse en dos palabras: *error sistemático*. El ex testigo de Jehová David Reed reflexiona: «Aunque condenaban a otros como falsos profetas, ellos mismos predijeron que el mundo se acabaría en 1914; más tarde, que los patriarcas Abraham, Isaac y Jacob se levantarían de la tumba en 1925; y,

---

[14] La Atalaya, 15 de mayo de 1925, p. 148.
[15] La Atalaya, 15 de noviembre de 1928, p. 344.

más recientemente, que el mundo se acabaría y el reinado de mil años de Cristo comenzaría en 1975».[16]

La mayoría de los testigos de Jehová de hoy no son conscientes de la magnitud de estas falsas predicciones. De hecho, Reed dice: «La mayoría de los testigos de Jehová no tienen idea de que estas cosas sucedieron, o bien, han oído una versión vaga y azucarada».[17]

Examinemos ahora cómo la Sociedad Watchtower se ha equivocado sistemáticamente en sus especulaciones proféticas. En sus encuentros de testificación con los testigos de Jehová, algunos de los siguientes hechos le ayudarán a socavar la pretensión de la Sociedad Watchtower de ser profeta de Dios.

1874: La segunda venida de Cristo

Al principio de su historia, la Sociedad Watchtower declaró que la segunda venida de Cristo ocurrió en octubre de 1874. A los testigos de Jehová no les gusta admitir esto, ya que ahora la Sociedad enseña que Cristo «regresó» invisiblemente en 1914. Pero la evidencia es irrefutable. La fecha original para el regreso de Cristo, según la literatura de la Watchtower, era innegablemente 1874.

Para aquellos que pueden ser escépticos de esto, las siguientes referencias son una muestra representativa de la literatura temprana de la Watchtower sobre este tema:

- *Estudios de las Escrituras* de Charles Taze Russell (vol. 4) dijo: «Nuestro Señor, el Rey designado, está ahora presente, desde octubre de 1874 d.D... y la inauguración formal de su oficio real data de abril de 1878, d.C».[18]

- La publicación de la Watchtower *Creación* dijo que «la segunda venida del Señor por lo tanto comenzó en 1874».[19]

---

[16] David Reed, How to Rescue Your Loved One from the Watch Tower (Grand Rapids: Baker Books, 1989), p. 47.

[17] Reed, How to Rescue Your Loved One from the Watch Tower, p. 47.

[18] Studies in the Scriptures, vol. 4 (Brooklyn: Watchtower Bible and Tract Society, 1897), p. 621.

[19] Creation (Brooklyn: Watchtower Bible and Tract Society, 1927), p. 289.

- La publicación *Profecía de la* Watchtower dijo que «la prueba bíblica es que la segunda presencia del Señor Jesucristo comenzó en 1874 d.C».[20]

- Un número de 1922 de la revista *La Atalaya* decía: «Nadie puede entender correctamente la obra de Dios en este tiempo que no se dé cuenta de que desde 1874, el tiempo del regreso del Señor en poder, ha habido un cambio completo en las operaciones de Dios».[21]

1914: La venida invisible de Cristo

A pesar de que la literatura temprana de la Watchtower aseguraba a la gente que Cristo regresó en 1874, la Sociedad argumentó más tarde que la segunda venida invisible de Cristo ocurrió en 1914. Las siguientes citas son una muestra de los libros de la Watchtower que reflejan este cambio de fecha:

- *La Verdad os hará libres* afirma que «Cristo Jesús llegó al reino en 1914 d.C., pero sin ser visto por los hombres».[22]

- *Sea Dios hallado veraz* nos dice que «Jesús predijo muchas cosas que marcarían el tiempo de su presencia invisible y la instauración del reino de Dios. El fin del tiempo de los gentiles o los 'tiempos señalados de las naciones' en 1914 fue el tiempo para que estos comenzaran a aparecer».[23]

- *¡El hombre al umbral de ser salvo de la angustia mundial!* habla de personas que «se niegan a discernir la 'presencia' invisible y espiritual de Jesucristo en el poder del reino desde el cierre del tiempo de los gentiles en 1914».[24]

---

[20] Prophecy, p. 65.
[21] La Atalaya, 1 de marzo de 1922, p. 67.
[22] The Truth Shall Make You Free (Brooklyn: Watchtower Bible and Tract Society, 1943), p. 300.
[23] Let God Be True (Brooklyn: Watchtower Bible and Tract Society, 1946), p. 250.
[24] Man's Salvation Out of World Distress At Hand! (Brooklyn: Watchtower Bible and Tract Society, 1975), p. 288.

Pregunte...

- ¿Por qué la literatura temprana de la Watchtower enseñaba que la segunda venida de Cristo ocurrió en 1874, mientras que la literatura posterior de la Sociedad enseñaba que ocurrió en 1914?
- ¿Cambian así de opinión los verdaderos profetas de Dios?

La literatura de la Watchtower también fue muy clara en que 1914 marcaría el derrocamiento de los gobiernos humanos y el establecimiento completo del reino de Dios en la tierra. Note las siguientes citas condenatorias:

- *Estudio de las Escrituras* Charles Taze Russell (vol. 2, 1888) dijo que «dentro de los próximos veintiséis años todos los gobiernos actuales serán derrocados y disueltos... El pleno establecimiento del reino de Dios se llevará a cabo a finales de d.C. 1914».[25] Nótese que en ediciones posteriores de esta publicación—después de 1914—la frase «*para fines* 1914 de d.C.» fue cambiada por «*cerca de* fines de 1915 d.C.».[26]
- *Estudio de las Escrituras* (vol. 3, 1891) se refiere al «pleno establecimiento del reino de Dios en la tierra en el año 1914 d.C».[27]
- *Estudio de las Escrituras* (vol. 3, edición de 1913) afirma: «Que la liberación de los santos debe tener lugar en *algún momento antes de 1914* es manifiesto... Cuánto tiempo *antes de 1914* los últimos miembros vivos del cuerpo de Cristo serán glorificados, no se nos informa directamente» (énfasis añadido).[28] Nótese que la edición de 1923 dice: «Que la liberación de los santos debe tener lugar *muy pronto después de 1914* es manifiesto... Cuánto tiempo *después* de 1914 serán glorificados los últimos miembros vivos del cuerpo de Cristo, no se nos informa directamente».[29]

---

[25] Studies in the Scriptures, vol. 2 (Brooklyn: Watchtower Bible and Tract Society, 1888), pp. 98-99.
[26] Studies in the Scriptures, vol. 2, pp. 98-99.
[27] Studies in the Scriptures, vol. 3 (Brooklyn: Watchtower Bible and Tract Society, 1891), p. 126.
[28] Studies in the Scriptures, vol. 3 (Brooklyn: Watchtower Bible and Tract Society, 1913), p. 228.
[29] Studies in the Scriptures, vol. 3 (Brooklyn: Watchtower Bible and Tract Society, 1923), p. 228.

Pregunte...

- ¿Por qué no se produjo el derrocamiento de los gobiernos humanos y el pleno establecimiento del reino de Dios en 1914 como predijo la Sociedad Watchtower?
- Puesto que la profecía no se cumplió, ¿no significa esto que la Sociedad es un falso profeta?

Debido a que el derrocamiento de los gobiernos humanos y el pleno establecimiento del Reino de Dios no se produjeron en 1914, muchos testigos de Jehová se sintieron muy decepcionados. De hecho, la publicación *Luz* de la Watchtower dijo: «Todo el pueblo del Señor esperaba 1914 con gozosa expectativa. Cuando ese tiempo llegó y pasó hubo mucha desilusión... Fueron ridiculizados por el clero y sus aliados en particular, y señalados con desprecio, porque habían dicho tanto sobre 1914, y lo que sucedería, y sus 'profecías' no se habían cumplido».[30] La historia del error continúa...

1925: ¿El retorno de Abraham, Isaac, Jacob y los profetas?

Los líderes de la Watchtower enseñaron una vez que Abraham, Isaac, Jacob y los profetas del Antiguo Testamento regresarían como «príncipes» y vivirían en una finca en San Diego, California, conocida como Beth-Sarim («Casa de los príncipes»). Esto ocurriría en 1925. El libro *Salvación* decía que «el propósito de adquirir esa propiedad y construir la casa era que pudiera haber alguna prueba tangible de que hay quienes hoy en la tierra... creen que los hombres fieles de antaño pronto serán resucitados por el Señor, estarán de vuelta en la tierra y se harán cargo de los asuntos visibles de la tierra».[31] La publicación *El nuevo mundo* afirmó que «se puede esperar que esos hombres fieles de antaño regresen de entre los muertos cualquier día de estos... con esta expectativa se construyó la casa... Ahora se mantiene en fideicomiso para la ocupación de esos príncipes a su regreso».[32]

[30] Light, vol. 1 (Brooklyn: Watchtower Bible and Tract Society, 1930), p. 194.
[31] Salvation, (Brooklyn: Watchtower Bible and Tract Society, 1939), p. 311.
[32] The New World (Brooklyn: Watchtower Bible and Tract Society, 1942), p. 104.

El año 1925 fue definitivamente cuando se esperaba que estos santos del Antiguo Testamento entraran en escena. Esta expectativa se refleja en las siguientes publicaciones de la Watchtower:

- *Millions Now Living Will Never Die* [*Millones de los que viven nunca morirán*] (1920) decía que «podemos esperar que 1925 sea testigo del regreso de estos hombres fieles de Israel de la condición de muerte, siendo resucitados... 1925 marcará el regreso de Abraham, Isaac, Jacob y los fieles profetas de antaño».[33]
- Un número de 1917 de la revista *La Atalaya* decía: «No habrá ningún error... Abraham entrará en la posesión real de su herencia prometida en el año 1925 d.C».[34]
- Un número de 1923 de *La Atalaya* decía: «1925 está definitivamente establecido por las Escrituras».[35]
- Una edición de 1924 de *La Atalaya* decía: «El año 1925 es una fecha definitiva y claramente marcada en las Escrituras, incluso más claramente que la de 1914».[36]

Pregunte...

- ¿Por qué Abraham, Isaac, Jacob y otros «príncipes» del Antiguo Testamento no aparecieron en 1925 como la Sociedad Watchtower dijo que harían?
- Puesto que esta profecía no se cumplió, ¿no significa esto que la Sociedad es un falso profeta?

Es obvio que Abraham, Isaac, Jacob y los profetas del Antiguo Testamento nunca aparecieron en 1925, y esto provocó una gran decepción en muchos testigos de Jehová. *El anuario de los testigos de Jehová de 1975* reflejaba: «El año 1925 llegó y se fue. Los seguidores ungidos de Jesús seguían en la tierra como un grupo. Los hombres fieles de antaño—Abraham, David y otros—no habían resucitado para convertirse en príncipes de la tierra (Sal.

---

[33] Millions Now Living Will Never Die (Brooklyn: Watchtower Bible and Tract Society, 1920), pp. 88-90.
[34] La Atalaya, 15 de octubre de 1917, p. 6157.
[35] La Atalaya, 1 de abril de 1923, p. 106.
[36] La Atalaya, 15 de julio de 1924, p. 211.

45:16). Así que, como recuerda Anna MacDonald: «1925 fue un año triste para muchos hermanos. Algunos tropezaron; sus esperanzas se desvanecieron. En lugar de considerarlo una «probabilidad», leyeron en él que era una «certeza», y algunos se prepararon para sus propios seres queridos con la esperanza de su resurrección'».[37] Por supuesto, la idea de que todo esto era una mera «probabilidad» difícilmente parece compatible con las afirmaciones dogmáticas de la Watchtower como «no habrá ningún error», y el «1925 es una fecha definitiva y claramente marcada en las Escrituras». Triste pero verdaderamente, el patrón de decepción no había terminado...

1975: ¿El fin de la historia de la humanidad?

La Sociedad Watchtower continuó su patrón de falsas predicciones diciendo a sus seguidores que 6.000 años de historia humana llegarían a su fin en 1975. El Armagedón ocurriría muy cerca de ese momento y Cristo establecería el Reino Milenial del paraíso terrenal. Observe las siguientes publicaciones de la Watchtower:

- En un número de 1966 de la revista *¡Despertad!* se decía: «¿En qué año, pues, terminarían los primeros 6.000 años de existencia del hombre y también los primeros 6.000 años del día de descanso de Dios? El año 1975».[38] Nótese, sin embargo, que un número muy anterior de la revista *La Atalaya* [1894] había dicho que los 6.000 años de la historia del hombre habían terminado en 1873.[39]

- En 1968, la publicación de la Watchtower *Nuestro ministerio del reino* afirmó: «Sólo quedan unos noventa meses [7 años y medio] antes de que se completen 6.000 años de existencia del hombre sobre la tierra... La mayoría de las personas que viven

---

[37] Anuario de los Testigos de Jehová de 1975 (Brooklyn: Watchtower Bible and Tract Society, 1975), p. 146.
[38] ¡Despertad!, 8 de octubre de 1966, p. 19.
[39] La Atalaya, 15 de julio de 1894, p. 1675.

hoy probablemente estarán vivas cuando estalle el Armagedón».[40]

- En 1969 *Nuestro ministerio del reino* dijo: «En vista del poco tiempo que queda, la decisión de seguir una carrera en este sistema de cosas no sólo es imprudente sino extremadamente peligrosa...» A muchos hermanos y hermanas jóvenes se les ofrecieron becas o empleos que prometían una buena paga. Sin embargo, los rechazaron y antepusieron los intereses espirituales».[41]

- En una línea similar, *Nuestro ministerio del reino* en 1974 dijo: «¡El fin de este sistema está tan cerca! ¿No es razón para aumentar nuestra actividad... Se oyen informes de hermanos que venden sus casas y propiedades y planean terminar el resto de sus días en este viejo sistema en el servicio pionero. Ciertamente esta es una buena manera de pasar el corto tiempo que queda antes del malvado fin del mundo».[42]

- Nótese, sin embargo, que un número de finales de 1974 de la revista *La Atalaya* empezó a vacilar y a suavizar su postura: «Las publicaciones de los testigos de Jehová han demostrado que, según la cronología bíblica, parece que los 6.000 años de existencia del hombre se cumplirán a mediados de la década de 1970. Pero estas publicaciones nunca han dicho que el fin del mundo llegaría entonces. No obstante, ha habido considerables especulaciones individuales al respecto».[43]

Pregunte...

- ¿Sabía usted que la Sociedad Watchtower enseñó originalmente que 6.000 años de historia humana llegarían a su fin en 1873, y más tarde cambió el año a 1975?
- Puesto que la Sociedad Watchtower se equivocó *las dos veces*, ¿no significa esto que la Sociedad es un falso profeta?

---

[40] Nuestro Ministerio del Reino, marzo de 1968, p. 4.
[41] Nuestro Ministerio del Reino, mayo de 1974, p. 3.
[42] Nuestro Ministerio del Reino, mayo de 1974, p. 3.
[43] La Atalaya, 15 de octubre de 1974, p. 635.

Al igual que ocurrió con las falsas predicciones anteriores de la Sociedad Watchtower, muchos testigos de Jehová se sintieron muy decepcionados cuando 1975 llegó y pasó sin que ocurriera nada. Un número de 1976 de la revista *La Atalaya* nos dice: «No es aconsejable que fijemos nuestras miras en una fecha determinada... Si alguien se ha desilusionado por no seguir esta línea de pensamiento, ahora debe concentrarse en ajustar su punto de vista, viendo que no fue la palabra de Dios la que falló o lo engañó y trajo la desilusión, sino que *su propio entendimiento estaba basado en premisas erróneas*» (énfasis añadido).[44] Sorprendentemente, la Sociedad guio a sus seguidores durante años, haciéndoles creer que 1975 traería el fin de la historia humana. Luego, cuando esa fecha no se cumplió, ¡la Sociedad sermoneó a sus seguidores por fijarse en esa fecha y basar sus creencias en premisas erróneas!

No es sorprendente que cientos de miles de testigos de Jehová abandonaran la organización Watchtower en todo el mundo entre 1976 y 1978.[45] Ya «fue suficiente» para estas personas.

Pregunte...

- ¿Por qué la historia de la humanidad no llegó a su fin en 1975— culminando en el estallido del Armagedón—como la Sociedad Watchtower dijo que sería?
- ¿De verdad cree usted que la Sociedad Watchtower es un verdadero profeta de Dios?

¿No hay condena para la Sociedad Watchtower?

Aquellos que han seguido la literatura de la Watchtower a lo largo de los años pueden atestiguar el hecho de que la Sociedad ha cambiado constantemente sus profecías con el fin de encubrir sus muchos errores. El ex testigo de Jehová William J. Schnell observó que «La revista *La Atalaya* cambió nuestras doctrinas entre 1917 y 1928 no menos de 148 veces».[46]

---

[44] La Atalaya, 15 de julio de 1976, p. 441.
[45] Leonard y Marjorie Chretien, Witnesses of Jehovah (Eugene: Harvest House, 1988), p. 58.
[46] William J. Schnell, citado en Ankerberg y Weldon, p. 37.

Sorprendentemente, la Sociedad Watchtower argumenta que no debe ser criticada por sus errores pasados con respecto a la profecía. Después de todo, los profetas y apóstoles bíblicos cometieron errores, y no fueron condenados por ser falsos.

Un ejemplo que los testigos de Jehová citan en apoyo de esto es el profeta Natán. Cuando el rey David quiso construir una casa de culto para Dios, Natán le dijo a David que hiciera lo que quisiera. Pero más tarde Dios le dijo a Natán que informara a David de que no debía ser él quien construyera el templo. Sin embargo, a pesar del error de Natán, este no fue condenado por Dios ni por nadie. De hecho, Dios siguió utilizando a Natán porque corrigió humildemente el asunto cuando Dios se lo aclaró.[47]

Los cristianos ortodoxos señalan, sin embargo, que el mensaje original de Natán a David sobre la construcción de la casa *no fue* considerado por Natán como una instrucción de Dios (1Cró. 17:2). Su mensaje posterior acerca de no construir la casa *fue* afirmado como instrucción de Dios (17:3-15).[48] Por lo tanto, una vez más, encontramos a la Sociedad Watchtower torciendo las Escrituras para adaptarse a sus propios fines.

Sorprendentemente, a pesar de sus muchas predicciones fallidas, la Sociedad Watchtower no ha aprendido la lección. Incluso desde 1981 sigue diciendo que el Armagedón y el fin del mundo está muy cerca.

Podría recordarle al testigo de Jehová que la revista *La Atalaya* dice que cuando se descubre a los falsos profetas, «el pueblo ya no debe confiar en ellos como guías seguros».[49]

Pregunte...

- ¿Está usted de acuerdo con la instrucción de la Watchtower de que cuando se descubre a los falsos profetas, entonces «el pueblo ya no debe confiar en ellos como guías seguros»?

- Puesto que la Sociedad Watchtower se equivocó en 1874, 1914, 1925 y 1975, ¿cree usted que debería seguir confiando en la Sociedad como «guía segura»?

---

[47] Reasoning from the Scriptures (Brooklyn: Watchtower Bible and Tract Society, 1989), p. 134.

[48] Robert M. Bowman, Understanding Jehovah's Witnesses (Grand Rapids: Baker Books, 1991), p. 54.

[49] La Atalaya, 15 de mayo de 1930, p. 154.

Algunos testigos de Jehová han refutado que las fechas erróneas de la Watchtower no son diferentes a las del escritor evangélico Hal Lindsey que se equivocó en algunas de sus fechas proféticas esperadas en su libro, *La agonía del gran Planeta Tierra.* La locura de tal razonamiento es evidente en el hecho de que la Watchtower ha afirmado durante mucho tiempo ser un *profeta* de Dios, mientras que Lindsey nunca se ha representado a sí mismo como algo más que un *intérprete* de la Palabra de Dios. Dejemos claro que *un profeta que profiere falsas profecías es un falso profeta.* Las pruebas presentadas anteriormente demuestran que la Sociedad Watchtower es un falso profeta.

Razonando a la luz de la Biblia

Mateo 24:3: ¿Una segunda venida «espiritual»?

La enseñanza de la Watchtower. Mateo 24:3 en la *Traducción del Nuevo Mundo* de lee, «Mientras él estaba sentado en el monte de los Olivos, los discípulos se le acercaron en privado y le preguntaron: 'Dinos, ¿cuándo pasarán esas cosas, y qué señal habrá de tu *presencia* y de la conclusión del sistema?'» (énfasis añadido). Nótese que la Sociedad Watchtower sustituye la palabra «presencia» por «venida». La Sociedad traduce el versículo de esta manera como base para enseñar a los testigos de Jehová que Jesús regresó invisiblemente en 1914 y ha estado espiritualmente *presente* con la humanidad desde entonces.[50]

¿Por qué la segunda venida es invisible? En *El hombre más grande de todos los tiempos,* leemos: «Los humanos no pueden ver a los ángeles en su gloria celestial. Así que la llegada del Hijo del hombre, Jesucristo, con los ángeles debe ser invisible a los ojos humanos».[51]

Tenga en cuenta que (según la Sociedad Watchtower) Jesús fue «resucitado» de entre los muertos como una criatura espiritual—como el arcángel Miguel. No fue levantado *físicamente* de entre los muertos. Obviamente, entonces, Jesús nunca pudo regresar en forma física, visible.

---

[50] Reasoning from the Scriptures, p. 341; véase también David Reed, Jehovah's Witnesses Answered Verse by Verse (Grand Rapids: Baker Books, 1992), p. 53.

[51] The Greatest Man Who Ever Lived (Brooklyn: Watchtower Bible and Tract Society, 1991), Section 111.

Debido a que Jesús se levantó como una criatura espiritual invisible, su regreso sería como una criatura espiritual invisible.

Los testigos de Jehová creen que estamos en los últimos días y que Cristo ha estado espiritualmente «presente» desde 1914.[52] ¿Cuáles son algunas de las señales de que estamos en los últimos días? Ninguna señal *por sí sola* demuestra que estemos cerca del fin, dicen los testigos, pero todas las señales tomadas en conjunto lo hacen claramente evidente. Forman lo que se llama una señal «compuesta», y la señal compuesta de que estamos viviendo en los últimos días incluye los siguientes elementos: las naciones se están levantando contra las naciones (Mt. 24:7); escasez de alimentos (Mt. 24:7); grandes terremotos (Lc. 21:11); pestilencias mortales (Lc. 21:11); aumento de la anarquía (Mt. 24:11-12); los hombres «desfallecen de miedo» por las cosas que vendrán sobre la tierra (Lc. 21:25-26); los seguidores de Cristo son perseguidos (Mt. 24:9); y las buenas nuevas del reino se predican por todo el mundo (Mt. 24:14).

La publicación de la Watchtower *El hombre más grande de todos los tiempos* nos dice que «una revisión cuidadosa de los acontecimientos mundiales desde 1914 revela que la trascendental profecía de Jesús ha estado experimentando su mayor cumplimiento desde ese año».[53] Ciertamente,

Estaríamos cegándonos ante la ominosa «señal» si no discerniéramos que el fin del sistema mundial de cosas está marcado por tales cosas ocurridas desde 1914 d.C. Desde ese año nunca olvidado en adelante, este sistema mundial de cosas puede ser acusado ante toda la humanidad por las guerras más sangrientas de toda la historia humana, por la escasez de alimentos inducida humanamente en gran medida, por las pestilencias atribuibles a la mala conducta humana, por el aumento de la anarquía, por el enfriamiento de la cualidad divina del amor, por la traición a la humanidad, por el odio descarado y la persecución en todas las naciones hacia aquellos cristianos que contrarrestaban a los falsos profetas predicando en toda la tierra habitada «esta buena nueva del reino» ¡para «testimonio a todas las naciones»![54]

---

[52] Reasoning from the Scriptures, p. 234.
[53] The Greatest Man Who Ever Lived, sección 111.
[54] Man's Salvation Out of World Distress At Hand!, p. 23.

Las autoridades de la Watchtower concluyen que debido a que los eventos que destruyen el mundo se han sucedido en rápida sucesión desde 1914, está claro que este es el año en que Cristo vino y comenzó su gobierno espiritual.[55] En consecuencia, el fin de este sistema mundial debe estar muy cerca.

La enseñanza bíblica. Comencemos señalando que la palabra griega para «venida» (*parusía*) tiene una serie de ligeras variaciones de significado, incluyendo «presente», «presencia», «estar físicamente presente», «venir a un lugar» y «llegar».[56] *Vine's Expository Dictionary of Biblical Words* dice que *parusía* «denota tanto una 'llegada' como una consecuente 'presencia con'. Por ejemplo, en una carta de papiro una dama particular habla de la necesidad de su *parusía* en un lugar para atender asuntos relacionados con su propiedad allí».[57] *Parusía* también se utiliza para describir la «presencia» física de Cristo con sus discípulos en el Monte de la Transfiguración (2Pe. 1:16).

La palabra *parusía* se utiliza en otras partes del Nuevo Testamento sin que la invisibilidad esté implícita o sea necesaria. Por ejemplo:

- El apóstol Pablo dice en 1Corintios 16:17: «Me regocijo con la *venida* de Estéfanas, Fortunato y Acaico, pues ellos han suplido vuestra ausencia» (énfasis añadido).

- Pablo dice en 2Corintios 7:6-7: «Pero Dios, que consuela a los humildes, nos consoló con la *venida* de Tito; y no solo con su *venida*, sino también con la consolación con que él había sido consolado en cuanto a vosotros…»

- En 2Corintios 10:10 Pablo relata lo que algunas personas habían dicho de él: « Porque a la verdad, dicen, las cartas son duras y fuertes; mas la *presencia* corporal débil, y la palabra menospreciable».

- Pablo dice a los filipenses: «Y confiado en esto, sé que quedaré, que aún permaneceré con todos vosotros, para vuestro provecho

---

[55] Let God Be True, p. 141.
[56] William F. Arndt y F. Wilbur Gingrich, A Greek-English Lexicon of the New Testament and Other Early Christian Literature (Chicago: University of Chicago Press, 1957), p. 635.
[57] Vine's Expository Dictionary of Biblical Words, eds. W.E. Vine, Merrill F. Unger, y William White (Nashville: Thomas Nelson Publishers, 1985), p. 111.

y gozo de la fe, para que abunde vuestra gloria de mí en Cristo Jesús por mi *presencia* otra vez entre vosotros» (1:25-26).

- Pablo también dice a los filipenses: «Por tanto, amados míos, como siempre habéis obedecido, no como en mi *presencia* solamente, sino mucho más ahora en mi ausencia, ocupaos en vuestra salvación con temor y temblor» (2:12). Nótese aquí el contraste entre *presencia* física y *ausencia*).

El erudito del griego Joseph Thayer, en su léxico, nos dice que en el Nuevo Testamento, *parusía* se usa «especialmente del advenimiento, [es decir] el futuro, *visible, regreso del cielo de Jesús,* el Mesías, para resucitar a los muertos, celebrar el juicio final e instaurar formal y gloriosamente el reino de Dios».[58] Aquí no hay ningún indicio de invisibilidad.

En tiempos bíblicos, la palabra *parusía* se utilizaba para referirse a la visita de un rey u otro funcionario. Es posible que los discípulos utilicen el término en este sentido en Mateo 24:3. Como señala el expositor de la Biblia Stanley Toussaint, los discípulos «estaban convencidos de que Jesús era el Mesías que aún se manifestaría como Rey de Israel en su venida».[59] En consonancia con esto, el exégeta Robert Gundry señala que la palabra *parusía* se utiliza en Mateo 24:3 «de acuerdo con su uso para las visitas de dignatarios... connota el *carácter público* de la venida del Hijo del hombre» (énfasis añadido).[60]

Pregunte...

- ¿Sabía usted que la palabra griega para «presencia» en Mateo 24:3 (*parusía*) se utiliza para referirse a la *venida física y visible* de Estéfanas, Fortunato y Acaico al apóstol Pablo (1Co. 16:17); a la *venida física y visible* de Tito a Pablo (2Co. 7:6-7); a la *presencia física y visible* de Pablo en Corinto (2Co. 10:10); y a la *venida física y visible* de Pablo a la iglesia de Filipos (Fil. 1:25-26)?

---

[58] J.H. Thayer, A Greek-English Lexicon of the New Testament (Grand Rapids: Zondervan, 1963), p. 490.
[59] Stanley D. Toussaint, Behold the King: A Study of Matthew (Portland: Multnomah, 1980), p. 269.
[60] Robert H. Gundry, Matthew (Grand Rapids: Zondervan, 1982), p. 476.

- ¿Sabía usted que los expertos en griego dicen que el término se utiliza de la misma manera en Mateo 24:3 apuntando a la segunda venida *física y visible* de Jesucristo?

Además de *parusía*, el Nuevo Testamento utiliza otras palabras griegas para describir la segunda venida de Cristo. Una de ellas es *apokalupsis*, que tiene el significado básico de «revelación», «revelación visible», «desvelar» y «quitar la cubierta» de algo que está oculto. La palabra se utiliza para referirse a quitar la cubierta de una escultura para que todo el mundo pueda verla. La palabra también se utiliza para hablar de la segunda venida en 1Pedro 4:13: «sino gozaos por cuanto sois participantes de los padecimientos de Cristo, para que también *en la revelación* de su gloria os gocéis con gran alegría» (énfasis añadido). El uso de *apokalupsis* en relación con la segunda venida deja absolutamente claro que será una venida *visible* que toda la humanidad verá.

Pregunte...

- Puesto que la palabra griega *apokalupsis* —que significa «revelación», «manifestación visible», «desvelar» y «quitar la cubierta» de algo que está oculto—se utiliza para referirse a la segunda venida de Cristo en 1Pedro 4:13, ¿no indica esto que será una venida *visible*?

Relacionado con la palabra griega *apokalupsis* está el concepto de *gloria*. Al considerar la gloria de Cristo, es importante señalar que esta palabra, cuando se usa de Dios/Cristo, se refiere a la manifestación luminosa de la persona de Dios, su gloriosa revelación de Sí mismo al hombre.[61] Esta definición queda confirmada por las muchas formas en que se utiliza la palabra en las Escrituras. Por ejemplo, la *luz brillante* acompaña sistemáticamente a la manifestación divina en su gloria (Mt. 17:2-3; 1Ti. 6:16; Ap. 1:16). Además, la palabra «gloria» se relaciona a menudo con verbos de *ver* (Éx.16:7; 33:18; Is. 40:5) y verbos de *aparecer* (Éx. 16:10; Dt. 5:24), los cuales enfatizan la naturaleza visible de la gloria de Dios. Es

---

[61] The New International Dictionary of New Testament Theology, ed. Colin Brown, vol. 2 (Grand Rapids: Zondervan, 1979), p. 45.

esta gloria visible de Cristo la que se revelará (*apokalupsis*) en la segunda venida (1Pe. 4:13).

Otra palabra griega usada de la segunda venida de Cristo es *epiphaneia*, que lleva el significado básico de «aparecer». *Vine's Expository Dictionary of Biblical Words* dice que esta palabra significa literalmente «un resplandor». El diccionario proporciona varios ejemplos de la literatura antigua de cómo la palabra apunta a una apariencia física, visible de alguien.[62]

La palabra *epiphaneia* es utilizada varias veces por el apóstol Pablo en referencia a la Segunda Venida visible de Cristo.[63] Por ejemplo, en Tito 2:13 Pablo habla de esperar «aguardando la esperanza bienaventurada y la *manifestación* gloriosa de nuestro gran Dios y Salvador Jesucristo» (énfasis añadido).

En 1Timoteo 6:14, Pablo exhorta a Timoteo a «que guardes el mandamiento sin mácula ni reprensión, hasta la *aparición* de nuestro Señor Jesucristo» (énfasis añadido; véanse también 2Ts. 2:8; 2Ti. 4:1-8).

Es significativo que la primera venida de Cristo—que fue tanto *corporal* como *visible* («el Verbo hecho carne»)—se denominara *epifáneia* (2Ti. 1:10). Del mismo modo, la segunda venida de Cristo será corporal y visible.[64] El testimonio constante de las Escrituras—ya se utilice la palabra *parusía*, *apokalupsis* o *epifáneia*—es que la segunda venida de Cristo será visible para toda la humanidad (véase Dan. 7:13; Zc. 9:14; 12:10; Mt. 16:27-28; 24:30; Mc. 1:2; Jn. 1:51; 2Ti. 4:1).

Pregunte...

- Puesto que la palabra griega *epiphaneia* (que significa «aparecer») se utiliza para la primera venida de Cristo (que fue *física* y *visible*), y la misma palabra se utiliza también para la segunda venida de Cristo, ¿no deberíamos concluir que la segunda venida es tan visible y física como la primera?

---

[62] Vine's Expository Dictionary of Biblical Words, p. 32.

[63] Walter Martin y Norman Klann, Jehovah of the Watchtower (Minneapolis: Bethany House, 1974), pp. 72-73.

[64] Otros términos griegos utilizados en referencia tanto a la primera venida de Cristo como a su segunda venida son erchomai (Jn. 1:9; 3:31; 8:14; 9:39; 16:28; 1Tim. 1:15; 1Jn. 4:2-3; 2Jn. 7) y phaneroo (1Tim. 3:16; Heb. 9:26; 1Pe. 1:20; 1Jn. 1:2; 3:8).

Al argumentar en contra del punto de vista de la Watchtower de que la segunda venida (invisible) de Cristo ya ha ocurrido (en 1914), señálele a él o ella Mateo 24:29-30: «E inmediatamente después de la tribulación de aquellos días, el sol se oscurecerá, y la luna no dará su resplandor, y las estrellas caerán del cielo, y las potencias de los cielos serán conmovidas. Entonces aparecerá la señal del Hijo del Hombre en el cielo; y entonces lamentarán todas las tribus de la tierra, y verán al Hijo del Hombre viniendo sobre las nubes del cielo, con poder y gran gloria».

Después de leer este pasaje en voz alta, la experta en temas de la Watchtower Marian Bodine sugiere hacer las siguientes preguntas al testigo de Jehová:

Pregunte...

- ¿Sucedió alguno de los acontecimientos anteriores en 1914? ¿Y en 1874?
- ¿Se negó la luna a dar su luz durante esos años?
- ¿Y las estrellas? ¿Cayeron del cielo?
- ¿Lloraron entonces TODAS las tribus de la tierra?[65]

Hechos 1:9-11: ¿Una segunda venida «invisible»?

La enseñanza de la Watchtower. En la *Traducción del Nuevo Mundo* Hechos 1:9-11 dice, «Después de decir estas cosas, fue elevado mientras ellos miraban. Entonces una nube lo ocultó de su vista. Ellos estaban mirando atentamente al cielo mientras él se iba cuando, de repente, dos hombres vestidos de blanco aparecieron al lado de ellos y les dijeron: 'Hombres de Galilea, ¿por qué están ahí de pie mirando al cielo? Este Jesús, que estaba con ustedes y fue llevado al cielo, vendrá de la misma manera en que lo han visto irse al cielo'».

Los testigos de Jehová argumentan que la «manera» de la ascensión de Jesús fue que desapareció de la vista, y su partida sólo fue observada por sus discípulos. El mundo no se enteró de lo que había sucedido. Hechos 1:9-11 indica que lo mismo ocurriría con la segunda venida de Cristo, es

---

[65] Jerry y Marian Bodine, Witnessing to the Witnesses (Irvine: n.p., n.d.), p. 55.

decir, que el mundo no sería consciente de la venida invisible de Cristo.[66] Y, de hecho, el mundo ignoraba en gran medida la venida invisible de Cristo en 1914.

La enseñanza bíblica. En Hechos 1:9-11, la Sociedad Watchtower confunde «manera» con «resultado». La *manera de* la ascensión de Jesús no fue «desaparecer de la vista»; más bien, el *resultado* de la ascensión de Jesús fue «desaparecer de la vista». La *manera* real de la ascensión de Jesús fue *visible* y corporal. Jesús ascendió visible y corporalmente, con el resultado final de desaparecer de la vista. Del mismo modo, en la segunda venida, Cristo vendrá visible y corporalmente y *aparecerá* a la vista.

Pregunte...

- En lugar de describir la *manera* de ascender de Jesús como «desaparecer de la vista», ¿no tiene más sentido decir que la *manera* de ascender fue física y visible con el resultado final de «desaparecer de la vista»?
- Del mismo modo, ¿no queda claro en Hechos 1:9-11 que en la segunda venida Cristo vendrá *física* y *visiblemente* y *aparecerá* a la vista?

La mención de una nube en Hechos 1:9 es significativa, porque las nubes se utilizan a menudo en el Nuevo Testamento en asociación con la gloria visible de Dios. Obsérvense los siguientes ejemplos:

- Leemos que mientras Jesús hablaba en el Monte de la Transfiguración, «una *nube de luz* los cubrió; y he aquí una voz desde la nube, que decía: Este es mi Hijo amado, en quien tengo complacencia; a él oíd» (Mt. 17:5, énfasis añadido).
- Hablando de su futura segunda venida, Jesús dijo: «Entonces aparecerá la señal del Hijo del Hombre en el cielo; y entonces lamentarán todas las tribus de la tierra, y verán al Hijo del Hombre viniendo sobre las *nubes del cielo*, con poder y gran gloria» (Mt. 24:30, énfasis añadido).

---

[66] Reasoning from the Scriptures, p. 342.

- Cuando Jesús respondió al sumo sacerdote en su juicio, dijo: «Jesús le dijo: Tú lo has dicho; y además os digo, que desde ahora veréis al Hijo del Hombre sentado a la diestra del poder de Dios, y viniendo en las *nubes del cielo*» (Mt. 26:64, énfasis añadido).

La gloria visible de Dios también se asocia a menudo con las nubes en el Antiguo Testamento. Por ejemplo:

- «Y hablando Aarón a toda la congregación de los hijos de Israel, miraron hacia el desierto, y he aquí la gloria de Jehová *apareció en la nube*» (Éx. 16:10, énfasis añadido).
- Cuando se completó el tabernáculo en el desierto, la nube de gloria se posó sobre él, impidiendo la entrada humana: «Entonces *una nube* cubrió el tabernáculo de reunión, y la gloria de Jehová llenó el tabernáculo. Y no podía Moisés entrar en el tabernáculo de reunión, porque *la nube* estaba sobre él, y la gloria de Jehová lo llenaba» (Éx. 40:34-35, énfasis añadido).
- La gloria de Dios también se vio en una nube cuando se dedicó el templo de Salomón: «Y cuando los sacerdotes salieron del santuario, *la nube* llenó la casa de Jehová. Y los sacerdotes no pudieron permanecer para ministrar por causa de *la nube*; porque la gloria de Jehová había llenado la casa de Jehová» (1Re. 8:10-11, énfasis añadido).

He aquí lo que quiero decir con todo esto: La *transfiguración* de Cristo (Mt. 17), su *ascensión* al cielo (Hch. 1), y su segunda venida (Mt. 24) son *tres manifestaciones sucesivas* de la gloria divina (visible) de Cristo a la humanidad. Así, la mención de una nube en Hechos 1 apunta a una manifestación de la *gloria visible* de Cristo en la segunda venida.[67] El erudito bíblico F.F. Bruce explica: «La nube en cada caso [en la transfiguración, la ascensión y la segunda venida] debe interpretarse probablemente como la nube de la Shekiná, la nube que, posada sobre la tienda de reunión en los días de Moisés, era *la señal visible para Israel* de

---

[67] Véase The Expositor's Bible Commentary, ed. Frank E. Gaebelein, «Acts» (Grand Rapids: Zondervan, 2001), p. 258.

que la gloria del Señor moraba en ella (Éx. 40:34). Así, en el último momento en que los apóstoles vieron a su Señor con visión exterior [en la ascensión de Hechos 1], se les concedió «una teofanía»: Jesús está envuelto en la nube de la presencia divina'» (énfasis añadido).[68]

Así como Jesús se fue con una manifestación visible de la gloria de Dios, así Cristo regresará con una manifestación visible de la gloria de Dios.[69] No hay manera de que Hechos 1:9-11 pueda ser torcido para significar que Cristo vendrá de nuevo invisiblemente, como la Watchtower intenta enseñar.

Pregunte...

- Puesto que las nubes se utilizan a menudo en las Escrituras en referencia a la gloria visible de Dios—y puesto que Cristo ascendió con nubes y vendrá de nuevo con nubes—¿no indica esto la naturaleza visible de su segunda venida?

Apocalipsis 1:7: ¿Una segunda venida «invisible»?

La enseñanza de la Watchtower. Apocalipsis 1:7 en la *Traducción del Nuevo Mundo* dice: «¡Miren! Vendrá con las nubes y todo ojo lo verá, hasta los que lo traspasaron; y a causa de él todas las tribus de la tierra se golpearán el pecho de dolor. Sí, amén».

Los testigos de Jehová dicen que la referencia a «venir con las nubes» significa *invisibilidad*. Después de todo, cuando un avión está en una nube espesa, la gente en tierra normalmente no puede verlo. Puesto que Cristo viene «con las nubes», esto significa que los seres humanos no podrán verlo.[70] Será un acontecimiento invisible.

Si la segunda venida de Cristo es invisible, ¿en qué sentido lo verá «todo ojo»? Los testigos de Jehová dicen que esto no debe tomarse literalmente y argumentan que la gente discernirá de los acontecimientos en la tierra que Cristo está invisiblemente presente y está gobernando espiritualmente.[71] Especialmente cuando los juicios sean derramados sobre

---

[68] F.F. Bruce, The Book of Acts (Grand Rapids: Eerdmans, 1986), p. 41.

[69] Bruce, The Book of Acts, p. 41.

[70] Reasoning from the Scriptures, p. 343.

[71] Reasoning from the Scriptures, p. 343.

los malvados, será claro que estos vienen de la mano de Cristo. Esta será una evidencia impactante de su «presencia». Con esto en mente, el libro *Sea Dios hallado veraz* nos dice: «Su regreso es reconocido por los ojos del entendimiento, siendo tales ojos iluminados por la Palabra de Dios que se despliega. La llegada y la presencia de Cristo no se disciernen por una cercanía corporal visible, sino por la luz de sus actos de juicio y el cumplimiento de las profecías bíblicas».[72]

La enseñanza bíblica. El argumento de la Watchtower de que la «venida de Cristo con las nubes» significa una venida invisible es una completa distorsión de las Escrituras. Como se señaló anteriormente, las nubes se utilizan a menudo en asociación con la gloria visible de Dios (Éx. 16:10; 40:34-35; 1Re. 8:10-11; Mt. 17:5; 24:30; 26:64). John F. Walvoord explica que así «como Cristo fue recibido por una nube en Su ascensión (Hch. 1:9), así vendrá en las nubes del cielo (Mt. 24:30; 26:64; Mc. 13:26; 14:62; Lc. 21:27)».[73] Así como Jesús se fue con una manifestación *visible* de la gloria de Dios (las nubes estaban presentes), así Cristo regresará con una manifestación *visible* de la gloria de Dios (las nubes estarán presentes).

¿Qué hay de la interpretación de la Sociedad Watchtower de la declaración «todo ojo lo verá» en el sentido de «todo ojo de entendimiento lo verá»? Una lectura simple e imparcial del texto indica que *todo ojo* en la tierra verá literalmente a Cristo viniendo en gloria. Esto concuerda con muchos otros pasajes de las Escrituras. Por ejemplo, Mateo 24:30 dice de la segunda venida, «Entonces aparecerá la señal del Hijo del Hombre en el cielo; y entonces lamentarán todas las tribus de la tierra, y *verán al Hijo del Hombre viniendo* sobre las nubes del cielo, con poder y gran gloria» (énfasis añadido).

En Apocalipsis 1:7 la palabra griega para «ver» es *horao*. En el *Greek English Lexicon of the New Testament,* William Arndt y F. Wilbur Gingrich dicen que la palabra en Apocalipsis 1:7 significa «ver, captar la vista, notar *de la percepción sensorial*».[74] Asimismo, el *Greek-English Lexicon of the New Testament* de Thayer dice que *horao* se usa en Apocalipsis 1:7 en el sentido de «ver con los ojos [órganos físicos]».[75] El

---

[72] Let God Be True, p. 198.
[73] John F. Walvoord, Revelation (Chicago: Moody, 1980), p. 39.
[74] Arndt y Gingrich, p. 581.
[75] Thayer, p. 451.

Vine's Expository Dictionary of Biblical Words define *horao* como «visión corporal».[76] En el contexto de Apocalipsis 1:7, entonces, prácticamente no hay posibilidad de que el significado pretendido sea «ver con los ojos del entendimiento, siendo tales ojos iluminados por la Palabra de Dios que se despliega». Es evidente que este pasaje se refiere a una observación hecha con los ojos—los órganos físicos, corporales.

Pregunte...

* Suponiendo que la Biblia contenga palabras normales, legibles y comprensibles, utilizadas de forma consciente e inteligente, ¿qué podría concluir una persona de Apocalipsis 1:7 con respecto a la visibilidad de la segunda venida de Cristo sin haber consultado la literatura de la Watchtower?

* De acuerdo con Apocalipsis 1:7, ¿«todas las tribus de la tierra se golpearán el pecho de dolor» (TNM) ante la supuesta segunda venida invisible de Cristo en 1914?

Mateo 24:34: La generación de 1914

La enseñanza de la Watchtower. En la *Traducción del Nuevo Mundo* Mateo 24:34 se lee, «Les aseguro que *esta generación* de ningún modo desaparecerá hasta que sucedan todas estas cosas» (énfasis añadido). Durante la mayor parte de su historia, hasta hace poco, la Sociedad Watchtower enseñó a los testigos de Jehová que «esta generación» es la generación de 1914. Se afirmaba que este grupo de personas no pasaría hasta que todas estas cosas (profecías, incluyendo Armagedón) ocurrieran.

Es una experiencia esclarecedora estudiar cómo la Sociedad Watchtower ha tratado este versículo a lo largo de su historia. Ya en 1968, la Sociedad enseñaba a sus seguidores que los testigos de Jehová que tuvieran 15 años en 1914 estarían vivos para ver la consumación de todas las cosas. De hecho, una edición de 1968 de la revista *¡Despertad!* decía de «esta generación»:

---

[76] Vine's Expository Dictionary of Biblical Words, p. 556.

Obviamente, Jesús se refería a los que tenían edad suficiente para presenciar con comprensión lo que ocurrió cuando comenzaron los «últimos días»... Incluso si suponemos que *los jóvenes de 15 años de edad* serían lo suficientemente perceptivos como para darse cuenta de la importancia de lo que sucedió en 1914, todavía haría que el más joven de «esta generación» casi 70 años de edad hoy... Jesús dijo que el fin de este mundo perverso llegaría antes de que esa generación pasara a mejor vida (énfasis añadido).[77]

Unos diez años más tarde, un número de 1978 de la revista *La Atalaya* decía: «Por lo tanto, cuando se trata de la aplicación en nuestro tiempo, *la 'generación' lógicamente no se aplicaría a los bebés nacidos durante la Primera Guerra Mundial*» (énfasis añadido).[78] Está claro que en ese momento, la Sociedad Watchtower todavía se aferraba a la opinión de que los que eran adolescentes durante 1914 verían la culminación de todas las cosas.

Sin embargo, como señala David Reed, «basta calcular que alguien de quince años en 1914 tendría veinticinco años en 1924, treinta y cinco años en 1934 y ochenta y cinco años en 1984 para darse cuenta de que la 'generación que no pasará' de la Watchtower casi había desaparecido a mediados de la década de 1980. La profecía estaba a punto de fracasar. Pero, en lugar de cambiar la profecía, los líderes [de la Watchtower] simplemente alargaron la generación».[79]

Una edición de 1980 de la revista *La Atalaya* dijo de «esta generación»: «Es la generación de personas que vieron los acontecimientos catastróficos que estallaron en relación con la Primera Guerra Mundial a partir de 1914... *si se supone que 10 es la edad* en que un evento crea una impresión duradera» (énfasis añadido).[80] Los líderes de la Watchtower redujeron la edad de 15 a 10 años con el fin de permitir cinco años más para una «generación» que estaba muriendo rápidamente.

La solución de 1980 no alivió el problema. Había que dar otro paso. Así, en un número de 1984 de la revista *La Atalaya*, leemos: «Si Jesús usó 'generación' en ese sentido y lo aplicamos a 1914, entonces *los bebés de*

---

[77] ¡Despertad!, 8 de octubre de 1968, p. 13.
[78] La Atalaya, 1 de octubre de 1978, p. 31.
[79] Reed, Jehovah's Witnesses Answered Verse by Verse, p. 57.
[80] La Atalaya, 15 de octubre de 1980, p. 31.

esa generación tienen ahora 70 años o más... Algunos de ellos 'de ninguna manera pasarán hasta que todas estas cosas ocurran'» (énfasis añadido).[81]

En esta misma línea, un número de 1985 de *La Atalaya* decía: «Antes de que la generación de 1914 muera completamente, el juicio de Dios debe ser ejecutado».[82] Un número de 1988 de la revista *¡Despertad!* decía: «La mayor parte de la generación de 1914 ha fallecido. Sin embargo, todavía hay millones en la tierra que nacieron en ese año o antes de él... Las palabras de Jesús se harán realidad, 'esta generación no pasará hasta que todas estas cosas hayan sucedido'».[83]

Razonamiento a partir de las Escrituras (1989) afirmó que el tiempo se estaba acabando: «La 'generación' que estaba viva al comienzo del cumplimiento de la señal en 1914 tiene ahora muchos años. El tiempo que queda debe ser muy corto. Las condiciones mundiales dan todos los indicios de que así es».[84]

Milton Henschel (1920-2003), presidente de la Sociedad Watchtower de 1992 a 2000, resolvió finalmente este dilema para los testigos de Jehová. En el número del 1 de noviembre de 1995 de la revista *La Atalaya*, Henschel descartó toda la profecía de la generación. Al recibir «nueva luz», Henschel redefinió la «generación» de la que habla Jesús en Mateo 24 para referirse a la humanidad malvada en general—más específicamente, a todas y cada una de las personas de la tierra *en cualquier generación* que «vean la señal de la aparición de Cristo, pero no se enmienden».[85] Esta «generación» podría ser la gente de hoy, o 100 años a partir de ahora, o después. *Problema resuelto.*

La enseñanza bíblica. Cuando hable de Mateo 24:34 con un testigo de Jehová, puede empezar preguntándole lo siguiente:

Pregunte...
- Con respecto a la «generación» que estaba viva en 1914—la generación que se *suponía* vería la culminación de todas las cosas proféticamente—¿sabía usted que en los últimos cuarenta años la

---

[81] La Atalaya, 15 de mayo de 1984, p. 5.
[82] La Atalaya, 1 de mayo de 1985, p. 4.
[83] ¡Despertad!, 8 de abril de 1988, p. 14.
[84] Reasoning from the Scriptures, p. 239.
[85] Rich Abanes, Cults, New Religious Movements, and Your Family (Wheaton: Crossway, 1998), p. 243.

Sociedad Watchtower ha cambiado la edad de ese grupo de *quince años*, a *diez* años, a *bebés,* a (ahora) decir que Mateo 24:34 podría referirse a personas que viven en *cualquier* generación?

- ¿Le parece la Sociedad un verdadero profeta de Dios?

Los cristianos evangélicos se han aferrado generalmente a una de las dos interpretaciones de Mateo 24:34. La primera es que Cristo simplemente está diciendo que aquellos que presencien las señales indicadas anteriormente en Mateo 24 (señales que tratan del futuro período de la Tribulación) verán la venida de Jesucristo dentro de esa misma generación. Puesto que era de conocimiento común entre los judíos que la futura tribulación duraría *sólo siete años* (Dan. 9:24-27), es obvio que aquellos que vivieran al comienzo de este tiempo probablemente vivirían para ver la segunda venida *siete años después* (excepto aquellos que pierdan la vida durante este tumultuoso tiempo).

El erudito bíblico Norman Geisler dice,

> La generación que esté viva cuando estas cosas (la abominación desoladora [v. 15], la gran tribulación como nunca se ha visto antes [v. 21], la señal del Hijo del Hombre en el cielo [v. 30], etc.) comiencen a suceder, todavía estará viva cuando estos juicios se completen. Puesto que comúnmente se cree que la tribulación es un período de unos *siete años* (Dan. 9:27; cf. Ap. 11:2) al final de la era, entonces Jesús estaría diciendo que «esta generación» viva al comienzo de la tribulación seguirá viva al final de ella.[86]

Otros evangélicos sostienen que la palabra «generación» debe tomarse en su uso básico de «raza, parentela, familia, estirpe o raza». Si esto es lo que se quiere decir, entonces Jesús está prometiendo en Mateo 24:34 que la nación de Israel será preservada—a pesar de la terrible persecución durante la Tribulación—hasta la consumación del programa de Dios para Israel en la segunda venida. Norman Geisler comenta,

> La afirmación de Jesús podría significar que la raza judía no pasaría hasta que se cumplieran todas las cosas. Puesto que había muchas

---

[86] Norman Geisler y Thomas Howe, When Critics Ask (Wheaton: Victor, 1992), p. 359.

promesas a Israel, incluyendo la herencia eterna de la tierra de Palestina (Gén. 12; 14-15; 17) y el reino davídico (2Sam. 7), entonces Jesús podría estar refiriéndose a la preservación de Dios de la nación de Israel para cumplir sus promesas a ellos. De hecho, Pablo habla de un futuro de la nación de Israel en el que serán reintegrados en las promesas del pacto de Dios (Rom. 11:11-26).[87]

¿Es la Sociedad Watchtower un falso profeta?

Anteriormente señalé que la Sociedad Watchtower ha hecho numerosas predicciones a lo largo de su historia y ha sido severamente criticada debido a tantas profecías fallidas. Como resultado, muchos han desertado de la secta.

También mencioné que la Sociedad Watchtower ha respondido argumentando que incluso los profetas bíblicos cometieron algunos errores. Por lo tanto, los testigos de Jehová no deben ser condenados. *Razonamiento a partir de las Escrituras* nos dice que «los apóstoles y otros discípulos cristianos primitivos tenían ciertas expectativas equivocadas, pero la Biblia no los clasifica con los 'falsos profetas'».[88]

De los pasajes citados por la Sociedad Watchtower en apoyo de este punto de vista, tres aparecen con bastante frecuencia: Lucas 19:11, Hechos 1:6, y Jonás 3:4-10; 4:1-2. Examinaremos estos pasajes en breve. Pero primero, permítame contarle brevemente cómo un testigo de Jehová se enfrentó a las falsas profecías de la Watchtower.

Mientras hablábamos, este testigo admitió que la Sociedad Watchtower se había equivocado en algunas profecías en el pasado. Como era de esperar, argumentó que algunos de los profetas bíblicos también se habían equivocado. Pero añadió que la «luz» (presumiblemente de Dios) es cada vez más brillante hoy en día, y las cosas son mucho más claras ahora. Por lo tanto, la Sociedad Watchtower entiende las cosas más que nunca, y la luz es cada vez más brillante *cada día que pasa.*

Yo respondí: «Entonces, si la luz es cada día más brillante, es posible que dentro de diez años descubras que todo lo que crees actualmente es un error, ya que la luz dentro de diez años será mucho más brillante, ¿verdad?

---

[87] Geisler y Howe, pp. 358-59.
[88] Reasoning from the Scriptures, p. 134.

Se retorció un poco, pero reconoció la legitimidad de mi argumento. ¿Qué otra cosa podía hacer? Entonces le dije: «¿Y si murieras mañana? ¿Significa esto que morirás habiendo creído lo equivocado, y por tanto estarás perdido para siempre jamás?». Rápidamente cambió de tema, no queriendo continuar la discusión. Pero la cuestión estaba clara.

Le dejé un pensamiento final. Una publicación temprana de la Watchtower llamada *Zion's Watch Tower* decía que una nueva visión de la verdad nunca puede contradecir una verdad anterior. La «nueva luz» nunca extingue la «luz» más antigua, sino que simplemente se añade a ella.[89] Le dije al testigo que la «luz más antigua» de la Watchtower (falsas profecías) estaba claramente en error, y ahora la Watchtower estaba tratando de decir que la «nueva luz» está *corrigiendo* esta «luz más antigua». Entonces le pregunté: «¿Realmente quieres basar tu destino eterno en la Sociedad Watchtower como «canal de la verdad» de Dios?».

Otra cosa: Cuando usted especifica los errores proféticos de la Sociedad Watchtower a un testigo de Jehová, él o ella a veces dirá: «Bueno, hemos admitido nuestros errores; por lo tanto, no somos falsos profetas». Si un testigo le dice esto durante un encuentro de testificación...

Pregunte...

- ¿Dónde enseña la Biblia que después de fallar una profecía, si el profeta *admite* que cometió un error, ya no es un falso profeta?[90]

Lucas 19:11: Los discípulos: ¿Expectativas equivocadas?

La enseñanza de la Watchtower. Lucas 19:11 en la *Traducción del Nuevo Mundo* dice, «Mientras ellos escuchaban estas cosas, puso otra comparación, porque estaba cerca de Jerusalén y porque ellos creían que el Reino de Dios iba a aparecer de un momento a otro».

Los testigos de Jehová señalan que la «imaginación» de los discípulos estaba claramente equivocada. El reino de Dios no iba a manifestarse instantáneamente. Los discípulos estaban pensando mal; cometieron un error. Sin embargo, seguían siendo discípulos de Cristo.

---

[89] Zion's Watch Tower, febrero de 1881, p. 3.

[90] Jerry y Marian Bodine, Witnessing to the Witnesses, munuscrito de pre-publicación de la 2da. edición (Irvine: n.p., 1993).

Aunque los testigos de Jehová una vez afirmaron que la Sociedad Watchtower es un profeta inspirado (al igual que Ezequiel),[91] han alterado esta afirmación en los últimos años. Ahora dicen que la Sociedad *no pretende* ser un profeta inspirado. Ha cometido errores. Como los discípulos de Cristo en Lucas 19:11, la Sociedad a veces ha tenido algunas expectativas equivocadas.[92]

La Sociedad Watchtower lo explica de esta manera: «Es cierto que los hermanos que preparan estas publicaciones no son infalibles. Sus escritos no son inspirados como los de Pablo y los otros escritores de la Biblia (2Ti. 3:16). Y por eso, a veces, ha sido necesario, a medida que la comprensión se hacía más clara, corregir puntos de vista (Prov. 4:18)».[93]

La enseñanza bíblica. Los cristianos evangélicos admiten que los discípulos de Cristo ocasionalmente tenían nociones falsas como seres humanos. Sin embargo, no hay ninguna indicación en Lucas 19:11 ni en ningún otro texto de la Escritura de que los discípulos o los profetas enseñaran nunca tales nociones falsas como parte de la revelación de Dios «Así dice el Señor» a la humanidad.[94]

Debemos subrayar que siempre que los profetas o apóstoles hablaban *como portavoces de Dios* a la humanidad, nunca comunicaban nociones falsas. Ningún verdadero profeta de Dios cometió jamás un error al pronunciar una profecía, porque estaba transmitiendo *las palabras de Dios* a la humanidad, no las suyas propias.

Es una completa locura que la Sociedad Watchtower (que afirma ser la voz de Dios a la humanidad) establezca un paralelismo entre sus muchas y consistentes falsas profecías y las ocasionales falsas nociones de los discípulos o profetas de Dios cuando no hablaban con autoridad por Dios. No hay comparación legítima entre ambos.

Pregunte...

- ¿Puede usted indicarme un solo ejemplo en las Escrituras en el que un profeta emitiera una profecía «Así dice el Señor» directamente

---

[91] The Nations Shall Know That I Am Jehovah (Brooklyn: Watchtower Bible and Tract Society, 1971), pp. 70-71; La Atalaya, 15 de marzo de 1972, pp. 186, 187, 189; La Atalaya, 1 de abril de 1972, pp. 197, 200.

[92] La Atalaya, 15 de febrero de 1981, p. 19.

[93] La Atalaya, 15 de febrero de 1981, p. 19.

[94] Bowman, p. 53.

del Señor y posteriormente se demostrara que estaba en un error? (Si cita a Jonás y su profecía sobre Nínive, véase más abajo. Enfatice que cuando hablaban profecías *de parte de Dios*, los profetas nunca se equivocaban).

- ¿Cómo puede la Sociedad Watchtower afirmar ser la voz profética de Dios para el mundo y, sin embargo, emitir declaraciones proféticas que en muchos casos han demostrado ser erróneas?

Es fundamental reconocer que el simple hecho de que la Biblia *registre* una declaración errónea de un individuo en particular no significa que esa declaración haya venido directamente de Dios. A veces los discípulos hicieron o dijeron algo *como seres humanos* y no *como portavoces de Dios*. Esto se ilustra en Lucas 19:11 cuando los discípulos estaban «imaginando» que el reino iba a desplegarse instantáneamente.[95]

En cambio, cuando los apóstoles o los profetas hablaban como portavoces de Dios, no había posibilidad de error, pues comunicaban una revelación directa de Dios. Observe los siguientes pasajes:

- «Profeta les levantaré de en medio de sus hermanos, como tú; y pondré mis palabras en su boca, y él les hablará todo lo que yo le mandare» (Dt. 18:18).
- «El Espíritu de Jehová ha hablado por mí, y su palabra ha estado en mi lengua» (2Sam. 23:2).
- Hechos 4:24-25 hace referencia al «Y ellos, habiéndolo oído, alzaron unánimes la voz a Dios, y dijeron: Soberano Señor, tú eres el Dios que hiciste el cielo y la tierra, el mar y todo lo que en ellos hay; que por boca de David tu siervo dijiste: ¿Por qué se amotinan las gentes, y los pueblos piensan cosas vanas?'» (énfasis añadido).
- «lo cual también hablamos, no con palabras enseñadas por sabiduría humana, sino con las que enseña el Espíritu» (1Co. 2:13).

---

[95] Norman L. Geisler, A General Introduction to the Bible (Chicago: Moody, 1986), p. 57.

Pregunte...

- Si Dios pone sus palabras en boca de un profeta, ¿puede ese profeta incurrir en error cuando habla?
- Puesto que la Sociedad Watchtower ha proferido error, ¿qué debemos concluir con respecto a la fuente de esas palabras?

En cuanto a Lucas 19:11, hay que tener en cuenta que a los discípulos ya se les había dicho que el reino de Dios había *llegado* en cierto sentido y estaba *presente* en el ministerio de Jesús (Lc. 11:20). Así que cuando Jesús y los discípulos llegaron «cerca de Jerusalén» (la capital), algunos pensaron que la culminación de los propósitos del reino de Dios estaba cerca, a pesar de las continuas advertencias de Jesús sobre la cruz que se avecinaba. Jesús hizo frente a la «imaginación» o pensamiento erróneo de los discípulos contándoles una parábola (19:12-27) que mostraba que habría un intervalo de tiempo antes de que se consumara el reino. Jesús utilizó la parábola para corregir su pensamiento y disipar sus esperanzas exageradas.

Hechos 1:6: Los apóstoles: ¿Opiniones erróneas?

La enseñanza de la Watchtower. La *Traducción del Nuevo Mundo* dice en Hechos 1:6, «Entonces, cuando ellos se reunieron, le preguntaron: «Señor, ¿vas a restaurar el reino en Israel en este tiempo?». Este es otro versículo citado por la Sociedad Watchtower en apoyo de la afirmación de que los discípulos cometieron errores o tenían puntos de vista erróneos (ya que el reino no estaba siendo restaurado a Israel en este momento). Los testigos de Jehová utilizan este versículo para justificar (o al menos excusar) sus propios errores. Puesto que los discípulos tenían puntos de vista erróneos y no fueron condenados, así que la Sociedad Watchtower no debería ser condenada por sus errores en el pasado.

La enseñanza bíblica. Como vimos en Lucas 19:11, los discípulos de Cristo ocasionalmente tenían nociones falsas como seres humanos. Sin embargo, esto no significa que los discípulos o apóstoles enseñaran jamás tales nociones falsas como parte de la revelación de Dios «Así lo dice el Señor» a la humanidad. Ningún verdadero profeta de Dios cometió jamás un error al pronunciar una profecía, porque estaba transmitiendo *las palabras de Dios* a la humanidad, no las suyas propias.[96]

Una vez más, la Sociedad Watchtower (que afirma ser la voz de Dios a la humanidad) no puede legítimamente establecer un paralelismo entre sus muchas y consistentes falsas profecías y las ocasionales falsas nociones de los profetas o apóstoles de Dios. No hay comparación legítima entre los dos.

Pregunte...

- ¿Puede indicarme un solo ejemplo en las Escrituras en el que un profeta emitiera una profecía «Así dice el Señor» directamente del Señor y posteriormente se demostrara que estaba en un error?
- ¿Cómo puede la Sociedad Watchtower afirmar ser la voz profética de Dios para el mundo cuando se ha demostrado que muchas de sus profecías son erróneas?

¿Qué ocurrió, pues, en Hechos 1:6? Cuando los discípulos oyeron a Jesús hablar del don venidero del Espíritu Santo (Hch. 1:5)—y sabían que la venida del Espíritu era la «marca» de una nueva era[97]—concluyeron comprensiblemente que esta podría ser la ocasión para restaurar el reino a Israel. Esto suscitó la pregunta a Jesús en Hechos 1:6.

Ciertamente, los discípulos habían creído, hasta cierto punto, en algunas de las expectativas políticas comunes de su época respecto a la venida del Mesías. El pensamiento común era que el Mesías liberaría a los judíos de la dominación romana y establecería un reino político en el que el pueblo sería por fin libre.

También parece, como señala F.F. Bruce, que los discípulos «en días anteriores habían sido cautivados por la idea de que en tal orden restaurado ellos mismos tendrían posiciones de autoridad (cf. Mc. 10:35ss.; Lc. 22:24ss.)».[98] De ahí que algunas de las preguntas de los discípulos a Jesús pudieran estar motivadas por intereses personales.

La respuesta de Jesús en Hechos 1:7 fue, en efecto, «Esto no les concierne». El momento de establecer el reino estaba en manos del Padre. Jesús instruyó a los discípulos que su principal preocupación era ser sus

---

[96] Bowman, p. 53.
[97] Bruce, p. 38.
[98] Bruce, p. 38.

testigos, informando con precisión a otras personas lo que habían visto con respecto a la vida y las enseñanzas de Jesús. Debían lograr esto en el poder del Espíritu Santo.

El simple hecho de que los discípulos sostuvieran una noción falsa no excusa ni justifica las consistentes predicciones falsas de la Sociedad Watchtower. Los discípulos estaban *simplemente haciendo una pregunta* a Jesús; no estaban diciendo una revelación «Así lo dice el Señor» a nadie. Por lo tanto, no hay paralelismo legítimo entre estos discípulos y la Sociedad Watchtower.

Jonás 3:4-10; 4:1-2: Los profetas: ¿Profecías erróneas?

La enseñanza de la Watchtower. La *Traducción del Nuevo Mundo* dice en Jonás 3:4-10 y 4:1-2, «Entonces Jonás entró en la ciudad y recorrió la distancia de un día; estuvo anunciando: 'Dentro de solo 40 días, Nínive será destruida'... Cuando el Dios verdadero vio lo que hicieron y cómo habían dejado su mal camino, reconsideró su decisión de mandarles la calamidad que había anunciado, y no la mandó».

Los testigos de Jehová citan este versículo para demostrar que los profetas bíblicos a veces se equivocaban en sus predicciones. Después de todo, lo que Jonás predijo sobre la destrucción de Nínive no se cumplió. Y Jonás no fue condenado por ello. La Sociedad Watchtower, entonces, no debe ser condenada por sus errores proféticos.

La enseñanza bíblica. En respuesta a la posición de la Watchtower, usted debe señalar que Jonás *no cometió un error.* Después de todo, Jonás dijo a los ninivitas *exactamente* lo que Jehová-Dios le dijo que dijera (Jon. 3:1).

Pregunte...

- Puesto que Jonás estaba hablando las mismas palabras de Dios (Jon. 3:1), ¿cómo puede decir la Sociedad Watchtower que estaba en un error?

Al parecer, la profecía de Jonás a los ninivitas incluía una «cláusula de arrepentimiento». A la vista de cómo respondieron los ninivitas, parece claro que entendieron que el resultado final de las cosas dependía de *cómo respondieran*. Los ninivitas comprendieron que su ciudad sería derribada en cuarenta días *a menos que se arrepintieran* (Jon. 3:5-9).[99] Según la respuesta de los ninivitas a la profecía de Jonás, Dios retiró la amenaza de castigo, dejando claro que incluso Él mismo consideraba que la profecía dependía de la respuesta de los ninivitas.[100]

Esto parece estar relacionado con lo que Dios dijo en el libro de Jeremías: «En un instante hablaré contra pueblos y contra reinos, para arrancar, y derribar, y destruir. Pero si esos pueblos se convirtieren de su maldad contra la cual hablé, yo me arrepentiré del mal que había pensado hacerles» (Jer. 18:7-8). Este principio se nos ilustra claramente en el caso de Nínive. Es digno de mención que a menudo se ve a Dios mostrando misericordia donde el arrepentimiento es evidente (Éx. 32:14; 2Sam. 24:6; Am. 7:3-7).[101]

Debemos concluir, basándonos en el relato de Jonás, que Dios a veces opta por retirar un castigo cuando el pueblo en peligro de ser juzgado decide arrepentirse y los motivos de la amenaza de castigo han desaparecido. Como señala el estudioso del Antiguo Testamento Walter C. Kaiser, «que Dios *no* cambiara en tales casos iría en contra de su cualidad esencial de justicia y de su capacidad de respuesta a cualquier cambio que hubiera planeado provocar».[102]

Está claro que la profecía de Jonás no disminuye en modo alguno la culpabilidad de la Sociedad Watchtower en sus numerosas predicciones falsas—ninguna de las cuales se parecía a la profecía *condicional* del libro de Jonás.[103] Y en la medida en que el propio Jonás habló *exactamente* las palabras que Dios le dio que dijera, está claro que la Sociedad Watchtower se equivoca al decir que Jonás cometió un error. Por lo tanto, este pasaje no presta ningún apoyo a la Sociedad Watchtower.

Después de leer en voz alta Jeremías 18:7-8:

---

[99] Bruce, p. 38.
[100] Bruce, p. 38.
[101] Véase The Wycliffe Bible Commentary, eds. Charles F. Pfeiffer y Everett F. Harrison (Chicago: Moody, 1974), pp. 848-49.
[102] Walter C. Kaiser, More Hard Sayings of the Old Testament (Downers Grove: InterVarsity Press, 1992), p. 257.
[103] Bowman, p. 54.

Pregunte...

- ¿Puede usted ver que Dios mostró misericordia a los ninivitas debido a su política declarada en Jeremías 18:7-8?

- Puesto que Jonás habló sólo las palabras que Dios le dio—y puesto que Dios se retractó de su juicio contra Nínive basándose en el principio de Jeremías 18:7-8- ¿puede usted ver que es ilegítimo que la Sociedad Watchtower cite la profecía de Jonás como justificación para establecer continuamente falsas profecías?

14

ASUNTOS CONTROVERSIALES: TRANSFUSIONES DE SANGRE, CUMPLEAÑOS Y EL USO DE CRUCES

El Diablo puede citar las Escrituras para su propósito.
—William Shakespeare (1564-1616)

Este capítulo se centrará en tres de los temas más controvertidos de la teología de la Watchtower: las transfusiones de sangre, la celebración de los cumpleaños y el uso de cruces como símbolo del cristianismo. Los testigos de Jehová dan mucha importancia a estos temas en sus actividades de testificación. Por lo tanto, es importante que los cristianos conozcan lo que las Escrituras enseñan realmente sobre estas cuestiones.

Transfusiones de sangre

La Sociedad Watchtower ha enseñado durante mucho tiempo que un testigo de Jehová debe rechazar las transfusiones de sangre en todas y cada una de las circunstancias, incluso cuando los médicos dicen que la muerte es inevitable sin tal transfusión. La Sociedad Watchtower también ha exigido que los padres se aseguren de que sus hijos nunca reciban transfusiones de sangre.[1] (*Nota:* Me referiré a la más reciente autorización de la Sociedad Watchtower de ciertas fracciones de sangre más adelante en el capítulo).

Los testigos de Jehová creen que las referencias a «comer sangre» en la Biblia prohíben recibir sangre mediante transfusión. Por esta razón, muchos testigos llevan consigo desde hace tiempo una tarjeta firmada[2] en la que se indica que no deben recibir una transfusión de sangre en caso de que se encuentren inconscientes.[3] Sin embargo, los componentes sanguíneos «menores», como *la albúmina* y *las inmunoglobulinas*, están permitidos desde hace mucho tiempo, ya que se derivan del plasma (un suero que es 90% agua), que está separado de los componentes celulares de la sangre (glóbulos rojos y blancos, y plaquetas).

Los testigos de Jehová señalan que a nuestros primeros padres, Adán y Eva, se les prohibió comer del fruto del árbol del jardín del Edén. Como todo el mundo sabe, Adán y Eva desobedecieron a Dios y lo perdieron todo. Hoy en día, no se nos prohíbe comer de ningún árbol. Sin embargo, tenemos prohibido comer sangre. Por lo tanto, la verdadera cuestión es: ¿Obedeceremos a Dios, haremos lo que nos pide, o desobedeceremos a Dios como hicieron Adán y Eva, y lo perderemos todo?[4]

El telón de fondo de la posición de la Watchtower es que la sangre es sagrada. El libro *Ayuda para entender la Biblia* nos dice: «La vida es sagrada. Por lo tanto, la sangre, en la cual reside la vida de la criatura, es sagrada y no debe ser alterada. A Noé, el progenitor de todas las personas que hoy viven en la tierra, Jehová le permitió añadir carne a su dieta después del Diluvio, pero se le ordenó estrictamente no comer sangre».[5]

Puesto que Dios ordenó esta abstinencia (que, según la Watchtower, incluye las transfusiones), los seguidores de Jehová no tienen más remedio que obedecer. Los testigos de Jehová señalan que aunque una persona

---

[1] David Reed, How to Rescue Your Loved One from the Watch Tower (Grand Rapids: Baker Books, 1989), p. 20; Jehovah's Witnesses Answered Verse by Verse (Grand Rapids: Baker Books, 1992), pp. 12, 22.

[2] La tarjeta dice: «Ordeno que no se me administren transfusiones de sangre, aunque otros las consideren necesarias para preservar mi vida o mi salud. Aceptaré expansores no sanguíneos. Esto está de acuerdo con mis derechos como paciente y mis creencias como testigo de Jehová. Por la presente libero a los médicos y al hospital de cualquier daño atribuido a mi negativa. Este documento es válido incluso si estoy inconsciente, y es vinculante para mis herederos o representantes legales».

[3] Reed, Jehovah's Witnesses Answered Verse by Verse, p. 22.

[4] Reasoning from the Scriptures (Brooklyn: Watchtower Bible and Tract Society, 1989), p. 75.

[5] Aid to Bible Understanding (Brooklyn: Watchtower Bible and Tract Society, 1971), p. 243.

muera por no tener la sangre necesaria, Dios promete la resurrección.[6] En consecuencia, la Sociedad Watchtower pregunta: Si usted es una persona que está cerca de la muerte, ¿es prudente abandonar a Dios en ese momento por no obedecer lo que Él ha dicho sobre la sangre?[7] Aquellos que *realmente* confían en Jehová no tendrán ningún problema en rechazar una transfusión de sangre, porque su confianza está en la futura resurrección prometida por Jehová.

La teología de la Watchtower enseña que una visión adecuada de la sangre es fundamental para una relación correcta con Jehová. La publicación de la Watchtower *Los testigos de Jehová y la cuestión de la sangre* dice: «La cuestión de la sangre para los testigos de Jehová, por lo tanto, implica los principios más fundamentales... Está en juego su relación con su creador y con Dios».[8] En esta misma línea, la publicación *Sangre, la medicina, y la Ley de Dios* señala que una transfusión de sangre «puede tener como resultado la prolongación inmediata y muy temporal de la vida, pero eso a costa de la vida eterna para un cristiano dedicado».[9]

A los testigos de Jehová les gusta señalar que, incluso al margen de lo que enseñan las Escrituras sobre este tema, recibir una transfusión de sangre es malo para la salud. El libro *El hombre en el umbral de ser salvo de la angustia mundial* nos dice: «Sin que muchos lo sepan, el recurso generalizado a las transfusiones de sangre ha dado lugar a la propagación de enfermedades incapacitantes, mortales en muchos casos, por no hablar de las muertes causadas directamente por esta práctica médica, todavía seguida por muchos».[10]

¿Es legítima la postura de la Watchtower sobre las transfusiones de sangre? Entre los pasajes claves que los testigos de Jehová citan a favor de su punto de vista están Génesis 9:4, Levítico 7:26-27; 17:11-12, y Hechos 15:28-29. Razonemos ahora a partir de la Biblia echando un vistazo a estos pasajes.

---

[6] Reasoning from the Scriptures, p. 75.

[7] Reasoning from the Scriptures, p. 76.

[8] Jehovah's Witnesses and the Question of Blood (Brooklyn: Watchtower Bible and Tract Society, 1977), pp. 18-19.

[9] Blood, Medicine, and the Law of God (Brooklyn: Watchtower Bible and Tract Society, 1961), p. 55.

[10] Man's Salvation Out of World Distress At Hand! (Brooklyn: Watchtower Bible and Tract Society, 1975), p. 10.

Razonando a la luz de la Biblia

Génesis 9:4: ¿Están prohibidas las transfusiones de sangre?

La enseñanza de la Watchtower. La *Traducción del Nuevo Mundo* dice en Génesis 9:4, «Lo único que no deben comer es la carne con su vida, es decir, con su sangre». Este versículo, dicen los testigos de Jehová, prohíbe las transfusiones de sangre. Argumentan que una transfusión de sangre es lo mismo que comer sangre porque es muy similar a la alimentación intravenosa.[11]

La Sociedad Watchtower argumenta que si una persona está enferma y se encuentra en un hospital y no puede comer por la boca, esa persona es «alimentada» por vía intravenosa. Ellos preguntan, ¿Estaría obedeciendo el mandamiento de Dios con respecto a abstenerse de sangre la persona que se negara a participar de sangre por la boca si aceptara sangre por transfusión?[12] O, para usar una comparación, «considere a un hombre a quien el médico le dice que debe abstenerse del alcohol. ¿Sería obediente si dejara de beber alcohol pero se lo pusieran directamente en las venas?».[13]

El punto es que no hay diferencia esencial entre comer sangre y una transfusión de sangre. Por lo tanto, Génesis 9:4 no sólo prohíbe comer sangre, sino también las transfusiones de sangre.

La enseñanza bíblica. En respuesta a los testigos de Jehová, podría empezar mencionando las consecuencias a menudo trágicas de su postura. El hecho es que muchas personas han muerto como resultado de hacer caso a la prohibición de transfusiones de sangre de la Watchtower. Los antiguos testigos de Jehová Leonard y Marjorie Chretien comentan:

> [Un hombre contó] la desgarradora decisión que se vio obligado a tomar entre su religión y la vida de su hijo. Su hijo nació con una grave hernia. Había que operarlo inmediatamente para salvarle la vida, pero para ello era necesaria una transfusión de sangre. A los testigos de Jehová se les enseña que esto va contra la ley de Dios, y la pena por no obedecer esta norma [en aquel momento] era la

---

[11] Reed, Jehovah's Witnesses Answered Verse by Verse, p. 22.

[12] Reasoning from the Scriptures, p. 73.

[13] Reasoning from the Scriptures, p. 73.

expulsión de la organización y el aislamiento de todos los amigos y familiares que fueran testigos. El desconsolado padre decidió obedecer la «ley de Dios», y dos días después su bebé murió.[14]

Es trágico que cientos e incluso miles de testigos de Jehová y sus hijos hayan muerto por confiar en esta interpretación distorsionada de la Watchtower de los pasajes bíblicos sobre la «sangre». La negativa de la Watchtower a una transfusión para el bebé antes mencionado recuerda cómo los fariseos de mente dura y sin corazón condenaron y castigaron a Jesús por sanar a alguien en sábado (Lc. 6:6-11).[15]

Pregunte...

- ¿De *verdad* permitiría usted que su bebé muriera por instrucciones de la Sociedad Watchtower?

Habiendo dicho todo esto, usted querrá señalar a los testigos de Jehová que la Sociedad Watchtower tiene un historial muy malo en lo que respecta a cambiar su posición sobre cuestiones médicas. Tomemos como ejemplo las vacunas. La revista *Golden Age* [*La edad de oro*] (1931) decía que «la vacunación es una violación directa del pacto eterno que Dios hizo con Noé después del diluvio».[16] Por lo tanto, las vacunaciones fueron prohibidas por la Sociedad Watchtower durante veinte años. Sin embargo, la Sociedad Watchtower abandonó esta prohibición en la década de 1950, y desde entonces los niños de la secta han sido abiertamente vacunados.[17] El número del 22 de agosto de 1965 de la revista *¡Despertad!* incluso reconoció que las vacunaciones parecen haber causado una disminución de las enfermedades.[18] Uno debe preguntarse cómo se sintieron los padres de los niños que habían muerto como resultado de *no* haber sido vacunados cuando la Sociedad Watchtower de repente cambió de opinión.

Encontramos otro ejemplo en el cambio de postura de la Watchtower sobre los trasplantes de órganos.[19] El número del 15 de noviembre de 1967 de la revista *La Atalaya* decía que los trasplantes de órganos equivalían a

---

[14] Leonard y Marjorie Chretien, Witnesses of Jehovah (Eugene: Harvest House, 1988), p. 14.

[15] Véase Reed, Jehovah's Witnesses Answered Verse by Verse, p. 89.

[16] The Golden Age, 4 de febrero de 1931, p. 293.

[17] Reed, How to Rescue Your Loved One from the Watch Tower, p. 104.

[18] ¡Despertad!, 22 de agosto de 1965, p. 20.

[19] Véase Reed, How to Rescue Your Loved One from the Watch Tower, pp. 104-6.

canibalismo y no eran apropiados para los cristianos.[20] El número del año siguiente de la revista *¡Despertad!* estuvo de acuerdo en que todos los trasplantes de órganos son canibalismo.[21] Por lo tanto, los trasplantes de órganos estuvieron prohibidos durante unos trece años. Durante este tiempo, muchos testigos de Jehová murieron o sufrieron mucho por no haberse sometido a un trasplante de este tipo. Pero entonces la Sociedad Watchtower cambió de opinión cuando los beneficios médicos de tales trasplantes se convirtieron en un hecho probado. El número del 15 de marzo de 1980 de la revista *La Atalaya* dijo que los trasplantes de órganos *no son necesariamente* caníbales y empezó a permitirlos.[22]

A la luz de los cambios mencionados, el ex testigo de Jehová David Reed comenta: «Dado el historial de la Watchtower de prohibir las vacunas durante más de veinte años, luego dar marcha atrás, y más tarde prohibir los trasplantes de órganos durante trece años antes de volver a cambiar la interpretación, uno sólo puede preguntarse cuánto tiempo pasará hasta que la Sociedad reinterprete los versículos bíblicos que ahora utiliza para prohibir las transfusiones».[23] Reed escribió estas palabras en 1989. Más adelante en el capítulo, documentaré que efectivamente ha habido algunos cambios recientes y significativos en la política de la Sociedad Watchtower sobre la sangre.

Pregunte...

* ¿Sabía usted que la Sociedad Watchtower prohibió las vacunaciones a principios de los años 30, pero luego cambió su postura y empezó a permitirlas en los años 50?
* ¿Sabía usted que la Sociedad Watchtower prohibió los trasplantes de órganos en 1967, pero luego revirtió su posición en 1980 y comenzó a permitirlos?
* ¿Cómo cree usted que se sintieron los padres de los testigos de Jehová cuyos hijos habían muerto por no vacunarse o por no recibir un trasplante de órganos cuando la Sociedad Watchtower dio marcha atrás en sus posiciones?

---

[20] La Atalaya, 15 de noviembre de 1967, pp. 702-4.
[21] ¡Despertad!, 8 de junio de 1968, p. 21.
[22] La Atalaya, 15 de marzo de 1980, p. 31.
[23] Reed, How to Rescue Your Loved One from the Watch Tower, p. 106.

- ¿A qué cree usted que se debe la incoherencia de la Watchtower en cuestiones médicas?
- ¿Es tal incoherencia propia de un profeta de Dios, como afirma ser la Sociedad Watchtower?

Antes de seguir adelante, debemos abordar la pregunta: *¿Por qué* se dio a los israelitas la ley dietética de Génesis 9:4? Muchos eruditos relacionan la ley con los sacrificios de sangre que se convertirían en parte habitual de la vida religiosa de Israel. El erudito bíblico H.C. Leupold dice lo siguiente:

> Estas restricciones se dan en vista de las ordenanzas que más tarde regirían el uso de la sangre en los sacrificios. Esta disposición, entonces, del tiempo de Noé, prepara para el uso sacrificial de la sangre, y lo que ha de ser sagrado en sacrificio... difícilmente debe emplearse para que un hombre pueda saciar su apetito con ella.
>
> De hecho, no es exagerado señalar que, en última instancia, esta restricción se hace en vista de la santidad de la sangre de nuestro Gran Sumo Sacerdote, que es a la vez sacerdote y sacrificio.[24]

Es comprensible la necesidad de tal regulación dietética. Después de todo, algunas de las naciones paganas que rodeaban a Israel no respetaban en absoluto la sangre. Estos paganos comían sangre con regularidad. A veces lo hacían como parte de la adoración de dioses falsos; otras veces lo hacían porque pensaban que les podría dar un poder sobrenatural. En cualquier caso, la prohibición de comer sangre diferenciaba a Israel de esas naciones impías.

Pero ahora debemos preguntarnos: *¿No hay diferencia esencial entre comer sangre y recibir una transfusión de sangre?* Para responder a esta pregunta, primero debemos afirmar que los cristianos evangélicos están de acuerdo en que Génesis 9:4 y otros pasajes similares prohíben comer sangre. Ese no es el tema de debate. El debate se centra en si comer sangre es lo mismo que una transfusión de sangre. Es aquí donde los testigos de Jehová se han equivocado.

En su excelente libro *Tergiversación de la Escritura,* James Sire argumenta que el intento de la Watchtower de prohibir las transfusiones de

---

[24] H.C. Leupold, Exposition of Genesis, vol. 1 (Grand Rapids: Baker Books, 1968), p. 331.

sangre basándose en Génesis 9:4 es un claro ejemplo de distorsión sectaria de las Escrituras. De hecho, señala con razón, que «una transfusión repone el suministro de fluido esencial y vital que de otro modo se ha drenado o se ha vuelto incapaz de realizar sus tareas vitales en el cuerpo. Una transfusión de sangre ni siquiera equivale a una alimentación intravenosa, porque la sangre así administrada no funciona *como alimento*».[25] Walter Martin está de acuerdo y comenta: «Cuando uno hace una transfusión, no se trata de un sacrificio de la vida ni de comer sangre prohibida, sino de *una transferencia de vida de una persona a otra,* un don de fuerzas ofrecido con espíritu de misericordia y caridad» (énfasis añadido).[26]

El apologista Norman Geisler señala además que «aunque un médico pueda dar comida a un paciente por vía intravenosa y llamar a esto 'alimentación', simplemente no es el caso que dar sangre por vía intravenosa sea también 'alimentación'. Esto queda claro por el hecho de que la sangre no se recibe en el cuerpo como «alimento».[27] De hecho, «referirse a la administración de alimentos directamente al torrente sanguíneo como 'comer' es sólo una expresión figurada... Comer es la ingesta *literal* de alimentos de forma normal a través de la boca y en el sistema digestivo. La razón por la que las inyecciones intravenosas se denominan 'alimentación' es porque el resultado final es que, a través de la inyección intravenosa, el cuerpo recibe los nutrientes que normalmente recibiría comiendo».[28] Por lo tanto, Génesis 9:4 y otros pasajes similares no pueden ser utilizados para apoyar una prohibición de las transfusiones de sangre, ya que las transfusiones no son una forma de «comer».

Pregunte...

- Dado que la profesión médica está de acuerdo en que la sangre no se introduce en el cuerpo *como alimento para digerir,* sino que simplemente repone un fluido esencial para la vida, ¿no es evidente que una transfusión es diferente de comer?

---

[25] James W. Sire, Scripture Twisting: 20 Ways the Cults Misread the Bible (Downers Grove: InterVarsity, 1980), p. 86.
[26] Walter Martin y Norman Klann, Jehovah of the Watchtower (Minneapolis: Bethany House, 1974), p. 97.
[27] Norman Geisler y Thomas Howe, When Critics Ask (Wheaton: Victor, 1992), p. 434.
[28] Geisler y Howe, p. 434.

- ¿Ha considerado la posibilidad de que las transfusiones de sangre utilicen la sangre para el *mismo fin que Dios pretendía:* como agente vivificante en el torrente sanguíneo?[29]

Hay un último punto que merece la pena señalar. En el contexto de Génesis 9, lo que se prohíbe es comer sangre *animal*, no la transfusión de sangre humana. Como han observado Walter Martin y Norman Klann: «Este verso, tal como aparece en su contexto, no tiene la más remota relación con la sangre humana, y mucho menos con las transfusiones. En el verso anterior del mismo capítulo, Jehová le dice claramente a Noé que está hablando en referencia a los animales y *su* carne y que no debe comer *su* sangre. Dios le dijo a Noé que la carne de los animales era para alimento con una sola provisión: que *no comiera de la sangre*».[30] Por lo tanto, este verso no prohíbe la transfusión de sangre humana.

Levítico 7:26-27: «¿Aislamiento» del pueblo de Dios?

La enseñanza de la Watchtower. Levítico 7:26-27 en la *Traducción del Nuevo Mundo* dice, «No coman sangre en ninguno de los lugares donde vivan, ni de aves ni de ningún otro animal. Cualquiera que coma sangre tiene que ser eliminado de su pueblo'». Tan grave es el «crimen» de recibir transfusiones de sangre que la pena por hacerlo es la «separación» del pueblo de Dios. *Ayuda para entender la Biblia* dice que «la violación deliberada de esta ley respecto a la santidad de la sangre significaba 'cortar' *con la muerte*» (énfasis añadido).[31]

Dios, entonces, considera que comer sangre es una violación muy grave. Durante la mayor parte de su historia, la Sociedad Watchtower ha enseñado que, si un testigo de Jehová es sorprendido haciendo una transfusión, él o ella debe ser expulsado, y luego rechazado por la familia y amigos, a quienes se les prohíbe incluso saludar al infractor. En los últimos días, la Sociedad Watchtower ha modificado un poco su política. (Más sobre esto en breve).

---

[29] Erich y Jean Grieshaber, Redi-Answers on Jehovah's Witnesses Doctrine (Tyler: n.p., 1979), p. 4.

[30] Martin y Klann, p. 95.

[31] Aid to Bible Understanding, p. 244.

La enseñanza bíblica. Al igual que en la sección sobre Génesis 9:4, querrá enfatizar que está de acuerdo en que Levítico 7:26-27 prohíbe comer sangre, pero *esto no tiene nada que ver con las transfusiones de sangre.* Estas son dos cuestiones diferentes. Como dice *The New Treasury of Scripture Knowledge*, «La provisión contra comer sangre no tiene relación con la práctica médica moderna de transfusión de sangre, que no estaba en vista; y, como no tiene nada que ver con comer o digerir la sangre, no tiene ninguna conexión legítima posible con esta ley».[32]

Invite al testigo de Jehová a abrir la *Traducción del Nuevo Mundo* y a leer en voz alta Levítico 3:17: «nunca deben comer ni grasa ni sangre». A continuación:

Pregunte...

- ¿Por qué los líderes de la Watchtower prohíben las transfusiones de sangre pero permiten comer grasa?[33]

Para ser coherentes, si se condena y prohíbe una de ellas, ¿por qué no condenar y prohibir la otra? Por supuesto, su punto es simplemente mostrarle al testigo de Jehová que no está siendo consistente al interpretar la Biblia.

Usted también podría mencionar, como lo hace David Reed en su libro *How to Rescue Your Loved One from the Watchtower* [*Cómo rescatar a su ser querido de la Watchtower*], que incluso los judíos ortodoxos «a quienes se les dio originalmente la ley y que drenan meticulosamente la sangre de su comida kosher, aceptarán una transfusión».[34] Ciertamente, los judíos ortodoxos no consideran que comer sangre sea lo mismo que una transfusión de sangre.

Pregunte...

- ¿Sabía usted que los judíos ortodoxos, a quienes se dio originalmente esta ley y que drenan meticulosamente la sangre de sus alimentos kosher, aceptan sin embargo una transfusión de sangre?

---

[32] The New Treasury of Scripture Knowledge, ed. Jerome H. Smith (Nashville: Thomas Nelson, 1992), p. 131.
[33] Reed, Jehovah's Witnesses Answered Verse by Verse, p. 30.
[34] Reed, How to Rescue Your Loved One from the Watch Tower, pp. 105-6.

Un punto más: Al igual que Génesis 9:4, Levítico 7:26-27 prohíbe específicamente comer y digerir sangre *animal* («de ave» o «de animal»). No tiene nada que ver con la transfusión de sangre humana.[35]

Levítico 17:11-12: El alma de la carne está en la sangre

La enseñanza de la Watchtower. La *Traducción del Nuevo Mundo* dice en Levítico 17:11-12, «Porque *la vida de la carne está en la sangre*, y yo mismo la he puesto sobre el altar para ustedes, para hacer expiación por ustedes, porque la sangre es lo que hace expiación mediante la vida que hay en ella. Por eso les he dicho a los israelitas: *'Ninguno de ustedes debe comer sangre*, y ningún extranjero que vive entre ustedes debe comer sangre'»* (énfasis añadido).

Puesto que «la vida de la carne está en la sangre» (Lev. 17:11), la sangre humana está íntimamente implicada en los procesos vitales del hombre. Y puesto que Dios es la fuente de la vida, debemos seguir sus claras instrucciones en cuanto al uso que se le puede dar a la sangre.[36] Uno de los usos *prohibidos* de la sangre es comerla. Esta prohibición restringe directamente el «comer» sangre por alimentación intravenosa, dice la Sociedad Watchtower.

La enseñanza bíblica. Norman Geisler señala que la prohibición de Levítico 17:11-12 está dirigida principalmente «a comer carne que todavía latía con vida porque la sangre vital todavía estaba en ella. Pero, la transfusión de sangre no es comer carne con la sangre vital todavía en ella».[37] Por lo tanto, no hay violación del Levítico 17 cuando uno participa en una transfusión de sangre.

Nuevamente, usted debe enfatizar que está de acuerdo en que Levítico 17:11-12 prohíbe comer sangre. La sangre no es algo que se profana comiéndola por la boca, como hacían los antiguos paganos.

Sin embargo, comer sangre no es lo mismo que una transfusión de sangre. Como ya se ha dicho, en una transfusión no se trata a la sangre con falta de respeto, sino con reverencia. Una transfusión simplemente repone

---

[35] Martin y Klann, p. 96.
[36] Reasoning from the Scriptures, p. 70.
[37] Geisler y Howe, p. 434.

el suministro de un fluido esencial para la vida que de alguna manera ha sido drenado o se ha vuelto incapaz de realizar sus tareas vitales en el cuerpo. En este contexto, la sangre no funciona como alimento.[38] Una transfusión representa simplemente *una transferencia de vida de una persona a otra,* y como tal es un acto de misericordia (énfasis añadido).[39]

Para enfatizar su punto de vista, puede hacerle al testigo de Jehová las siguientes preguntas (similares a las enumeradas anteriormente):

Pregunte...

- ¿Conoce usted a un solo médico que diga que una transfusión de sangre equivale a comer sangre por la boca? (La respuesta será casi seguro que no. Si dice que sí, pídale prueba documental).
- ¿Conoce usted a un solo judío ortodoxo que diga que una transfusión de sangre equivale a comer sangre por la boca? (La respuesta será casi seguro que no)
- A pesar de la evidencia médica y teológica en contrario sobre la cuestión de las transfusiones de sangre, ¿seguirá usted confiando en la Watchtower—una organización que una vez prohibió las vacunas y los trasplantes de órganos y luego revirtió sus enseñanzas sobre ambos?
- *¿Realmente* permitiría usted que su bebé muriera debido a esta prohibición de la Watchtower?

Por último, como ocurría con Génesis 9:4 y Levítico 7:26-27, la prohibición de Levítico 17:11-12 tiene que ver con comer sangre *animal*, no con una transfusión de sangre humana. Los testigos de Jehová suelen citar los versículos 11 y 12 de Levítico 17, pero omiten mencionar el versículo 13, que limita el contexto a la sangre animal: «Y cualquier varón de los hijos de Israel, o de los extranjeros que moran entre ellos, que cazare *animal* o *ave* que sea de comer, derramará su sangre y la cubrirá con tierra» (énfasis añadido).

---

[38] Sire, p. 86.
[39] Martin y Klann, p. 97.

Hechos 15:28-29: El Concilio de Jerusalén

La enseñanza de la Watchtower. Hechos 15:28-29 en la *Traducción del Nuevo Mundo* dice, «Porque al espíritu santo y a nosotros nos ha parecido bien no imponerles más cargas aparte de estas cosas necesarias: que se *abstengan* de cosas sacrificadas a ídolos, *de sangre*, de animales estrangulados y de inmoralidad sexual. Si evitan por completo estas cosas, les irá bien. ¡Que tengan buena salud!» (énfasis añadido).

La Sociedad Watchtower dice que el Concilio de Jerusalén en tiempos del Nuevo Testamento (Hch. 15) *reafirmó* la enseñanza del Antiguo Testamento con respecto a abstenerse de sangre. Por lo tanto, la prohibición de comer sangre (que incluye la alimentación intravenosa) no sólo se basa en un mandamiento del Antiguo Testamento. También es una enseñanza del Nuevo Testamento.[40]

Observe también que en este versículo «el comer sangre se equipara con la idolatría y la fornicación, cosas en las que no deberíamos querer involucrarnos».[41] Por lo tanto, participar en una transfusión de sangre es tan malo como participar en la idolatría o la fornicación.

La enseñanza bíblica. Comience enfatizando que usted no está en desacuerdo con que Hechos 15:28-29 aborde el tema de *comer* sangre. Esa no es una cuestión de disputa. En Hechos 15:28-29, encontramos que el Concilio de Jerusalén se había reunido para considerar si los gentiles convertidos debían ser obligados a adoptar los requisitos ceremoniales del judaísmo para convertirse en cristianos. Como presidente del concilio, Santiago dijo que no quería cargar a los gentiles conversos con nada más allá de unos pocos puntos simples—uno de los cuales era no *comer* sangre.

Pero, *una vez más*, comer sangre no es lo mismo que una transfusión. Debes seguir insistiendo en este punto: Una transfusión no trata a la sangre con irrespeto, sino con reverencia. Y una transfusión repone el suministro de un fluido esencial para la vida que de alguna manera ha sido drenado o se ha vuelto incapaz de realizar sus tareas vitales en el cuerpo. En ese contexto, la sangre no funciona como alimento.[42] Una transfusión utiliza la

---

[40] M'Clintock y Strong, Cyclopedia; citado en Aid to Bible Understanding, p. 245.

[41] Reasoning from the Scriptures, p. 71.

[42] Sire, p. 86.

sangre para el mismo propósito que Dios pretendía: como un agente que da vida en el torrente sanguíneo.[43]

Abra su Biblia y lea en voz alta al testigo de Jehová Hechos 15, versículos 9 y 11 (tenga en cuenta que este es el mismo capítulo de Hechos que contiene la instrucción sobre la sangre): « Él no hizo ninguna diferencia entre ellos y nosotros, sino que purificó sus corazones *con la fe*... nosotros tenemos fe en que somos salvados *mediante la bondad inmerecida del Señor Jesús*, igual que ellos» (énfasis añadido).

Pregunte...

- ¿No queda claro en Hechos 15 que la salvación se basa enteramente en la «*fe*» por «la *gracia* del Señor Jesús»?

- ¿Se menciona la salvación por *algún otro medio* en alguna parte de Hechos 15? (La respuesta será no).

- ¿Se menciona la *pérdida* de la salvación en alguna parte de Hechos 15? (La respuesta será no).

- ¿Hay una declaración explícita en *alguna parte* de Hechos 15 de que la salvación de uno depende de cómo uno responda a la instrucción de la «sangre»? (La respuesta es no).[44]

Un último punto que vale la pena señalar es que la razón por la que se pidió a los cristianos gentiles que se abstuvieran de sangre—según Hechos 15, versículos 20 y 29—era para evitar ofender a los cristianos judíos (que se horrorizaban ante la idea de beber sangre). Por lo tanto, la instrucción de abstenerse de sangre implicaba una cuestión de hermandad entre los cristianos judíos y gentiles.[45] El teólogo George Ladd comenta: «Este decreto fue emitido a las iglesias gentiles no como un medio de salvación sino como una base para el compañerismo, en el espíritu de la exhortación de Pablo de que aquellos que eran fuertes en la fe deberían estar dispuestos a restringir su libertad en tales asuntos antes que ofender al hermano más débil (Rom. 14:1ss; 1Co. 8:1ss)».[46]

---

[43] Grieshaber, p. 4.

[44] Estas preguntas vienen de Edmond Charles Gruss, Apostles of Denial (Phillipsburg: Presbyterian and Reformed, 1983), p. 188.

[45] Gruss, p. 188.

[46] George Ladd, «Acts», en The Wycliffe Bible Commentary, eds. Charles F. Pfeiffer y Everett F. Harrison (Chicago: Moody, 1974), p. 1152.

Claramente, debemos concluir que la Watchtower está en un grave error al tratar de apoyar una prohibición de las transfusiones de sangre a partir de los pasajes bíblicos mencionados. Los testigos de Jehová están leyendo algo en estos textos que simplemente no está allí.

¡Otro cambio más en la Watchtower!

En mayo de 2000 surgieron muchas especulaciones entre los testigos de Jehová cuando recibieron sus ejemplares de la revista *La Atalaya* del 15 de junio de 2000, en la que se reafirmaba su postura de que a los testigos de Jehová no se les permitía recibir transfusiones de sangre completa, pero también se afirmaba: «Cuando se trata de fracciones de cualquiera de los componentes primarios, cada cristiano, después de una meditación cuidadosa y en oración, debe decidir en conciencia por sí mismo».[47] Las especulaciones se intensificaron a las pocas semanas, cuando un rumor se disparó por todo el ciberespacio de Internet en el sentido de que el Consejo de Administración de la Sociedad Watchtower había decidido que los testigos de Jehová que aceptaran una transfusión de sangre ya no estarían sujetos a una investigación por parte de comités judiciales. Las especulaciones se dispararon cuando apareció un artículo en el *London Times* titulado «U-Turn on Blood Transfusions By Witnesses» [«Una giro sobre las transfusiones de sangre por parte de los testigos»]. El artículo afirmaba que ahora se permitía a los testigos de Jehová recibir transfusiones de sangre. Se citaba a una autoridad de la Watchtower en el Reino Unido:

Es muy posible que alguien que esté bajo presión en una mesa de operaciones acepte una transfusión de sangre porque no quiere morir. Al día siguiente podría decir que se arrepentía de esa decisión. Entonces le daríamos consuelo y ayuda espiritual. No se tomaría ninguna medida contra ellos. Lo veríamos como un momento de debilidad.[48]

---

[47] «Questions From Readers», La Atalaya, 15 de junio de 2000, p. 31.
[48] http://www.the-times.co.uk/news/pages/tim/2000/06/14/timfgnusa01004.html.

A raíz del artículo, la Sociedad Watchtower se sintió obligada a emitir un comunicado de prensa para aclarar su postura oficial:

La Biblia ordena a los cristianos «abstenerse... de sangre» (Hch. 15:20). Los testigos de Jehová creen que no es posible abstenerse de sangre y aceptar transfusiones. Han rechazado sistemáticamente la sangre de donantes desde que las transfusiones empezaron a utilizarse ampliamente en la práctica médica civil en la década de 1940, y esta postura bíblica no ha cambiado. Si uno de los testigos de Jehová recibe una transfusión en contra de su voluntad, los testigos de Jehová no creen que esto constituya un pecado por parte del individuo. Esta posición no ha cambiado.

Si uno de los testigos de Jehová acepta una transfusión de sangre en un momento de debilidad y luego se arrepiente de la acción, esto se consideraría un asunto grave. Se ofrecería asistencia espiritual para ayudar a la persona a recuperar la fortaleza espiritual. Esta postura no ha cambiado.

Si un miembro bautizado de la fe acepta voluntariamente y sin arrepentimiento transfusiones de sangre, indica con sus propios actos que ya no desea ser testigo de Jehová. El individuo revoca su pertenencia por sus propias acciones, en lugar de que la congregación inicie este paso. Esto representa un cambio de procedimiento instituido en abril de 2000 en el que la congregación ya no inicia la acción para revocar la membresía en tales casos. Sin embargo, el resultado final es el mismo: la persona deja de ser considerada testigo de Jehová porque ya no acepta ni sigue un principio fundamental de la fe. Sin embargo, si más tarde cambia de opinión, puede volver a ser aceptado como testigo de Jehová. Esta postura no ha cambiado.

Aquellos que han seguido la historia de la Watchtower reconocen que la afirmación, «Esta posición no ha cambiado», es notablemente inexacta. La realidad es que la Sociedad Watchtower, en el 15 de junio 2000, en la revista *La Atalaya*, por primera vez decidió permitir que los componentes de la sangre que antes estaban prohibidos, y antes habrían dado lugar a la expulsión. Además, antes de esta nueva política, la pena por recibir una transfusión de sangre era bastante severa e implacable: «El receptor de una transfusión de sangre debe ser *apartado* del pueblo de Dios mediante la excomunión o la expulsión» (énfasis añadido).[49] Hoy en día, sin embargo, ¡la restauración y la reconciliación son fáciles!

A continuación, se exponen tres preocupaciones en relación con el cambio de política de la Watchtower sobre la sangre:

- Aunque los testigos de Jehová no quieran oírlo, todo esto representa otro cambio importante en la doctrina de la Watchtower, tan significativo como sus cambios con respecto a las vacunas y los trasplantes de órganos. ¿Es esto coherente con un «profeta» de Dios?

- Hay algunas pruebas de que la Sociedad Watchtower ha comunicado a las sucursales locales que una persona que ha recibido una transfusión no debe servir en un «cargo privilegiado», como ser anciano. ¿Significa esto que quienes reciben una transfusión son considerados a partir de entonces «ciudadanos de segunda clase»?

- ¿Es posible que la prohibición *continuada* de las transfusiones de sangre completa por parte de la Sociedad Watchtower esté arraigada—a pesar de su aceptación de las fracciones de sangre—no tanto en la *teología* como en las *finanzas?* En otras palabras, ¿está la Watchtower más motivada por la posibilidad de demandas judiciales (relacionadas con muertes de testigos en el pasado por falta de una transfusión de sangre) que por la obediencia a la Palabra de Jehová? Uno no puede evitar preguntárselo.

Los cumpleaños

La Sociedad Watchtower prohíbe terminantemente a los testigos de Jehová celebrar los cumpleaños. Incluso el acto de enviar una tarjeta de cumpleaños a alguien puede acarrear la disciplina de un comité judicial. El

---

[49] La Atalaya, 15 de enero de 1961, p. 64.

castigo para quien desobedece a la Sociedad Watchtower en este asunto es la expulsión.[50]

Los testigos de Jehová sostienen que sólo hay dos referencias en la Biblia a las celebraciones de cumpleaños: Génesis 40:20-22 y Mateo 14:6-10. En ambos casos se presentan bajo una luz extremadamente negativa. De hecho, ambos individuos eran paganos y en ambos se dio muerte a alguien el día de su cumpleaños.[51] En vista de ello, está claro que ningún seguidor de Jehová debería celebrar jamás un cumpleaños. Hacerlo sería una afrenta contra Dios mismo.

Génesis 40:20-22: ¿Son malos los cumpleaños?

La enseñanza de la Watchtower. La *Traducción del Nuevo Mundo* dice en Génesis 40:20-22, «Pues bien, tres días después fue el cumpleaños del faraón. Así que el faraón hizo un banquete para todos sus siervos y mandó traer al jefe de los coperos y al jefe de los panaderos delante de sus siervos. Entonces devolvió a su puesto al jefe de los coperos, quien siguió dándole la copa al faraón. Pero hizo que colgaran al jefe de los panaderos, tal como José les había dicho cuando interpretó sus sueños».

Los testigos de Jehová sostienen que todo lo que aparece en la Biblia tiene una razón de ser (2Ti. 3:16-17), incluso los relatos históricos de lo que hacían determinados paganos en tiempos bíblicos. Y como la Biblia presenta los cumpleaños de forma desfavorable, los cristianos deberían evitarlos.[52] Para ser más específicos, los testigos de Jehová argumentan que como el terriblemente malvado faraón celebraba un cumpleaños y mandaba matar a alguien ese día, entonces los cumpleaños son malvados y los cristianos no deben celebrarlos.

La enseñanza bíblica. La posición de la Watchtower es un caso claro de lo que se conoce como «culpa por asociación». Concluir que un día en particular es malo simplemente porque algo malo sucedió en ese día es una lógica verdaderamente retorcida. Génesis 40:20-22 prueba solamente que el *faraón* era malvado, no *los cumpleaños*. Ciertamente no hay ningún

[50] Reed, Jehovah's Witnesses Answered Verse by Verse, pp. 11, 25.
[51] Reed, Jehovah's Witnesses Answered Verse by Verse, p. 25.
[52] Reasoning from the Scriptures, pp. 68-69.

mandato bíblico de celebrar los cumpleaños, pero no hay ninguna justificación para decir que hacerlo está *prohibido* en Génesis 40:20-22 ni en ningún otro pasaje.

Pregunte...

* Basándonos en una lectura de Génesis 40:20-22, ¿no es más lógico concluir que es el *faraón* el que es retratado como malvado y no *los cumpleaños?* (Si el testigo de Jehová discute sobre esto, pregunte:)
* ¿Cuál es el origen del mal en Génesis 40:20-22: el faraón o el cumpleaños?

También puede señalar al testigo de Jehová que el faraón también hizo algo bueno el día de su cumpleaños: declaró la amnistía para el jefe de los coperos (Gén. 40:21). ¡Dejó libre al hombre!

Pregunte...

* Dado que el hecho de que el faraón hiciera *algo malo* en su cumpleaños significa que los cumpleaños son malos (según la Watchtower), entonces ¿el hecho de que el faraón hiciera *algo bueno* en su cumpleaños significa que también hay algo bueno en los cumpleaños (usando la misma lógica)?

En cuanto a los cumpleaños en general en tiempos bíblicos, el erudito bíblico E.M. Blaiklock señala lo siguiente:

La celebración del aniversario del nacimiento es una práctica universal, ya que en la mayoría de las ciudades humanas los privilegios y responsabilidades de la vida están ligados al cumplimiento de una determinada edad. Los documentos del censo que se conservan, que datan del año 48 d.C., registran cuidadosamente la edad de las personas descritas e inscritas de acuerdo con los requisitos de la ley romana del censo, que implica la observancia y el recuento de los cumpleaños. El nacimiento de un niño, según Levítico 12, ocasionaba ciertos ritos y ceremonias. Bajo la ley mosaica, la edad era la principal calificación para la autoridad y el cargo. Los padres del ciego declararon que su hijo era «mayor de edad» (Jn. 9:21). La visita de Jesús al Templo a los doce años de edad tenía su importancia. A pesar de la ausencia de material documental, parece obvio que los cumpleaños tenían su importancia anual.[53]

Desde una perspectiva histórica, parecería que los cumpleaños mencionados anteriormente no tenían ningún tipo de maldad asociada a ellos.

Pregunte...

• En vista de la evidencia histórica de que muchos cumpleaños antiguos no tenían ningún mal asociado con ellos, ¿realmente cree usted que es legítimo formular una política legalista e inflexible sobre los cumpleaños basada en dos individuos aislados que ejecutaron a personas no sólo en sus cumpleaños sino en una variedad de otras ocasiones a lo largo del año?[54]

Varios eruditos—entre ellos Albert Barnes, Adam Clarke, Robert Jamieson, Andrew Fausset y David Brown—creen que los cumpleaños se mencionan en Job 1:4:[55] «Sus hijos [de Job] solían ir a celebrar una fiesta en casa de cada uno *en su día,* y enviaban e invitaban a sus tres hermanas a comer y beber con ellos» (énfasis añadido). Adam Clarke señala: «Es probable que aquí se trate de una fiesta de cumpleaños. Cuando llegaba el cumpleaños de uno, invitaba a sus hermanos y hermanas a festejar con él; y cada uno observaba la misma costumbre».[56] (Nótese que Job parece definir el «día» como un cumpleaños en Job 3:1-3)

Nada en el texto indica que los hijos de Job hicieran cosas malas en este día. Su celebración no se describe como una práctica pagana. Y ciertamente Job no condena la celebración. Si la observancia de los cumpleaños fuera ofensiva para Jehová, entonces Job—un hombre «íntegro y recto que temía

---

[53] E.M. Blaiklock, Zondervan Pictorial Encyclopedia of the Bible, ed. Merrill Tenney, vol. 1 (Grand Rapids: Zondervan, 1978), p. 616.

[54] Reed, Jehovah's Witnesses Answered Verse by Verse, p. 25.

[55] Véase Evangelical Commentary on the Bible, ed. Walter A. Elwell (Grand Rapids: Baker Books, 1989), p. 342; Albert Barnes, «Job», Barnes Notes on the Old and New Testaments (Grand Rapids: Baker Books, 1977), p. 95; véase también Reed, Jehovah's Witnesses Answered Verse by Verse, p. 26.

[56] Adam Clarke, The Bethany Parallel Commentary—Old Testament (Minneapolis: Bethany House, 1980), p. 870.

a Dios y evitaba todo lo malo» (Job 1:1)—habría impedido esta práctica entre sus propios hijos.

Mateo 14:6-10: ¿Son malos los cumpleaños?

La enseñanza de la Watchtower. La *Traducción del Nuevo Mundo* dice en Mateo 14:6-10, «Pero cuando se celebraba el cumpleaños de Herodes, la hija de Herodías danzó en medio, y agradó a Herodes, por lo cual este le prometió con juramento darle todo lo que pidiese. Ella, instruida primero por su madre, dijo: Dame aquí en un plato la cabeza de Juan el Bautista. Entonces el rey se entristeció; pero a causa del juramento, y de los que estaban con él a la mesa, mandó que se la diesen, y ordenó decapitar a Juan en la cárcel».

Los testigos de Jehová dicen que como Herodes el pagano celebraba un cumpleaños e hizo ejecutar a Juan el Bautista ese día, entonces los cristianos no deben celebrar cumpleaños. Participar en la celebración de un cumpleaños es asociarse a una práctica pagana y violar la santa ley de Dios. Por lo tanto, ningún verdadero seguidor de Jehová celebrará un cumpleaños.

La enseñanza bíblica. Una vez más, la posición de la Watchtower es un claro caso de culpabilidad por asociación. Concluir que un día en particular es malvado simplemente porque algo malo sucedió en ese día es una lógica torcida. Mateo 14:6-10 prueba solamente que *Herodes* era malvado, no los cumpleaños.

Pregunte...

- Basándonos en una lectura de Mateo 14:6-10, ¿no es más lógico concluir que es *Herodes* quien es retratado como malvado y no *los cumpleaños?* (Si el testigo de Jehová discute sobre esto, pregunte:)
- ¿Cuál es la fuente del mal en Mateo 14:6-10—Herodes o el cumpleaños?

Llevar cruces

Los testigos de Jehová enseñan que la cruz es un símbolo religioso pagano. Los cristianos adoptaron este símbolo, nos dicen, cuando Satanás tomó el control de la autoridad eclesiástica en los primeros siglos del cristianismo.[57] Los testigos dicen que Cristo no fue crucificado en una cruz, sino en una estaca. Por lo tanto, llevar cruces hoy en día deshonra a Dios y constituye una forma de idolatría.

Es interesante notar que la literatura temprana de la Watchtower indicaba una creencia de que Cristo fue crucificado en una *cruz,* no en una *estaca,* como la Sociedad Watchtower enseña actualmente.[58] Las ilustraciones en la literatura temprana de la Watchtower incluso contenían imágenes de Jesús crucificado en una cruz. Ejemplos de esto incluyen una publicación de la Watchtower de 1927 titulada *Creation* [*Creación*];[59] el número 398 del 1 de enero de 1891 de la revista de *La Atalaya;*[60] un libro de la Watchtower de 1921 titulado *The Harp of God* [*El Arpa de Dios*]; y el libro de la Watchtower *Reconciliation* [*Reconciliación*] (1928).

Sin embargo, según el *Anuario de los testigos de Jehová de 1975,* «a partir de su número del 15 de octubre de 1931, *La Atalaya* dejó de llevar el símbolo de la cruz y la corona en su portada».[61] El número del 8 de noviembre de 1972 de la revista *¡Despertad!* decía que «ninguna evidencia bíblica insinúa siquiera que Jesús murió en una cruz».[62] En esta misma línea, el número del 15 de agosto de 1987 de la revista La *Atalaya* decía que «lo más probable es que Jesús fuera ejecutado en una estaca vertical sin ningún travesaño».[63]

Pregunte...

- ¿Cambia de posición un verdadero profeta de Dios—que habla con la voz de Jehová—en temas tan importantes como este?

---

[57] Reed, Jehovah's Witnesses Answered Verse by Verse, p. 13.

[58] David Reed, Index of Watchtower Errors (Grand Rapids: Baker Books, 1990), p. 73.

[59] Creation (Brooklyn: Watchtower Bible and Tract Society, 1927), pp. 161, 265, 336.

[60] La Atalaya, 1 de enero de 1891, p. 1277.

[61] Anuario de los Testigos de Jehová de 1975 (Brooklyn: Watchtower Bible and Tract Society, 1975), p. 148.

[62] ¡Despertad!, 8 de noviembre de 1972, p. 28.

[63] La Atalaya, 15 de agosto de 1987, p. 29.

Los testigos de Jehová argumentan que la palabra griega para cruz (*stauros*) en griego clásico significaba «estaca erguida» o «pálida». La Sociedad Watchtower cita el *The Imperial Bible Dictionary* [*Diccionario Bíblico Imperial*]: «La palabra griega para cruz [*stauros*], significaba propiamente una estaca, un poste erguido, o un pedazo de palo, en el cual cualquier cosa podía ser colgada, o que podía ser usado para empalar [cercar] un pedazo de tierra».[64] Por lo tanto, la opinión tradicionalmente aceptada de que Cristo murió en una cruz es incorrecta.

Además de todo esto, dice la Sociedad Watchtower, la cruz era en realidad un símbolo utilizado en tiempos precristianos y por pueblos no cristianos. De hecho, la cruz era un símbolo del falso dios Tamuz en la antigua Caldea. Por lo tanto, si una persona aprecia una cruz, está honrando un símbolo que se opone al Dios verdadero.[65]

¿Cruz o estaca?

Los testigos de Jehová no señalan que la palabra griega *stauros* se utilizaba para referirse a una *variedad* de estructuras de madera utilizadas para la ejecución en la antigüedad. Robert Bowman señala que *stauros* como estructura de madera podía representar formas «similares a la letra griega *tau* (T) y al signo más (+), utilizando ocasionalmente dos vigas diagonales (X), así como (con poca frecuencia) una simple estaca vertical sin travesaño». Sostener que sólo se utilizaba la última forma mencionada, o que *stauros* sólo podía usarse para esa forma, es contradictorio con los hechos históricos reales y se basa en una restricción ingenua del término a su significado original o más simple».[66]

Pregunte...

- ¿Es usted consciente de que la evidencia histórica afirma que la palabra griega para cruz (*stauros*) se utilizaba para representar una variedad de estructuras de madera utilizadas para la ejecución,

---

[64] The Imperial Bible Dictionary, 1:376; citado en Reasoning from the Scriptures, p. 89.
[65] Reasoning from the Scriptures, p. 92.
[66] Robert M. Bowman, Understanding Jehovah's Witnesses (Grand Rapids: Baker Books, 1991), p. 143.

incluyendo las que se asemejan a las formas de una T, +, X, y una estaca vertical?

Para apoyar el punto de vista de que Jesús murió en una cruz y no en una estaca, quizá quiera pedirle al testigo de Jehová que abra la *Traducción del Nuevo Mundo* y lea en voz alta Juan 20:25: «Por eso los otros discípulos le decían: '¡Hemos visto al Señor!'. Pero él les dijo: 'A menos que vea en sus manos la marca *de los clavos* y meta mi dedo en la herida *de los clavos* y meta mi mano en su costado, jamás lo voy a creer'» (énfasis añadido).

Si Jesús no fue crucificado en una cruz, sino en una estaca, entonces *sólo se habría utilizado un clavo para sus manos*. Nuestro texto, sin embargo, dice que se usaron *clavos* (uno para cada mano).[67] Este versículo es extremadamente problemático para la posición de la Watchtower— especialmente porque su propia *Traducción del Nuevo Mundo* tiene la forma plural de «clavos».[68]

Pregunte...

- Si Jesús fue crucificado en una estaca vertical, ¿por qué dice Juan 20:25 que se utilizaron «clavos» en lugar de un solo «clavo»?

También es significativo que cuando Jesús habló de la *futura* crucifixión de Pedro, indicó que los brazos de Pedro estarían *extendidos,* no sobre su cabeza.[69] Jesús le dijo a Pedro: «De cierto, de cierto te digo: Cuando eras más joven, te ceñías, e ibas a donde querías; mas cuando ya seas viejo, *extenderás tus manos*, y te ceñirá otro, y te llevará a donde no quieras. Esto dijo, dando a entender con qué muerte había de glorificar a Dios» (Jn. 21:18-19, énfasis añadido).

Después de leer en voz alta Juan 21:18-19:

Pregunte...

- A la vista de Juan 21:18-19, ¿cómo puede ser una crucifixión en una estaca vertical si las manos están *extendidas?*

---

[67] Bowman, p. 144.
[68] Véase The New Treasury of Scripture Knowledge, p. 1224.
[69] Grieshaber, p. 8.

De acuerdo con una crucifixión en cruz en lugar de una crucifixión en estaca, leemos en Mateo 27:37, «Y pusieron *sobre su cabeza* su causa escrita: ESTE ES JESÚS, EL REY DE LOS JUDÍOS» (énfasis añadido). Si Jesús hubiera muerto en una estaca, el texto habría dicho: «Sobre sus manos». Pero claramente dice, «Sobre su cabeza», mostrando que se refiere a una crucifixión.

Pregunte...

- Si Jesús fue crucificado en una estaca vertical, entonces ¿por qué Mateo 27:37 dice que se puso una señal sobre la cabeza de Jesús en lugar de sus manos?

¿Es idolátrico llevar una cruz?

Los testigos de Jehová afirman que llevar una cruz es una forma de idolatría. Entre los pasajes que citan en apoyo de esta opinión están 1Corintios 10:14 y Éxodo 20:4-5. Examinemos ahora estos pasajes y razonemos a la luz de la Biblia.

Razonando a la luz de la Biblia

1Corintios 10:14: ¿Llevar una cruz es idolatría?

La enseñanza de la Watchtower. La *Traducción del Nuevo Mundo* dice en 1Corintios 10:14, «Por eso, amados míos, huyan de la idolatría». En vista de versículos como este, la Sociedad Watchtower ha tomado una posición en contra de todas las formas de idolatría. Esta misma postura contra la idolatría era claramente evidente en la iglesia primitiva, se nos dice.[70]

Basándose en 1Corintios 10:14, los testigos de Jehová dicen que llevar una cruz y venerarla como símbolo del cristianismo está prohibido porque implica una forma de idolatría.[71] Además, como se pregunta en *Razonamiento a partir de las Escrituras*, «¿Cómo se sentiría usted si uno de sus amigos más queridos fuera ejecutado sobre la base de acusaciones falsas? ¿Haría usted una réplica del instrumento de ejecución? ¿Lo

---

[70] Let God Be True (Brooklyn: Watchtower Bible and Tract Society, 1946), p. 148.
[71] Reasoning from the Scriptures, p. 92.

veneraría, o preferiría rehuirlo?».[72] La idea de venerar una cruz es absurda, dicen los testigos de Jehová.

La enseñanza bíblica. Puede empezar diciendo que está de acuerdo con lo que dice 1Corintios 10:14 (en su contexto), es decir, que debemos huir de la idolatría. Subraye que usted cree que cualquiera que piense que una cruz es intrínsecamente santa o que debe ser adorada o venerada en sí misma está claramente equivocado. Pero el mero hecho de *llevar* una cruz no significa que esa persona esté practicando la idolatría.

Hay que tener en cuenta que los cristianos de Corinto (a quienes el apóstol Pablo escribió 1Corintios) salieron de una cultura pagana en la que la idolatría era bastante rampante. De hecho, había templos de Apolo, Asclepio, Deméter, Afrodita y otros dioses paganos que eran objeto de culto en Corinto. Por lo tanto, Pablo estaba abordando un problema muy real cuando escribió estas palabras a los corintios.[73]

En el contexto, está claro que 1Corintios 10:14 no tiene ninguna aplicación en lo que se refiere a llevar cruces. De hecho, cuando los cristianos llevan cruces, no las veneran ni les rinden culto. Más bien, simplemente están reconociendo externamente que creen en el *mensaje* de la cruz: *que Cristo murió por nuestros pecados y resucitó de entre los muertos.* La cruz, por tanto, representa una actitud de adoración hacia Cristo. Por esta razón, llevar una cruz no puede considerarse una forma de idolatría.

Después de explicar esto a los testigos de Jehová:

Pregunte...

* ¿Es usted consciente de que cuando un cristiano lleva una cruz, no es porque la adore o la venere, sino porque la cruz representa una actitud de adoración hacia Cristo y su obra de salvación?

Éxodo 20:4-5: ¿Llevar una cruz es idolatría?

La enseñanza de la Watchtower. La *Traducción del Nuevo Mundo* dice en Éxodo 20:4-5, «No te hagas ninguna imagen tallada ni nada que tenga

---

[72] Reasoning from the Scriptures, p. 92.
[73] F.W. Grosheide, 1 Corinthians, New International Bible Commentary (Grand Rapids: Eerdmans, 1980), p. 230.

forma de algo que esté arriba en los cielos, abajo en la tierra o debajo en las aguas. No te inclines ante esas cosas ni te dejes convencer para servirles, porque yo, Jehová tu Dios, soy un Dios que exige devoción exclusiva. Hago que el castigo por el error de los padres recaiga sobre los hijos, sobre la tercera generación y sobre la cuarta generación de los que me odian».

Los testigos de Jehová dicen que Éxodo 20:4-5 prohíbe llevar una cruz porque es una «imagen tallada» y como tal es idólatra. *Sea Dios hallado veraz* nos dice: «Esta ley [respecto a las imágenes talladas] les fue dada entre nubes y densas tinieblas y fuego, sin que se pudiera discernir forma alguna, con el propósito mismo de impedir el intento del hombre de hacer una imagen del Dios Todopoderoso. Así su ley se convirtió en un cerco, una salvaguarda para un pueblo constantemente rodeado de naciones adoradoras de imágenes».[74] Por lo tanto, se nos dice, sería una locura utilizar la cruz como símbolo del cristianismo.

La enseñanza bíblica. En su contexto, Éxodo 20:4-5 trata de los ídolos ante los que uno se postra y adora.[75] En este pasaje, sólo se prohíben los objetos de culto o veneración.[76] Puesto que los cristianos no se inclinan ante las cruces ni las adoran, Éxodo 20:4-5 no se aplica a ellos. Más bien, exaltan a Cristo y sólo a Él, y por esa razón llevan una cruz, que señala su actitud de adoración hacia Él.

Pregunte...

- ¿Cree usted que los cristianos se inclinan y adoran la cruz? Si la respuesta es afirmativa, aclárela y pregunte:
- Puesto que los cristianos no se inclinan ni adoran las cruces, la prohibición de Éxodo 20:4-5 no es relevante para el debate sobre las cruces, ¿verdad?

La razón por la que Éxodo 20:4-5 dice: «No te harás imagen, ni ninguna semejanza de *lo que esté arriba en el cielo, ni abajo en la tierra, ni en las aguas debajo de la tierra*» (énfasis añadido) es obvia por la experiencia previa de Israel en Egipto. De hecho, los egipcios hicieron ídolos e

---

[74] Let God Be True, p. 146.
[75] Geisler y Howe, p. 84.
[76] Evangelical Commentary on the Bible, p. 54.

imágenes de dioses falsos que se parecían a cosas que *había en el cielo* (seres angelicales), *en la tierra* (seres humanos y animales) y en *el mar* (criaturas marinas). El Dios verdadero dijo que no debían hacerse tales imágenes. Uno debe ser fiel sólo a Él. No se tolerarán deidades competidoras. Es evidente que, en su contexto, tal prohibición no tiene nada que ver con el símbolo de la cruz, ya que no se le rinde culto ni se le venera.

15

TESTIFICANDO A LOS TESTIGOS DE JEHOVÁ

El cristianismo no es devoción a la obra,
ni a una causa, sino devoción a una persona,
el Señor Jesucristo.
—Oswald Chambers (1874-1917)

En este libro se ha dedicado mucho espacio a responder a los argumentos de la Watchtower a partir de pasajes específicos de la Biblia. En este capítulo final—que será corto y directo—mi intención no es ofrecer más argumentos contra la teología de la Watchtower, sino más bien ofrecer algunos consejos breves sobre cómo testificar a los testigos.

Los consejos que se dan en las páginas siguientes proceden en gran medida de los muchos años de experiencia en los que el difunto Dr. Walter Martin evangelizó de manera personal a los testigos de Jehová y otros sectarios. He adoptado sus métodos como propios y reconozco mi deuda con él por estas ideas.

Durante uno de sus muchos discursos, el Dr. Martin señaló que hay algunas cosas que *se deben* y *no se deben* hacer cuando se trata de testificar a sectarios como los testigos de Jehová.[1] Sin entrar en detalles, veremos cuatro cosas que *se deben* hacer y dos que no se deben hacer.

---

[1] Walter Martin, «The Do's and Don'ts of Witnessing to Cultists», Christian Research Newsletter, enero-febrero de 1992, p. 4.

Identificarse con el testigo de Jehová. Martin dice que usted debe «convencerle de que le considera una persona de bien, básicamente honesta y que no está tratando de mentirle. Los *sectarios* son *personas* antes que *sectarios*. Tienen familia, tienen hijos, tienen necesidades, tienen frustraciones y miedos, y son hermanos y hermanas *en Adán,* aunque no *en Cristo»*.[2]

Hechos 17:26 nos dice que todas las personas de la tierra—en virtud de haber sido creadas por Dios—son «descendientes» de Dios. En Adán, pues, todos compartimos una herencia común. En vista de ello, sugiere Martin, hablemos a los testigos de Jehová desde la «perspectiva de la familia *de Adán»*, con la esperanza, en oración, de llevarlos a la «perspectiva *de la familia de Dios»*.[3]

Recuerdo que un domingo por la tarde un testigo de Jehová—un hombre de unos 35 años—pasó por mi casa con su hijo, que parecía tener unos cinco años. Varias veces durante nuestra conversación, el niño miró a su padre con admiración. Parecía muy orgulloso de estar con su padre, yendo de puerta en puerta hablando de Dios a la gente. Me lo imaginaba pensando, ¡Cuando crezca voy a *ser como mi padre*!

Esta experiencia, más que ninguna otra, me demostró que los testigos de Jehová son *personas* antes que *sectarios*. Tienen familia, hijos y todas las demás cosas que son importantes para los seres humanos normales. Este hombre amaba a su hijo, y su hijo le amaba a él. Sin duda, este hombre intentaba dar un buen ejemplo a su hijo. En mi mente, puedo ver a este niño corriendo hacia su madre al volver a casa, contándole todo acerca de cómo él y papá habían hablado con muchas personas acerca de Dios. Esta familia de testigos de Jehová, aunque espiritualmente engañada, era una familia humana normal en todos los aspectos.

Si puede tener presente que los testigos de Jehová son personas antes que sectarios—personas con familias e hijos, personas que necesitan amistad, amor y seguridad, personas que ríen y lloran, etc.—le resultará mucho más fácil tratarlos con respeto y amabilidad cuando aparezcan en su puerta.

Trabaje con perseverancia con el testigo de Jehová. Nunca se dé por vencido a menos que él o ella se niegue rotundamente a seguir en contacto.

---

[2] Martin, p. 2.
[3] Martin, p. 2.

Martin dice: «Hasta que halen el enchufe, tenemos que aguantar, recordando que el Señor bendice su Palabra».[4] Recuerde lo que dijo Dios en el libro de Isaías: «así será mi palabra que sale de mi boca; no volverá a mí vacía, sino que hará lo que yo quiero, y será prosperada en aquello para que la envié». (Is. 55:11).

Usted debes tener en cuenta que la Palabra de Dios es viva y poderosa. Hebreos 4:12 dice: «Porque la palabra de Dios es *viva* y *eficaz*, y más cortante que toda espada de dos filos; y penetra hasta partir el alma y el espíritu, las coyunturas y los tuétanos, y discierne los pensamientos y las intenciones del corazón» (énfasis añadido). Si persiste en compartir sus ideas sobre la Palabra de Dios con el testigo de Jehová, puede estar seguro de que Dios está actuando en su corazón.

Sé por experiencia personal que no siempre es fácil trabajar con perseverancia con los testigos de Jehová. A veces, cuando un testigo con el que ha hablado anteriormente le hace otra visita *de improviso,* la tentación es decirle: «No es un buen momento; ¿le importaría volver más tarde?». (Esto es especialmente cierto si usted ya ha planeado su día). El problema es que él o ella puede no volver más tarde—y por lo tanto, esta puede ser su última oportunidad de compartir la verdad con él o ella. Reconozcámoslo: Si usted va a ser un testigo efectivo de Cristo, necesitas *esperar* interrupciones inesperadas.

Hacer todo lo posible por responder a las preguntas de los testigos de Jehová. Debemos compartir no sólo *lo que* creemos como cristianos, sino también *por qué* lo creemos. Debemos ser capaces de dar razones convincentes de nuestras creencias. El Dr. Martin señala que «los apóstoles eran apologistas [defensores de la fe] además de evangelistas. No sólo proclamaban a Cristo, sino que, cuando se les cuestionaba, tenían buenas y sólidas razones para su fe».[5] Por eso el apóstol Pedro hablaba de la necesidad de «estad siempre preparados para presentar defensa con mansedumbre y reverencia ante todo el que os demande razón de la esperanza que hay en vosotros» (1Pe. 3:15).

¿Qué hacer si no se sabe la respuesta a una pregunta planteada por un testigo de Jehová? Martin recomienda decir: «Buena pregunta. No estoy seguro de cuál es la respuesta, pero voy a investigar un poco esta semana

---

[4] Martin, p. 2.
[5] Martin, p. 2.

para encontrarla. ¿Podemos hablar de ello la próxima vez que pase por aquí?». El testigo de Jehová accederá invariablemente a su petición. Con un poco de suerte, el libro que tiene en sus manos le proporcionará las respuestas que necesita.

Evitar que el testigo de Jehová quede humillado. Cuando comparta el Evangelio con un testigo de Jehová y defienda su postura basándose en las Escrituras, llegará un momento en su encuentro en el que sabrá que ha «ganado la discusión». Cuando llegue ese momento, debe hacer todo lo posible por dejar que brille el amor y evitar que se sienta humillado. De lo contrario, el testigo se resentirá con usted, aunque sepa en su corazón que tiene razón.

El Dr. Martin sugiere manejarlo de esta manera: «Cuando usted perciba que la persona ha perdido la discusión y está desinflada, ese es el momento de ser magnánimo y decirle, con cariño: Me doy cuenta de que podemos ponernos muy tensos en estos temas si nos lo permitimos. Olvidemos que usted es testigo de Jehová y yo soy bautista (o lo que usted sea). Y pensemos que somos dos personas que lo que más desean es conocer toda la verdad y todo el consejo de Dios. ¿*Verdad?* Aún no he conocido a ningún sectario que no responda: 'De acuerdo'».[6] Desarmar la situación de esta manera ayudará a bajar las barreras defensivas y creará una atmósfera en la que el testigo de Jehová realmente *querrá* escuchar lo que usted tiene que decir.

David Reed, antiguo testigo de Jehová, da fe de la importancia de adoptar un enfoque cariñoso y que desarma. Señala que «la empatía es muy importante a la hora de llegar a estas personas engañadas. Piense en cómo le gustaría que le hablaran si usted fuera el engañado. Luego recuerde que 'todas las cosas que queráis que los hombres hagan con vosotros, así también haced vosotros con ellos; porque esto es la ley y los profetas' (Mt. 7:12)».[7]

No acercarse a un testigo de Jehová con una actitud hostil. Martin dice que «una actitud hostil es la comunicación del sentimiento de que usted está menospreciando al sectario porque usted tiene algo que él o ella no

---

[6] Martin, p. 2.
[7] David Reed, Jehovah's Witnesses Answered Verse by Verse (Grand Rapids: Baker Books, 1992), pp. 115-16.

tiene. Una actitud así los alejará tan rápido como cualquier cosa que pueda usted pueda imaginar».[8]

Para los cristianos que se han preparado a fondo aprendiendo respuestas bíblicas contundentes a los errores de la Watchtower (como las contenidas en este libro), la tentación puede ser hablar intelectualmente mal del testigo de Jehová en lugar de conversar con él o ella. No permita que esto ocurra. Manténgase en guardia y haga todo lo posible, con la ayuda de Dios, para permanecer humilde durante su encuentro de testimonio. Tenga cuidado con el orgullo espiritual; ¡es mortal!

No perder la paciencia, por muy pesado que le parezca el testigo de Jehová. Este es un punto extremadamente importante. El Dr. Martin aconseja: «Recuerde lo pesados que éramos usted y yo, hasta que el Señor consiguió abrirnos paso». Como los sectarios están atados con las cadenas de la esclavitud al pecado, hay que tener paciencia. Y ser paciente significa estar dispuesto a repasar algo diez veces si es necesario, creyendo que el Señor bendecirá sus esfuerzos».[9]

Si pierde la paciencia y le levanta la voz al testigo de Jehová, lo más probable es que este no vuelva a ir a su casa. Sería lamentable. Después de todo, pueden ser necesarias múltiples exposiciones a la verdad antes de que el testigo de Jehová llegue a ver que la Sociedad Watchtower le ha llevado por mal camino. Usted necesita mantener un ambiente de testimonio tal que el testigo se sienta libre de pasar por su casa sin temer un asalto verbal.

Puedo atestiguar personalmente que lo que se *debe* y *no se debe* hacer le ayudará a compartir el Evangelio con los testigos de Jehová. Pero por importantes que sean, no debe olvidar el papel central del Espíritu Santo en el evangelismo eficaz, con los testigos de Jehová y con todos los demás. Después de todo, es *Él* quien toca sus almas; es *Él* quien los convence de pecado, justicia y juicio (Jn. 16:8). Y nosotros nos convertimos *en sus manos* en instrumentos eficaces para uso del Maestro (véase 1Co. 6:19; 12:11; Ef. 5:18).[10]

Recuerde que sólo Dios puede levantar el velo de oscuridad que la teología de la Watchtower ha echado sobre los corazones de cada testigo de Jehová. Por lo tanto, su éxito en llevar a un testigo de Jehová a Cristo

---

[8] Martin, p. 4.
[9] Martin, p. 4.
[10] Martin, p. 4.

depende en gran medida de la obra de Dios Espíritu Santo en la vida de esa persona. Por esta razón, asegúrese de orar fervientemente para que el Espíritu Santo intervenga en todos sus encuentros de testificación (1Co. 7:5; Fil. 4:6; 1Ts. 5:17).

Concluyo con una invitación: Si puedo ayudarles en su labor de testimonio de Cristo, no duden en ponerse en contacto conmigo:

Reasoning from the Scriptures Ministries

www.ronrhodes.org

ronrhodes@hey.com

BIBLIOGRAFÍA

1. Críticas a los testigos de Jehová

Ankerberg, John, y Weldon, John. *The Facts on Jehovah's Witnesses.* Eugene: Harvest House, 1988.

Bodine, Jerry y Marian. *Witnessing to the Witnesses.* Irvine: n.p., n.d.

Bowman, Robert M. *Jehovah's Witnesses, Jesus Christ, and the Gospel of John.* Grand Rapids: Baker Books, 1989.

Bowman, Robert M. *Understanding Jehovah's Witnesses.* Grand Rapids: Baker Books, 1991.

Bowman, Robert M. *Why You Should Believe in the Trinity.* Grand Rapids: Baker Books, 1989.

Chretien, Leonard y Marjorie. *Witnesses of Jehovah.* Eugene: Harvest House, 1988.

Countess, Robert H. *The Jehovah's Witnesses' New Testament.* Phillipsburg: Presbyterian and Reformed, 1982.

Expositor's Bible Commentary. Ed. Frank E. Gaebelein. Grand Rapids: Zondervan, 1978.

Franz, Raymond. *Crisis of Conscience.* Atlanta: Commentary Press, 1984.

Geisler, Norman, y Rhodes, Ron. *Correcting the Cults.* Grand Rapids: Baker Books, 2004.

Grieshaber, Erich y Jean. *Exposé of Jehovah's Witnesses.* Tyler: Jean Books, 1982.

Grieshaber, Erich y Jean. *Redi-Answers on Jehovah's Witnesses Doctrine.* Tyler: Jean Books, 1979.

Gross, Edmond. *We Left Jehovah's Witnesses.* Nutley: Presbyterian and Reformed, 1974.

Hoekema, Anthony A. *The Four Major Cults.* Grand Rapids: Eerdmans, 1978.

MacGregor, Lorri. *Coping with the Cults.* Eugene: Harvest House, 1992.

MacGregor, Lorri. *What You Need to Know About Jehovah's Witnesses.* Eugene: Harvest House, 1992.

Magnani, Duane. *The Watchtower Files.* Minneapolis: Bethany House, 1985.

Martin, Walter, y Klann, Norman. *Jehovah of the Watchtower.* Minneapolis: Bethany House, 1974.

Martin, Walter. *The Kingdom of the Cults.* Minneapolis: Bethany House, 1982.

Reed, David. *How to Rescue Your Loved One from the Watch Tower.* Grand Rapids: Baker Books, 1989.

Reed, David. *Index of Watchtower Errors.* Grand Rapids: Baker Books, 1990.

Reed, David. *Jehovah's Witnesses Answered Verse by Verse.* Grand Rapids: Baker Books, 1992.

Rhodes, Ron. *Find It Quick Handbook on Cults and New Religions.* Eugene: Harvest House, 2005.

Rhodes, Ron. *Jehovah's Witnesses: What You Need to Know.* Eugene: Harvest House, 1997.

Rhodes, Ron. *The 10 Most Important Things You Can Say to a Jehovah's Witness.* Eugene: Harvest House, 2001.

Rhodes, Ron. *The Challenge of the Cults and New Religions.* Grand Rapids: Zondervan, 2001.

Sire, James W. *Scripture Twisting: 20 Ways the Cults Misread the Bible.* Downers Grove: InterVarsity, 1980.

Thomas, F.W. *Masters of Deception.* Grand Rapids: Baker Books, 1983.

Tucker, Ruth. *Another Gospel.* Grand Rapids: Zondervan, 1989.

Weathers, Paul G. "Answering the Arguments of Jehovah's Witnesses Against the Trinity," en *Contend for the Faith.* Ed. Eric Pement. Chicago: EMNR, 1992.

2. Publicaciones principales de la Watchtower

Aid to Bible Understanding. Brooklyn: Watchtower Bible and Tract Society, 1971.

Blood, Medicine and the Law of God. Brooklyn: Watchtower Bible and Tract Society, 1961.

Creation. Brooklyn: Watchtower Bible and Tract Society, 1927.

God's Kingdom of a Thousand Years Has Approached. Brooklyn: Watchtower Bible and Tract Society, 1973.

The Greatest Man Who Ever Lived. Brooklyn: Watchtower Bible and Tract Society, 1991.

The Harp of God. Brooklyn: Watchtower Bible and Tract Society, 1921.

Holy Spirit—The Force Behind the Coming New Order! Brooklyn: Watchtower Bible and Tract Society, 1976.

Is This Life All There Is? Brooklyn: Watchtower Bible and Tract Society, 1974.

The Kingdom Is At Hand. Brooklyn: Watchtower Bible and Tract Society, 1944.

Let God Be True. Brooklyn: Watchtower Bible and Tract Society, 1946.

Let Your Name Be Sanctified. Brooklyn: Watchtower Bible and Tract Society, 1961.

Life Everlasting—In Freedom of the Sons of God. Brooklyn: Watchtower Bible and Tract Society, 1966.

Light, vols. 1-2. Brooklyn: Watchtower Bible and Tract Society, 1930.

Make Sure of All Things. Brooklyn: Watchtower Bible and Tract Society, 1953.

Man's Salvation Out of World Distress At Hand! Brooklyn: Watchtower Bible and Tract Society, 1975.

Millions Now Living Will Never Die. Brooklyn: Watchtower Bible and Tract Society, 1920.

New World Translation. Brooklyn: Watchtower Bible and Tract Society, 1981.

1975 Yearbook of Jehovah's Witnesses. Brooklyn: Watchtower Bible and Tract Society, 1975.

Paradise Restored to Mankind—By Theocracy. Brooklyn: Watchtower Bible and Tract Society, 1972.

Prophecy. Brooklyn: Watchtower Bible and Tract Society, 1929.

Qualified to Be Ministers. Brooklyn: Watchtower Bible and Tract Society, 1955.

Reasoning from the Scriptures. Brooklyn: Watchtower Bible and Tract Society, 1989.

Reconciliation. Brooklyn: Watchtower Bible and Tract Society, 1928.

Should You Believe in the Trinity? Brooklyn: Watchtower Bible and Tract Society, 1989.

Studies in the Scriptures, vols. 1-7. Brooklyn: Watchtower Bible and Tract Society, 18861917.

Theocratic Aid to Kingdom Publishers. Brooklyn: Watchtower Bible and Tract Society, 1945.

Things in Which It Is Impossible for God to Lie. Brooklyn: Watchtower Bible and Tract Society, 1965.

The Truth That Leads to Eternal Life. Brooklyn: Watchtower Bible and Tract Society, 1968.

You Can Live Forever in Paradise on Earth. Brooklyn: Watchtower Bible and Tract Society, 1982.

Your Will Be Done on Earth. Brooklyn: Watchtower Bible and Tract Society, 1958.

3. Libros sobre Jesucristo

Ankerberg, John; Weldon, John; y Kaiser, Walter C. *The Case for Jesus the Messiah.* Chattanooga: The John Ankerberg Evangelistic Association, 1989.

Buell, Jon A., y Hyder, O. Quentin. *Jesus: God, Ghost or Guru?* Grand Rapids: Zondervan, 1978.

Erickson, Millard J. *The Word Became Flesh: A Contemporary Incarnational Christology.* Grand Rapids: Baker Books, 1991.

Geisler, Norman. *To Understand the Bible Look for Jesus.* Grand Rapids: Baker Books, 1979.

Gromacki, Robert G. *The Virgin Birth: Doctrine of Deity.* Grand Rapids: Baker Books, 1984.

MacArthur, John. *The Superiority of Christ.* Chicago: Moody, 1986.

Machen, J. Gresham. *The Virgin Birth of Christ.* New York: Harper, 1930.

McDowell, Josh, y Larson, Bart. *Jesus: A Biblical Defense of His Deity.* San Bernardino: Here's Life, 1983.

Pentecost, J. Dwight. *The Words and Works of Jesus Christ.* Grand Rapids: Zondervan, 1982.

Reymond, Robert L. *Jesus Divine Messiah: The New Testament Witness.* Phillipsburg: Presbyterian and Reformed, 1990.

Reymond, Robert L. *Jesus Divine Messiah: The Old Testament Witness.* Scotland, Great Britain: Christian Focus, 1990.

Rhodes, Ron. *Christ Before the Manger: The Life and Times of the Preincarnate Christ.* Grand Rapids: Baker Books, 1992.

Shephard, J.W. *The Christ of the Gospels.* Grand Rapids: Eerdmans, 1975.

Walvoord, John F. *Jesus Christ Our Lord.* Chicago: Moody, 1980.

Warfield, Benjamin B. *The Lord of Glory.* Grand Rapids: Baker Books, 1974.

Warfield, Benjamin B. *The Person and Work of Christ.* Philadelphia: Presbyterian and Reformed, 1950.

Wells, David F. *The Person of Christ.* Westchester: Crossway, 1984.

4. Libros sobre teología general

Basic Christian Doctrines. Ed. Carl F. Henry. Grand Rapids: Baker Books, 1983.

Berkhof, Louis. *Manual of Christian Doctrine.* Grand Rapids: Eerdmans, 1983.

Berkhof, Louis. *Systematic Theology.* Grand Rapids: Eerdmans, 1982.

Buswell, James Oliver. *A Systematic Theology of the Christian Religion.* Grand Rapids: Zondervan, 1979.

Calvin, John. *Institutes of the Christian Religion.* Ed. John T. McNeill, Trans. Ford Lewis Battles. Philadelphia: Westminster, 1960.

Chafer, Lewis Sperry. *Systematic Theology.* Wheaton: Victor, 1988.

Enns, Paul. *The Moody Handbook of Theology.* Chicago: Moody, 1989.

Erickson, Millard J. *Christian Theology.* Grand Rapids: Baker Books, 1987.

Geisler, Norman, and Rhodes, Ron. *Conviction without Compromise.* Eugene: Harvest House, 2008.

Hodge, Charles. *Systematic Theology* (Edición resumida). Ed. Edward N. Gross. Grand Rapids: Baker Books, 1988.

Lightner, Robert P. *Evangelical Theology.* Grand Rapids: Baker Books, 1986.

Lightner, Robert P. *The God of the Bible.* Grand Rapids: Baker Books, 1978.

Lightner, Robert P. *The Savior and the Scriptures.* Grand Rapids: Baker Books, 1966.

Packer, J.I. *Knowing God.* Downers Grove: InterVarsity, 1979.

Ryrie, Charles C. *Basic Theology.* Wheaton: Victor, 1986.

Ryrie, Charles C. *The Holy Spirit.* Chicago: Moody, 1965.

Thiessen, Henry Clarence. *Lectures in Systematic Theology.* Grand Rapids: Eerdmans, 1981.

Vos, Geerhardus. *Biblical Theology: Old and New Testaments.* Grand Rapids: Eerdmans, 1985.

Walvoord, John F. *The Holy Spirit.* Grand Rapids: Zondervan, 1958.

Warfield, Benjamin B. *Biblical and Theological Studies.* Phillipsburg: Presbyterian and Reformed, 1968.

White, James. *The Forgotten Trinity.* Minneapolis: Bethany House, 2004.

5. Comentarios

Barnes, Albert. *Barnes Notes on the Old and New Testaments.* Grand Rapids: Baker Books, 1977.

The Bible Knowledge Commentary: Old Testament. Eds. John F. Walvoord and Roy B. Zuck. Wheaton: Victor, 1985.

Bruce, F.F. *The Book of Acts.* Grand Rapids: Eerdmans, 1986.

Bruce, F.F. *The Epistle to the Hebrews.* Grand Rapids: Eerdmans, 1979.

Bruce, F.F. *The Gospel of John.* Grand Rapids: Eerdmans, 1984.

Cole, R. Alan. *Exodus: An Introduction and Commentary.* Downers Grove: InterVarsity, 1973.

Eadie, John. *A Commentary on the Greek Text of the Epistle of Paul to the Colossians.* Grand Rapids: Baker Books, 1979.

English, E. Schuyler. *Studies in the Epistle to the Hebrews.* Neptune: Loizeaux Brothers, 1976.

Evangelical Commentary on the Bible. Ed. Walter A. Elwell. Grand Rapids: Baker Books, 1989.

Expositor's Bible Commentary. Ed. Frank E. Gaebelein. Grand Rapids: Zondervan, 1978.

Gaebelein. Arno C. *The Gospel of Matthew.* Neptune: Loizeaux Brothers, 1977.

Hendriksen, William. *Exposition of the Gospel According to John.* Grand Rapids: Baker Books, 1976.

Henry, Matthew. *Commentary on the Whole Bible.* Grand Rapids: Zondervan, 1974.

International Bible Commentary. Ed. F.F. Bruce. Grand Rapids: Zondervan, 1979.

Jamieson, Robert; Fausset, A.R.; and Brown, David. *A Commentary— Critical, Experimental, and Practical—on the Old and New Testaments.* Grand Rapids: Eerdmans, 1973.

Keil, C.F., and Delitzsch, Franz. *Biblical Commentary on the Old Testament.* Grand Rapids: Eerdmans, 1954.

Kidner, Derek. *Genesis: An Introduction and Commentary.* Downers Grove: InterVarsity, 1967.

Lenski, R.C.H. *1 Corinthians.* Minneapolis: Augsburg, 1961.

Lenski, R.C.H. *1 Peter.* Minneapolis: Augsburg, 1961.

Lenski, R.C.H. *Hebrews.* Minneapolis: Augsburg, 1961.

Lenski, R.C.H. *The Interpretation of St. John's Gospel.* Minneapolis: Augsburg, 1961.

Leupold, H.C. *Exposition of Genesis.* Vol. 1. Grand Rapids: Baker Books, 1968.

Lightfoot, J.B. *St. Paul's Epistles to the Colossians and to Philemon.* Grand Rapids: Zondervan, 1979.

MacArthur, John. *Hebrews.* Chicago: Moody, 1983.

Morris, Leon. *The First Epistle of Paul to the Corinthians.* Tyndale New Testament Commentaries. Grand Rapids: Eerdmans, 1976.

Morris, Leon. *The Gospel According to John.* Grand Rapids: Eerdmans, 1971.

Morris, Leon. *The Gospel According to St. Luke.* Grand Rapids: Eerdmans, 1983.

Moule, H.C.G. *Studies in Colossians & Philemon.* Grand Rapids: Kregel, 1977.

Newell, William R. *Hebrews: Verse By Verse.* Chicago: Moody, 1947.

Pink, Arthur W. *Exposition of the Gospel of John.* Swengel: Bible Truth Depot, 1945.

Robertson, A.T. *Word Pictures.* Nashville: Broadman, 1930.

Shedd, William G.T. *Romans.* New York: Scribner, 1879.

Toussaint. Stanley D. *Behold the King: A Study of Matthew.* Portland: Multnomah, 1980.

Vincent, Marvin R. *Word Studies in the New Testament.* Grand Rapids: Eerdmans, 1973.

Walvoord, John F. *Daniel: The Key to Prophetic Revelation.* Chicago: Moody, 1981.

Walvoord, John F. *The Revelation of Jesus Christ.* Chicago: Moody, 1980.

Westcott, Brooke Foss. *The Epistle to the Hebrews.* Grand Rapids: Eerdmans, 1974.

Wuest, Kenneth S. *Wuest's Word Studies.* Grand Rapids: Eerdmans, 1953.

Wycliffe Bible Commentary. Eds. Charles E. Pfeiffer and Everett E. Harrison. Chicago: Moody, 1974.

6. Obras de referencia

Archer, Gleason. *Encyclopedia of Bible Difficulties.* Grand Rapids: Zondervan, 1982.

Arndt, William y Gingrich, Wilbur. *A Greek-English Lexicon of the New Testament and Other Early Christian Literature.* Chicago: University of Chicago, 1957.

Brown, Francis; Driver, S.R.; y Briggs, Charles A. *A Hebrew and English Lexicon of the Old Testament.* Oxford: Clarendon, 1980.

Draper's Book of Quotations for the Christian World. Grand Rapids: Baker Books, 1992.

Geisler, Norman, and Howe, Thomas. *When Critics Ask.* Wheaton: Victor, 1992.

New Bible Dictionary. Ed. J.D. Douglas. Wheaton: Tyndale House, 1982.

New International Dictionary of New Testament Theology. Ed. Colin Brown. Grand Rapids: Zondervan, 1979.

The New Treasury of Scripture Knowledge. Ed. Jerome H. Smith. Nashville: Thomas Nelson, 1992.

Thayer, J.H. *A Greek-English Lexicon of the New Testament.* Grand Rapids: Zondervan, 1963.

Theological Wordbook of the Old Testament. Ed. R. Laird Harris, vol. 2. Chicago: Moody, 1981.

Vine's Expository Dictionary of Biblical Words. Eds. W.E. Vine, Merrill F. Unger, y William White. Nashville: Thomas Nelson, 1985.

Zodhiates, Spiros. *The Complete Word Study Dictionary.* Chattanooga: AMG, 1992.

Zondervan Pictorial Encyclopedia of the Bible. Ed. Merrill C. Tenney. Grand Rapids: Zondervan, 1978.

Made in United States
Orlando, FL
17 November 2024